BESTSELLER

Douglas Preston y **Lincoln Child** son coautores de ocho novelas, todas publicadas por esta editorial: *El ídolo perdido* (en la cual se basó la película *The Relic*), *Nivel 5*, *El relicario*, *El pozo de la muerte*, *La ciudad sagrada*, *Más allá del hielo*, *Los asesinatos de Manhattan* y *Naturaleza muerta*. Todas estas novelas se han convertido en *best sellers* internacionales. Douglas Preston ha trabajado en el Museo Norteamericano de Historia Natural y en la Universidad de Princeton. También ha escrito numerosos artículos para *The New Yorker* sobre temas científicos. Lincoln Child ha sido editor de varias antologías de cuentos de fantasmas y de terror y analista de sistemas.

Preston y Child invitan a sus lectores a visitar su web y ponerse en contacto con ellos: www.prestonchild.com

Biblioteca

DOUGLAS PRESTON y LINCOLN CHILD

Más allá del hielo

Traducción de
Jofre Homedes Beutnagel

DeBOLS!LLO

Este libro es una obra de ficción. Nombres, personajes, lugares e incidentes son fruto de la imaginación de los autores, o se usan de manera ficticia. Cualquier semejanza con hechos, localizaciones o personas reales, vivas o muertas, es pura coincidencia. Los autores tienen especial interés en subrayar que los personajes chilenos de esta novela son enteramente ficticios, y que de ningún modo pretenden ser representativos de la población chilena o la marina de dicho país.

Título original: *The Ice Limit*
Diseño de la portada: Departamento de diseño de Random House Mondadori
Foto de la portada: © Chris Cheadle/Image Bank

Tercera edición en este formato: febrero, 2005

© 2000, Splendide Mendax, Inc. y Lincoln Child
Publicado por acuerdo con Warner Books, Inc., Nueva York
Reservados todos los derechos
© 2002, Random House Mondadori, S. A.
Travessera de Gràcia, 47-49. 08021 Barcelona
© 2002, Jofre Homedes Beutnagel, por la traducción

Printed in Spain – Impreso en España

ISBN: 84-9759-721-4 (vol. 361/6)
Depósito legal: B. 7.574 - 2005

Fotocomposición: Lozano Faisano, S. L. (L'Hospitalet)

Impreso en Litografia Rosés, S. A.
Progrés, 54-60. Gavà (Barcelona)

P 897214

Lincoln Child dedica este libro a su hija Veronica

*Douglas Preston se lo dedica a Walter Winings Nelson,
artista, fotógrafo y compañero de aventuras*

AGRADECIMIENTOS

Los autores desean dar las gracias al comandante Stephen Littfin, oficial de marina en la reserva, por su inestimable ayuda en los aspectos navales de esta obra. Gracias, asimismo, y de todo corazón, a Michael Tusiani, que ha corregido diversos elementos del manuscrito relacionados con los buques cisterna. También queremos dar las gracias a Tim Tiernan por sus consejos sobre metalurgia y física, al buscador de meteoritos Charlie Snell, de Santa Fe, por informarnos sobre las técnicas de su profesión, y a Frank Ryle, ingeniero jefe de estructuras de Ove Arup & Partners. Asimismo, deseamos hacer constar nuestra gratitud a varios ingenieros —cuyos nombres no citamos—, que nos confiaron datos técnicos sobre el traslado de objetos extremadamente pesados.

Lincoln Child quiere agradecerle a su esposa Luchie prácticamente todo, a Sonny Baula las traducciones al tagalo, a Greg Tear ser un crítico tan entusiasta y competente, y a su hija Veronica la felicidad de cada día. Gracias, también, a Denis Kelly, Malou Baula y Juanito *Boyet* Nepomuceno por una larga lista de atenciones. Y gracias de todo corazón a Liz Ciner, Roger Lasley y en particular a George Soule, mi consejero (¡ojalá me hubiera dado cuenta!) durante el último cuarto de siglo. Que eternamente luzca el sol sobre Carleton College y su progenie, y que les infunda calor y luz.

Douglas Preston expresa su agradecimiento a su mujer Christine y sus tres hijos, Selena, Aletheia e Isaac, por su amor y apoyo.

También deseamos expresar nuestra gratitud a Betsy Mitchell y Jaime Levine, de Warner Books, a Eric Simonoff, de Janklow & Nesbit Associates, y a Matthew Snyder, de CAA.

74°
72°
70°
53°
54°
55°
C H I
T
D
I
E S T R E
ISLA RIESCO
Punta Arenas
PENÍNSULA DE BRUNSWICK
ISLA DE SANTA INÉS
ISLA CLARENCE
OCÉANO PACÍFICO SUR
120°
90°
60°
Océano Pacífico
Tierra del Fuego
Malvinas
Océano Atlántico
150°
OESTE
180°
ESTE
30°
0°
40°
50°
60°
70°
Georgias
Mar de Wedell
LÍMITE DEL HIELO
CÍRCULO ANTÁRTICO
Barquisa
ANTÁRTIDA
LÍMITE DE HIELO
Nueva Zelanda
Tasmania

Isla Desolación
16 de enero, 13.15 h

El valle que no tenía nombre corría entre montañas desoladas, un largo cauce de suelo verde y gris cubierto de musgo, líquenes y hierba. Mediaba el mes de enero; era, pues, pleno verano, y las grietas de las rocas se habían colmado de flores de pinguicula. Al este brillaba con un azul infinito la pared de un campo de nieve. El aire era un zumbido de mosquitos negros; las brumas estivales que envolvían isla Desolación se habían abierto un poco, dejando que manchara el suelo un pálido sol.

Por los bancos de grava de la isla avanzaba un hombre lentamente, haciendo altos. No seguía ningún camino, puesto que no los había en las islas del cabo de Hornos, el extremo más meridional.

Nestor Masangkay llevaba ropa impermeable muy gastada, y un sucio gorro de piel. En su barba, escasamente poblada, se había pegado tal cantidad de sal marina que, separada en varias puntas, se agitaba como una lengua de serpiente, mientras Nestor conducía por el llano a dos mulas muy cargadas. Sus comentarios críticos sobre la parentela, manera de ser y derecho a la existencia de tales bestias no tenían auditorio. De vez en cuando se añadía a las quejas el impacto de una vara de acero. Nestor nunca había tenido simpatía a las mulas, y menos alquiladas.

La voz de Masangkay, sin embargo, no era de enfado, ni había saña en sus golpes de vara. Empezaba a embargarle el entusiasmo. Miraba el paisaje y nada le pasaba desapercibido: el escarpe basáltico columnar a menos de dos kilómetros, el pitón de lava de doble cuello, el afloramiento de roca sedimentaria, tan poco habitual… La geología prometía. Y mucho.

Dio unos pasos por el valle con la vista en el suelo. De vez en cuando salía disparada una bota con tachuelas, desprendiendo una piedra. Entonces se agitaba la barba, Masangkay gruñía, y volvía a ponerse en movimiento la singular reata.

En el centro del valle, la bota de Masangkay desalojó una piedra, pero esta vez se agachó a recogerla y la examinó: era blanda, y al frotarla con el pulgar desprendía gránulos que se quedaban pegados a la piel. Se la acercó a la cara y estudió la arenilla con una lupa de joyero.

Reconoció el espécimen (material friable y verdoso con inclusiones blancas) como un mineral llamado coesita. Por aquella roca fea y sin valor había viajado casi veinte mil kilómetros.

Entonces sonrió de oreja a oreja y, abriendo los brazos al cielo, soltó tal grito de júbilo que resonó por las montañas, rebotando múltiples veces hasta apagarse.

Después calló y examinó el relieve a fin de evaluar la disposición aluvial de la erosión. Volvió a detenerse en el afloramiento sedimentario, de capas nítidamente delineadas. A continuación su mirada volvió al suelo. Condujo otros diez metros las mulas y desprendió otra piedra con el pie. Después la tercera, la cuarta… Todo coesita. Casi podía decirse que alfombraba el valle.

En la tundra, cerca del borde del campo de nieve, había una gran roca, un errático glacial. Masangkay se acercó con las mulas y las ató a la roca. Acto seguido, e imprimiendo a sus pasos la mayor precaución, rehízo su camino por la grava recogiendo piedras, rascando el suelo con la bota y elaborando un mapa mental de la distribución de la coesita. Increíble. Superaba sus expectativas más optimistas.

Había llegado a la isla con esperanzas realistas. Sabía por experiencia que las leyendas locales no solían conducir a nada. Se acordó del museo cuya biblioteca, llena de polvo, le había deparado su primer encuentro con la leyenda de Hanuxa: el olor de aquel libro de antropología que se caía a pedazos, las láminas gastadas de útiles e indios fallecidos tiempo atrás… Había estado a punto de ahorrarse la molestia. ¡Con lo lejos que quedaba el cabo de Hornos de Nueva York! Sus intuiciones, por otro lado, tenían un largo historial de dar en saco roto. Sin embargo ahí estaba, en la isla.

Y había encontrado la recompensa de toda una vida.

Masangkay respiró hondo. Se estaba precipitando. Volvió junto a la roca y tocó la panza de la mula que iba en cabeza. Con movimientos rápidos, desabrochó el enganche de diamante, deshizo la cuerda de cáñamo que rodeaba el fardo y abrió las dos alforjas, que eran cajas de madera. Seguidamente levantó la tapa de una de las dos, extrajo una bolsa larga impermeable y la depositó en el suelo. Después sacó del interior seis cilindros de aluminio, un teclado y una pantalla de ordenador pequeños, una correa de cuero, dos esferas de metal y una pila de níquel-cadmio. Se sentó en el suelo cruzado de piernas y montó los componentes en una vara de aluminio de cuatro metros y medio con proyecciones esféricas en ambos extremos. En el centro dispuso el ordenador, con la correa de sujeción, y en una ranura lateral metió la batería. Por último, se levantó y observó el instrumento de alta tecnología con satisfacción: un reluciente anacronismo entre la mugre de las alforjas. Se trataba de una sonda tomográfica electromagnética, cuyo valor superaba los cincuenta mil dólares (diez mil de entrada y el resto a plazos, lo cual, con tantas deudas acumuladas, estaba resultando un engorro). Claro que con los beneficios del proyecto, cuando los obtuviera, podría quedar en paz con todo el mundo, hasta con su antiguo socio.

Masangkay pulsó el interruptor de encendido y aguardó a que el aparato se calentara. Después dio la inclinación correcta a la pantalla, cogió el mango que había en el centro de la vara y dejó que recayera todo el peso en su cuello, equilibrando la sonda como un funámbulo su pértiga. Con la mano que le quedaba libre, verificó la configuración, calibró y puso a cero el instrumento y emprendió una marcha regular por el fondo del valle, con la mirada fija en la pantalla. Durante la caminata volvió a bajar la niebla y se oscureció el cielo. Masangkay frenó en seco cerca del centro del llano.

Miró la pantalla con cara de sorpresa. Después hizo algunos ajustes en la configuración y dio un paso más. Otra pausa. Ceñudo el semblante, soltó una palabrota, apagó la máquina, volvió al principio del llano, puso el aparato a cero y volvió en ángulo recto hacia su anterior recorrido. Por tercera vez, la sorpresa detuvo sus pasos, seguida por la incredulidad. Marcó el emplazamiento con dos piedras, una encima de la otra. Después se dirigió al final del llano, dio media vuelta y regresó a paso más veloz, sin hacer caso a la llovizna que empezaba a mojarle la cara y los hombros. Pulsó un botón y salió una tira de papel del borde del ordenador. La examinó atentamente, mientras la niebla emborronaba la tinta. Respiró más deprisa. Al principio pensó que eran datos erróneos, pero no, había hecho tres pasadas y sin cambios. Hizo otra, menos prudente que las anteriores; arrancó otra tira de papel, la estudió deprisa y se la metió arrugada en el bolsillo de la chaqueta.

Al término de la cuarta pasada empezó a hablar consigo mismo en voz baja, deprisa y con monotonía. Volvió junto a las mulas, metió la sonda tomográfica en la bolsa y desató el fardo del segundo animal con las manos temblando. Tenía tanta prisa que se le cayó al suelo una alforja, de la que salieron, al abrirse, piolets, martillos, una barrena y un paquete de dinamita. Masangkay cogió un piolet y una pala y regresó a paso ligero al centro del llano. Al llegar tiró al suelo la pala, cogió el piolet y empezó a dar golpes febriles para quebrar la superficie. A continuación, usando la pala, recogió la grava suelta y la arrojó a bastante distancia. Continuó así durante un rato, alternando la pala y el piolet; las mulas, con la cabeza inclinada y los ojos medio cerrados, le miraban con total impasibilidad.

Mientras Masangkay trabajaba, empezó a llover con más fuerza. Se acumularon charcos poco profundos en los puntos más bajos de la superficie de grava. Llegaba olor a hielo del canal Franklin, al norte. A lo lejos retumbó un trueno, y apareció una bandada de gaviotas curiosas, trazando círculos con graznidos lastimeros.

El agujero iba ahondándose: veinticinco centímetros, cincuenta... Debajo de la dura capa de grava, la arena aluvial era blanda y fácil de excavar. Las montañas desaparecieron tras móviles cortinas de lluvia y niebla. Masangkay seguía enfrascado en su labor. Primero se quitó la chaqueta, después la camisa y por último la camiseta, prendas todas que arrojó por el borde del agujero. El barro y el agua se mezclaban con el sudor que le corría por la espalda y el pecho, definiendo los contornos de su musculatura, mientras las puntas de su barba colgaban por el peso del agua.

De repente, interrumpió la excavación dando un grito, se puso en cuclillas dentro del agujero, apartó arena y barro con las manos y desnudó una superficie dura. Dejó que la lluvia la limpiara de los últimos restos de barro.

La sorpresa y el desconcierto se tradujeron en un brusco sobresalto. Masangkay se arrodilló como para rezar, apoyando reverente las manos sudadas en la superficie; respiraba entrecortadamente, con los ojos desorbitados y la frente chorreando una mezcla de sudor y lluvia, mientras le martilleaba el corazón por el esfuerzo, el entusiasmo y una alegría inexpresable.

En ese momento salió del agujero una luz intensa, seguida por una explosión descomunal que resonó en lo más profundo del valle, perdiéndose en las montañas del fondo. Las dos bestias de carga levantaron sus cabezas y vieron un pequeño banco de niebla que se abría y se disolvía en la lluvia.

Las dos mulas de la reata se desinteresaron de la escena, mientras caía la noche sobre isla Desolación.

Isla Desolación
22 de febrero, 11 h

La larga canoa de madera surcaba las aguas del canal con la velocidad que le imprimía la marea. Dentro, arrodillado, iba un solo ocupante que, con manejo experto del remo, guiaba la embarcación por la superficie picada del canal. En medio de la canoa había una plataforma de arcilla húmeda, y encima una hoguera humeante.

La canoa circundó los arrecifes negros de isla Desolación, penetró en las aguas más tranquilas de una caleta e hizo crujir las piedrecitas de la playa. Su ocupante se apeó y la arrastró hasta superar la marca de la marea alta.

De camino había oído la noticia a uno de los pescadores nómadas que vivían solos en aquellos mares fríos. En efecto, no era habitual la visita de un extranjero a una isla tan remota e inhóspita, aunque lo más insólito era el hecho de que, transcurrido un mes, no se apreciaran señales de su partida.

Algo le llamó la atención. Tras pocos pasos recogió dos trozos de fibra de vidrio, que inspeccionó limpiando los bordes de hebras y luego los arrojó al suelo. Restos de un naufragio reciente. Al fin y al cabo, la explicación podía ser sencilla.

Se trataba de un hombre de aspecto peculiar: viejo, moreno, con pelo largo y gris y un bigotito que le colgaba del mentón como dos puntas de telaraña. A pesar de la temperatura, muy inferior a cero, solo iba vestido con una camiseta sucia y pantalones cortos holgados. Se llevó un dedo a la nariz y, con gesto delicado, se sopló los mocos, primero por un orificio y luego por el otro. Acto seguido subió por la cuesta que remataba la caleta.

Al llegar al borde detuvo sus pasos y enfocó al suelo sus ojos negros y brillantes, buscando señales. El suelo de grava, que tenía manchitas de musgo, estaba esponjoso por el ciclo del deshielo y conservaba las huellas en perfecto estado, incluidas las de cascos.

Siguió el decurso irregular de las pisadas, que ascendían hacia el campo de nieve y proseguían por sus lindes hasta acceder al valle de detrás. En una elevación que dominaba este último, las huellas se interrumpían, convertidas en absurdo remolino. El hombre se detuvo a contemplar el páramo. Abajo había algo: puntos de color, y el sol reflejándose en metal bruñido.

Bajó deprisa.

Lo primero que encontró fueron las mulas, que seguían atadas a la roca. Llevaban muertas mucho tiempo. La mirada del viejo recorrió el suelo con avidez, y al ver los suministros y el equipo se le iluminaron los ojos de avaricia. A continuación vio el cuerpo.

Se acercó con movimientos cautelosos. Estaba tumbado de espaldas, a unos cien metros de la boca de un agujero de excavación reciente. Aparte de un jirón de tela chamuscada pegada a la carne carbonizada, estaba desnudo. Sus manos, negras y quemadas, se elevaban hacia el cielo como garras de cuervo, y sus piernas estaban separadas, dobladas hacia el pecho hundido. Se había acumulado lluvia en las cuencas vacías de los ojos, formando dos piscinitas que reflejaban el cielo y las nubes.

El viejo retrocedió paso a paso, como un gato. Permaneció largo rato inmóvil, mirando y pensando. Luego, lentamente y sin dar la espalda al ennegrecido cadáver, trasladó su atención al tesoro de valiosos artilugios desperdigados por el suelo.

Nueva York
20 de mayo, 14 h

La sala de subastas de Christie's era un espacio sencillo, con paneles de madera clara y un rectángulo de luces colgado del techo. Aunque el suelo de madera noble estuviera embellecido por una trama de espina de pez, poco de ella dejaban entrever las filas de sillas, innumerables y ocupadas sin excepción, y los pies de los reporteros, rezagados y espectadores que abarrotaban el fondo de la sala.

Cuando el director de Christie's subió al podio central, se hizo un silencio absoluto. Detrás de él, en el espacio alargado de color crema que en subastas normales habría servido de soporte para cuadros o grabados, no había nada.

El director dio unos golpes de mazo en el atril, miró a la concurrencia, sacó una tarjeta del bolsillo del traje y la consultó. Luego la depositó con esmero en un lateral del podio y volvió a levantar la cabeza.

—Imagino —dijo, y la discreta megafonía hizo resonar su dicción afectada— que algunos de ustedes ya saben en qué consiste la oferta de hoy.

El público tuvo a bien reaccionar con regocijo, sin faltar al decoro.

—Lamento que no hayamos podido traerlo al estrado para enseñarlo, pero era demasiado grande.

Más risas entre la audiencia. Se notaba que el director disfrutaba con la importancia de lo que estaba a punto de suceder.

—Pero he traído un trocito, podría decirse que una muestra, como garantía de que pujarán ustedes por el original.

Dicho lo cual, hizo un gesto con la cabeza y apareció un joven esbelto con porte de gacela, llevando en ambas manos una cajita de terciopelo. El joven abrió el cierre, levantó la tapa y se volvió para que lo vieran los espectadores. Entre los asistentes se levantó un murmullo grave.

La caja contenía un diente marrón y curvo, sobre fondo de raso blanco. La pieza tenía unos veinte centímetros de longitud, y el borde interno de sierra.

El director carraspeó.

—El remitente del lote número uno, único del día, es la nación navajo, en régimen de fideicomiso con el gobierno de Estados Unidos.

Miró a los presentes.

—El lote es un fósil. Un fósil muy especial. —Consultó la tarjeta—. En 1996, Wilson Atcitty, pastor navajo, perdió unas cuantas ovejas en los montes Lukachukai, cerca de la frontera entre Arizona y Nuevo México. Durante la búsqueda encontró un hueso grande que sobresalía de una pared de arenisca, en un cañón muy apartado. A esta capa de arenisca los geólogos la llaman Formación de Hell Creek, y se remonta al cretácico. Al enterarse, el Museo de Historia Natural de Alburquerque hizo un trato con la nación navajo y empezó a excavar el esqueleto. A medida que avanzaban las excavaciones, fueron dándose cuenta de que no había uno sino dos esqueletos entrelazados: un *Tyrannosaurus rex* y un *Triceratops*. El tiranosaurio tenía clavadas las mandíbulas en el cuello del tricerátops, justo debajo de la cresta, decapitando o casi de un feroz mordisco al animal. Por su parte, el tricerátops había clavado el cuerno central en el pecho del tiranosaurio. Los dos animales murieron juntos, en un abrazo mortal.

Carraspeó.

—Ya tengo ganas de ver la película.

El comentario suscitó más risas.

—El combate fue tan violento que los paleontólogos encontraron cinco dientes del tiranosaurio debajo del tricerátops, seguramente rotos durante la pelea. Aquí tienen uno.

Hizo señas al ayudante, que cerró la caja.

—De la montaña se extrajo un bloque de piedra que contenía los dos dinosaurios y pesaba unas trescientas toneladas, y fue estabilizado en el museo de Alburquerque. Después pasó al Museo de Historia Natural de Nueva York, para continuar los preparativos. Los dos esqueletos todavía están parcialmente incrustados en la matriz de arenisca.

Echó otro vistazo a la tarjeta.

—Según los científicos consultados por Christie's, son los dos esqueletos de dinosaurio más perfectos que se han encontrado. Científicamente poseen un valor incalculable. El paleontólogo jefe del museo de Nueva York lo ha descrito como el mayor fósil de la historia.

Dejó la tarjeta con gesto cuidadoso y cogió el mazo. Entonces, como obedeciendo una señal, aparecieron tres avistadores de pujas con sigilo de fantasmas y ocuparon sus puestos. El personal de los teléfonos, auricular en mano, esperaba inmóvil con las líneas abiertas.

—El valor estimado de este lote es de doce millones de dólares. Empezaremos con cinco.

El director dio un golpe de mazo. Llamadas, movimientos de cabeza y gestos refinados de levantar la pala.

—Cinco millones. Seis. Siete millones, gracias.

Los avistadores estiraban el cuello para ver las ofertas, que iban comunicando al director. Poco a poco el murmullo de la sala fue subiendo de tono.

—Ofrecen ocho millones.

El nuevo récord por un fósil de dinosaurio fue saludado con aplausos dispersos.

—Diez millones. Once millones. Doce. Ofrecen trece millones, gracias. Ofrecen catorce. Quince.

El número de palas en alto había menguado considerablemente, pero seguía habiendo varios pujadores telefónicos activos, a los que había que sumar media docena presenciales. La pantalla que tenía el director a la derecha, con el precio en dólares, registraba un incremento veloz, con los equivalentes en libras y euros.

—Dieciocho millones. Ofrecen dieciocho millones. Diecinueve.

Como el rumor se había convertido en fondo acústico, el director dio un discreto mazazo de aviso. La subasta proseguía con furiosa calma.

—Veinticinco millones. Ofrecen veintiséis. Veintisiete para el caballero de la derecha.

Volvieron a aumentar los murmullos, que esta vez el director no acalló.

—Ofrecen treinta y dos millones. Treinta y dos y medio por teléfono. Treinta y tres. Ofrecen treinta y tres y medio, gracias. Treinta y cuatro ofrece la señora de primera fila.

El ambiente de la sala de subastas se electrizaba por momentos. Ni las predicciones más descabelladas se habrían atrevido a tanto.

—Treinta y cinco por teléfono. Treinta y cinco y medio de la señora. Treinta y seis.

Entonces pasó algo entre el público, un movimiento simultáneo, un cambio en el centro de atención. Varias miradas se desplazaron hacia la puerta de salida al pasillo principal. En los peldaños curvos había aparecido un hombre de unos sesenta años, un personaje llamativo y de presencia no solo notable, sino abrumadora. Llevaba el cráneo afeitado, y barba oscura en punta. Su poderosa osamenta servía de percha a un traje de Valentino, un traje de seda azul marino que al moverse brillaba un poco. La camisa era de Turnbull & Asser, de un blanco sin concesiones, y estaba abierta por el cuello, con corbata estrecha y, a guisa de pasador, un ámbar del tamaño de un puño, que contenía la única pluma de *Archaeopteryx* encontrada en todo el mundo.

—Treinta y seis millones —repitió el director; pero sus ojos, como los de los demás, se habían desviado hacia el recién llegado.

Los del hombre de los escalones eran azules, y chispeaban de vitalidad. Parecía que le hiciera gracia algo. Levantó la pala lentamente y todo quedó en silencio. La pala delató la identidad del recién llegado, en el caso improbable de que entre el público hubiera alguien con dudas sobre ella: llevaba el número 001, único número permanente concedido por Christie's en toda su historia.

El director le miró con expectación.

—Cien —se decidió a anunciar el hombre con dicción precisa pero sin levantar la voz.

El silencio se hizo más profundo.

—Perdón, ¿cómo dice? —La voz del director sonó un poco ronca.

—Cien millones de dólares —precisó el hombre. Tenía dientes muy grandes, muy rectos y muy blancos.

El silencio seguía siendo total.

—Ofrecen cien millones —dijo el director con un asomo de temblor en la voz.

El tiempo parecía haberse detenido. Sonó un teléfono en algún lugar del edificio, al límite de lo audible, y se filtró un claxon de la avenida.

El hechizo fue roto por un mazazo seco.

—¡Lote número uno vendido a Palmer Lloyd por cien millones de dólares!

Fue una explosión. De repente estaba todo el mundo de pie, entre enfervorizados aplausos, aclamaciones y hasta un «bravo», como si un tenor acabara de poner el broche final a la gran actuación de su vida. Como la aprobación no era unánime, la ovación se teñía de algunos ruidos sibilantes de reproche, de abucheos en voz baja. Christie's nunca había visto un público tan próximo a la histeria: todos los participantes, en pro o en contra, eran conscientes de haber asistido a un momento histórico. Sin embargo, el causante ya no estaba: había salido al pasillo y se había alejado por la alfombra verde, pasando al lado del cajero, y la multitud se encontró con que aplaudía a una simple puerta.

Desierto de Kalahari
1 de junio, 18.45 h

Sam McFarlane estaba sentado en la arena con las piernas cruzadas. La hoguera, hecha directamente en el suelo con ramitas, proyectaba una red temblorosa de sombras en las zarzas que rodeaban el campamento. La población más cercana quedaba a ciento cincuenta kilómetros.

Miró a las otras personas sentadas en círculo alrededor de la hoguera, gente de piel arrugada, ojos observadores y brillantes y, por único atavío, polvorientos taparrabos. Cazadores san. Se tardaba mucho en ganar su confianza, pero una vez concedida era inquebrantable. ¡Qué diferencia con el lugar de donde venía!, pensó McFarlane.

Cada san tenía delante un detector de metales muy gastado, de segunda mano. McFarlane se levantó, pero los san no se movieron. Lentamente, con torpeza, pronunció algunas palabras en su extraño idioma. Al principio, como se le resistían algunas palabras, se oyeron risitas, pero McFarlane tenía don de lenguas, y en poco tiempo los san guardaron un silencio respetuoso.

Después de hablar, McFarlane alisó una porción de arena y empezó a dibujar un mapa con un palo. Los san, todos en cuclillas, forzaban el cuello para ver el dibujo. El mapa, poco a poco, iba tomando forma, y cuando McFarlane señaló los puntos marcados los san hicieron gestos de comprensión con la cabeza. Eran las Cuencas de Makgadikgadi, situadas al norte del campamento: casi tres mil kilómetros cuadrados de lechos secos de lagos, colinas de arena y llanos alcalinos, yermos e inhabitados. En lo más profundo de las Cuencas, McFarlane dibujó un circulito con el palo. A continuación clavó la punta en el centro y levantó la cabeza, sonriendo ampliamente.

Se produjo un silencio, puntuado a lo lejos por el reclamo solitario de un pájaro ruoru. Los san empezaron a conversar en voz baja, en su idioma de clics y clucs que parecían guijarros chocando en un arroyo. El jefe del grupo, un nudoso anciano, señaló el mapa. McFarlane se inclinó e hizo esfuerzos de comprensión, debido a que el jefe hablaba muy deprisa. En efecto, dijo el hombre, conocían la zona. Empezó a describir caminos que solo conocían los san y que cruzaban aquella zona apartada. Usando una ramita y algunas piedras, el jefe marcó la localización de los puntos de surgimiento, la caza y las raíces y plantas comestibles. McFarlane aguardaba con paciencia.

Después de un rato, el grupo volvió a quedar en silencio. El jefe se dirigió a McFarlane con un hablar más pausado. Sí, estaban dispuestos a hacer lo que quería el hombre blanco, pero le tenían miedo a sus máquinas; por otro lado, no entendían qué buscaba el hombre blanco.

McFarlane volvió a levantarse, retiró el palo del mapa, se sacó del bolsillo un objeto de hierro, negruzco y del tamaño de una canica, y lo insertó en el agujero que había dejado el palo, hundiéndolo en la arena hasta taparlo. A continuación se incorporó, cogió el detector de metales y lo encendió. Sonó un pitido breve y agudo. Todos le miraban nerviosamente, sin decir nada. Se apartó dos pasos del mapa, dio media vuelta y caminó barriendo el suelo con el detector. Al pasarlo por encima del trozo de hierro enterrado, pitó. Los san se sobresaltaron e intercambiaron frases rápidas.

McFarlane sonrió, dijo algunas palabras y los san volvieron a sus anteriores posiciones. Entonces McFarlane apagó el detector de metales y se lo ofreció al jefe, que lo aceptó con escaso entusiasmo. McFarlane le enseñó a encenderlo y le ayudó a efectuar un barrido por encima del círculo, con el resultado de que se repitió el pitido. El jefe estaba un poco asustado pero sonrió; a cada nuevo intento sonreía más, todo arrugas el rostro.

—Sun'a ai, Ma!gad'i! gadi! iaad'mi —dijo haciendo gestos en dirección a sus hombres.

Con la paciente ayuda de McFarlane, los san fueron cogiendo el aparato por turnos y probándolo sobre el trozo de hierro enterrado. Poco a poco, la aprensión se trocó en risas y comentarios especulativos. Al final, McFarlane levantó las manos y volvieron a sentarse cada cual con su aparato en las rodillas. Ya estaban preparados para emprender la búsqueda.

McFarlane se sacó del bolsillo una bolsita de cuero, la abrió y la invirtió, depositando en la otra palma una docena de krugerrands de oro. Ya había anochecido del todo, y el pájaro ruru volvió a su triste reclamo. Lenta y ceremoniosamente, McFarlane entregó una moneda de oro a cada hombre. Los san la cogían de manera reverente en las dos manos, inclinando la cabeza.

El jefe volvió a decirle algo a McFarlane. Al día siguiente levantarían el campamento y emprenderían el viaje al corazón de las Cuencas de Makgadikgadi con los aparatos del hombre blanco. Buscarían aquello tan grande que quería el hombre blanco, y al encontrarlo volverían. Entonces le dirían al hombre blanco dónde estaba…

De repente el anciano levantó al cielo una mirada de alarma, y lo mismo hicieron sus hombres. McFarlane estaba sorprendido, y frunció el entrecejo hasta que también lo oyó. Era un tableteo lejano. Miró el horizonte oscuro, siguiendo la dirección de las miradas de los san. Estos ya estaban de pie, como una bandada de pájaros asustados, y hablaban entre sí con inquietud. Por el cielo se acercaba un grupo de luces cada vez más brillantes, al mismo tiempo que aumentaba el ruido. El haz alargado de un foco se clavó en los arbustos.

El viejo soltó su krugerrand con un agudo grito de alarma y desapareció en la oscuridad, seguido por el resto. McFarlane se quedó solo como por arte de magia, absorto en la oscuridad inmóvil de los matorrales. Viendo intensificarse la luz, dio un giro brusco. Bajaba directamente hacia el campamento. Ahora veía que era un helicóptero grande, un Blackhawk con los rotores alborotando la noche, las luces parpadeando, y su enorme foco corriendo por el suelo hasta que consiguió localizarle a él.

McFarlane se lanzó en la arena detrás de unas zarzas y se quedó tumbado, sintiéndose vulnerable bajo aquella luz tan cruda. Metió una mano en la bota y sacó una pequeña pistola. El viento imprimía un movimiento enloquecido a los arbustos, y le metía arena en los ojos. El helicóptero redujo su velocidad y, suspendido en el aire, bajó hacia el descampado al lado del campamento. El rebufo hizo saltar de la hoguera una cascada de chispas. En el momento en que el aparato tocaba el suelo, se le encendió en el techo una barra de luz que iluminó la zona con un resplandor todavía más inclemente. Las hélices giraron menos deprisa. McFarlane, listo para disparar, se limpiaba la cara de polvo sin perder de vista la escotilla del aparato. Esta no tardó en abrirse, dejando salir a un único hombre alto y fornido.

McFarlane miró entre las zarzas. El hombre llevaba pantalones cortos de color caqui, camiseta de algodón y, en la cabezota rapada, un sombrero blando Tilley. En uno de los bolsillos de los holgados pantalones se movía algo pesado. Empezó a caminar hacia McFarlane.

Este se puso en pie con lentitud, conservando el arbusto como pantalla entre él y el helicóptero y encañonando al desconocido, que no dio señales de inmutarse. Solo se veía su silueta, recortada por las luces del helicóptero, pero McFarlane tuvo la impresión de que le habían brillado los dientes por efecto de una sonrisa. Se detuvo a cinco pasos. Debía de medir como mínimo dos metros. McFarlane no recordaba haber visto a nadie tan alto.

—¡Sí que cuesta encontrarle! —dijo el hombre.

Tenía una voz profunda, en la que McFarlane distinguió indicios nasales de un acento de la costa Este.

—¿Y usted quién coño es? —replicó sin bajar la pistola.

—Las presentaciones son más agradables sin armas de fuego.

—Sáquese la pistola del bolsillo y tírela al suelo —dijo McFarlane.

El hombre rió con sorna y sacó el bulto: no era una pistola, sino un termo pequeño.

—Para no coger frío —dijo, enseñándolo—. ¿Le apetece un poco?

McFarlane echó un vistazo al helicóptero, pero aparte del piloto no había nadie.

—He tardado un mes en que se fiaran de mí —dijo con voz grave—, y ahora viene usted y me los asusta. Quiero saber quién es y por qué ha venido. Más vale que sean buenas noticias.

—Pues lo siento, pero no. Su socio, Nestor Masangkay, ha muerto.

McFarlane quedó aturdido y empezó a bajar la pistola.

—¿Muerto?

El hombre asintió.

—¿Cómo?

—Haciendo lo mismo que usted. Todavía no está claro. —Hizo un gesto—. ¿Nos acercamos al fuego? No sabía que fueran tan frías las noches del Kalahari.

McFarlane se acercó lentamente a lo que quedaba de hoguera; conservaba la pistola en la mano, pero floja, y su mente se había convertido en campo de batalla de emociones muy diversas. Tomó nota vagamente de que la onda expansiva de las hélices había borrado su mapa y desenterrado el trocito de hierro.

—¿Y usted qué tiene que ver con Nestor? —preguntó.

Antes de contestar, el hombre lo observó todo: la docena de detectores de metales que los san, al huir, habían dejado tirados y las monedas de oro en la arena. Se agachó, recogió el trozo de hierro marrón, lo sopesó y lo examinó de cerca. Miró a McFarlane.

—¿Qué, ya vuelve a buscar el meteorito de Okavango?

McFarlane no dijo nada, pero apretó más la pistola.

—Usted conocía a Masangkay mejor que nadie. Necesito que me ayude a acabar su proyecto.

—¿Qué proyecto, si puede saberse? —preguntó McFarlane.

—Lamentablemente ya le he dicho todo lo que podía.

—Pues yo, lamentablemente, ya he oído todo lo que quería oír. Ahora al único que ayudo es a mí mismo.

—Eso me habían comentado.

McFarlane avanzó en un nuevo arrebato de ira, pero el hombre levantó una mano para apaciguarle.

—Al menos podría dejarme hablar.

—Todavía no me ha dicho ni cómo se llama, y la verdad, no me interesa. Gracias por darme la mala noticia. Y ahora, ¿qué tal si vuelve al helicóptero y me deja en paz?

—Disculpe que no me haya presentado. Soy Palmer Lloyd.

McFarlane rió.

—Sí, y yo Bill Gates.

El hombre alto, sin embargo, no rió. Solo sonrió. McFarlane le miró la cara con mayor atención, porque hasta entonces no se había fijado.

—Caray —musitó.

—No sé si ha oído que estoy construyendo un museo nuevo.

McFarlane negó con la cabeza.

—¿Y Nestor trabajaba para usted?

—No, pero me he enterado hace poco de sus actividades y quiero acabar lo que empezó.

—Mire —dijo McFarlane, metiéndose la pistola en el cinturón—, no me interesa. A Nestor Masangkay hace siglos que no le veía; aunque ya debe de saberlo.

Lloyd sonrió y levantó el termo.

—¿Lo discutimos con un ponchecito?

Y se instaló al lado de la hoguera sin esperar la respuesta (a la manera del hombre blanco, con el culo en la arena). Desenroscó la tapa, sirvió una taza muy caliente y se la ofreció a McFarlane, que la rechazó con un gesto impaciente de la cabeza.

—¿Le gusta buscar meteoritos? —preguntó Lloyd.

—Depende del día.

—¿Y en serio se cree que encontrará el Okavango?

—Sí, hasta que ha bajado usted con ese trasto. —McFarlane se puso en cuclillas al lado de Lloyd—. Mire, no es que no me apetezca un poco de palique, pero cada minuto que pasamos aquí sentados es otro minuto de alejarse los san. Se lo repito: no me interesa. No quiero trabajar ni en su museo ni en ninguno. —Vaciló—. Tampoco puede pagarme lo que ganaré con el Okavango.

—¿Cuánto sería? —preguntó Lloyd entre sorbo y sorbo.

—Un cuarto de millón. Como mínimo.

Lloyd asintió.

—Supongamos que lo encuentra. Reste lo que le debe a todo el mundo por el fiasco del Tornarssuk y lo más probable, calculo, es que se quede a cero.

McFarlane rió con dureza.

—¿Y quién no se equivoca alguna vez en la vida? Me quedará bastante para ir por el siguiente pedrusco. Meteoritos hay a montones, y le aseguro que se gana más que con un sueldo de conservador de museo.

—Yo no hablaba de eso.

—¿Pues de qué?

—Seguro que ya lo sospecha. Mientras no acepte no puedo darle detalles. —Bebió otro sorbo de ponche—. Diga que sí, aunque solo sea por su socio.

—Ex socio.

Lloyd suspiró.

—Cierto. Lo sé todo de usted y Masangkay. La culpa de perder de aquella manera la roca Tornarssuk no la tuvo solo usted. Si hay que echársela a alguien, que sea a los burócratas del Museo de Historia Natural de Nueva York.

—No se esfuerce, que no me interesa.

—Pasemos a la remuneración. En el momento de la firma le abonaré el cuarto de millón que debe, y ya no le molestarán sus acreedores. En caso de que tenga éxito el proyecto, le pagaré otro cuarto de millón; si no, tendrá que conformarse con quedarse sin deudas. En ambos casos, si lo desea, podrá quedarse en mi museo como director del departamento de ciencias planetarias. Le construiré un laboratorio con lo último de lo último. Tendrá secretaria, ayudantes, un sueldo de muchos ceros... Todo.

McFarlane volvió a reírse.

—Fantástico. Y el proyecto, ¿cuánto dura?

—Seis meses. Como mucho.

McFarlane dejó de reír.

—¿Medio millón por trabajar seis meses?

—Eso si sale bien.

—¿Dónde está la trampa?

—No hay trampa.

—Y ¿por qué yo?

—Porque conocía a Masangkay: sus manías, su sistema de trabajo, cómo pensaba... Lo que hacía es un gran misterio, y el más indicado para resolverlo es usted. Además de que es uno de los mejores buscadores de meteoritos del mundo. Lo suyo con los meteoritos es intuición. Dicen que los huele.

—No soy el único. —La alabanza había irritado a McFarlane, porque le olía a manipulación.

La respuesta de Lloyd fue tender una mano levantando el nudillo del dedo anular. El movimiento arrancó a la joya un brillo de metal precioso.

—Perdone —dijo McFarlane—, pero es que solo beso el anillo del Papa.

Lloyd rió.

—Mire la piedra —dijo.

McFarlane vio que el anillo de Lloyd se componía de una piedra preciosa de color violeta oscuro con montura de platino macizo. La reconoció enseguida.

—Sí, muy bonita, pero yo se la habría vendido a precio de mayorista.

—Cómo no, si los que sacaron de Chile las tectitas de Atacama fueron usted y Masangkay.

—Exacto. Y el resultado es que en esa zona del mundo sigue buscándome la policía.

—Le ofreceremos la protección que haga falta.

—O sea que es en Chile. Pues ya conozco sus cárceles por dentro. Lo siento.

Lloyd tardó un poco en reaccionar. Cogió un palo, juntó las brasas dispersas y lo arrojó, reavivando el fuego, que hizo retroceder la oscuridad. En otra persona aquel sombrero habría quedado un poco ridículo, pero Lloyd conseguía que le quedara bien.

—Doctor McFarlane, si supiera lo que tenemos proyectado lo haría gratis. Le ofrezco el hallazgo científico del siglo.

McFarlane rió y negó con la cabeza.

—De la «ciencia» no quiero saber nada —dijo—. Estoy hasta el moño de laboratorios polvorientos y burocracias de museo.

Lloyd suspiró y se levantó.

—Bueno, pues parece que he perdido el tiempo. Habrá que optar por el segundo candidato.

McFarlane quedó en suspenso.

—¿Se puede saber quién es?

—A Hugo Breitling le encantaría participar.

—¿Breitling? Ese no encuentra un meteorito ni que se lo tiren al culo.

—Pues encontró el Thule —repuso Lloyd, quitándose el polvo de los pantalones. Miró a McFarlane de reojo—. Que es más grande que cualquiera de los que ha encontrado usted.

—Pero aparte de ese no ha encontrado ninguno, y fue pura chiripa.

—La verdad es que en este proyecto me va a hacer falta suerte. —Lloyd volvió a enroscar la tapa del termo y lo lanzó por la arena a los pies de McFarlane—. Tenga, disfrútelo, que tengo que marcharme.

Dio un par de zancadas hacia el helicóptero. McFarlane vio arrancar el motor y acelerar los rotores, que azotaban el aire y hacían culebrear la arena. De repente pensó que si se marchaba el helicóptero nunca sabría cómo había muerto Masangkay, ni en qué misión. A su pesar, estaba intrigado. Echó un vistazo alrededor: los detectores de metales, desperdigados y con abolladuras, el triste campamento y el paisaje del fondo, árido y poco prometedor.

Lloyd se detuvo antes de subir al helicóptero.

—¡Redondéelo a un millón! —dijo McFarlane, que le tenía de espaldas.

Lloyd agachó la cabeza con precaución, a fin de que no se le moviera el sombrero, y empezó a subir al helicóptero.

—¡Setecientos cincuenta!

Otra pausa, y Palmer Lloyd se giró lentamente con una sonrisa de oreja a oreja.

Valle del río Hudson
3 de junio, 10.45 h

Palmer Lloyd tenía aficiones muy raras y costosas, pero uno de sus objetos más queridos era un cuadro de Thomas Cole, *Mañana de sol en el río Hudson*. En su época de becario en Boston frecuentaba el Museo de Bellas Artes y recorría sus galerías con la mirada en el suelo para no mancillarse la vista antes de tener delante la gloriosa pintura.

Cuando Lloyd amaba algo, prefería tenerlo en propiedad, pero el cuadro de Thomas Cole no estaba en venta a ningún precio. La solución había sido comprar lo que se le acercara más en belleza. Era una mañana de sol, y Lloyd estaba sentado en su despacho del valle del río Hudson, mirando por una ventana que enmarcaba con exactitud la vista del cuadro de Cole. El horizonte presentaba una pincelada de luz muy hermosa; los campos, vistos entre jirones de niebla, eran de una frescura y un verdor exquisitos. El sol naciente perfilaba las montañas del fondo y las hacía brillar. En Clove Valley habían cambiado pocas cosas desde 1827, el año de la obra de Cole, y Lloyd se había asegurado de que no cambiaran mediante el procedimiento de comprar una parte significativa de las tierras que tenía en su línea de visión.

Hizo girar la silla, se colocó delante de un escritorio de arce y miró por la ventana opuesta. Ladera abajo, se ofrecía a su contemplación un mosaico brillante de cristal y acero. Lloyd juntó las manos detrás de la cabeza y observó satisfecho el hormigueo de actividad. Por todas partes circulaban equipos de trabajo, plasmando una visión (la suya, la de Lloyd) sin parangón en el mundo.

El centro de la actividad, teñido de verde por la luz matinal de los Catskill, era una cúpula enorme, reproducción, pero a mayor escala, del Crystal Palace londinense, la primera estructura de la historia fabricada enteramente de cristal. En 1851, al terminarse, había sido considerada una de las construcciones más bellas de la historia, pero la habían derruido durante la Segunda Guerra Mundial porque brillaba demasiado y amenazaba con servir de referencia a los bombarderos nazis.

Detrás del gran bulbo de la cúpula, Lloyd veía los primeros bloques de la pirámide de Khefret II, una pirámide pequeña del Imperio Antiguo. El recuerdo de su viaje a Egipto le arrancó una sonrisa teñida de pesar: las negociaciones bizantinas con los representantes del gobierno, el follón de la maleta llena de oro que nadie conseguía levantar (digno de una película muda), tanto aburrido aspaviento… Al final la pirámide le había salido más cara de lo deseado, y no era precisamente la de Keops, pero causaba impresión.

Pensando en la pirámide, se acordó del escándalo que había provocado su compra en el mundillo arqueológico, y miró los artículos de periódico y las tapas de revista que tenía enmarcados en una de las paredes. En una revista aparecía una caricatura grotesca de Lloyd, mirada huidiza y sombrero de fieltro incluidos, escondiéndose en los pliegues de la capa una pirámide en miniatura. Leyó por encima los demás titulares. Uno se preguntaba: «¿El Hitler de los coleccionistas?». Luego estaban todos los que protestaban por su última compra. «Los huesos de la discordia: una venta que indigna a los paleontólogos.» Y una cubierta del *Newsweek*: «¿Qué se puede hacer con treinta mil millones? Respuesta: comprar la Tierra». Toda la pared estaba cubierta de lo mismo: proclamas estridentes de los que le veían pegas a todo, de los que se proclamaban, sin comerlo ni beberlo nadie, guardianes de la moral cultural. Para Lloyd era una fuente infinita de diversión.

Sonó un ruido de campanillas procedente de un tablero plano que había en el escritorio, y la dulce voz de su secretaria dijo:

—Quiere verle un tal señor Glinn.

—Que pase.

Lloyd no se molestó en disimular el entusiasmo que sentía. Era su primer encuentro con Eli Glinn, una entrevista personal que le había costado más de lo previsto concertar.

Observó atentamente al hombre que entraba en el despacho, sin maletín en la mano ni expresión en su cara atezada. Durante su larga y fructífera carrera de negociante, Lloyd había descubierto que las primeras impresiones, cuando se tomaban bien, eran sumamente informativas. Se fijó en el pelo, castaño y muy corto, en la mandíbula cuadrada y en los labios finos. A primera vista Glinn parecía inescrutable como la mismísima Esfinge. No tenía nada que llamara la atención, nada revelador de su manera de ser. Hasta sus ojos, que eran grises, aparecían opacos, cautelosos, inmóviles. No se salía de la normalidad en nada: estatura normal, constitución normal, aspecto correcto sin ser guapo, bien vestido pero sin especial pulcritud… Lloyd pensó que lo único llamativo era su manera de moverse. Sus zapatos no hacían ruido en el suelo, ni lo hacía su ropa al moverse. Sus extremidades se desplazaban con agilidad y ligereza. Se deslizaba por la sala como un ciervo por el bosque.

Otra cosa que se salía de lo normal era, naturalmente, su currículum.

—Gracias por venir, señor Glinn —dijo, yendo a su encuentro y tendiéndole la mano.

Glinn asintió sin decir nada y estrechó la mano que le ofrecían con un apretón ni demasiado largo ni demasiado corto, ni fofo ni de machote rompehuesos. Lloyd estaba un poco desconcertado: le estaba costando formarse la dichosa primera impresión. Hizo un gesto con la mano, señalando la ventana y las construcciones inacabadas de detrás.

—¿Qué, qué le parece mi museo?

—Grande —dijo Glinn sin sonreír.

Lloyd rió.

—El Getty de los museos de historia natural. O lo será en poco tiempo, con el triple de recursos.

—Es curioso que haya decidido situarlo aquí, a casi doscientos kilómetros de la ciudad.

—¿Le parece demasiado pretencioso? En el fondo le hago un favor al Museo de Historia Natural de Nueva York. Si lo hubiéramos construido allí, en un mes estarían fuera de juego. Claro que como tenemos lo más grande y lo mejor en todo tendrán que conformarse con visitas de colegios. —Lloyd rió—. ¿Vamos? Nos espera McFarlane. De paso le enseñaré un poco todo esto.

—¿Sam McFarlane?

—Es mi experto en meteoritos. Bueno, lo de «mi» aún está a medias, pero me lo estoy trabajando. El día es joven.

Lloyd puso una mano en el codo del traje oscuro de Glinn, de buen corte pero impersonal (aunque resultó de mejor tela de lo que parecía), y salieron juntos al despacho de al lado. Después bajaron por una amplísima rampa circular de granito y mármol pulido y se dirigieron al Crystal Palace por un pasillo grande. Abajo había mucho más ruido, y el ritmo de sus pasos alternaba con gritos, la cadencia regular de clavar clavos y el traqueteo de los martillos neumáticos.

Lloyd señalaba lo más destacado, disimulando muy poco su entusiasmo.

—La sala de los diamantes —dijo, moviendo la mano hacia un espacio subterráneo de grandes proporciones—. Descubrimos que en este lado de la montaña había excavaciones en desuso, y hemos hecho un túnel para enseñar las piezas en un contexto enteramente natural. No hay ningún otro museo importante que tenga una sala dedicada exclusivamente a los diamantes, pero, como habíamos comprado los tres más grandes del mundo, nos ha parecido oportuno. Supongo que se enteró de que nos quedamos el Blue Mandarin que quería De Beers, en competición muy reñida con los japoneses. —El recuerdo le provocó una risa cruel.

—Leo el periódico —dijo secamente Glinn.

—Y eso —dijo Lloyd animándose— es donde estará la Galería de Formas de Vida Extintas. Palomas migradoras, un pájaro dodo de las Galápagos y hasta un mamut sacado del hielo en Siberia, y que sigue estando perfectamente congelado. En la boca le encontraron ranúnculos masticados, restos de su última comida.

—Sí, lo del mamut también lo leí —dijo Glinn—. Dicen que en Siberia, después de la compra, hubo una serie de fusilamientos. ¿Es verdad?

Pese a la mordacidad de la pregunta, el tono de Glinn era afable, sin indicios de reprobación, y en la respuesta de Lloyd no hubo vacilaciones.

—Señor Glinn, le sorprendería lo deprisa que renuncian los países a su supuesto patrimonio cultural cuando aparecen sumas fuertes de dinero. Venga, que voy a darle un ejemplo.

Hizo señas a su invitado de que le acompañase por un pasadizo a medio terminar, flanqueado por dos hombres con casco, y entraron en una sala en penumbra de unos cien metros de longitud. Encendió las luces y se giró sonriendo.

Tenían delante una superficie como de barro endurecido, y

dos series de huellas pequeñas recorriéndola, como si se hubiera paseado alguien por la sala estando fresco el cemento.

—Las huellas de Laetoli —dijo Lloyd con reverencia.

Glinn no dijo nada.

—Las huellas de homínido más antiguas que se han descubierto. Imagínese: hace tres millones y medio de años, nuestros primeros antepasados bípedos hicieron estas huellas caminando por una capa de ceniza volcánica húmeda. Son únicas. Hasta que las encontraron nadie sabía que el *Australopithecus afarensis* caminara erecto. Son la prueba más antigua de nuestra humanidad, señor Glinn.

—Al Getty Conservation Institute debió de interesarle mucho enterarse de la compra —dijo Glinn.

Lloyd lo miró con mayor atención. Glinn era más difícil de calar de lo normal.

—Veo que tiene hechos los deberes. El Getty quería dejarlas enterradas in situ. Tal como está Tanzania, ¿usted cuánto cree que habrían durado? —Sacudió la cabeza—. El Getty pagó un millón de dólares para volver a taparlas, y yo veinte para traerlas aquí, donde puedan verlas los investigadores y una cantidad enorme de visitantes.

Glinn echó un vistazo general a la construcción.

—Ya que hablamos de investigadores, ¿dónde están los científicos? Veo muchos monos y muy pocas batas blancas.

Lloyd hizo un gesto con la mano.

—Los voy trayendo a medida que los necesito. En general sé qué quiero comprar, pero cuando sea el momento conseguiré a los mejores. Montaré una operación de busca y captura tan a lo grande que machacaré al resto de los museos. Será como Sherman marchando hacia el mar. El museo de Nueva York no se enterará de dónde le vienen los tiros.

Lloyd, que ahora iba más deprisa, dirigió a su visitante hacia un laberinto de pasillos que se internaban en el Palace. Llegaron al final de uno y encontraron una puerta donde ponía SALA DE REUNIONES A. Al lado había alguien: Sam McFarlane, cuyo aspecto era la personificación del aventurero: delgado, vigoroso y con los ojos azules aclarados por el sol. En su pelo pajizo se adivinaba una hendidura horizontal, como si fuera la marca permanente de haber llevado tantos años sombreros de ala ancha. Lloyd tuvo suficiente con mirarle para saber el motivo de que nunca se hubiera dedicado a lo académico. Entre fluorescentes, en la monotonía cromática de los laboratorios, quedaba tan desplazado como sus compañeros de unos días antes, los nómadas san. Lloyd tuvo la satisfacción de notar que estaba cansado. Seguro que llevaba dos días durmiendo muy poco.

Sacó una llave del bolsillo y abrió la puerta. El espacio del otro lado tenía asegurado el impacto sobre cualquier persona que lo viera por primera vez. Tres de las cuatro paredes de la sala estaban acristaladas y daban a la majestuosa entrada del museo: un espacio octogonal muy amplio en el mismísimo centro del Palace, donde ahora no había nadie. Lloyd miró de reojo para ver cómo reaccionaba Glinn, pero le encontró tan inescrutable como siempre.

Después de varios meses dándole vueltas a la cuestión de con qué llenar el espacio octogonal, la subasta de Christie's le había convencido de que los dos dinosaurios peleándose eran ideales. En los huesos retorcidos aún se podía leer la desesperada agonía de la lucha final.

Su mirada recayó en la mesa llena de gráficos, listados y fotografías aéreas. Aquello le había hecho olvidarse de los dinosaurios. Ya tenía su plato fuerte, la corona del museo Lloyd. Instalar aquello en el centro del Crystal Palace sería el momento de mayor orgullo de su vida.

—Le presento al doctor Sam McFarlane —dijo, dando la espalda a la mesa y mirando a Glinn—. El museo ha contratado sus servicios para toda la duración de este proyecto.

McFarlane y Glinn se dieron la mano.

—La semana pasada Sam aún rondaba por el desierto de Kalahari buscando el meteorito Okavango. Una manera como otra de derrochar su talento. Seguro que está de acuerdo conmigo en que le hemos encontrado algo más interesante.

Hizo un gesto a Glinn.

—Sam, te presento a Eli Glinn, presidente de Effective Engineering Solutions. Que no te engañe un nombre tan soso. Es una empresa muy especial. El señor Glinn está especializado en cosas como recuperar submarinos nazis llenos de oro, averiguar por qué explotan las lanzaderas espaciales... Cosas así. Resolver problemas especiales de ingeniería y analizar fallos a gran escala.

—Un trabajo interesante —dijo McFarlane.

Lloyd asintió.

—Lo habitual es que EES intervenga después de que haya

pasado algo. Cuando algo se ha ido a la mierda. —La palabrota, pronunciada lentamente y con esmero, quedó flotando en el ambiente—. Y ahora recurro a ellos para asegurarme de que no se me vaya a la mierda un trabajo concreto. Trabajo, señores, que es la razón de que estemos aquí los tres.

Indicó la mesa de reuniones.

—Sam, explícale al señor Glinn qué has descubierto en los días que llevas estudiando estos datos.

—¿Ahora? —preguntó McFarlane, con un nerviosismo impropio de él.

—Si no, ¿cuándo?

McFarlane dirigió a la mesa una mirada rápida, titubeó y dijo:

—Esto son datos geofísicos sobre un emplazamiento muy peculiar de las islas chilenas del cabo de Hornos.

Glinn le animó a seguir con un gesto de la cabeza.

—El señor Lloyd me pidió que los analizara. Al principio parecían... imposibles. Como esta lectura tomográfica.

La cogió, le dio un repaso y la dejó encima de la mesa. Después recorrió con la mirada el resto de papeles y le tembló la voz.

Lloyd carraspeó. Sam aún estaba un poco afectado y había que ayudarle. Se volvió hacia Glinn.

—Convendría ir resumiendo. Estando en Chile, en Punta Arenas, uno de nuestros informadores encontró a un comerciante de equipos electrónicos que intentaba colocar una sonda tomográfica electromagnética hecha polvo. Es un aparato para minería fabricado aquí, en Estados Unidos, por la marca DeWitter. La habían encontrado con un saco de piedras y algunos documentos al lado de los restos de un prospector, en una isla cerca del cabo de Hornos. A mi informador le dio por comprar todo el lote, y al fijarse en los documentos (los que podía leer) vio que su dueño se llamaba Nestor Masangkay.

La mirada de Lloyd vagó hacia la mesa de reuniones.

—Antes de morir en aquella isla perdida, Masangkay había sido geólogo planetario, más concretamente buscador de meteoritos; y, hasta hace dos años, socio de Sam McFarlane.

Vio tensarse los hombros del aludido.

—Cuando se enteró nuestro informador, nos envió todo el material para que lo analizáramos. La sonda tomográfica contenía un disquete oxidado. Uno de nuestros técnicos consiguió recuperar los datos y los analizó gente mía, pero se salían tanto de lo normal que no acababan de encontrarles sentido. Por eso contratamos a Sam.

McFarlane había pasado de la primera a la segunda página, y de nuevo a la primera.

—Al principio creía que Nestor se había olvidado de calibrar el aparato, pero leí el resto de los datos y...

Dejó el listado y apartó las dos hojas gastadas con un movimiento lento y casi reverente. Después buscó entre los demás papeles hasta seleccionar uno.

—No enviamos ninguna expedición de tierra —continuó Lloyd, que volvía a dirigirse a Glinn— para no llamar la atención, que era lo que más queríamos evitar, pero encargamos un reconocimiento aéreo de la isla, y el documento que tiene Sam en las manos contiene datos del satélite LOG II.

McFarlane dejó cuidadosamente la hoja y se decidió a intervenir.

—Me ha costado mucho creérmelo. Debo de haberlo repasado más de una docena de veces, pero siempre llego a la misma conclusión. Solo puede tener un significado.

—¿Cuál?

Glinn lo preguntó con voz grave y tono educado, pero sin la menor curiosidad.

—Creo que ya sé qué buscaba Nestor.

Lloyd esperó. Sabía qué iba a decir McFarlane, pero quería volver a oírlo.

—Esto de aquí es el meteorito más grande del mundo.

Lloyd sonrió.

—Dile al señor Glinn cómo de grande, Sam.

McFarlane carraspeó.

—De momento el meteorito más grande que se ha desenterrado es el *Ahnighito*, que está en el museo de Nueva York. Pesa sesenta y una toneladas. Este, como mínimo, cuatro mil.

—Gracias —dijo Lloyd, henchido de satisfacción y con una sonrisa radiante.

Se giró y volvió a mirar a Glinn. Permanecía igual de inexpresivo.

Se produjo un largo silencio, hasta que volvió a hablar Lloyd con voz ronca por la emoción.

—Quiero tenerlo. El trabajo de usted, señor Glinn, es garantizar que lo consiga.

El Land Rover traqueteaba por West Street captando instantáneas de los muelles viejos del Hudson por la ventanilla del copiloto, bajo un cielo (mediodía en Jersey City) de un color sepia apagado. McFarlane dio un frenazo y esquivó un taxi que cruzaba tres carriles para conseguir un pasajero. Fue un movimiento fluido y automático. Los pensamientos de McFarlane estaban muy lejos.

Se acordaba de la tarde en que había caído el meteorito Zaragosa. Recién salido del instituto, por entonces no tenía trabajo ni perspectivas de tenerlo, y caminaba por el desierto mejicano con Carlos Castaneda en el bolsillo trasero. El sol estaba bajo, y McFarlane ocupado en pensar dónde acamparía. De repente se había iluminado todo el paisaje, como cuando sale el sol de unas nubes oscuras, pero el cielo estaba despejado. Delante de McFarlane, en la arena, había aparecido otra sombra de su cuerpo, la segunda; al principio era larga y angulosa, pero se había achaparrado rápidamente. Luego un silbido, y una gran explosión. McFarlane se había caído al suelo pensando en un terremoto, una explosión nuclear o el apocalipsis. Había oído ruido de lluvia, pero no era lluvia sino millares de piedrecitas cayendo alrededor. McFarlane había cogido una, gris y con una costra negra. Dentro conservaba el frío profundo del espacio exterior, pese a haber atravesado la atmósfera a temperatura elevadísima, y estaba cubierta de hielo.

De repente, mirando aquel fragmento del espacio exterior, había sabido a qué quería dedicar el resto de su vida.

De eso hacía muchos años. Ahora procuraba pensar lo menos posible en su época idealista. Se le fueron los ojos hacia el maletín cerrado que iba en el asiento del copiloto, y que contenía el maltrecho diario de Masangkay. En eso también procuraba pensar lo menos posible.

Un semáforo se puso verde y McFarlane se metió por una calle estrecha de sentido único. Era el barrio de los mataderos, que ocupaba el extremo del West Village. En las zonas viejas de carga, hombres corpulentos metían y sacaban reses muertas de los camiones. La acera opuesta era una sucesión de restaurantes, como aprovechando la proximidad. Era la antítesis de la sede de Lloyd Holdings, el edificio de metal y cristal de donde venía McFarlane. Verificó la dirección que llevaba apuntada en el salpicadero.

Redujo la velocidad y aparcó el Land Rover frente a una zona de carga que destacaba por su decrepitud. Una vez apagado el motor, se internó en el ambiente de humedad y olor a carne y miró alrededor. Había un camión parado a media manzana, haciendo ruido. Lejos como estaba, McFarlane captó el olor del jugo verde que rezumaba del parachoques trasero. Era una peste exclusiva de los camiones de basura de Nueva York, una peste que olida una vez nunca se olvidaba.

Respiró hondo. Aún no había empezado la reunión y ya se notaba tenso, a la defensiva. Se preguntó qué le habría dicho Lloyd a Glinn de él y Masangkay, y eso que en el fondo daba igual, porque de lo que no supieran tardarían poco en enterarse. Las habladurías eran todavía más veloces que los meteoritos que buscaba él.

Sacó una cartera muy pesada de detrás del Land Rover y cerró con llave. Se encontraba delante de una fachada sucia de ladrillos, la de un edificio finisecular cuyo volumen ocupaba casi toda la manzana. Subió con la mirada por una docena de pisos, hasta detenerse en un letrero de industria cárnica. El tiempo casi había borrado la pintura. Las ventanas de los pisos inferiores estaban tapiadas, mientras que en las de arriba se veía un brillo de cristal y aluminio.

La única entrada visible eran dos puertas metálicas de carga y descarga. McFarlane pulsó el timbre de al lado y esperó. A los pocos segundos, las puertas se separaron con un clic, bien engrasadas.

Penetró en un pasillo mal iluminado que llevaba a otra doble puerta de metal, solo que mucho más nueva y acompañada de teclados numéricos de seguridad y un lector de retina. Al acercarse se abrió una de las dos y apareció un hombre bajo, moreno y musculoso con chándal del MIT y paso atlético. Tenía el pelo negro y muy rizado, con canas en las sienes; ojos inteligentes y un aire de informalidad muy poco empresarial.

—¿Doctor McFarlane? —preguntó con voz afable de cazalla, ofreciendo una mano peluda—. Soy Manuel Garza, ingeniero de construcción de EES.

Estrechó la de McFarlane con una suavidad inesperada.

—¿Esto es la sede de la empresa? —preguntó McFarlane con sonrisa irónica.

—Nos gusta el anonimato.

—Al menos no hay que ir muy lejos para comerse un bistec.

Garza rió con aspereza.

—Mientras te guste poco hecho…

Al seguirle y cruzar la puerta, McFarlane se encontró en una sala muy espaciosa con luces halógenas que la iluminaban por entero. Había varias hileras de mesas metálicas, anchas y perfectamente alineadas, formando una gran superficie en la que reposaban diversos objetos con su correspondiente etiqueta: montones de arena, piedras, motores fundidos de avión, trozos de metal retorcido… Circulaban por la sala varios técnicos con bata de laboratorio, uno de los cuales pasó al lado de McFarlane con un pedazo de asfalto en las dos manos, manos con guantes blancos que lo acarreaban como si fuera un jarrón Ming.

Garza aguardó a que McFarlane se formara una impresión general de la sala, y consultó su reloj.

—Nos quedan unos minutos. ¿Le apetece dar una vuelta?

—Adelante, que siempre me ha gustado la chatarra.

Garza circuló entre las mesas saludando a varios técnicos, hasta que se detuvo delante de una mesa más larga de lo normal donde había trozos negros e irregulares de roca.

—¿Lo reconoce?

—Sí, lo de allí es lava cordada. También hay una muestra de lava escoriácea que no está mal. Y algunas bombas volcánicas. ¿Qué pasa, que están montando un volcán?

—No —dijo Garza—, es que acabamos de reventar uno. —Señaló con la cabeza lo que había al final de la mesa, una maqueta de isla volcánica con su ciudad, sus valles, sus bosques y sus cordilleras. Luego tocó la mesa por debajo y apretó un botón.

Tras un corto runrún y una serie de crujidos, el volcán empezó a escupir lava que se derramó sinuosamente por sus laderas, bajando hacia la ciudad—. La lava es celulosa de metilo de fórmula especial.

—Esto es mejor que el tren eléctrico que tenía yo.

—Nos pidieron ayuda de un gobierno del Tercer Mundo. Les había entrado en erupción el volcán de una isla. Se estaba formando un lago de lava en la caldera, y faltaba poco para que rebosara y bajara directamente a la ciudad, que tenía sesenta mil habitantes. Nos encargaron salvarla.

—¡Vaya! No me suena haberlo leído en el periódico.

—Es que el gobierno no pensaba evacuar la ciudad. Es un paraíso fiscal, aunque modesto. Sobre todo hay dinero de la droga.

—Quizá hubiera sido mejor dejar que se quemase, como Sodoma y Gomorra.

—Somos una empresa de ingeniería, no Dios. En la moral de los clientes no nos metemos.

McFarlane rió, notando que estaba un poco menos tenso.

—Y ¿cómo lo impidieron?

—Cerramos estos dos valles de aquí con desprendimientos de tierras. Luego le hicimos un boquete al volcán con explosivos y abrimos un rebosadero al otro lado. Hubo que usar una parte de las reservas mundiales de Semtex para uso no militar. La lava cayó toda al mar, y de paso formó casi cuatrocientas hectáreas de suelo edificable para nuestro cliente. No es que le diera para pagárnoslo todo, pero le salió menos caro.

Garza siguió caminando. Pasaron al lado de una serie de mesas con trozos de fuselaje y componentes electrónicos quemados.

—Un avión que se estrelló —dijo Garza—. Terroristas, con una bomba. —Hizo un gesto rápido con la mano, sin darle mayor importancia.

Al llegar al fondo de la sala abrió una puertecita blanca y llevó a McFarlane por una serie de pasillos desnudos. McFarlane oía el silbido de los depuradores de aire, el ruido de las llaves y unos golpes rítmicos bastante por debajo de donde estaban, que le intrigaron.

Garza abrió otra puerta y McFarlane quedó atónito. El espacio que tenía delante era de gran amplitud, como mínimo seis pisos de alto y sesenta metros de largo. Los laterales eran una selva de accesorios electrónicos: baterías de cámaras digitales, cableado de categoría cinco y pantallas enormes para efectos visuales. En una pared había una hilera de unos doce Lincoln descapotables, cosecha de principios de los sesenta; largos, rectos, cada uno tenía en su interior cuatro maniquíes muy bien vestidos, dos delante y dos detrás.

El centro de aquel espacio enorme lo ocupaba una reproducción de un cruce de calles, incluidos los semáforos, que funcionaban. Las calles estaban delimitadas por fachadas de alturas diversas. En medio de la calzada había una especie de carril dotado de un sistema de poleas, unido al parachoques delantero de otro Lincoln con sus cuatro maniquíes en perfecta posición. A ambos lados, prados ondulantes de hierba artificial. Al final de la calzada había un paso elevado, donde estaba Eli Glinn en persona con un megáfono en la mano.

McFarlane siguió a Garza hasta detenerse en la acera, a la sombra artificial de varios arbustos de plástico. En todo aquello, curiosamente, había algo que le sonaba.

Glinn levantó el megáfono desde el paso elevado y anunció:
—Treinta segundos.
La reacción fueron varias acciones simultáneas.
—Adelante —dijo Glinn.
De repente todo era movimiento. El sistema de poleas se puso en marcha con un zumbido, transportando al automóvil por el surco. Detrás de las cámaras digitales había otros tantos técnicos grabando el proceso.

Se oyó cerca una detonación, seguida por dos más. McFarlane obedeció al impulso de agacharse, porque había reconocido el ruido de un arma de fuego. Por lo visto era el único asustado. Miró hacia el lugar de donde procedía el ruido. Parecía haber salido de los arbustos que tenía a la derecha. Se fijó más y distinguió dos fusiles grandes a través del follaje, montados en pedestales de acero. Tenían serradas las culatas y cables conectados al gatillo.

De repente supo dónde estaba.
—La plaza Dealey —murmuró.
Garza sonrió.
McFarlane caminó por la hierba para examinar los dos fusiles, y al seguir la dirección de los cañones se fijó en que el maniquí derecho del asiento de atrás estaba medio caído y con la cabeza destrozada.

Glinn se aproximó al lateral del coche, inspeccionó los maniquíes y le susurró algo a alguien que tenía detrás, señalando trayectorias de balas. Cuando se apartó y fue hacia McFarlane, los técnicos acudieron en grupo al vehículo haciendo fotos y anotando datos.

—Bienvenido a mi museo, doctor McFarlane —dijo al darle la mano, subrayando el «mi»—. Y una cosa: le agradecería que bajara del césped, porque aún quedan varias balas en el fusil. —Se giró hacia Garza—. Ha salido perfecto. No hace falta repetirlo.

—O sea que ahora trabaja en esto —dijo McFarlane.

Glinn asintió.

—Hace poco salieron datos nuevos que había que analizar más a fondo.

—Y ¿qué ha descubierto?

Glinn le miró con frialdad.

—Quizá lo lea algún día en el *New York Times*, aunque lo dudo. De momento solo le diré que a los teóricos de la conspiración les tengo bastante más respeto que hace un mes.

—Muy interesante. Debe de haberle salido por un ojo de la cara. ¿Quién lo paga?

Se produjo un silencio elocuente.

—¿Qué tiene que ver con la ingeniería? —se decidió a preguntar McFarlane.

—Todo. EES ha sido pionera en la ciencia del análisis de fallos, que aún es la mitad de lo que hacemos. Para solucionar problemas de ingeniería, lo principal es entender por qué ha fallado algo.

—Ya, pero esto…

McFarlane hizo un gesto con la mano hacia la plaza recreada.

Glinn sonrió ambiguamente.

—¿Usted no diría que el asesinato de un presidente es un fallo grave? Y no digamos la investigación, porque vaya chapuza. Además, el análisis de esta clase de fallos nos ayuda a mantener perfecto nuestro historial.

—¿Perfecto?

—Sí. EES nunca ha fallado. Nunca. Es nuestra marca de fábrica. —Le hizo un gesto a Garza, y retrocedieron hacia la puerta—. No es suficiente saber cómo se hace tal o cual cosa. También hay que analizar todas las posibilidades de que falle algo. Es la única manera de asegurarse el éxito. Por eso nunca hemos fallado. Solo firmamos los contratos cuando sabemos que puede salir bien. Entonces damos garantías de éxito. En nuestros contratos no hay limitación de responsabilidad.

—¿Por eso todavía no ha firmado el contrato con el museo Lloyd?

—Por eso. Y por eso ha venido usted hoy. —Glinn se sacó del bolsillo un reloj de oro muy pesado con iniciales, consultó la hora y volvió a guardarlo. A continuación imprimió un giro brusco al pomo de la puerta y la cruzó—. Venga, que le esperan los demás.

Un breve viaje en ascensor industrial, un recorrido laberíntico por blancos pasillos, y McFarlane se vio introducido en una sala de reuniones. Era baja de techo y de mobiliario austero; todo lo que tenía de suntuosa la de Palmer Lloyd lo tenía aquella de discreta. No había ventanas, ni grabados en las paredes; solo una mesa redonda de madera exótica y, al fondo, una pantalla oscura.

Dos personas sentadas a la mesa le miraban con atención. La más cercana era una mujer joven y de pelo negro, que llevaba mono. No podía decirse que fuera guapa, pero en sus ojos marrones había una mirada perspicaz, y brillos dorados al fondo. Su manera sardónica de observar a McFarlane resultaba, para este último, inquietante. La joven era de estatura mediana, delgada y sin nada que llamara la atención. Saludablemente morena, sobre todo en los pómulos y la nariz, tenía manos muy largas, y más todavía lo eran los dedos, con los que se dedicaba a quitarle la cáscara a un cacahuete sobre el cenicero grande que tenía en la mesa. Su aspecto era un poco de chicajo, pero en adulto.

El hombre de detrás llevaba bata blanca de laboratorio y parecía seco como un palo, con la piel enrojecida por el afeitado. Un párpado algo caído le prestaba al ojo una mirada chistosa, como si fuera a guiñarlo, pero el resto de su persona no tenía nada de chistosa: parecía un hombre extremadamente serio, muy poco natural. No se cansaba de girar un lápiz mecánico.

Glinn asintió con la cabeza.

—Le presento a Eugene Rochefort, ingeniero jefe. Es especialista en diseños de ingeniería excepcionales.

Rochefort aceptó el cumplido apretando los labios.

—Y a la doctora Rachel Almira. Entró en la empresa como física, pero tardamos poco en aprovechar sus excepcionales dotes de matemática. Si tiene un problema, ella le hará una ecuación. Rachel, Gene, os presento al doctor Sam McFarlane, buscador de meteoritos.

Contestaron con sendos movimientos de la cabeza. McFarlane, ocupado en abrir el maletín y repartir carpetas, se sentía observado por los dos, y notó que volvía a ponerse tenso.

Glinn cogió la que le ofrecía.

—Si no hay objeción, empezaremos repasando las líneas generales del problema y luego abriremos el debate.

—Adelante —dijo McFarlane, acomodándose en una silla.

Glinn miró a los presentes con sus ojos grises e inescrutables. A continuación se sacó un fajo de notas de dentro de la americana.

—Primero un poco de información general. La zona que nos interesa es una islita que recibe el nombre de Desolación y queda cerca de la punta sur del continente americano, entre las islas del cabo de Hornos. Está en territorio chileno y tiene unos trece kilómetros de longitud y cinco de anchura.

Hizo una pausa y miró alrededor.

—Nuestro cliente, Palmer Lloyd, insiste en que pongamos manos a la obra con la mayor rapidez. Le preocupa que puedan surgirle competidores entre los demás museos. Por lo tanto, habrá que trabajar en lo más crudo del invierno sudamericano. En las islas del cabo de Hornos, las temperaturas de julio oscilan entre máximas de pocos grados y mínimas de treinta y cinco bajo cero. Con la excepción de la Antártida, el cabo de Hornos es la masa continental más al sur de todo el planeta, casi dos mil kilómetros más cerca del Polo Sur que el cabo de Buena Esperanza, en África. Durante el mes de nuestra actividad, podemos esperar cinco horas de luz diurna.

»Isla Desolación no es lo que se dice un lugar acogedor. Se trata de una isla casi desértica, con mucho viento y en su mayor parte volcánica, con algunas cuencas sedimentarias del Terciario. Está dividida en dos por un campo grande de nieve, y hacia el extremo norte hay un pitón de lava antiguo. Las mareas varían entre nueve y once metros verticales, y el grupo de islas está sujeto a una corriente invertida de seis nudos.

—Ideal para un picnic —musitó Garza.

—El asentamiento humano más cercano está en la isla Navarino, en el canal de Beagle, unos sesenta y cinco kilómetros al norte de las islas del cabo de Hornos. Es una base naval chilena, Puerto Williams. Aparte de la base hay una zona de chozas con población mestiza de indios.

—¿Williams? —dijo Garza—. ¿No está en Chile?

—Los primeros que exploraron la zona fueron los ingleses. —Glinn colocó las notas encima de la mesa—. Doctor McFarlane, me consta que ha estado usted en Chile.

McFarlane asintió.

—¿Qué puede decirnos de su marina?

—Un encanto de gente.

Se quedaron callados. Rochefort, el ingeniero, empezó a dar golpecitos en la mesa con el lápiz, como tocando el tambor. Se abrió la puerta y entró un camarero para servir bocadillos y café.

—Realizaron patrullajes agresivos por la costa —prosiguió McFarlane—, sobre todo al sur, por la frontera con Argentina. Estarán ustedes al corriente de que hace tiempo que los dos países tienen diferencias fronterizas.

—¿Tiene algo que añadir a lo que he comentado sobre el clima?

—He estado en Punta Arenas a finales de otoño, y las tormentas de nieve o granizo eran de lo más normal, como la niebla. Aparte de los *williwaws*.

—¿*Williwaws*? —preguntó Rochefort con un hilo de voz trémula.

—Ráfagas cortas de viento. Solo duran uno o dos minutos, pero pueden llegar a ciento cincuenta nudos.

—¿Algún fondeadero decente? —preguntó Garza.

—A mí me han dicho que no hay. De hecho, que yo sepa no se puede anclar bien en ninguna isla del cabo de Hornos.

—Nos gustan los retos —dijo Garza.

Glinn recogió los papeles, los dobló con cuidado y volvió a metérselos en la americana. McFarlane tenía la sensación de que había hecho las preguntas sabiendo las respuestas con antelación.

—Está claro —dijo Glinn— que nos enfrentamos con un problema complicado, aunque hagamos abstracción del meteorito; pero bueno, analicémoslo. Rachel, ¿verdad que tienes algunas preguntas sobre los datos?

—Más que preguntas, un comentario.

La mirada de Amira descansó en una carpeta que tenía delante y voló hacia McFarlane con cierta diversión. Tenía una actitud de superioridad que a McFarlane le molestaba.

—¿Cuál? —dijo este.

—Que no me creo nada.

—¿El qué, concretamente?

Ella movió la mano por encima de la carpeta.

—Usted es experto en meteoritos, ¿no? Entonces sabrá la razón de que nunca se haya encontrado ninguno de más de sesenta toneladas. Por poco más grande que sea, la fuerza del impacto hace que se rompa. Por encima de doscientas toneladas los meteoritos se vaporizan con el impacto. Entonces, ¿cómo puede ser que siga intacto un monstruo así?

—No puedo... —empezó McFarlane, pero Amira le interrumpió.

—Lo segundo es que los meteoritos de hierro se oxidan. Por grandes que sean, solo tardan cinco mil años en hacerse polvillo por el óxido; por lo tanto, suponiendo que sobreviviera al impacto, que ya es suponer, ¿por qué se conserva? ¿Cómo me explica este informe geológico que dice que cayó hace treinta millones de años, quedó enterrado en sedimentos y hasta ahora no ha empezado a destaparlo la erosión?

McFarlane se apoyó en el respaldo, mientras Amira, las cejas enarcadas, permanecía a la expectativa.

—¿Ha leído algo de Sherlock Holmes? —preguntó él, sonriendo a su vez.

Amira puso los ojos en blanco.

—¡No irá a citarme aquello tan trillado de que cuando se ha eliminado lo imposible, lo que queda, por improbable que sea, tiene que ser la verdad!

McFarlane le lanzó una mirada de sorpresa.

—¿No es así?

Amira disfrutó de su victoria con una sonrisa de suficiencia, mientras Rochefort negaba con la cabeza.

—¿Es su fuente de autoridad científica, doctor McFarlane? —dijo Amira con animación—. ¿Sir Arthur Conan Doyle?

McFarlane espiró con lentitud.

—Los datos de base los recogió otra persona, y no puedo responder de ellos. Lo único que puedo decir es que si son exactos no hay ninguna otra explicación: es un meteorito.

Se produjo un silencio.

—Datos de otra persona —dijo Amira, pelando otro cacahuete—. Por casualidad ¿no será el doctor Masangkay?

—Sí.

—Tengo entendido que se conocían.

—Fuimos socios.

—Ah. —Amira asintió con la cabeza, como si fuera la primera vez que lo oía—. ¿Eso quiere decir que si los datos los recogió el doctor Masangkay a usted le merecen un alto grado de confianza? ¿Confía en él?

—Totalmente.

—No sé si Masangkay diría lo mismo de usted —comentó Rochefort con su voz afectada y aguda.

McFarlane miró fijamente al ingeniero.

—Sigamos —dijo Glinn.

McFarlane dejó de mirar a Rochefort y dio un golpecito a la carpeta con el dorso de una mano.

—En esta isla hay un enorme depósito circular de coesita fundida. Justo en el centro hay una masa densa de material ferromagnético.

—Un depósito natural de mineral de hierro —dijo Rochefort.

—El reconocimiento aéreo indica que en la zona se da una inversión de los estratos sedimentarios.

Amira puso cara de sorpresa.

—¿Una qué?

—Capas sedimentarias cambiadas.

Rochefort suspiró exageradamente.

—¿O sea?

—Cuando un meteorito grande choca con capas sedimentarias se invierten los estratos.

Rochefort siguió dando golpes con el lápiz.

—¿Cómo? ¿Por arte de magia?

McFarlane le dedicó otra mirada aún más larga.

—¿Quiere una demostración, señor Rochefort?

—Pues sí.

McFarlane cogió su bocadillo, lo examinó y lo olió.

—¿Mantequilla de cacahuete y jalea?

Hizo una mueca.

—¿Nos lo demuestra, por favor? —pidió Rochefort con voz tensa de impaciencia.

—Cómo no.

McFarlane puso el bocadillo encima de la mesa, entre él y Rochefort, inclinó la taza de café y poco a poco vertió su contenido.

—Pero ¿qué hace este hombre? —dijo Rochefort, vuelto hacia Glinn y con voz aguda—. Ya sabía yo que era un error.

McFarlane levantó la mano.

—Un poco de paciencia, por favor, que estamos preparando el depósito sedimentario. —Cogió otro bocadillo y lo puso encima del primero. A continuación lo empapó de café—. Listo. Este bocadillo es el depósito sedimentario: pan, mantequilla de cacahuete, jalea y más pan, todo en capas. Y mi puño... —levantó la mano por encima de la cabeza— es el meteorito.

Lo estampó aparatosamente contra el bocadillo.

—¡Pero hombre! —exclamó Rochefort, sobresaltado y con la camisa manchada de mantequilla de cacahuete. Se levantó quitándose migas de pan mojado de los brazos.

Garza, que estaba sentado al final de la mesa, no salía de su asombro. En cuanto a Glinn, permanecía impasible.

—Ahora examinaremos los restos del bocadillo que han quedado en la mesa —continuó McFarlane con la misma tranquilidad que si estuviera dando clase en la universidad—. Hagan el favor de fijarse en que los componentes se han invertido. Ahora la capa inferior de pan está encima, la mantequilla de cacahuete y la jalea han cambiado de orden, y la capa superior de pan se ha convertido en la inferior. Es lo que hace el meteorito cuando choca con rocas sedimentarias: pulveriza las capas, las invierte y vuelve a depositarlas al revés. —Miró rápidamente a Rochefort—. ¿Alguna otra pregunta o comentario?

—Esto es indignante —dijo Rochefort, limpiándose las gafas con un pañuelo.

—Por favor, señor Rochefort, siéntese —dijo Glinn, todo calma.

Para sorpresa de McFarlane, Amira prorrumpió en una risa grave y poco escandalosa.

—Felicidades, doctor McFarlane. Ha sido muy entretenido. A nuestras reuniones les conviene un poco de animación. —Se giró hacia Rochefort—. Tendrías que haberme hecho caso y pedir sándwiches. Así te lo habrías ahorrado.

Rochefort volvió a su asiento con mala cara.

—A lo que íbamos —dijo McFarlane, echándose hacia atrás

y limpiándose la mano con una servilleta—: la inversión de estratos solo es señal de una cosa: un cráter de impacto muy grande. Sumados todos los indicios, apuntan a la caída de un meteorito. Ahora bien, si tienen alguna explicación mejor tendré mucho gusto en oírla.

Esperó.

—¿Y si es una nave extraterrestre? —intervino Garza, esperanzado.

—Eso ya lo hemos pensado, Manuel —repuso secamente Amira.

—¿Y?

—La navaja de Occam. Nos pareció inverosímil.

Rochefort seguía limpiándose las gafas de mantequilla de cacahuete.

—No sirve de nada hacer conjeturas. ¿Por qué no mandamos a un equipo de exploración para que consiga mejores datos?

McFarlane miró a Glinn, que escuchaba con los ojos entrecerrados.

—El señor Lloyd y yo nos fiamos de los datos de que disponemos; además, el señor Lloyd no quiere llamar más la atención sobre la isla. Y tiene razón.

De repente tomó la palabra Garza.

—Exacto. Y eso nos lleva al segundo problema: el de sacar algo de Chile. Me parece que usted tiene experiencia en esa clase de… digamos que operaciones.

Una manera educada de referirse al contrabando, pensó McFarlane; y repuso:

—Más o menos.

—Y ¿qué opina?

—Es metal; básicamente, mena. Queda fuera de las leyes de patrimonio cultural. Lloyd, por consejo mío, ha creado una empresa que en estos momentos está comprando concesiones mineras a la isla. Le he propuesto que vayamos como operación de minería, lo desenterremos y nos lo llevemos a casa. No tiene nada de ilegal, al menos según los abogados.

Amira volvió a sonreír.

—Ya, pero si el gobierno chileno se da cuenta de que es el meteorito más grande del mundo, y no un yacimiento cualquiera de hierro, la operación podría quedar en entredicho.

—Por decirlo suavemente. Podrían pegarnos a todos un tiro.

—Que es la suerte que estuvo a punto de correr usted al llevarse del país las tectitas de Atacama, ¿no? —preguntó Garza.

No había perdido su amabilidad en toda la reunión; no participaba ni de la hostilidad de Rochefort ni de la actitud sardónica de Amira, pero McFarlane no pudo evitar sonrojarse.

—Corrimos algunos riesgos. Forma parte del trabajo.

—Ya, ya. —Garza pasó riendo las hojas de su carpeta—. Me extraña que esté dispuesto a volver a ese país, porque este proyecto podría provocar un incidente internacional.

—En cuanto Lloyd descubra el meteorito en su nuevo museo —contestó McFarlane—, le garantizo que lo habrá.

—La cuestión —intervino sosegadamente Glinn— es que hay que hacerlo en secreto. Lo que pase después de concluida nuestra participación en el asunto ya es cosa del señor Lloyd.

Durante un momento nadie habló.

—Hay otra cuestión —se decidió a proseguir Glinn—. Es sobre su ex socio, el doctor Masangkay.

Ya estamos, pensó McFarlane, armándose de valor.

—¿Sabe de qué murió?

McFarlane titubeó. No era la pregunta que esperaba.

—Ni idea —dijo—. No han recuperado el cadáver. Congelación, hambre… a saber. El clima de allá abajo no es lo que se dice muy hospitalario.

—Pero ¿no había ningún problema médico? ¿Ningún historial que pudiera haber influido?

—Como no sea que fue un niño desnutrido… Al menos yo no le conocía nada más. En el diario no hay ningún comentario sobre enfermedades o hambre.

McFarlane vio que Glinn hojeaba el contenido de su carpeta. Parecía el final de la reunión.

—Lloyd me dijo que volviera con una respuesta —dijo.

Glinn apartó la carpeta.

—Costará un millón de dólares.

McFarlane quedó desconcertado. Era una cantidad inferior a la que esperaba. Sin embargo, su mayor sorpresa era lo deprisa que la había calculado Glinn.

—El sí tiene que darlo el señor Lloyd, claro, pero parece muy razonable…

Glinn levantó la mano.

—Perdone, pero me parece que lo ha entendido mal. Costará un millón de dólares determinar si podemos encargarnos del proyecto.

McFarlane se quedó perplejo.

—¿Un millón de dólares solo por la estimación?

—Peor —dijo Glinn—. Es posible que acabemos diciéndoles que EES no puede aceptar.

McFarlane sacudió la cabeza.

—A Lloyd le encantará.

—Este proyecto tiene muchas incógnitas, empezando por lo que encontraremos al llegar. Hay problemas políticos, técnicos y científicos. Para analizarlos tendremos que construir modelos a escala. Van a hacernos falta muchas horas en un superordenador. Necesitaremos el asesoramiento confidencial de físicos, ingenieros de estructuras, expertos en derecho internacional e incluso historiadores y politólogos. El hecho de que el señor Lloyd quiera que se hagan las cosas deprisa las encarecerá todavía más.

—Bueno, bueno. Entonces ¿cuándo nos dirán algo?

—Pasadas setenta y dos horas desde que recibamos el cheque conformado del señor Lloyd.

McFarlane se humedeció los labios. Empezaba a pensar que a él le pagaban demasiado poco.

—¿Y si la respuesta es que no? —preguntó.

—En ese caso, a Lloyd le quedará el consuelo de saber que el proyecto es imposible. Si hay alguna manera de llevarse el meteorito, la descubriremos.

—¿Alguna vez han dicho que no a alguien?

—Muchas.

—¿Sí? ¿Por ejemplo?

Glinn tosió ligeramente.

—El mes pasado, sin ir más lejos, un país de Europa del Este quería que tapáramos con hormigón un reactor nuclear que ya no funcionaba, y que lo pasáramos por una frontera internacional sin que se diera cuenta nadie, para cargarle el muerto a un país vecino.

—Lo dirá en broma —dijo McFarlane.

—En absoluto —dijo Glinn—. Y claro, tuvimos que rechazarlo.

—No tenían bastante presupuesto —explicó Garza.

McFarlane sacudió la cabeza y cerró con fuerza la carpeta.

—Si me dice dónde hay un teléfono, le comunicaré su oferta a Lloyd.

Glinn le hizo señas a Garza, que se levantó.

—Por aquí, por favor, doctor McFarlane —dijo Garza, sujetándole la puerta.

En cuanto la puerta se cerró, Rochefort volvió a suspirar de irritación.

—¿En serio que hay que trabajar con ese tío? —Se quitó de
la bata un grumo de jalea morada—. No es científico, es un cha-
tarrero.

—Tiene el doctorado en geología planetaria —dijo Glinn.

—Lo obtuvo hace tanto tiempo que ni se acuerda. Pero no lo
digo solo por lo que le hizo a su socio, ni porque tenga más o
menos ética. Fijaos. —Se señaló la camisa—. Un tío así es capaz
de cualquier cosa. Es imprevisible.

—No hay nadie imprevisible —repuso Glinn—. Solo gente a
la que no entendemos. —Observó el estado de su mesa de cincuenta mil dólares—. Nosotros, como es natural, procuraremos
entenderlo todo del doctor McFarlane. Rachel.

Ella le miró.

—Voy a encargarte algo muy especial.

Amira dirigió a Rochefort otra sonrisa sardónica.

—Para variar.

—Serás la ayudante del doctor McFarlane.

La sonrisa de Amira se diluyó en un silencio repentino. Glinn
siguió hablando como si nada, sin darle tiempo de reaccionar.

—Le vigilarás, y cada cierto tiempo redactarás un informe y
me lo entregarás.

—¡Coño, ni que fuera psiquiatra! —estalló Amira—. ¡O soplona!

Ahora la diversión, o algo que con menos inquina habría pasado por tal, se reflejaba en otro rostro, el de Rochefort.

—Serán informes de pura observación —dijo Glinn—, y los
evaluará a fondo un psiquiatra. Rachel, tú de observar a la gente
sabes casi tanto como de matemáticas. Se entiende que lo de ayudante es puro formulismo. En cuanto a lo de soplona, estás equi-
vocada. Ya sabes que McFarlane tiene un pasado accidentado. Será
el único de la expedición a quien no hayamos elegido nosotros,
y tenemos que vigilarle de cerca.

—¿Y eso me da permiso para espiarle?

—Imagínate que no te lo hubiera pedido. Si le hubieras visto hacer algo que pudiera amenazar la expedición, me lo habrías contado sin pensártelo dos veces. Solo te pido formalizar un poco el proceso.

Amira se quedó enrojecida y callada.

Glinn recogió sus papeles, que desaparecieron enseguida en los pliegues de su traje.

—También puede que el proyecto resulte imposible, y que todo quede en mera hipótesis. Primero tengo que comprobar una cosita.

Museo Lloyd
7 de junio, 15.15 h

McFarlane se paseaba por su despacho del edificio nuevo de oficinas del museo, yendo de pared a pared con la inquietud de una fiera enjaulada. La habitación, que era grande, estaba casi llena de cajas sin abrir, y el escritorio cubierto de planos, notas, gráficos y listados. Solo se había molestado en quitar el envoltorio de plástico de una silla; el resto del mobiliario seguía empaquetado, y el despacho olía a moqueta nueva y a recién pintado. Al otro lado de las ventanas, la construcción proseguía a ritmo frenético. Era inquietante ver gastar tanto dinero tan deprisa, pero McFarlane suponía que si alguien podía permitírselo era Lloyd. Las empresas que componían el grupo Lloyd, muy diversas (aeroespacial, informática de alto nivel, sistemas electrónicos de procesamiento de datos), generaban suficientes ingresos para que su dueño fuera uno de los dos o tres hombres más ricos del mundo.

McFarlane hizo el esfuerzo de sentarse, apartó los papeles para tener sitio, abrió el último cajón y sacó el diario enmohecido de Masangkay. La simple visión de las palabras escritas en tagalo había despertado infinitos recuerdos, casi todos agridulces y borrosos como fotos viejas en sepia.

Abrió la tapa, pasó las páginas y volvió a mirar la caligrafía extraña y apretada de la última anotación. Masangkay no sabía llevar un diario. Era imposible saber las horas exactas transcurridas entre aquella entrada y su muerte.

> *Nakaupo ako at nagpapausok para umalis ang mga lintik na lamok. Akala ko masama na ang South Greenland, mas grabe pala dito sa isla Desolación…*

McFarlane leyó la traducción que había hecho para Lloyd:

> Estoy sentado al lado de la hoguera, en medio del humo, intentando ahuyentar a los mosquitos. Y yo que pensaba que el sur de Groenlandia era duro. Isla Desolación: buen nombre. Siempre había querido saber a qué se parecía el fin del mundo. Ahora ya lo sé.
>
> Se ve prometedor: los estratos invertidos, el volcanismo extraño, las anomalías secundarias... Cuadra todo con las leyendas yaganas, pero no tiene sentido. Debió de bajar muy deprisa, puede que hasta demasiado deprisa para una órbita elíptica. No se me va de la cabeza aquella teoría tan absurda de McFarlane. ¡Jo, casi me gustaría tenerlo aquí, al muy cerdo, solo para que lo viera! Aunque si estuviera conmigo seguro que encontraría la manera de joderlo todo.
>
> Mañana empezaré el examen cuantitativo del valle. Si está, aunque sea a gran profundidad, lo encontraré. Todo depende de mañana.

Nada más. Había muerto solo, en uno de los lugares más remotos de la Tierra.

McFarlane se recostó en la silla. «Aquella teoría tan absurda de McFarlane»... En realidad, la traducción exacta de *walang kabalbalan* no era «absurda» sino algo bastante menos halagüeño, pero tampoco hacía falta que lo supiera todo Lloyd.

En fin, se estaba apartando del tema, que era el hecho de que su teoría era en efecto absurda. Ahora, con lo que sabía, le extrañaba haberse aferrado a ella con tanta tozudez, durante tanto tiempo y a tan alto precio.

Todos los meteoritos conocidos procedían del interior del sistema solar. En retrospectiva, su teoría de los meteoritos interestelares (meteoritos de origen externo, en otros sistemas estelares) resultaba ridícula. Pensar que una roca pudiera vagar por la inmensa separación entre estrella y estrella y caer justo en la Tierra... Los matemáticos siempre decían que las probabilidades rondaban una sobre un trillón. Entonces ¿por qué no había renunciado? Su idea de que un día alguien (preferiblemente él mismo) encontraría un meteorito interestelar era descabellada, ridícula e incluso pretenciosa. Más aún: había perturbado su sensatez, y acabado por arruinarle la vida casi sin remedio.

Ahora resultaba extraño leer que Masangkay, en su diario, la sacaba a colación. La inversión de los estratos era previsible. ¿A qué no le veía sentido? ¿Qué le extrañaba tanto?

Cerró el diario, se levantó y volvió a la ventana. Se acordó de la cara redonda de Masangkay, de su pelo negro, recio y revuelto, de su mueca sarcástica y del humor, la viveza y la inteligencia que brillaban en sus ojos. Se acordó del último día fuera del museo de Nueva York, un día en que el sol lo doraba todo con una luz excesiva, y en que Masangkay había bajado corriendo por la escalinata con las gafas torcidas y exclamando: «¡Sam! ¡Nos han dado luz verde! ¡Nos vamos a Groenlandia!». Otro recuerdo, más doloroso, era el de la noche después de haber encontrado el Tornarssuk, con Masangkay levantando la preciosa botella de whisky y bebiendo un trago largo con la espalda apoyada contra el metal oscuro, mientras bailaba el reflejo de la hoguera en las profundidades ambarinas del alcohol... ¡Qué resaca al día siguiente! Pero sí, lo habían encontrado, plantado en medio de la grava como si lo hubiera puesto alguien a la vista de todos. Juntos, a lo largo de los años, habían encontrado muchos meteoritos, pero ninguno semejante. Había descendido en un ángulo agudo, y de hecho había chocado con la capa de hielo, rodando por una extensión de varios kilómetros. Era una siderita preciosa, con forma de caballito de mar...

Y ahora estaba en el jardín de algún empresario de Tokio. Le había costado su relación con Masangkay. Y su reputación.

Volvió al presente con la mirada fija en la ventana. Por encima de los arces frondosos, de los robles blancos, crecía una estructura que allá en el valle superior del Hudson quedaba fuera de lugar, incomprensible: una pirámide egipcia, antigua y castigada por el tiempo. McFarlane asistió al momento en que una grúa levantaba otro bloque de arenisca por encima de las copas de los árboles y la posaba suavemente en la estructura a medio construir. La piedra soltó un chorrito de arena que se llevó el viento. Vio a Lloyd en la explanada de la base de la pirámide, con un sombrero de safari demasiado grande en el que los árboles proyectaban manchas de luz. Lloyd tenía debilidad por las maneras exageradas de taparse la cabeza.

Llamaron a la puerta y entró Glinn con una carpeta debajo del brazo. Sorteando las cajas, llegó al lado de McFarlane y contempló la vista.

—¿Lloyd también ha comprado la momia, para hacer juego? —preguntó.

McFarlane contestó con una risa, o gruñido.

—Pues la verdad es que sí; la original no, porque hace muchos años que la saquearon, pero otra. Algún desgraciado que no sospechaba que pudiera pasar la eternidad en el valle del Hudson. Para la cámara sepulcral, Lloyd ha encargado copias de los tesoros de oro de Tutankamón. Se ve que no podía comprar los originales.

—Todo tiene su límite, hasta treinta mil millones de dólares —dijo Glinn, y señaló la ventana con la cabeza—. ¿Vamos?

Salieron del edificio y bajaron al bosque por un camino de grava. Sobre sus cabezas, en el follaje, chirriaban las cigarras. Tardaron poco en llegar a la explanada de arena, y en tener la pirámide muy cerca, muy amarilla contra el cielo cerúleo. La estructura medio levantada desprendía un olor a arena antigua y desierto sin fin.

Lloyd les vio y acudió de inmediato con las dos manos extendidas.

—¡Eli! —tronó, de buen humor—. Llegas tarde. ¡Ni que tuvieras que mover el Everest y no solo un trocito de hierro!

Cogió a Glinn por el codo y le condujo hacia unos bancos de piedra al otro lado de la pirámide.

McFarlane se instaló en el que quedaba enfrente de Lloyd y Glinn. Hacía fresco a la sombra de la pirámide.

Lloyd señaló la fina carpeta que llevaba Glinn bajo el brazo.

—¿Un millón de dólares da para tan poco?

Glinn no contestó directamente. Miraba la pirámide.

—Cuando esté acabada, ¿cuánto medirá? —preguntó.

—Veinticuatro metros —contestó orgulloso Lloyd—. Es la tumba de un faraón del Imperio Antiguo, Khefret II. Una figura menor en todos los aspectos; murió a los treinta, el pobre. Comprenderás que yo la quería más grande, pero bueno, sigue siendo la única pirámide fuera del valle del Nilo.

—¿Y la base? ¿Cuánto mide?

—Cuarenta y tres metros de lado.

Glinn se quedó callado y con la mirada en el suelo.

—Qué coincidencia más interesante —dijo al cabo.

—¿Coincidencia?

La mirada de Glinn volvió a posarse en Lloyd.

—Hemos vuelto a analizar los datos de su meteorito, y consideramos que su peso se acerca más a diez mil toneladas. Igual que esta pirámide. Si basamos el cálculo en los meteoritos estándar de níquel y hierro, nos sale un diámetro de unos doce metros.

—¡Fantástico! Cuanto más grande, mejor.

—Mover el meteorito será como mover esta pirámide; pero junta, no bloque a bloque.

—¿Y qué?

—Le voy a dar un ejemplo: la torre Eiffel —dijo Glinn.

—No la quiero. Es un adefesio.

—La torre Eiffel pesa unas cinco mil toneladas.

Lloyd le miró.

—El cohete *Saturno V* (el objeto más pesado movido por los hombres desde tierra) pesa tres mil toneladas. Mover su meteorito, señor Lloyd, será como mover dos torres Eiffel. O tres *Saturno V*.

—¿Por qué lo dices? —preguntó Lloyd.

—Porque, si lo piensa, diez mil toneladas es un peso de vértigo. Diez millones de kilos. Y aquí de lo que se trata es de llevarlos a cuestas por medio planeta.

Lloyd enseñó los dientes.

—El objeto más pesado movido por el hombre. Me gusta. Como gancho publicitario no se puede pedir nada mejor. Pero no veo el problema. Cuando esté en el barco, se podrá traer Hudson arriba prácticamente hasta nuestra puerta.

—Justamente. El problema es subirlo al barco, sobre todo los últimos quince metros entre la costa y la bodega. La grúa más grande del mundo levanta menos de mil toneladas.

—Pues se construye un espigón y se lleva por tierra hasta el barco.

—En isla Desolación, a seis metros de la costa ya hay sesenta de profundidad, o sea, que no se puede construir un muelle fijo. Y en uno flotante el meteorito se hundiría.

—Pues se busca un punto menos profundo.

—Ya lo hemos investigado y no hay ninguno. De hecho, el único punto donde se pueda cargar está en la costa este de la isla, y de ahí al meteorito hay un campo de nieve. En el centro la profundidad de la nieve es de sesenta metros, conque para llevar el pedrusco al barco tendremos que rodear el campo.

Lloyd gruñó.

—Empiezo a ver el problema. Y ¿por qué no vamos con un barco, lo arrimamos a la costa y hacemos que ruede el trasto a la bodega? Los superpetroleros más grandes tienen capacidad para medio millón de toneladas de crudo. Hay de sobra.

—Si metiéramos el meteorito rodando en la bodega de un barco, haría un agujero. No es tan cómodo como el petróleo, que reparte el peso a medida que va llenando la bodega.

—Bueno, y ¿todo esto a qué viene? —preguntó Lloyd con rudeza—. ¿Es para decirme que no?

Glinn negó con la cabeza.

—Al contrario. Estamos dispuestos a aceptar el encargo.

Lloyd sonrió de oreja a oreja.

—¡Genial! Pues ¿por qué pones tantas pegas?

—Solo quería prepararle para la enormidad de lo que quiere hacer. Y, en proporción, para la enormidad de nuestros honorarios.

Los rasgos de Lloyd se contrajeron un poco.

—¿Que son…?

—Ciento cincuenta millones de dólares. Incluido el flete del barco. FOB.

Lloyd palideció.

—Dios mío. Ciento cincuenta millones… —Se hundió la barbilla en las manos—. Para una roca de diez mil toneladas. Sale…

—A siete dólares y medio el kilo —dijo Glinn.

—No está mal —dijo McFarlane—. Teniendo en cuenta que ahora por un meteorito más o menos decente piden unos cien billetes por kilo…

Lloyd le miró.

—¿Sí?

McFarlane asintió.

—En todo caso —continuó Glinn—, y como el encargo se sale de lo habitual, nuestra aceptación tiene dos condiciones.

—¿Cuáles?

—La primera, doble presupuesto. Verá por nuestro informe que no hemos calculado precisamente a la baja, pero consideramos que para no correr ningún riesgo hay que presupuestar el doble de la cantidad que le he dicho.

—O sea que en realidad costará trescientos millones de dólares.

—No. A nosotros nos parece que costará ciento cincuenta. Si no, le habríamos facilitado otra cantidad. Pero, habiendo tantas variables desconocidas, faltando tantos datos y pesando tanto el meteorito, necesitamos margen de maniobra.

—Margen de maniobra. —Lloyd meneó la cabeza—. ¿Y la segunda condición?

Glinn se sacó la carpeta de debajo del brazo y se la apoyó en la rodilla.

—Una compuerta de seguridad.

—¿Es decir?

—Una trampilla especial en el fondo del barco para que en caso de emergencia grave se pueda soltar el meteorito.

Lloyd puso cara de no entenderlo.

—¿Soltar el meteorito?

—Si llega a desprenderse de su fijación, podría hundir el barco. En previsión de ello, necesitamos una manera de quitárnoslo de encima lo más deprisa posible.

Al oírlo, Lloyd pasó de estar pálido a enrojecer de ira.

—¿Qué quieres decir, que a la que se ponga el mar un poco bravo tiraréis el meteorito por la borda? Ni hablar.

—Según la doctora Amira, nuestra matemática, solo hay una posibilidad sobre cinco mil de que haga falta llegar a ese extremo.

Intervino McFarlane.

—Yo creía que el señor Lloyd pagaba una millonada porque ustedes le garantizaban el éxito. Tirar el meteorito porque hay tormenta me parece un fracaso.

Glinn le miró.

—Lo que garantizamos es que en el trabajo de EES no habrá ningún fallo. En eso la garantía es rotunda. Lo que no podemos garantizar es lo que haga Dios. Los sistemas naturales, de por sí, son imprevisibles. Si de repente apareciera una tormenta muy fuerte y hundiera el barco, no lo consideraríamos necesariamente un fracaso.

Lloyd se levantó de un salto.

—Pues yo no tiro el meteorito al mar ni muerto. Vaya, que no tendría sentido dejarles poner una trampilla.

Se alejó varios pasos hasta detenerse frente a la pirámide con los brazos cruzados.

—Es lo que hay —dijo Glinn. Hablaba con calma, pero su voz transmitía absoluta convicción.

Lloyd tardó un poco en contestar. Primero sacudió la cabeza, y se notaba que libraba una batalla interna. Se giró.

—De acuerdo —dijo—. ¿Cuándo empezamos?

—Si quiere, hoy mismo. —Glinn se levantó, dejando la carpeta en el banco—. Aquí dentro hay un resumen de los preparativos que vamos a tener que hacer, y un desglose de los gastos relacionados. Solo falta su visto bueno y un anticipo de cincuenta millones. Verá que EES se ocupa de todos los detalles.

Lloyd cogió la carpeta.

—Lo leeré antes de comer.

—Creo que le interesará. En fin, va siendo hora de que vuelva a Nueva York. —Glinn saludó con la cabeza a los dos hombres—. Que disfruten de su pirámide.

Les dio la espalda, caminó por la arena de la explanada y desapareció en la sombra tupida de los arces.

Millburn, Nueva Jersey
9 de junio, 14.45 h

Eli Glinn estaba al volante de un vulgar coche de cuatro puertas con el motor apagado. Su instinto le había hecho aparcar en un ángulo de máximo reflejo solar en el parabrisas, a fin de dificultarle a la gente la visión del ocupante. El panorama visual y sonoro, de típico barrio residencial de la costa Este (céspedes cuidados, árboles viejos, zumbido lejano de autopista), no le provocaba ninguna reacción especial.

A dos edificios de distancia se abrió la puerta de una casita de estilo georgiano y apareció alguien. Glinn se irguió con un movimiento casi imperceptible y observó a la mujer, que bajó al porche, vaciló y miró por encima del hombro. La puerta, sin embargo, ya se había cerrado. La mujer echó a caminar hacia Glinn a paso ligero, erguida la cabeza, erguidos los hombros y con el sol vespertino arrancando reflejos a su pelo rubio.

Glinn abrió la carpeta del asiento del copiloto y examinó una fotografía sujeta con un clip a los papeles de dentro. Era ella. Dejó la carpeta en el asiento trasero y volvió a mirar por la ventanilla. Aunque no estuviera de uniforme, la mujer seguía exudando autoridad, competencia y autodisciplina. Y en toda su persona no había nada que delatase lo difíciles que debían de haber sido sus últimos dieciocho meses. Excelente. Viéndola acercarse, Glinn bajó la ventanilla del lado del copiloto: según el perfil de personalidad, lo que mejor resultado podía dar era la sorpresa.

—¿Capitana Britton? —dijo—. Me llamo Eli Glinn. ¿Me permite unas palabras?

La mujer se detuvo, y Glinn reparó en que la expresión de su rostro pasaba de la sorpresa a la curiosidad. No había inquietud ni miedo, sino calma y seguridad.

Se acercó al coche.

—Usted dirá.

Glinn, automáticamente, tomó una serie de notas mentales. No llevaba perfume, y caminaba con el bolso (pequeño pero funcional) muy pegado al cuerpo. Era alta, pero de constitución delgada. Aunque tuviera la piel blanca, se le veían arruguitas alrededor de los ojos verdes, y bastantes pecas: señal de que había pasado muchos años expuesta al sol y el viento. Tenía la voz grave.

—Es que es un poco largo de contar. ¿La llevo a alguna parte?

—No, gracias, no hace falta. Tengo la estación de tren a unas manzanas.

Glinn asintió con la cabeza.

—¿Vuelve a casa, a New Rochelle? Hay que hacer transbordo. Si quiere la llevo con mucho gusto.

Esta vez la sorpresa duró un poco más, y al desaparecer dejó una mirada de especulación en los ojos verde mar.

—Mi madre siempre me decía que no subiera a ningún coche sin conocer al conductor.

—Y tenía razón, pero me parece que lo que tengo que decirle le interesará.

La mujer se lo pensó y asintió.

—De acuerdo —dijo, y subió.

Glinn reparó en que conservaba el bolso en el regazo y en que su mano derecha, significativamente, seguía cogiendo el tirador de la puerta. No le sorprendía que hubiera aceptado, pero estaba impresionado por su capacidad de evaluar una situación, calibrar las opciones y llegar a una solución rápida. Estaba dispuesta a correr riesgos pero con prudencia. Era lo que cabía esperar de su dossier.

—Tendrá que guiarme —dijo él, apartándose de la acera—. Esta parte de Nueva Jersey la conozco mal.

No era del todo exacto. Glinn conocía una docena de maneras de ir al condado de Westchester, pero quería verla a ella en situación de autoridad, por modesta que fuera. Britton mantuvo la serenidad durante todo el camino, dando indicaciones escuetas con el estilo de alguien acostumbrado a ver obedecidas sus órdenes. Admirable mujer, en verdad, y más quizá por la única catástrofe que había protagonizado.

—Ante todo, permítame una puntualización —dijo él—. Conozco su pasado, y no tiene nada que ver con lo que voy a decirle.

Vio de reojo que se ponía tensa. Sin embargo, al hablar lo hizo con calma.

—Creo que en un momento así, lo propio de una dama sería contestar: «Estoy en desventaja, caballero».

—Aún no puedo entrar en detalles, pero he venido a ofrecerle el puesto de capitana de un petrolero.

Hubo un largo silencio, hasta que ella miró a Glinn.

—Si conociera mi pasado tan bien como dice, dudo que me lo ofreciera.

Su tono seguía siendo tranquilo, pero Glinn le leyó varias cosas en la cara: curiosidad, orgullo y tal vez esperanza.

—Se equivoca, capitana Britton. Conozco la historia de pe a pa. Sé que era una de las pocas mujeres capitanas de la flota petrolera. Sé que le hacían el vacío y que tendía a seguir las rutas menos populares. Estaba sometida a presiones enormes. —Hizo una pausa—. Sé que en su última misión la encontraron en el puente en estado de embriaguez. Le diagnosticaron alcoholismo, e ingresó en un centro de rehabilitación. Gracias al tratamiento pudo conservar el permiso, pero desde que salió, hace un año, no ha tenido más ofertas de trabajo. ¿Se me escapa algo?

Quedó atento a la reacción.

—No —contestó ella sin inmutarse—. Viene a ser eso.

—Voy a serle sincero, capitana. Es una misión muy especial. Dispongo de una lista muy corta de otros capitanes, pero no tengo muy claro que aceptaran.

—No como yo, que estoy desesperada —dijo Britton con su voz grave, sin apartar la mirada del parabrisas.

—Si lo estuviera habría aceptado el vapor volandero panameño que le ofrecieron en noviembre, o el carguero de Liberia con vigilantes armados y cargamento sospechoso. —Vio contraerse un poco los párpados de Britton—. Es parte de mi trabajo, capitana Britton. Analizo las características de los fallos.

—Y ¿qué trabajo es, señor Glinn?

—La ingeniería. Nuestros análisis demuestran que la gente que ha fallado una vez tiene noventa por ciento menos de posibilidades de volver a fallar.

Soy el ejemplo que confirma la teoría.

Glinn no lo dijo en voz alta, pero le faltó muy poco. Se permitió mirar brevemente a la capitana Britton. ¿A qué se debía que hubiera estado a punto de abandonar una reserva que le era tan consustancial como respirar? Dejó la cuestión pendiente de análisis, porque lo merecía.

Volvió a mirar la carretera.

—Hemos evaluado a fondo todo su historial. Antes era una capitana de primera con problemas de alcohol. Ahora solo es una capitana de primera. Una capitana en cuya discreción sé que puedo confiar.

Britton reaccionó con un leve movimiento de la cabeza.

—Discreción —repitió con un matiz sardónico.

—Si acepta la misión, podré explicarle muchas más cosas, pero de momento solo puedo decirle esto: no será un viaje largo. Máximo tres meses. Tendrá que realizarse en el mayor secreto. El destino está muy al sur, en unas latitudes que creo que usted conoce bien. El respaldo económico es más que suficiente, y podrá elegir usted a la tripulación, a condición de que se evalúe su historial. Todos los oficiales y tripulantes recibirán el triple de la paga normal.

Britton frunció el entrecejo.

—Ya que sabe que rechacé lo de Liberia, también sabrá que no hago tráfico de drogas, de armas ni de nada. No pienso infringir la ley, señor Glinn.

—La misión es legal, pero bastante excepcional para que la tripulación tenga que estar motivada. Y otra cosa: si la misión tiene éxito (debería decir «cuando la misión tenga éxito», porque mi trabajo es garantizarlo), generará mucha publicidad, y casi toda favorable. No para mí, porque yo esas cosas las evito, sino para usted. Podría tener varios efectos beneficiosos, como volver a incluirla en la lista de capitanes activos. Y tendría cierto peso en el juicio de la custodia de su hijo. Quizá ya no hicieran falta esas visitas tan largas de los fines de semana.

La última observación tuvo el efecto deseado por Glinn. Primero Britton le miró a él, y luego por encima del hombro, como si quisiera ver la casa georgiana que ya había quedado a varios kilómetros. Después volvió a mirar a Glinn.

—Hoy he estado leyendo a W. H. Auden —dijo—. Esta mañana, viniendo en el tren, he encontrado un poema que se llama «Atlantis». La última estrofa era algo así:

Los diosecitos domésticos
han roto todos a llorar,
pero despídete ya, y hazte a la mar.

Sonrió. Y, si Glinn hubiera prestado atención a tales cosas, habría asegurado que la sonrisa era francamente bonita.

Puerto Elizabeth
17 de junio, 10 h.

Palmer Lloyd se quedó delante de la puerta sin ventanas, un rectángulo sucio en la gran superficie metálica del edificio que se erguía ante sus ojos. A sus espaldas, donde estaba su chófer apoyado contra una limusina y leyendo la prensa sensacionalista, se oía el rugido de la autopista de Nueva Jersey, resonando por los pantanos y los viejos almacenes. Delante, al otro lado de los diques secos de Marsh Street, puerto Elizabeth brillaba en el calor del verano. Los petroleros y cargueros de gas natural licuado se alineaban enormes en los muelles como barcas en un puerto de pesca. Cerca, sobre un portacontenedores, asentía maternal una grúa. Más allá del puerto, una serie de remolcadores empujaban una barcaza cargada de coches comprimidos; y todavía más lejos, asomando por encima de la espalda ennegrecida de Bayonne, hacía señas el perfil de Manhattan, que reflejaba el sol como una hilera de piedras preciosas.

A Lloyd le acometió un breve ataque de nostalgia. Hacía muchos años que no visitaba aquella zona. Se acordó de su niñez en Rahway, cerca del puerto. Entonces, cuando era pobre, había pasado muchos días vagando por los muelles y las fábricas.

Respiró el aire industrial, el olor punzante que tanto conocía, mezcla de rosas artificiales con el agua salina de las aguas pantanosas, con alquitrán, con azufre. Seguía gustándole mucho aquel ambiente, las chimeneas escupiendo vapor y humo, el brillo de las refinerías, la jungla de tendidos eléctricos. La desnudez industrial poseía una belleza a lo Sheeler. Pensó que gracias a lugares como Elizabeth, con su sinergia de comercio e industria, los habitantes de las zonas residenciales y la bohemia de cartón piedra tenían los medios necesarios para despreciar su fealdad desde la atalaya de una vida llena de comodidades. ¡Qué raro tener tanta nostalgia de aquellos días perdidos de la niñez, habiendo visto realizados todos sus sueños!

Más rara, sin embargo, era la idea de que su máximo logro empezara justo donde sus raíces. De niño ya le gustaba coleccionar, pero a falta de dinero había tenido que reunir una colección de historia natural basada en hallazgos propios. Recogía sagitaria en los diques erosionados, conchas en las costas cubiertas de suciedad, rocas y minerales en minas abandonadas… Desenterraba fósiles de los yacimientos jurásicos de Hackensack, que quedaba cerca, y cazaba mariposas a docenas en las propias marismas del puerto. Coleccionaba ranas, lagartijas, serpientes y cualquier clase de vida animal, y las conservaba en ginebra robada a su padre. El día de su decimoquinto aniversario, cuando ya llevaba amasada una buena colección, se había incendiado su casa, con todos sus tesoros dentro. Fue la pérdida más dolorosa de su vida. Desde entonces no había vuelto a recoger ningún espécimen. Después de eso la universidad, y de ahí a los negocios, donde se habían sucedido sus éxitos. Hasta que un día se había dado cuenta de que ya podía comprarse lo mejor que hubiera en el mundo. Podía borrar aquella pérdida de juventud, por extraños que fueran los medios. El hobby se había convertido en pasión, y así había nacido la visión germinal del museo Lloyd. Ahora volvía a los muelles de Jersey, y estaba a punto de embarcarse en busca de un tesoro que hacía palidecer a los demás.

Respiró hondo y cogió el picaporte con un hormigueo de impaciencia. Aquella carpeta tan delgada de Glinn había resultado una obra maestra que bien valía el millón pagado por ella. El plan expuesto era brillante. Estaba todo previsto, contempladas todas las dificultades. No le había hecho falta llegar al final para que la indignación y la rabia por el precio se convirtieran en entusiasmo. Ahora, después de diez días de impaciente espera, estaba a punto de ver casi completa la primera fase del plan. El objeto más pesado movido por el hombre. Giró el pomo y entró.

Por grande que fuera la fachada del edificio, apenas permitía sospechar las dimensiones internas. Al principio, ver un espacio tan grande sin división por pisos y paredes, abierto por completo desde el suelo al techo, superaba la capacidad ocular de juzgar las distancias, pero como mínimo parecía que tuviera cuatrocientos metros de longitud. En el aire polvoriento se elevaba una red de andamios con aspecto de telaraña metálica. Por el vastísimo espacio pululaba una cacofonía de ruidos: remaches, martillazos sobre hierro, chisporroteo de soldadores...

Estaba allí, en el centro de una actividad febril: un barco espectacular apuntalado en dique seco por grandes contrafuertes de metal, irguiendo su proa bulbosa en las alturas. Como petrolero no era el más grande, pero fuera del agua Lloyd nunca había visto nada tan gigantesco. El nombre *Rolvaag* figuraba en letras blancas en el lado de babor. Alrededor, como una colonia de hormigas, se arremolinaban hombres y máquinas. Al inhalar el embriagador aroma a metal quemado, disolventes y humo de diésel, Lloyd sonrió. Una parte de su persona disfrutaba viendo aquel gasto tan flagrante, aunque fuera suyo el dinero.

Apareció Glinn con unos planos enrollados en la mano, y en la cabeza un casco de EES. Lloyd le miró sin perder la sonrisa e hizo un gesto de muda admiración.

Glinn le ofreció otro casco.

—Desde los andamios todavía hay mejor vista —dijo—. La capitana Britton está arriba.

Lloyd se puso el casco y siguió a Glinn hacia un ascensor pequeño. Subieron unos treinta metros y se apearon en un andamio que recorría las cuatro paredes del edificio. Lloyd caminaba sin poder despegar la vista del barco inmenso que tenía a sus pies. Era increíble. Y le pertenecía.

—Lo construyeron hace seis meses en Stavanger, Noruega. —La voz fría de Glinn casi se perdía en la bulla constructora que subía al encuentro de los dos hombres—. Como le hacemos tantos cambios, no teníamos opción de fletamento y hemos tenido que comprarlo directamente.

—Doble presupuesto —murmuró Lloyd.

—Claro que luego podremos venderlo y recuperar casi todo el dinero. Además, creo que le parecerá que el *Rolvaag* vale la pena. Es lo último, con triple casco y mucho calado para el mal tiempo. Desplaza ciento cincuenta mil toneladas, lo cual, comparado con el medio millón que llegan a desplazar los superpetroleros más grandes, es bastante poco.

—La verdad es que impresiona. Si hubiera alguna manera de gestionar los negocios a distancia, daría cualquier cosa por participar en la expedición.

—Se sobrentiende que lo documentaremos todo. Habrá conferencias diarias por satélite. Yo creo que aparte del mareo lo vivirá todo.

Siguieron por el andamio hasta que tuvieron a la vista todo el lado de babor de la nave. Lloyd se detuvo.

—¿Qué pasa? —preguntó Glinn.

—Es que… —Lloyd se quedó sin palabras—. Es que no se me había ocurrido que pudiera ser tan… tan creíble.

Por los ojos de Glinn pasó una chispa de diversión.

—¿A que Industrial Light & Magic lo está haciendo muy bien?

—¿La empresa de Hollywood?

Glinn asintió.

—¿Qué falta hace reinventar la rueda? Tienen los mejores diseñadores de efectos visuales del mundo. Y son discretos.

Lloyd no contestó. Se limitó a quedarse en la baranda mirando hacia abajo. El petrolero de última generación estaba siendo convertido ante sus ojos en un vulgar carguero de mineral, tan destrozado que parecía listo para el desguace. La mitad delantera del barco presentaba superficies limpias y atractivas de metal pintado, hileras de remaches y placas geométricamente perfectas: un barco de seis meses en toda su reluciente novedad. En cambio, desde la mitad hacia popa, el contraste era el colmo de lo escandaloso. La parte trasera del barco parecía chatarra. Se habría dicho que la superestructura de popa estaba cubierta de veinte capas de pintura descascarillándose cada una a su ritmo. Una de las alas del puente, que de por sí, como estructura, ya era peculiar, tenía el mismo aspecto que si la hubieran aplastado y vuelto a soldar. Por el casco abollado se derramaban grandes cascadas de óxido. Las barandas estaban torcidas, y la ausencia de algunas partes había sido remediada de manera tosca con tubos soldados.

—Es un disfraz perfecto —dijo Lloyd—. Idéntico a una operación minera.

—De lo que estoy más satisfecho es del mástil del radar —dijo Glinn, señalando hacia popa.

A pesar de la distancia, Lloyd se dio cuenta de que faltaba mucha pintura, y de que había trozos de metal colgando de cables viejos. Algunas antenas, rotas y repuestas de cualquier manera, habían sufrido una segunda rotura. Todo estaba manchado de hollín.

—Dentro de esa birria de mástil —continuó Glinn— hay tecnología punta: GPS diferencial, Spizz-64, FLIR, LN-66, Slick 32, ESM pasivo y otros equipos especializados de radar, INMARSAT, GMDSS Sperry… Si nos encontramos con alguna situación… digamos que especial, se aprieta un botón y se ponen en marcha los sistemas electrónicos.

Lloyd vio deslizarse hacia el casco una grúa con una bola enorme de demolición; la bola fue aplicada con muchísimo cuidado al lateral de babor, una, dos, tres veces, añadiendo nuevas vejaciones. En la parte central del barco había un grupo de pintores con mangueras de gran calibre, convirtiendo la inmaculada cubierta en una tormenta simulada de alquitrán, petróleo y arena.

—Lo que dará más trabajo será volver a limpiarlo —dijo Glinn—. Cuando descarguemos el meteorito y queramos revender el barco, digo.

Lloyd apartó la mirada. Cuando descarguemos el meteorito… Faltaban menos de dos semanas para que el buque se hiciera a la mar. Y cuando regresara (cuando llegara el día de mostrar su trofeo), se difundiría la hazaña por el mundo entero.

—Dentro, lógicamente, no nos estamos esforzando mucho —dijo Glinn cuando siguieron caminando por el andamio—. Es bastante lujoso: camarotes grandes, madera en las paredes, luces controladas por ordenador, salas de estar, gimnasios… De todo y más.

Lloyd volvió a detenerse, porque había visto mucha actividad en un agujero de la parte frontal del casco. Delante se alineaban toda clase de vehículos de carga, excavadoras y maquinaria minera, verdadero embotellamiento de pesos pesados en espera de ser cargados en el barco. Una a una, con un rugido de motores diésel, entraban las máquinas, desapareciendo de la vista.

—Un arca de Noé de la época industrial —dijo Lloyd.

—Era más barato fabricarnos nuestra propia puerta que cargar toda la maquinaria pesada con grúa —dijo Glinn—. El *Rolvaag* tiene el típico diseño de los petroleros. Los espacios para petróleo solo ocupan poco más de la mitad del casco. El resto es para bodegas, compartimientos, maquinaria… Hemos construido alojamientos especiales para guardar el instrumental y la materia prima que nos hacen falta. Ya hemos cargado mil toneladas de acero de alta tensión Mannsheim, el mejor, más seiscientos metros cúbicos de madera laminada y todo lo que se pueda imaginar, desde neumáticos de avión a generadores.

Lloyd señaló algo.

—¿Y los vagones que hay en la cubierta?

—Están pensados para que parezca que el *Rolvaag* se saca un dinerito extra transportando contenedores. Dentro hay laboratorios sofisticadísimos.

—Descríbemelos un poco.

—El gris que está más a proa es un laboratorio hidroeléctrico. También llevamos una estación CAD de alta velocidad, una sala de revelado, laboratorios de microscopía electrónica y cristalografía de rayos X, una cámara de isótopos y radiaciones… Debajo de cubierta hay salas de medicina y cirugía y dos talleres para la maquinaria; todo sin ventanas, para que no se vea desde fuera.

Lloyd meneó la cabeza.

—Empiezo a ver en qué se me va todo el dinero. Oye, Eli, no te olvides de que en el fondo lo que compro es una operación de rescate. La ciencia ya vendrá luego.

—No me olvido, pero tenemos que estar preparados para todo, porque hay muchas incógnitas y nos lo jugamos todo al primer intento.

—Ya. Por eso envío a Sam McFarlane; pero, mientras se ajuste todo al plan, a lo que tiene que dedicarse McFarlane es al problema técnico, ¿eh? Técnico. No quiero que se pierda el tiempo en experimentos científicos. Vosotros sacadlo de Chile y se acabó. Luego tendremos todo el tiempo que haga falta para examinarlo.

—Sam McFarlane —repitió Glinn—. Interesante elección. Todo un personaje.

Lloyd le miró.

—A ver si vas a salirme con lo mismo que todos, que he elegido mal.

—¿Le he dicho yo eso? Solo expreso mi sorpresa por que haya optado por un geólogo planetario.

—Es la persona más indicada para la misión. No he querido enviar a ningún grupo de científicos enclenques. Sam domina el trabajo de laboratorio y el de campo. Puede hacerlo todo. Está curtido y conoce Chile. ¡Coño, que el que encontró el pedrusco era su socio, y su análisis de los datos era buenísimo! —Se acercó a Glinn y adoptó un tono confidencial—. ¿Que hace un par de años cometió un error de valoración, y que no era precisamente una menudencia? Verdad, pero eso no quiere decir que ya no se pueda confiar en él nunca más. Además… —Le puso a Glinn una mano en el hombro—. Estás tú para vigilarle. Por si le vuelve la tentación. —Retiró la mano y volvió a mirar el barco—. Y, hablando de tentaciones, ¿dónde pondrán el meteorito?

—Venga, que se lo enseño —dijo Glinn.

Subieron por otro tramo de escaleras y recorrieron un andamio que cruzaba encima del barco en sentido transversal. Había alguien apoyado en la baranda, alguien callado, muy erguido y vestido de capitán. Al acercarse los dos hombres, la figura, personificación del mando, se apartó de la baranda y esperó a que llegaran.

—Capitana Britton —dijo Glinn—. Señor Lloyd.

Lloyd levantó la mano, y en el acto de tenderla se quedó de piedra.

—¿Una mujer? —Le salió sin querer.

Ella le estrechó la mano.

—Muy observador, señor Lloyd. —Le dio un vigoroso y breve apretón—. Sally Britton.

—Claro, claro —dijo Lloyd—. Es que no me esperaba que…

¿Por qué no le había avisado Glinn? Su vista se demoró en el cuerpo esbelto y el mechón de pelo rubio que salía de debajo de la gorra.

—Me alegro de que haya podido venir —dijo Glinn—. Quería que viera el barco antes de tenerlo disfrazado del todo.

—Gracias, señor Glinn —dijo ella, manteniendo su principio de sonrisa—. Me parece que es lo más asqueroso que he visto en mi vida.

—Puro maquillaje.

—Pienso dedicar los próximos días a comprobarlo. —Señaló una serie de piezas que sobresalían de la superestructura—. ¿Qué hay detrás de aquellos mamparos?

—Equipo de seguridad adicional —dijo Glinn—. Hemos tomado todas las precauciones y más.

—Ah, qué interesante.

Lloyd observó su perfil con curiosidad

—Eli no me ha contado nada de usted —dijo—. ¿Puede decirme cuatro cosas de su historial?

—He sido oficial de marina cinco años, y tres capitana.

—¿En qué tipo de barcos?

—Cisterna y superpetroleros.

—¿Superpetroleros?

—Sí, barcos con capacidad para más de doscientas cincuenta mil toneladas. Vendrían a ser petroleros con esteroides.

—Ha doblado varias veces el cabo de Hornos —dijo Glinn.

—¿Ah, sí? No sabía que aún se usara esa ruta.

—Los superpetroleros no pueden navegar por el canal de Panamá —dijo Britton—. En general, como ruta, se prefiere el cabo de Buena Esperanza, pero a veces no hay más remedio que doblar el de Hornos.

—Ha sido una de las razones de elegirla —dijo Glinn—. Tan abajo, el mar es bastante traidor.

Lloyd asintió sin apartar la mirada de Britton. Ella se la sostuvo con serenidad, indiferente al caos imperante a sus pies.

—¿Está al corriente de lo que transportamos? —preguntó él.

Britton asintió.

—¿Y no le ve ninguna pega?

Ella le miró.

—No, ninguna.

Lloyd vio algo en los ojos verdes de la capitana que contradecía la respuesta. Abrió la boca para hablar, pero Glinn le interrumpió educadamente.

—Vengan, que les enseño el andamio.

Les hizo señas de que siguieran por el andamio. Tenían la cubierta justo debajo, a pico, envuelta en nubes de humo de soldar y diésel. Como faltaban algunas planchas, quedaba a la vista un hueco muy grande. Al borde estaba Manuel Garza, ingeniero jefe de EES, aguantando una radio en la oreja con una mano y haciendo gestos con la otra. Al verlos arriba, les saludó.

Lloyd miró por el hueco y distinguió una estructura de una complejidad asombrosa, dotada de la elegancia de una celosía de cristal. La presencia de hileras de luces de sodio en los bordes hacía resplandecer la oscura bodega como una gruta profunda y encantada.

—¿Es la bodega? —preguntó.

—No, bodega no, tanque. Para ser exactos, tanque central número tres. Depositaremos el meteorito en el centro de la quilla del barco, para tener la máxima estabilidad. Y hemos añadido un pasadizo detrás de la cubierta principal, partiendo de la superestructura, para facilitar el acceso. Fíjese en las puertas mecánicas que hemos instalado en cada lado de la abertura del tanque.

El andamio estaba muy abajo. Lloyd aguzó la vista para protegerse del brillo de las luces, que eran muchas.

—¡Pero bueno! —dijo de repente—. ¡Si es medio de madera! —Se volvió hacia Glinn—. ¿Ya empezáis a racanear?

Los labios de Glinn se curvaron en una breve sonrisa.

—Señor Lloyd, en materiales de ingeniería la madera es lo último.

Lloyd sacudió la cabeza.

—¿Madera? ¿Para un peso de diez mil toneladas? No me lo creo.

—La madera es ideal. Cede un poquito pero nunca se deforma. Con los objetos pesados tiende a clavarse y trabarlos. La clase de roble que estamos usando, laminado con resina epóxica, es más resistente que el acero. Y la madera se puede tallar, dándole una forma que se adapte a las curvas del casco. Con mala mar no agujereará el casco de acero, y no está expuesta a la fatiga del metal.

—Pero ¿por qué es tan complicado el diseño?

—Hemos tenido que solucionar un problema —dijo Glinn—. Como el meteorito pesa diez mil toneladas, tiene que estar perfectamente trabado, inmovilizado en la bodega. Si el *Rolvaag* encuentra mal tiempo durante la vuelta a Nueva York, cualquier cambio de posición del meteorito, por pequeño que fuera, podría desestabilizar el barco con consecuencias desastrosas. La trama de maderas, además de asegurar que no se mueva, distribuye el peso homogéneamente en el casco, simulando la carga de crudo.

—Impresionante —dijo Britton—. ¿Han tenido en cuenta la compartimentación interna?

—Sí. La doctora Amira es un genio de los cálculos. Hizo uno que tardó diez horas en una supercomputadora Cray T3D, pero que nos dio la configuración. Claro que hasta que no conozcamos las dimensiones exactas de la roca no podremos terminarlo. Esto lo hemos construido basándonos en los datos del reconocimiento aéreo del señor Lloyd, pero cuando desenterremos el meteorito construiremos otro andamio alrededor, para que se ajuste dentro de este.

Lloyd asintió.

—Y ¿qué hacen esos hombres?

Señaló lo más profundo de la bodega, donde había una brigada de trabajadores casi imposibles de discernir cortando las planchas del casco con sopletes de acetileno.

—La compuerta de seguridad —dijo Glinn sin perder la compostura.

Lloyd sintió una punzada de irritación.

—Pero ¿aún estás emperrado en eso?

—En su momento ya lo hablamos.

Lloyd se esforzó por adoptar un tono razonable.

—Oye, que si en plena tormenta se abre el fondo del barco para soltar el meteorito, se irá a pique todo el armatoste. Eso lo entiende hasta el más burro.

Glinn le miró con sus ojos grises e impenetrables.

—Si se activa la trampilla, tardaremos menos de sesenta segundos en abrir el tanque, soltar la roca y volver a cerrarlo. Por mucha tormenta que haya, en sesenta segundos no se hunde el barco. Al contrario: lo que ocurriría es que la entrada de agua compensaría la pérdida de lastre provocada por la salida del meteorito. También lo ha calculado la doctora Amira, y no le cuento lo larga que era la ecuación.

A su vez, Lloyd le miró fijamente. Aunque fuera increíble, aquel individuo disfrutaba con haber resuelto el problema de cómo enviar al fondo del Atlántico un meteorito de valor incalculable.

—Solo te digo una cosa: el que tire mi meteorito por la compuerta de seguridad será hombre muerto.

La capitana Britton soltó una risa aguda, estentórea; una risa que se oía por encima del bullicio de abajo. Los dos hombres se giraron hacia ella.

—Señor Lloyd —dijo, briosa—, no se olvide de que aún no es el meteorito de nadie. Y antes de que lo sea nos queda un largo trecho de mar.

A bordo del Rolvaag
26 de junio, 0.35 h

McFarlane pasó por la escotilla, cerró la puerta de acero y salió. Se hallaba en el punto más alto de la superestructura del barco, con la sensación de estar en el techo del mundo. La superficie lisa del Atlántico quedaba a más de treinta metros, moteada por la vaga luz de las estrellas. Una brisa suave traía el chillido lejano de las gaviotas, y un delicioso olor a mar.

Se arrimó a la barandilla delantera y la cogió con las dos manos, pensando en el barco gigantesco donde viviría durante varios meses. Tenía el puente justo a sus pies, y debajo una cubierta que Glinn, misteriosamente, había dejado vacía. Más abajo todavía quedaba el laberinto de camarotes de los oficiales; y, a sus buenos seis pisos de desnivel, la cubierta principal, que se alargaba un cuarto de kilómetro hasta la proa. De vez en cuando, la cabeza del castillo de proa recibía salpicaduras de un agua donde brillaba luz de estrellas. Quedaba en pie la red de tuberías y válvulas, rodeada por un laberinto de contenedores viejos (los laboratorios y talleres) que parecía una ciudad de juguete, de las que hacen los niños con cubos de madera.

En breves minutos se requeriría su asistencia a la cena, que sería su primera comida formal a bordo; pero antes McFarlane había querido subir a aquel observatorio para convencerse de que era verdad que había comenzado el viaje.

Respiró hondo para despejarse la cabeza del frenesí de los últimos días, empleados en montar laboratorios. Un arranque de euforia le hizo coger más fuerte la barandilla, y pensó: esto ya está mejor. Hasta le parecía preferible una celda chilena a tener a Lloyd siempre encima, criticando y poniéndose nervioso por detalles sin importancia. Aún no sabía qué les esperaba al final del viaje, qué había encontrado Nestor Masangkay, pero al menos habían emprendido el camino.

McFarlane inició por cubierta la larga caminata hacia la barandilla posterior. Se oía subir de las profundidades del buque cierto runrún de motores, pero a aquella altura no se notaba ninguna vibración. El faro del cabo May hacía guiños en la distancia, uno corto seguido de otro largo. Conseguidos por Glinn los documentos de embarque (a saber por qué secretas vías), habían salido de Elizabeth al amparo de la oscuridad, manteniendo el secreto hasta el final. Pronto estarían en las rutas principales de navegación, lejos de la plataforma continental; entonces tomarían rumbo al sur, y a las cinco semanas, de cumplirse los planes, volverían a ver la misma luz. McFarlane intentó imaginarse las consecuencias de que el rescate fuera un éxito: la indignación, el tirarse de los pelos, la jugada maestra a nivel científico... y para él, quizá, verse descargado de su culpa.

Se sonrió con cinismo. La vida no era así. Costaba mucho menos imaginarse de vuelta al Kalahari con algo más de dinero en el bolsillo y unos kilos de más por la comida del barco, buscando a los esquivos indígenas y reemprendiendo la búsqueda del Okavango. Lo que le había hecho a Nestor no lo borraba nada ni nadie, y menos ahora, habiendo muerto su ex amigo y socio.

Mientras miraba a popa, McFarlane captó otro olor en el aire marino: tabaco. Al girarse vio que no estaba solo. En la oscuridad de la cubierta se encendía y apagaba un punto rojo. Sin él saberlo, había estado acompañado. Había otro pasajero disfrutando de la noche.

Entonces la brasa roja empezó a dar saltos, señal de que se acercaba la otra persona, y McFarlane se llevó la sorpresa de que fuera Rachel Amira, la física de Glinn y su supuesta ayudante. Sostenía con la mano derecha los últimos centímetros de un puro. McFarlane recibió con un suspiro interno aquella intromisión en sus meditaciones solitarias, sobre todo siendo la causante aquella sardónica mujer.

—*Ciao*, jefe. ¿Tiene que darme alguna orden?

McFarlane se quedó callado, aguantándose la rabia que le había despertado la palabra «jefe». No le habían contratado para ser jefe de nadie. A Amira no le hacía falta ninguna niñera. De hecho, tampoco parecía que le gustara mucho el apaño. ¿Cómo se le había ocurrido a Glinn?

—Tres horas en el mar y ya me aburro. —Amira movió el puro—. ¿Quiere uno?

—No, gracias; quiero que la cena me sepa a algo.

—¿Comida de barco? Eso es que es masoquista. —Se apoyó a su lado en la baranda, suspirando de fastidio—. Este barco me pone de los nervios.

—¿Y eso por qué?

—Es que es tan frío, tan robótico... Yo, cuando pienso en navegar, me imagino hombres de acero corriendo de cubierta en cubierta, con el capitán gritando órdenes. Pero esto... —Señaló hacia atrás con el dedo—. Doscientos cincuenta metros de cubierta y no se mueve nada. ¡Nada! Es un barco encantado. Se hace todo por ordenador.

No le falta razón, pensó McFarlane. Aunque el *Rolvaag*, según criterios modernos, solo fuera de tamaño mediano, no dejaba de ser gigantesco; en cambio, para gobernarlo había bastante con una dotación mínima. Sumando la tripulación del barco, los especialistas y técnicos de EES y el equipo de construcción, no se pasaba de cien personas a bordo. Cualquier transatlántico la mitad de grande albergaría a doscientas.

—¡Y anda que no es grande! —oyó decir a Amira, como en respuesta a sus pensamientos.

—Eso dígaselo a Glinn. Lo que es Lloyd, habría estado más contento gastándose menos dinero en menos barco.

—¿Sabe que estos buques cisterna son las primeras embarcaciones construidas por el hombre lo bastante grandes para que las afecte la rotación de la Tierra?

—No lo sabía, no. —Estaba claro: a aquella mujer le gustaba oírse hablar.

—Pues sí. Se tiene que ajustar un poco la fuerza del motor para que tome en cuenta el efecto de Coriolis. Y tarda tres millas náuticas en pararse.

—Es usted toda una mina de detalles sobre buques cisterna.

—Soy buena conversadora. Puedo hablar de cualquier cosa.

Amira exhaló un anillo de humo en la oscuridad.

—¿Qué otras cosas hace bien?

Amira rió.

—Me defiendo en matemáticas.

—Sí, ya me lo han dicho.

McFarlane le dio la espalda y se apoyó en la baranda con la esperanza de que captara la indirecta.

—Qué se le va a hacer. ¡De mayores no podemos ser todas azafatas! —Por suerte Amira dio una calada al puro, y hubo un poco de silencio—. ¡Ah, jefe! ¿Sabe qué?

—Le agradecería que no me llamara así.

—Es lo que es, ¿no?

McFarlane se volvió hacia ella.

—Yo no he pedido ningún ayudante. No me hace falta, y este apaño me gusta tan poco como a usted.

Amira sacó el humo con una sonrisa sardónica insinuándose en sus labios, y una mirada de regocijo.

—Tengo una idea —dijo McFarlane.

—¿Qué?

—Haremos como si no fuera mi ayudante.

—¿Ya me despide? ¿Tan deprisa?

McFarlane suspiró, reprimiendo lo que le dictaban sus impulsos.

—Ya que vamos a pasar juntos mucho tiempo, propongo que trabajemos en igualdad de condiciones. No hace falta que lo sepa Glinn. Creo que estaremos los dos mucho más contentos.

Amira examinó la ceniza, que se iba alargando, y arrojó el puro por la borda. El tono de su respuesta fue un poco más amable.

—El número del bocadillo fue la repera. Rochefort es un maniático de la hostia, y con lo de la jalea se puso negro. Me gustó, de verdad.

—Demostré lo que tenía que demostrar.

Amira rió. McFarlane, mirando de soslayo, vio sus ojos brillando en la penumbra, y su pelo oscuro fundiéndose con la noche aterciopelada. Bajo aquella fachada de mujer de acción sin pelos en la lengua se escondía una personalidad compleja. Volvió a mirar el mar.

—Lo que tengo claro es que Rochefort y yo no vamos a ser íntimos.

—Ni usted ni nadie. Solo es humano a medias.

—Como Glinn. Dudo que ese mee sin haber analizado todas las trayectorias posibles.

Silencio. McFarlane se dio cuenta de que el chiste no había caído bien.

—Respecto a Glinn —dijo Amira—, voy a contarle un par de cosas. Solo ha tenido dos trabajos en toda su vida. Uno es Effective Engineering Solutions. El otro, el ejército.

Su tono hizo que McFarlane volviera a mirarla.

—Antes de montar EES, Glinn era especialista de inteligencia en las Fuerzas Especiales. Interrogatorio de prisioneros, reconocimiento fotográfico, demolición submarina… Cosas así. Era jefe de un equipo A. Había empezado en aviación, y luego había estado en los rangers, pero su gran momento había sido el programa Phoenix de Vietnam.

—Muy interesante.

—Pues sí —Amira hablaba casi con rabia—. Destacaban en situaciones de guerra caliente. Por lo que me ha dicho Garza, mataban mucho y tenían pocas bajas: buen índice.

—¿Garza?

—Estaba a las órdenes de Glinn como especialista en ingeniería. Ahora construye, pero entonces destruía.

—¿Se lo ha contado todo Garza?

Amira vaciló.

—No, algunas cosas me las ha contado Eli.

—Y ¿qué pasó?

—Que se los cargaron cuando intentaban montar un puente en la frontera de Camboya. La información que tenían sobre las posiciones enemigas no era exacta. Eli perdió a todos sus hombres menos a Garza. —Amira metió la mano en el bolsillo, sacó un cacahuete y lo peló—. Ahora que dirige EES, Glinn se encarga personalmente de toda la información. Ya ve, Sam; me parece que no le ha calado bien.

—La veo muy informada.

De repente se enturbiaron los ojos de Amira, que se encogió de hombros y sonrió. El fuego de su mirada se apagó tan de repente como se había encendido.

—Qué vista más bonita —dijo, señalando el cabo May con la cabeza.

En el terciopelo nocturno titilaban las luces, último contacto con Norteamérica.

—Mucho —repuso McFarlane.

—¿Hacemos una apuesta sobre los kilómetros que hay?

McFarlane frunció el entrecejo.

—¿Qué?

—Propongo una apuesta sobre lo lejos que está el faro.

—Primero, que no me gustan las apuestas, y segundo, que seguro que tiene a punto alguna fórmula matemática.

—Acierta, acierta. —Amira peló unos cacahuetes más—. ¿Bueno, qué?

—¿Qué de qué?

—Ya hemos puesto rumbo al fin del mundo para llevarnos el pedrusco más grande de la historia. ¿Cómo lo ve, señor buscador de meteoritos? Y no me mienta.

—Lo veo… —empezó McFarlane, pero dejó la frase a medias para no sucumbir a la esperanza de que la segunda oportunidad (llovida del cielo, en realidad) sería la definitiva.

—Yo lo que veo —dijo ella— es que deberíamos ir bajando al comedor, porque si llegamos tarde seguro que el capitán nos pasa por la quilla. Y, siendo un buque cisterna, no sería ninguna broma.

Rolvaag
26 de junio, 0.55 h

Se apearon del ascensor en la cubierta del castillo de proa. Como estaban cinco pisos más cerca de los motores, McFarlane notaba una vibración grave e ininterrumpida. Era un simple rumor, pero que no se le iba de los oídos ni de los huesos.

—Por aquí —dijo Amira, haciéndole señas de que fueran por el pasillo azul y blanco.

McFarlane la siguió fijándose en todo. Antes de zarpar había estado casi recluido en los contenedores de cubierta, donde estaban los laboratorios; era, por lo tanto, el primer día que pasaba dentro de la superestructura. Los demás barcos en que había viajado se componían de espacios sobrecargados y claustrofóbicos, mientras que en el *Rolvaag* todo parecía construido a escala diferente: los pasillos eran anchos, y los camarotes y zonas comunitarias destacaban por su amplitud y su suelo de moqueta. Echó un vistazo por algunas puertas y vio una sala de proyecciones con pantalla grande donde cabían como mínimo cincuenta personas, así como una biblioteca con paredes de madera. A continuación doblaron una esquina, Amira abrió una puerta y penetraron en el comedor.

McFarlane se quedó de piedra. Había previsto encontrar el típico comedor anónimo de carguero, pero el *Rolvaag* volvía a sorprenderle. El comedor de oficiales era una sala espaciosa que recorría toda la popa de la cubierta del castillo de proa. Tenía ventanales con vistas a la estela que dejaba el buque hasta que devoraba su hervor la oscuridad. En la zona central había una docena de mesas redondas, cada una con ocho cubiertos, mantel limpio de hilo y flores frescas. Los camareros, que esperaban el momento de empezar a servir, llevaban perfectamente almidonado el uniforme. McFarlane tuvo miedo de ir mal vestido para la ocasión.

Ya había gente rondando por las mesas. A McFarlane le habían avisado de que habría un orden prefijado de comensales, al menos al principio, y de que él tendría que sentarse a la mesa del capitán. Miró por todas partes hasta ver a Glinn de pie al lado de la mesa que quedaba más cerca de las ventanas, y se acercó a él por el suelo de roble pulido.

Glinn estaba enfrascado en la lectura de un librito, pero al ver que se acercaban se apresuró a metérselo en el bolsillo. McFarlane tuvo el tiempo justo de leer el título: *Poesías selectas de W. H. Auden*. Hasta entonces no le había parecido que Glinn tuviera aspecto de lector de poesía. Quizá fuera verdad que le juzgaba mal.

—¡Cuánto lujo! —dijo contemplando la sala—. Sobre todo para un petrolero.

—No crea, es normalito —repuso Glinn—. En un barco tan grande ya no escasea el espacio. Son barcos que consumen tanto que casi nunca están parados en el puerto; es decir, que la tripulación pasa muchos meses a bordo sin poder bajar. Vale la pena que estén contentos.

Cada vez había más gente sentada, y más ruido en la sala. McFarlane observó a aquella mezcla de técnicos, oficiales de barco y especialistas de EES. Había ido todo tan deprisa que solo reconocía a una docena de las setenta y pico personas que ocupaban el comedor.

De repente se hizo el silencio. McFarlane miró hacia la puerta, y en ese momento entró por ella Britton, la capitana del *Rolvaag*. Ya sabía que era una mujer, pero no se la esperaba tan joven (no podía pasar de los treinta y cinco) ni con tanto señorío. Llevaba un uniforme intachable: chaqueta de marino, botones de oro e inmaculada falda de oficial. En los hombros, bien torneados, llevaba barritas de oro. Se acercó a ellos con un paso mesurado donde, además de competencia, se leía algo más: quizá, pensó McFarlane, una voluntad de hierro.

La capitana ocupó su asiento, y se oyó el rumor de los demás comensales al seguir su ejemplo. Britton se quitó la gorra, dejando a la vista un moño rubio muy apretado, y la dejó en una mesita auxiliar que parecía servir exclusivamente para aquella función. McFarlane, atento, observó que su mirada acusaba el peso de más años de los que tenía.

Apareció un hombre uniformado y de pelo gris, que susurró algo al oído de la capitana. Era alto y delgado, con ojos oscuros y órbitas que todavía lo eran más. Britton asintió con la cabeza, y el hombre retrocedió entre miradas a los compañeros de mesa de su superior. A McFarlane, sus movimientos ágiles le recordaron los de un gran depredador.

Britton se refirió a él con la palma de la mano.

—Les presento al primer oficial del *Rolvaag*, Victor Howell.

El hombre correspondió al murmullo de saludos con un gesto de la cabeza y se desplazó hacia su asiento, a la cabecera de una mesa próxima. Intervino Glinn con voz serena.

—¿Tengo permiso para acabar las presentaciones?

—Faltaría más —dijo la capitana.

Tenía una voz bien timbrada, sin acento.

—Le presento al especialista en meteoritos del museo Lloyd, el doctor Sam McFarlane.

La capitana estrechó la mano de McFarlane con la mesa de por medio. La suya era tibia, y el apretón recio.

—Sally Britton —dijo. Esta vez McFarlane le notó acento escocés—. Bienvenido a bordo, doctor McFarlane.

—La doctora Rachel Amira, la matemática de mi equipo —continuó Glinn, dando unos pasos más alrededor de la mesa—. Y Eugene Rochefort, ingeniero jefe.

Rochefort saludó con un gesto nervioso de la cabeza, inquietos los ojos, de una mirada inteligente y obsesiva. Llevaba un blazer azul cuyo principal defecto era ser de poliéster, material que reflejaba las luces del comedor. Su mirada recayó en McFarlane, pero se apartó enseguida. Se le veía incómodo.

—Les presento al doctor Patrick Brambell, el médico de a bordo. No es ni su primer viaje en barco ni el segundo.

Brambell dirigió a los comensales una sonrisa pilla y se inclinó a lo japonés. Era un hombrecillo de cierta edad, aspecto ladino y rasgos muy marcados. Tenía la frente muy ancha, cruzada por finas arrugas paralelas, los hombros estrechos y caídos y una cabeza con tan poco pelo como si fuera de porcelana.

—¿Ya ha sido médico de barco? —preguntó educadamente Britton.

—Procuro pisar tierra firme lo menos que puedo —dijo Brambell con ironía y acento irlandés.

Al mismo tiempo que asentía, Britton deslizó el aro de la

servilleta y se la colocó en el regazo. Sus movimientos, sus dedos, su conversación, todo revelaba la misma economía de gestos, la misma inconsciente eficacia. McFarlane sospechó que su sangre fría y su elegancia tenían un componente defensivo. Al coger él su servilleta, vio que en medio de la mesa había un tarjetón en pie de plata con el menú impreso. Ponía: «Consomé Olga, *vindaloo* de cordero, pollo *à la lyonnaise*, tiramisú». Silbó entre dientes.

—¿No es de su gusto el menú, doctor McFarlane? —preguntó Britton.

—Al contrario. Me esperaba bocadillos de huevo y lechuga y un helado de pistacho.

—Aquí a bordo la buena cocina es tradición —dijo Britton—. El cocinero, que se llama Singh, es de los mejores que hay en servicio. Su padre cocinaba para el almirantazgo británico antes de la independencia de la India.

—Un buen *vindaloo* es el mejor recordatorio de que somos mortales —dijo Brambell.

—Cada cosa a su tiempo —dijo Amira, frotándose las manos y mirando alrededor—. ¿Dónde está el camarero del servicio de bar? Me muero de ganas de tomarme un coctelito.

—Para beber hay esto —dijo Glinn, señalando la botella abierta de Château Margaux que había al lado de las flores.

—No está mal, pero antes de cenar lo mejor es un martini bien seco con Bombay. Incluido cuando se cena a medianoche.

Amira rió.

—Lo siento, Rachel —dijo Glinn—, pero a bordo del barco están prohibidas las bebidas espiritosas.

Amira le miró.

—¿Bebidas espiritosas? —repitió con una risita—. Es la primera vez que te lo oigo, Glinn. ¿Has entrado en la Liga Cristiana de Mujeres Abstemias?

Glinn continuó sin acusar el golpe.

—El capitán deja beber una copa de vino antes o después de la cena. Están prohibidas las bebidas de alta graduación.

Fue como si se encendiera una bombilla sobre la cabeza de Amira. La expresión pasó de chistosa a sonrojada. Lanzó una mirada rápida a la capitana.

—Ah… —dijo.

McFarlane siguió la dirección de la mirada y vio que la cara de Britton se había puesto un poco blanca, dentro de lo morena que estaba.

Glinn siguió mirando a Amira, que se ponía cada vez más ruborosa.

—Yo creo que te compensará la calidad del burdeos.

Amira se quedó callada. Se notaba que estaba pasando mucha vergüenza. Britton cogió la botella y sirvió una copa a todos los comensales menos a sí misma. McFarlane pensó que el misterio ya no iba a desvelarse. Tomó nota mentalmente para preguntárselo a Amira en algún otro momento.

El ruido de las conversaciones de las otras mesas volvió a aumentar, poniendo remedio a un silencio breve e incómodo. Manuel Garza, en la de al lado, usaba una de sus dos manazas para untar de mantequilla una rebanada de pan, mientras se partía de risa por un chiste.

—¿Cómo es llevar un barco así de grande? —preguntó McFarlane.

No lo preguntaba solo por educación. Britton tenía algo que le intrigaba, y quería ver qué había debajo de aquella superficie tan atractiva y perfecta.

Britton tomó una cucharada de consomé.

—Estos petroleros nuevos casi puede decirse que se pilotan solos. Yo lo que hago es coordinar a la tripulación y servir de mediadora. A estos barcos hay tres cosas que no les gustan: las aguas poco profundas, hacer maniobras y las sorpresas. —Bajó la cuchara—. Mi trabajo es procurar que no encontremos ninguna de las tres.

—¿Y no está incómoda con esto de ser capitana de... de un cacharro que se cae a trozos?

Britton respondió con comedimiento.

—En el mar hay cosas que son normales. El barco tampoco va a quedarse siempre así. En el viaje de vuelta, pienso hacer limpieza a fondo con toda la tripulación que quede libre.

Se volvió hacia Glinn.

—Ya que sale el tema, quería pedirle un favor. Esta expedición es... digamos que peculiar, y la tripulación ya hace comentarios.

Glinn asintió.

—Claro, claro. Mañana, si me los reúne, les diré unas palabras.

Britton expresó su aprobación con un gesto de la cabeza. Entonces volvió el camarero y cambió los platos con gran pericia, haciendo que flotara por toda la mesa el aroma del curry y el tamarindo. McFarlane pinchó un trozo de *vindaloo*, pero se dio cuenta uno o dos segundos demasiado tarde de que debía de ser el plato más picante que había probado en toda su vida.

—¡Caray, qué bueno está! —murmuró Brambell.

—¿Cuántas veces ha doblado el cabo de Hornos? —preguntó McFarlane después de un buen trago de agua. Se notaba la frente sudorosa.

—Cinco —dijo Britton—, pero siempre en pleno verano austral, cuando había menos peligro de encontrar mal tiempo.

McFarlane le notó algo en el tono que le puso nervioso.

—Pero siendo tan grande el barco, y con tanta potencia, digo yo que las tormentas no deben de ser ningún peligro...

Britton sonrió fríamente.

—La zona del cabo de Hornos es única en el mundo. No tiene nada de raro que soplen vientos de fuerza quince. ¿Verdad que ha oído hablar de los famosos williwaws?

McFarlane asintió.

—Pues hay otro viento que es mucho peor, aunque se conozca menos. Allá abajo lo llaman *panteonero*, que es sinónimo de sepulturero. Puede pasarse varios días seguidos soplando a más de cien nudos. Se llama así porque soplando soplando lleva a los marineros directos a la tumba.

—Ya, pero al *Rolvaag* no debe de afectarle ningún viento, ¿verdad? —preguntó McFarlane.

—No, claro, mientras tengamos gobierno no hay problema, pero piense que el panteonero ha echado a pique a más de un barco que iba demasiado confiado, o que se había quedado sin propulsión; siempre en los *Screaming Sixties*, los «sesenta bramadores», que es como se llama la parte de océano abierto entre Sudamérica y la Antártida. Para un marinero es lo peor del mundo. Se forman olas gigantes, y es la única zona donde las olas y el viento pueden circundar juntas el globo sin tocar tierra. Van subiendo de altura hasta sesenta metros.

—¡Por Dios! —dijo McFarlane—. ¿Usted ha estado?

Britton negó con la cabeza.

—No —dijo—, nunca, ni pienso ir. —Hizo una pausa, dobló la servilleta y le miró—. ¿Le suena de algo el capitán Honeycutt?

McFarlane pensó un poco.

—¿Un marinero inglés?

Britton asintió.

—Zarpó de Londres en 1607 con cuatro barcos, rumbo al Pacífico. Hacía treinta años que Drake había doblado el cabo de Hornos, pero perdiendo cinco de los seis barcos que llevaba. Honeycutt estaba empeñado en demostrar que se podía hacer la travesía sin perder ninguno. Encontraron tormenta al acercarse al estrecho de Le Maire. La tripulación le pidió al capitán que diera media vuelta, pero él insistió en seguir. Al doblar el cabo de Hornos se les vino encima un vendaval espantoso. Una ola gigante (los chilenos las llaman «tigres») hundió dos barcos en menos de un minuto. Los otros dos se quedaron desarbolados y a la deriva durante varios días, con el viento llevándolos al otro lado del Límite del Hielo.

—¿El Límite del Hielo?

—Donde las aguas de los océanos del sur se encuentran con las que rodean la Antártida. Los oceanógrafos lo llaman Convergencia Antártica, y es donde comienza el hielo. Total, que de noche los barcos de Honeycutt chocaron con una isla de hielo.

—Como el *Titanic* —dijo en voz baja Amira.

El capitán la miró.

—No, un iceberg no. Una isla de hielo. En comparación con lo que hay después del Límite, lo del *Titanic* era un cubito. La que destrozó los barcos de Honeycutt debía de medir más o menos treinta por sesenta kilómetros.

—¿Ha dicho sesenta kilómetros? —preguntó McFarlane.

—Se tiene noticia de otras mucho más grandes, más que algunos estados. Son visibles desde el espacio. Placas gigantes desprendidas de los bancos de hielo de la Antártida.

—Caray.

—De los supervivientes, que eran ciento y pico, consiguieron llegar a la isla unos treinta. Recogieron restos de los barcos que habían llegado a la playa y encendieron una hoguerita. En los siguientes dos días se murió de frío la mitad. Tenían que mover el fuego constantemente, porque se hundía en el hielo. Empezaron a padecer alucinaciones. Algunos decían que había un ser enorme con pelo blanco sedoso y dientes rojos que se llevaba a miembros de la tripulación.

—¡Pero hombre! —dijo Brambell, interrumpido en el vigoroso acto de comer—. ¡Si es igual que las *Aventuras de Gordon Pym* de Poe!

Britton se le quedó mirando y dijo:

—Ni más ni menos. De hecho es de donde sacó la idea. Decían que ese ser se les comía las orejas, los dedos de los pies y de las manos y las rodillas, dejando desperdigadas por el hielo las demás partes del cuerpo.

Mientras escuchaba, McFarlane se dio cuenta de que en las mesas de al lado ya no se oía conversación.

—Durante dos semanas fueron muriéndose uno a uno los marineros, hasta que la inanición los redujo a diez. Los supervivientes hicieron lo único que podían hacer.

Amira hizo una mueca y soltó el tenedor, haciéndolo chocar con la mesa.

—Me parece que sé cómo sigue.

—Sí. Tuvieron que comer lo que llaman los marineros, eufemísticamente, «cerdo largo». A sus propios compañeros muertos.

—Qué agradable —dijo Brambell—. Parece que bien cocinado está más bueno que el cerdo. Que me pase alguien el cordero, por favor.

—Como una semana después, uno de los supervivientes vio acercarse los restos de una embarcación a merced del oleaje. Era la popa de uno de sus propios barcos, que se había partido en dos durante la tormenta. Empezaron a discutir. Honeycutt y algunos más querían jugársela en el mar, pero el barco partido flotaba muy poco y la mayoría no lo veía claro. Al final, los únicos que se atrevieron a ir nadando fueron Honeycutt, su timonel y un simple marinero. El timonel murió sin haber podido subirse al trozo de barco, no como Honeycutt y el marinero, que llegaron. Por la tarde vieron la isla de hielo por última vez. La corriente se la llevaba hacia el sur, hacia la Antártida. Antes de que desapareciera entre la niebla, les pareció ver a un ser extraño que destrozaba a los supervivientes.

»A los tres días, el trozo de barco donde navegaban encalló en los arrecifes de alrededor de la isla Diego Ramírez, al sudoeste del cabo de Hornos. Honeycutt se ahogó, y el único que pudo llegar a tierra fue el marinero. Se alimentaba de mariscos, musgo, guano de cormorán y kelp. Tenía encendido a todas horas un fuego de turba, por si se daba la casualidad de que pasara algún barco. A los seis meses vio la señal un barco español y lo trajeron a bordo.

—Al ver el barco debió de saltar de alegría —dijo McFarlane.

—Sí y no —dijo Britton—. Entonces Inglaterra estaba en

guerra con España. Los siguientes diez años los pasó en una maz-
morra de Cádiz, aunque al final le soltaron y volvió a Escocia, su
tierra natal. Se casó con una chica veinte años más joven y se hizo
granjero muy muy lejos del mar.

Britton hizo una pausa y alisó el mantel con los dedos.

—El marinero —dijo con calma— era William McKyle
Britton, antepasado mío.

Bebió un sorbo de su copa de agua, se secó la boca con la servilleta e hizo señas al camarero de que sirviera el siguiente plato.

Rolvaag
27 de junio, 15.45 h

McFarlane estaba apoyado en la barandilla de la cubierta principal, disfrutando del lento y casi imperceptible vaivén de la nave. Como el *Rolvaag* estaba «en lastre» (con las bodegas secundarias parcialmente llenas de agua de mar para compensar la falta de cargamento), tenía baja la línea de flotación. McFarlane veía a mano izquierda la superestructura de popa, un monolito blanco con ventanitas sucias por único adorno, y a lo lejos las alas del puente. En el horizonte, ciento cincuenta kilómetros al oeste, asomaban Myrtle Beach y la costa de Carolina del Sur.

Compartía cubierta con las cincuenta y pico personas que formaban la tripulación del *Rolvaag*; pocas, teniendo en cuenta las dimensiones del buque, pero lo más llamativo era su diversidad: africanos, portugueses, franceses, ingleses, norteamericanos, chinos e indonesios, todos protegiéndose la mirada del sol poniente, y murmurando entre sí en media docena de idiomas. McFarlane tuvo la impresión de que era gente poco receptiva a las tonterías. Confió en que Glinn también lo hubiera observado.

Cruzó el grupo una risa aguda, y McFarlane, al girarse, vio a Amira, único miembro presente del equipo de EES. Estaba sentada con un grupo de africanos desnudos de cintura para arriba y que charlaban con gran animación.

El sol caía en los mares semitropicales, hundiéndose en una horizontal de nubes anaranjadas que cabalgaba el horizonte como un cúmulo de setas. El mar era una balsa de aceite. El oleaje apenas se insinuaba.

Se abrió una puerta en la superestructura, y salió Glinn, que caminó a paso lento por la pasarela central. Tenía esta unos cien metros, e iba en línea recta hasta la proa del *Rolvaag*. Detrás de Glinn iba la capitana Britton, seguida por el primer oficial y otros miembros destacados de la tripulación.

McFarlane observó con renovado interés a la capitana. Después de la cena, Amira, todavía un poco avergonzada, le había contado toda la historia. Hacía dos años, teniendo a su cargo un buque cisterna, Britton había chocado con el arrecife de los Tres Hermanos, cerca de Spitsbergen. No llevaban petróleo, pero el barco había sufrido daños de consideración. En el momento del accidente, Britton, en términos legales, estaba ebria. A pesar de que no hubiera pruebas de que la causa del choque fuera la bebida (todo apuntaba a un error del timonel), desde entonces no había vuelto a mandar ningún barco. No me extraña que haya aceptado esta misión, pensó McFarlane, viéndola acercarse. Y Glinn debía de haberse dado cuenta de que no lo habría aceptado ningún capitán en buena posición. McFarlane hizo un movimiento de curiosidad con la cabeza. Seguro que Glinn no había dejado nada al azar, y menos la capitanía del *Rolvaag*. Algo debía de saber sobre aquella mujer.

Al respecto, Amira había hecho comentarios irónicos que a McFarlane le habían incomodado un poco. «Parece un poco injusto —había dicho— castigar a todo el barco por la debilidad de una persona. Seguro que a la tripulación no le sienta muy bien. Me los imagino en el comedor dando sorbitos al vino de la cena. "Está muy bueno. ¿A que se nota un poco de roble?"» Y lo había rematado con una mueca.

Glinn, arriba, ya había llegado a la altura del grupo. Se quedó con las manos en la espalda, mirando la cubierta y las caras orientadas hacia él.

—Me llamo Eli Glinn —dijo con su tono sosegado y carente de modulación— y soy presidente de Effective Engineering Solutions. Muchos de ustedes ya conocen las líneas generales de la expedición. La capitana me ha pedido que les dé algunos detalles. Después tendré mucho gusto en contestar a las preguntas que quieran hacerme. —Miró a su audiencia—. Nos dirigimos hacia el extremo meridional de Sudamérica con el objetivo de llevarnos un meteorito muy grande para el museo Lloyd. Si tenemos razón, será el más grande que se haya desenterrado. Como muchos ya saben, en la bodega hay un andamio hecho especialmente para transportarlo. El plan es muy sencillo. Anclaremos en las islas del cabo de Hornos. Mi equipo, con la ayuda de algunos de ustedes, excavará el meteorito, lo transportará al barco y lo colocará en el andamio. A continuación lo llevaremos al museo Lloyd. —Hizo una pausa.

»Puede que algunos tengan dudas sobre la legalidad de la operación. Hemos comprado los derechos de explotación minera de la isla. El meteorito es una masa metalífera, y no se infringirá ninguna ley. Por otro lado, a nivel práctico, el hecho de que Chile no sepa que vamos a buscar el meteorito puede plantear un problema, pero les aseguro que la posibilidad es remota. Lo hemos preparado todo muy a fondo y no se prevé ninguna dificultad. Las islas del cabo de Hornos están deshabitadas. La población más cercana es Puerto Williams, que está a ochenta kilómetros. En el caso de que las autoridades chilenas se enteren de nuestras actividades, estamos dispuestos a pagar una cantidad razonable por el meteorito. Ya ven que no hay razón, no ya para alarmarse, sino para estar nerviosos. —Hizo otra pausa y miró hacia arriba.

»¿Alguien quiere hacer alguna pregunta?

Se levantaron varias manos. Glinn hizo un gesto con la cabeza al hombre que tenía más cerca, un individuo corpulento con el mono sucio de aceite.

—Oiga, y ¿el meteorito qué es?

Su vozarrón despertó un murmullo de asentimiento.

—Probablemente una masa de níquel y hierro que pesará unas diez mil toneladas. Una masa inerte de metal.

—Y ¿por qué es tan importante?

—Creemos que es el meteorito más grande que se ha descubierto.

Se alzaron más manos.

—¿Y si nos pillan?

—Lo que hacemos es absolutamente legal —contestó Glinn.

Se levantó un hombre con uniforme azul, uno de los electricistas del barco.

—A mí no me gusta —dijo con fuerte acento de Yorkshire. Era pelirrojo, con el pelo recio y la barba despeinada. Glinn aguardó educadamente—. Si los chilenos nos pillan llevándonos el puñetero pedrusco, puede pasar de todo. Si es tan legal como dicen, ¿por qué no lo compran, que sería lo más fácil?

Glinn asintió, mirándole sin pestañear con sus ojos grises.

—¿Me puede decir cómo se llama?

—Lewis —fue la respuesta.

—Pues la razón, señor Lewis, es que políticamente sería imposible que nos lo vendieran. Por otro lado, como les falta tecnología para desenterrarlo y llevárselo de la isla, lo más seguro es que se quedara enterrado para siempre. En Estados Unidos se estudiará y estará expuesto en un museo, para que lo vea cualquier persona que quiera. Se tendrá en custodia para toda la humanidad. No es patrimonio cultural chileno. Podría haber aterrizado en cualquier parte, hasta en Yorkshire.

Los compañeros de Lewis rieron un poco. McFarlane se alegró de ver que Glinn se ganaba su confianza hablando sin rodeos.

—Oiga —dijo un hombre delgado, oficial de poca graduación—, ¿y la compuerta de seguridad?

—La compuerta de seguridad —dijo Glinn sin alterarse, con un tono casi hipnótico— es una medida contra un peligro muy remoto. En el caso altamente improbable de que el meteorito se suelte del andamio (por ejemplo en una tormenta muy fuerte), es la manera de aligerar nuestra carga dejando que se caiga al mar. En el fondo es como cuando los marineros del siglo XIX, cuando hacía muy mal tiempo, tenían que tirar el cargamento por la borda. Ahora bien, las posibilidades de que haya que soltar el meteorito son insignificantes. La idea es que lo primero sea proteger el barco y la tripulación, aunque sea a costa de perder el meteorito.

—Y ¿cómo se activa? —exclamó alguien.

—La clave la sabemos yo, mi ingeniero jefe Eugene Rochefort y mi jefe de construcción Manuel Garza.

—¿Y el capitán?

—Se ha considerado oportuno dejar la opción en manos del personal de EES —dijo Glinn—. A fin de cuentas, el meteorito es nuestro.

—¡Coño, pero el barco es nuestro!

El murmullo de la tripulación superó el ruido del viento y el grave runrún de los motores. McFarlane miró a la capitana Britton. Estaba detrás de Glinn con los brazos caídos, impasible.

—Es un acuerdo que se sale de lo habitual, pero cuenta con la aprobación de la capitana. La compuerta de seguridad la hemos construido nosotros, y somos los que sabemos ponerla en funcionamiento. Si llega a usarse, lo cual es muy poco probable, habrá que hacerlo con mucho cuidado, en el momento justo y por gente formada. Si no, podría hundirse el barco como una piedra. —Miró a los presentes—. ¿Más preguntas?

Hubo un silencio incómodo.

—Comprendo que no es un viaje normal —añadió Glinn—, y que es natural que haya dudas y hasta nervios. Existen riesgos, como en cualquier viaje por mar. Ya les he dicho que la operación es completamente legal, pero no quiero engañarles diciendo que los chilenos opinarían lo mismo. Por eso, si tenemos éxito, cada uno de ustedes recibirá una prima de cincuenta mil dólares.

La tripulación en pleno se quedó boquiabierta, y luego, todos a una, estallaron en comentarios. Glinn levantó la mano y volvió a reinar el silencio.

—Si hay alguien a quien le preocupe esta misión, es libre de marcharse. Organizaremos que vuelva a Nueva York, y con una compensación.

Significativamente, miró a Lewis, el electricista. Lewis le miró a él y sonrió de oreja a oreja.

—Me ha convencido.

—Tenemos mucho trabajo —dijo Glinn, dirigiéndose al grupo—. Si hay alguien que quiera decir algo más, o hacer alguna pregunta, que se dé prisa.

Paseó por ellos una mirada inquisitiva, y al comprobar que el silencio era absoluto asintió. Dio media vuelta y rehízo su camino por la pasarela.

Rolvaag
16.20 h

La tripulación se había dividido en grupitos que, entre comentarios en voz baja, empezaban a regresar a sus puestos. Una ráfaga de viento golpeó la chaqueta de McFarlane, que, al buscar la protección del barco, vio a Amira. Estaba al lado de la baranda de estribor, hablando con los mismos de antes. Un comentario suyo hizo estallar en carcajadas al corro de varones que la rodeaba.

McFarlane se dirigió a la sala de oficiales. Era como las demás dependencias que había visto en el barco, grande y con mobiliario escaso pero caro. Sin embargo, contenía un atractivo suplementario: una cafetera que nunca estaba vacía. Se sirvió una taza y empezó a bebérsela con un suspiro de satisfacción.

—¿No quiere leche? —dijo a sus espaldas una voz de mujer.

Al girarse vio a la capitana Britton, que cerró la puerta y se acercó sonriendo. El viento le había deshecho la trenza severa que llevaba debajo de la gorra de oficial, y le colgaban algunos cabellos a ambos lados de un cuello elegante.

—No, gracias, me gusta solo.

McFarlane vio que Britton se servía una taza y le ponía una cucharada de azúcar. Se quedaron un rato callados, bebiendo sorbitos de café.

—Quería preguntarle una cosa —dijo McFarlane, más que nada para dar conversación—. Esta cafetera parece que siempre esté llena. ¿Cómo se consigue el milagro?

—No es ningún milagro. Cada media hora los camareros traen una nueva, aunque no haga falta. Cuarenta y ocho al día.

McFarlane sacudió la cabeza.

—Sorprendente —dijo—. Claro que sorprendente lo es todo el barco.

La capitana Britton bebió otro sorbo de café.

—¿Le apetece que se lo enseñe? —preguntó.

McFarlane la miró. Como capitana del *Rolvaag* debía de tener otras ocupaciones. Por otro lado, agradecía la distracción. La vida de a bordo se había convertido rápidamente en rutina. Después del último trago de café, dejó la taza y dijo:

—Yo encantado. Tengo curiosidad por saber qué secretos se esconden en este cascarón.

—Secretos pocos —dijo Britton, abriendo la puerta e invitándole a salir al pasillo, que era muy ancho—. Lo que hay son muchísimos espacios para meter petróleo.

Se abrió la puerta que daba a la cubierta principal y apareció, menuda, Rachel Amira, que se detuvo al verles. Britton la saludó fríamente con la cabeza, dio media vuelta y caminó por el pasillo. Al doblar la primera esquina, McFarlane giró la cabeza. Amira seguía mirándoles con una sonrisita.

Britton abrió una doble puerta enorme y le condujo a la cocina del barco. Allí el señor Singh hacía valer su autoridad sobre una serie de camareros y pinches, y gobernaba una batería de hornos relucientes. Había cámaras frigoríficas de gran tamaño llenas de corderos, terneras, pollos, patos y una hilera de carcasas rojas con vetas blancas. McFarlane pensó que debían de ser cabritos.

—Aquí hay bastante para dar de comer a un regimiento —dijo.

—Seguro que el señor Singh diría que los científicos no comen menos cantidad. —Britton sonrió—. Venga, que ya le hemos molestado bastante.

Cruzaron la sala de billares y la piscina. A continuación bajaron al nivel inferior, donde Britton le enseñó la sala de juegos y el comedor de la tripulación. Otra escalera y llegaron a las dependencias del equipo: camarotes grandes con baño individual, entre varias galerías que recorrían todo el barco por estribor y babor. Se detuvieron al final del pasillo de babor, donde se oía bastante más fuerte el ruido del motor. El pasillo parecía eterno, con ojos de buey a la izquierda y puertas de camarote a la derecha.

—Está todo construido como para gigantes —dijo McFarlane—. Y ¡qué vacío está!

Britton rió.

—Todos los visitantes dicen lo mismo. La verdad es que el barco funciona más que nada por ordenador. Navegamos por datos de satélite geofísico, el rumbo se mantiene de manera automática, y hasta la detección de colisiones está controlada electrónicamente. Hace treinta años, electricista de barco era un cargo bastante modesto. Ahora los especialistas en electrónica son fundamentales.

—Muy impresionante. —McFarlane se volvió hacia Britton—. No es por nada, pero siempre me ha extrañado que para esta misión Glinn escogiera un petrolero. ¿Por qué se han molestado tanto en disfrazar un petrolero de buque minero? ¿No era más fácil comprar un carguero y tan panchos? ¿O un portacontenedores grande? Habrían ahorrado, eso está claro.

—Creo que puedo explicárselo. Venga.

Britton abrió una puerta y dejó pasar a McFarlane. Ya no había moqueta y madera, sino metal y linóleo. Bajaron por otro tramo de escalera hasta una puerta donde ponía SALA DE CONTROL DE CARGAMENTO. Dentro, la pieza principal era un esquema electrónico muy grande de la cubierta principal del buque, montado en el mamparo del fondo. Había infinidad de puntitos de luz rojos y amarillos parpadeando por toda la superficie.

—El diagrama del barco —dijo Britton, haciendo señas a McFarlane de que se acercara al esquema—. Es como supervisamos cómo y dónde se carga. Controlamos directamente el lastre, las bombas y las válvulas de carga. —Señaló una serie de indicadores e interruptores alineados debajo del diagrama—. Estos controles regulan la presión de las bombas.

Seguida por McFarlane, cruzó la sala hasta donde había un marinero vigilando una batería de pantallas de ordenador.

—Este ordenador calcula la distribución del cargamento. Y estos de aquí son el sistema automático de medición que tiene el barco. Vigilan la presión, el volumen y la temperatura en todas las cisternas del *Rolvaag*.

Dio unos golpecitos a la caja beige del monitor que tenía más cerca.

—Aquí tiene el motivo de que Glinn eligiera un petrolero. El meteorito que buscan pesa mucho, y tendrá su intríngulis subirlo a bordo. Con las cisternas y los ordenadores de que disponemos, podemos trasladar de una a otra cisterna el lastre de agua de mar, manteniendo la estabilidad general aunque dentro haya desequilibrios. Podemos equilibrarlo todo. No creo que le gustara a nadie que en el momento de depositar el meteorito en la bodega se quedara el barco panza arriba.

Britton se desplazó al otro lado del instrumental de control de lastre.

—Hablando de ordenadores, ¿tiene idea de qué es esto? —Señaló una torre alta de acero negro cuyas únicas características eran una cerradura y un logo pequeño donde ponía SECURE DATAMETRICS. Presentaba un aspecto muy diferente al del resto del instrumental electrónico del barco—. Lo instaló en Elizabeth la gente de Glinn. Arriba, en el puente, hay otro parecido pero más pequeño, y ningún oficial mío consigue enterarse de para qué sirve.

McFarlane tocó el borde biselado por curiosidad.

—Ni idea. ¿No tendrá algo que ver con la compuerta de seguridad?

—Es lo primero que pensé. —Salieron de la sala, Britton la primera, y un pasillo con suelo metálico les llevó hasta un ascensor abierto—. Pero parece que depende de más de un sistema de seguridad del barco.

—¿Quiere que se lo pregunte a Glinn?

—No, no se moleste. Ya se lo preguntaré yo en algún momento. Pero ¡qué lata le estoy dando con el *Rolvaag*! —dijo, pulsando un botón del ascensor—. Me gustaría saber cómo se llega a buscador de meteoritos.

Mientras se ponía en marcha el ascensor, McFarlane miró a la capitana. Era una mujer con muy buen porte, recta de hombros y con la cabeza alta. Sin embargo, no se trataba de ninguna rigidez militar, sino, pensó, de una especie de orgullo callado. Ella sabía de su condición de buscador de meteoritos. ¿Estaría también al corriente de lo de Masangkay y el fiasco del meteorito Tornarssuk? Tú y yo tenemos mucho en común, pensó. Se imaginaba lo duro que debía de haber sido volver a ponerse el uniforme y caminar por un puente con la duda de qué diría la gente a sus espaldas.

—Me pilló una tormenta de meteoritos en México.

—Increíble. Y sobrevivió.

—Que se sepa, solo hay un caso de meteorito cayendo encima de alguien —dijo McFarlane—. Una mujer con historial de hipocondría y que estaba en la cama. Como al atravesar los pisos de arriba ya se había frenado el impulso, solo la dejó magullada. Ahora, que la sacó de la cama.

Britton rió. Encantador sonido.

—Total, que volví a la facultad y me hice geólogo planetario; pero el papel de científico serio nunca se me ha dado muy bien.

—¿Un geólogo planetario qué estudia?

—Hasta que llegas a lo bueno, una lista muy larga de temas aburridos. Geología, química, astronomía, física, cálculo...

—Suena más interesante que estudiar para capitán. ¿Y qué es lo bueno?

—Lo mejor que hice, después de licenciado, fue estudiar un meteorito de Marte. Analicé el efecto de los rayos cósmicos en su composición química, más que nada intentando encontrar una manera de ponerle fecha.

Se abrió la puerta del ascensor y salieron.

—Una roca marciana de verdad —dijo Britton, abriendo una puerta y accediendo al enésimo e interminable pasillo.

McFarlane se encogió de hombros.

—Me gustaba encontrar meteoritos. Era un poco como buscar tesoros. Y me encantaba estudiarlos. Lo que me gustaba bastante menos era el peloteo y las conversaciones aburridas con los plastas de la facultad. Me parece que era un sentimiento mutuo. El caso es que mi carrera académica duró cinco años, pero no quisieron hacerme titular, y desde entonces voy por libre.

Al acordarse de su ex socio, y darse cuenta de que había elegido mal sus palabras, contuvo la respiración. La capitana, sin embargo, no ahondó en el tema.

—Lo único que sé de meteoritos es que son rocas caídas del cielo —dijo Britton—. ¿De dónde proceden? Aparte de Marte, claro.

—Los meteoritos marcianos son muy poco frecuentes. La mayoría son pedazos de roca del cinturón de asteroides interno, trocitos de planetas que se rompieron poco después de la formación del sistema solar.

—Pues ahora no buscan algo precisamente pequeño.

—En general son pequeños, aunque para que el impacto sea fuerte no hace falta nada del otro mundo. En el caso del meteorito Tunguska, que cayó en Siberia en 1908, la energía del impacto equivalía a una bomba de hidrógeno de diez megatones.

—¿Diez megatones?

—Y tampoco era lo más. Hay meteoritos que chocan con la tierra con una energía cinética que supera los cien millones de megatones. Es la clase de explosiones que tiende a concluir toda una era geológica, exterminar a los dinosaurios y amargarle la vida a todo el mundo en general.

—Madre mía.

Britton sacudió la cabeza. McFarlane rió secamente.

—No se preocupe, hay muy pocos. Uno cada cien millones de años.

Ya habían recorrido otro laberinto de pasillos. McFarlane se sentía perdido sin remedio.

—¿Todos los meteoritos son iguales?

—No, no, pero la mayoría de los que chocan contra la tierra son condritas vulgares.

—¿Condritas?

—Pedruscos viejos, como quien dice. Un aburrimiento. —McFarlane titubeó—. Luego están los del tipo níquel-hierro, que seguramente sea el caso del que vamos a llevarnos; pero los más interesantes se llaman condritas CI.

Se quedó callado. Britton le miró.

—No es fácil de explicar. Podría aburrirla.

McFarlane se acordaba de más de una cena, allá en sus tiempos inocentes y mozos, en que los comensales ya no sabían cómo aguantarse los bostezos.

—Oiga, que aquí donde me ve he estudiado navegación celeste. Pruebe.

—Pues mire, las condritas CI se forman directamente por acumulación de la nube de polvo puro y sin adulterar de la que se formó el sistema solar. Por eso son tan interesantes. Contienen pistas sobre la formación del sistema solar. También son muy antiguas, más que la Tierra.

—¿Es decir?

—Cuatro mil quinientos millones de años.

Vio brillar un interés sincero en los ojos de la capitana.

—Alucinante.

—Y hay una teoría que sostiene que existe una clase de meteorito todavía más increíble...

De repente McFarlane se quedó callado, reportándose. No quería que volviese su antigua obsesión, y menos en un momento así. Caminó en silencio, dándose cuenta de que Britton le miraba con curiosidad.

El pasadizo acababa en una escotilla, que, al abrirla Britton, dejó oír un muro de sonido: el rugido descomunal de infinitos caballos. Siguiendo a la capitana, McFarlane puso el pie en una estrecha pasarela, desde donde, quince metros más abajo, vio dos turbinas enormes trabajando en tándem. Era un espacio vastísimo, pero parecía completamente vacío, como si también lo gobernara un ordenador. McFarlane se cogió a una barra de metal para no perder el equilibrio, y la notó vibrar en su mano.

Mientras seguían caminando por la pasarela, Britton le miró con un principio de sonrisa.

—Los petroleros funcionan con calderas de vapor, no con motores diésel, como el resto de los barcos —dijo, elevando la voz por encima del ruido—. Aunque para la electricidad tenemos uno de emergencia. En un barco tan moderno como este no se puede correr el riesgo de quedarse sin corriente, porque es quedarse sin nada: sin ordenadores, sin navegación, sin equipo antiincendios... Se convertiría el barco en un armatoste a la deriva.

Al llegar al fondo de la sala de máquinas cruzaron otra puerta de mucho grosor, y Britton, después de cerrarla, se metió por un pasillo que terminaba en una puerta de ascensor. McFarlane, que iba detrás, agradeció el silencio.

La capitana se detuvo frente al ascensor y giró la cabeza hacia su acompañante como si calculara algo. De repente McFarlane cayó en la cuenta de que Britton tenía más cosas en la cabeza que una simple visita turística por el barco.

—Buen discurso ha hecho Glinn —dijo ella finalmente.

—Me alegro de que le haya gustado.

—Es que los marineros pueden llegar a ser muy supersticiosos. Es increíble lo deprisa que convierten los rumores en hechos. Yo creo que el discurso de Glinn ha hecho mucho por que no corra ninguno.

Se produjo otra pausa breve, hasta que Britton retomó la palabra.

—Tengo la impresión de que Glinn sabe bastante más de lo que ha explicado. No, no es la manera de decirlo. Lo que creo es que quizá sepa menos de lo que ha dado a entender. —Miró a McFarlane de reojo—. ¿Verdad?

McFarlane titubeó. Ignoraba qué le habían dicho Lloyd o

Glinn a la capitana; o, más que dicho, ocultado. A pesar de ello, tuvo la sensación de que el barco se beneficiaría de que Britton estuviera informada al máximo. Se sentía unido a ella por cierta complicidad. Coincidían en haber cometido grandes errores, y en haberse dejado arrastrar por la moto de la vida más que la mayoría de sus congéneres. Sally Britton le merecía una confianza instintiva.

—Tiene razón —dijo—. La verdad es que casi no sabemos nada del meteorito. No nos explicamos que siendo tan grande sobreviviera al impacto, ni por qué no se ha deshecho por la oxidación. Los pocos datos electromagnéticos y gravitacionales que tenemos parecen contradictorios, por no decir imposibles.

—Ya —dijo Britton. Le miró a los ojos—. ¿Es peligroso?

—No hay ninguna razón para pensarlo. —McFarlane vaciló—. Ni para no pensarlo.

Se quedaron callados.

—Quiero decir que si supondrá algún riesgo para mi barco o mi tripulación.

McFarlane meditó la respuesta mordisqueándose el labio.

—¿Riesgo? Pesa como un muerto, y costará moverlo, pero cuando esté fijo en el andamio dudo que sea más peligroso que una bodega llena de petróleo inflamable. —La miró—. Y Glinn, por lo visto, es un hombre que nunca corre riesgos.

Britton pensó un poco en la última frase y asintió.

—Sí, a mí me ha dado la misma impresión de prudencia exagerada. —Pulsó el botón de llamada del ascensor—. Me gusta tener gente así a bordo. Porque la próxima vez que choque con un arrecife me hundo yo con el barco.

Rolvaag
3 de julio, 14.15 h

Cuando el *Rolvaag* cruzó el ecuador, muy al este de la costa de Brasil y la desembocadura del Amazonas, la proa del barco se convirtió en escenario de un viejo ritual, característico de varios siglos de navegación transoceánica.

Diez metros por debajo de la cubierta, y casi trescientos a babor, el doctor Patrick Brambell desempaquetaba su última caja de libros. Su vida laboral se ajustaba con pocas excepciones al principio de cruzar el ecuador como mínimo una vez al año, y le parecían de extremo mal gusto las ceremonias concomitantes (el «té de Neptuno» hecho de calcetines hervidos, el trance de pasar entre dos filas de hombres armados con pescados, las carcajadas vulgares de los marineros más veteranos...).

Había empezado a desempaquetar y ordenar su rica biblioteca al zarpar el *Rolvaag*; le gustaba casi tanto como leerla, y en aquella tarea no consentía prisas. Pasó un escalpelo por la última cinta aislante que quedaba, retiró las solapas de cartón y miró el contenido. Sus dedos amorosos levantaron el libro de encima, la *Anatomía de la melancolía* de Burton, y, después de acariciar la tapa de piel, colocó el volumen en el último estante libre del camarote. El siguiente fue el *Orlando furioso*, seguido por el *Al revés* de Huysmans, los ensayos de Coleridge sobre Shakespeare, los artículos del *Rambler* del doctor Johnson y la *Apologia pro vita sua* de Newman. No había ningún libro de medicina; de hecho, componiéndose la biblioteca de viaje de Brambell de más de mil títulos, solo había aproximadamente una docena que pudieran considerarse referencias profesionales, y aun esos pocos los tenía confinados a su sala de consulta, a fin de evitar máculas profesionales en su amada biblioteca. El doctor Brambell, en efecto, era lector antes que médico.

Vacía la caja, Brambell suspiró con una mezcla de satisfacción y pena y retrocedió para contemplar las hileras de libros que llenaban todos los estantes, perfectamente alineados. En ese momento se oyó un ruido lejano de puertas cerrándose, seguido por el ritmo de unos pasos. Brambell permaneció a la escucha sin hacer ningún movimiento, con la esperanza de que no le atañera y la certeza de que sí. Cesaron los pasos, y en la sala de consulta sonaron dos golpes en rápida sucesión.

Brambell volvió a suspirar, pero esta vez de muy distinta manera. Echó una rápida ojeada al camarote, y al localizar su mascarilla la cogió y se la colocó ante la boca. Había descubierto que era una manera muy eficaz de dar prisa a los pacientes. Después de una última mirada amorosa a sus libros, salió del camarote y cerró la puerta.

Recorrió el pasillo en toda su longitud, pasando junto a las habitaciones con camas vacías de hospital. Superadas las salas de operaciones y el laboratorio de patología, accedió a la sala de espera y encontró en ella a Eli Glinn con una carpeta de acordeón debajo del brazo.

La mirada de Glinn se posó en la mascarilla.

—No sabía que estuviera atendiendo a nadie.

—Estoy solo —dijo Brambell a través de ella—. Usted es el primero que llega.

Glinn miró un poco más la mascarilla y asintió.

—Pues entonces, si no le molesta, me gustaría hablar con usted.

—Faltaría más.

Brambell entró el primero en la consulta. Consideraba a Glinn uno de los seres más peculiares de que tenía conocimiento personal: un hombre culto pero que no disfrutaba de la cultura, que dominaba muchos temas pero no los usaba para conversar; un hombre con ojos grises y velados cuyos esfuerzos se dirigían a averiguar las debilidades ajenas, pero jamás las suyas.

Cerró la puerta.

—Siéntese, por favor, señor Glinn. —Se refirió a la carpeta de su visitante con un gesto de la mano—. Son los historiales médicos, ¿no? Pues llegan tarde. Suerte que aún no me han hecho falta.

Glinn se acomodó en el asiento.

—He separado unos cuantos por si tiene que leerlos. La mayoría son de rutina, pero hay alguna excepción.

—Ya.

—Empecemos por la tripulación. Victor Howell tiene criptorquismo testicular.

—Qué raro que no se haya operado.

Glinn levantó la cabeza.

—Será que no le gusta la idea de que le pongan un cuchillo por allí abajo.

Brambell asintió.

Glinn pasó unas carpetas más. Las afecciones eran las típicas de cualquier muestreo de población hecho al azar: un par de casos de diabetes, una hernia discal crónica y un caso de enfermedad de Addison.

—Bastante sana, esta tripulación —dijo Brambell con la vaga esperanza de que hubiera terminado la sesión; pero no, porque Glinn ya sacaba otro fajo de carpetas.

—Y aquí tiene los perfiles psicológicos —dijo.

Brambell leyó los nombres por encima.

—¿Y la gente de EES?

—Tenemos un sistema un poco diferente —dijo Glinn—. Los historiales de EES solo pueden ser consultados en caso de necesidad.

Brambell no contestó, porque no tenía sentido discutir con alguien como Glinn.

Este sacó dos carpetas más y las dejó en el escritorio de Brambell. Después adoptó una postura relajada.

—La verdad es que solo me preocupa una persona.

—¿Quién?

—McFarlane.

Brambell se bajó la mascarilla hasta el mentón.

—¿El valiente buscador de meteoritos? —preguntó, sorprendido, si bien era verdad que a McFarlane se le notaba cierto aire conflictivo.

Glinn dio unos golpes en la carpeta de encima.

—Sobre él le iré entregando partes regulares.

Brambell arqueó las cejas.

—Es la única figura clave que no he escogido yo. Como lo mínimo que se puede decir es que ha tenido una carrera con claroscuros, le agradecería que evaluara este informe y los que seguirán.

Brambell miró la carpeta con mala cara.

—¿Quién le hace de topo? —preguntó, esperando que Glinn se lo tomara como una ofensa, cosa que no hizo.

—Eso preferiría reservármelo.

Brambell asintió, se acercó el informe y lo hojeó.

—Dudas sobre la expedición y sus posibilidades de éxito —leyó en voz alta—. Motivaciones poco claras. Recelo hacia la comunidad científica. Muy a disgusto en el papel de gestor. Tiende a ser un solitario. —Soltó el informe—. No veo nada anómalo.

Glinn señaló la segunda carpeta, que era mucho más gruesa, con un gesto de la cabeza.

—Aquí tiene un resumen de la carrera de McFarlane. Entre otras cosas, contiene un informe sobre algo desagradable que pasó en Groenlandia hace unos cuantos años.

Brambell suspiró. No era un hombre que destacara por su curiosidad (razón, sospechaba, entre las principales de que le hubiera contratado Glinn).

—Luego lo leo.

—Mejor ahora.

—¿No podría resumírmelo?

—De acuerdo.

Brambell se apoyó en el respaldo, juntó las manos y se resignó a escuchar.

—Hace años, McFarlane tenía un socio que se llamaba Masangkay. El primer trabajo que hicieron juntos fue llevarse de contrabando las tectitas de Atacama, ganándose muy mala fama en Chile. Después de eso consiguieron localizar varios meteoritos pequeños pero importantes. Se complementaban bien. McFarlane, que en su último cargo de museo había tenido roces, trabajaba por libre. Tenía un instinto especial para encontrar meteoritos, pero la única manera de vivir de eso es tener patrocinadores. Masangkay se diferenciaba de McFarlane en que se le daba bien el politiqueo de museo, y consiguió una serie de encargos muy buenos. Se hicieron muy amigos; y cuñados, porque McFarlane se casó con la hermana de Masangkay, Malou. Pero pasaron los años y empezó a estropearse la relación. Puede que McFarlane le envidiara a Masangkay su éxito en la carrera museística, o que Masangkay le envidiara a él su superioridad como investigador de campo, aunque la causa principal fue la teoría favorita de McFarlane.

—¿Qué teoría?

—McFarlane estaba convencido de que acabaría encontrándose un meteorito interestelar, un meteorito que hubiera hecho todo el viaje desde otro sistema estelar. Todo el mundo le decía que era matemáticamente imposible, que todos los meteoritos conocidos venían de dentro del sistema solar, pero McFarlane estaba obsesionado con la idea. Era un toque un poco esotérico que a un tradicionalista como Masangkay no acababa de cuadrarle.

»El caso es que hace tres años cayó un meteorito muy grande en Groenlandia, cerca de Tornarssuk. Como lo detectaron los satélites y los sensores sísmicos, se pudo hacer una buena triangulación del emplazamiento del impacto. Hasta hubo un videoaficionado que recogió su trayectoria. El Museo de Historia Natural de Nueva York, que colaboraba con el gobierno danés, contrató a Masangkay para que encontrara el meteorito, y Masangkay se trajo a McFarlane.

»Al final encontraron el Tornarssuk, pero a costa de mucho más tiempo y dinero de lo que habían previsto. Tenían tantas deudas que el museo de Nueva York puso reparos a pagarlas, y encima hubo fricciones entre Masangkay y McFarlane. McFarlane extrapoló la órbita del Tornarssuk a partir de los datos del satélite y se convenció de que el meteorito seguía una órbita hiperbólica, señal de que venía de fuera del sistema solar. Pensó que era el meteorito interestelar que llevaba buscando toda la vida. A Masangkay, el tema de la financiación le ponía los pelos de punta, y no estaba para teorías. Se quedaron varios días vigilando el emplazamiento del meteorito, pero nada, que no llegaba el dinero. Al final Masangkay fue a buscar provisiones y a reunirse con las autoridades danesas, dejando solo a McFarlane, pero tuvo la mala suerte de que también se quedara una antena parabólica en el campamento.

»Yo lo entiendo como que McFarlane tuvo una crisis psicológica. Estuvo una semana solo y fue convenciéndose de que, como el museo de Nueva York no les daría la subvención, al final el meteorito acabaría robándolo alguien, partiéndolo y vendiéndolo en el mercado negro, con el resultado de que ya no se podría volver a ver ni estudiar. Entonces usó la parabólica para ponerse en contacto con un coleccionista japonés muy rico, de quien sabía que podía comprar el meteorito y quedárselo. Vaya, que traicionó a su socio. Al volver Masangkay con las provisiones (y el dinero, porque resultó que se lo habían concedido), ya habían llegado los japoneses, que no perdieron el tiempo y se llevaron el meteorito. Masangkay se sintió traicionado, y el mundo científico le cogió tanta rabia a McFarlane que aún no se lo ha perdonado.

Brambell asintió, amodorrado. La historia era interesante. Quizá diera para una buena novela, aunque un poco sensacionalista. Alguien capaz de hacerle justicia habría sido Jack London. No, mejor: Conrad.

—Me preocupa McFarlane —dijo Glinn, interrumpiendo sus meditaciones—. Aquí no podemos permitirnos que pase nada por el estilo, porque lo mandaría todo al traste. Si fue capaz de traicionar a su propio cuñado, mucho más lo será de traicionar a Lloyd y EES.

—¿Traicionarle? ¿Para qué? —bostezó Brambell—. Lloyd tiene dinero a espuertas, y se le ve con muchas ganas de ir firmando cheques.

—Bueno, no digo que McFarlane no trabaje por dinero, pero en este caso hay algo más. El meteorito que buscamos tiene propiedades muy peculiares. A la que McFarlane se obsesione como con el Tornarssuk… —Glinn titubeó—. Por ejemplo, si tuviéramos que usar la compuerta de seguridad sería en un momento extremadamente crítico, y contaría cada segundo. No quiero que se le ocurra a nadie intentar impedirlo.

—¿Y yo en qué intervengo?

—Tiene formación psiquiátrica. Quiero que revise los informes que le iré entregando, y si ve algo preocupante (sobre todo indicios de que pueda producirse otra crisis como la última), le ruego que me lo comunique.

Brambell volvió a hojear las dos carpetas, la primera y la segunda. El informe sobre el pasado de McFarlane era un poco raro. Se preguntó de dónde había sacado Glinn la información, porque apenas figuraban datos psiquiátricos o médicos normales. La información, en gran medida, no estaba vinculada a ningún nombre de médico o número de colegiado. De hecho mucha era anónima. No constaban las fuentes, pero tenía todo un tufillo de haberse gastado mucho dinero.

Acabó mirando a Glinn, mientras cerraba la carpeta.

—Pues ya me lo leeré y le tendré vigilado, aunque no sé si veo el incidente de la misma manera que usted.

Glinn se levantó para marcharse. A Brambell, sus ojos, tan impenetrables que parecían de pizarra, le provocaban una extraña irritación.

—¿Y el meteorito de Groenlandia? —preguntó—. ¿Procedía de otro sistema estelar o no?

—No, claro que no. Resultó que era una roca cualquiera del cinturón de asteroides. McFarlane estaba equivocado.

—¿Y su mujer? —preguntó Brambell.

—¿La de quién?

—La de McFarlane, Malou Masangkay.

—Le abandonó. Volvió a Filipinas y se casó otra vez.

Poco después, Glinn se había marchado y sonaban sus pasos cadenciosos en el suelo del pasillo. El médico se quedó un rato a la escucha y pensando, hasta que se acordó de una frase de Conrad y la pronunció en voz alta:

—«Nadie llega a entender sus propias artimañas para huir de la sombra funesta del conocimiento de sí mismo.»

Con un suspiro de haber recuperado la anterior satisfacción, apartó los informes y regresó a su camarote privado. Tanto el clima ecuatorial, que aletargaba a las personas, como algún rasgo del propio Glinn, le recordaban a Somerset Maugham, concretamente sus relatos. Fue acariciando los lomos (cada uno de las cuales reavivaba un universo entero de recuerdos y emociones) hasta encontrar lo que buscaba. Entonces se puso cómodo en un sillón de orejas y abrió la tapa con un escalofrío de placer.

Rolvaag
11 de julio, 7.55 h

McFarlane caminaba por la cubierta de parquet mirándolo todo con curiosidad. Era la primera vez que subía al puente, sin duda el espacio más teatral del *Rolvaag*. Poseía la misma anchura que el barco. Tres lados de la sala estaban presididos por ventanales grandes y cuadrados con inclinación aguda, cada uno con su propio brazo limpiador eléctrico. Ambos extremos contaban con puertas de salida a las alas del puente. Las de acceso al sector posterior estaban rotuladas con letras de latón: CUARTO DE DERROTA y CABINA DEL TELEGRAFISTA. Debajo de las ventanas delanteras había una hilera de instrumentos que ocupaba toda la longitud del puente: consolas, teléfonos en batería, conexiones con los puestos de control del resto del barco... Al otro lado del cristal, donde estaba a punto de amanecer, una borrasca cabalgaba la tormentosa y desértica extensión del océano.

En medio de la sala había un puesto de mando y control, que fue donde vio McFarlane a la capitana, un poco borrosa en la penumbra. Hablaba por teléfono, y de vez en cuando se inclinaba hacia el timonel (que estaba justo al lado de ella, iluminadas sus órbitas por la luz fría y verde de la pantalla del radar) a fin de murmurarle algo.

En el momento en que McFarlane se sumaba a la vigilia silenciosa, se abrieron un poco las nubes de lluvia y asomó en el horizonte un alba gris. Lejos, en el castillo de proa, un marinero se dedicaba en solitario a ignotos menesteres. Sobre la estela espumosa del buque daba vueltas y chillaba un grupo de perseverantes aves marinas. El contraste con la torridez del trópico, abandonado hacía menos de una semana, no podía ser más chocante.

Después de que el *Rolvaag*, entre calores sofocantes y fuertes lluvias, cruzara el ecuador, se había apoderado del barco una lasitud que a McFarlane también le afectaba, en forma de bostezos durante las partidas de shuffleboard y de horas perdidas en el camarote, mirando las paredes de nogal. Sin embargo, al proseguir rumbo al sur, había refrescado el aire, se había reducido el ritmo del oleaje (y acrecentado su empuje) y el color perla del cielo tropical se había mudado en un azul brillante con manchas de nubes. Respirando aquel aire más fresco, McFarlane notaba que el malestar general daba paso a renovadas energías.

Volvió a abrirse la puerta que daba al puente, y entraron dos personas: un oficial tercero, para cumplir el turno de ocho a doce, y ni más ni menos que Eli Glinn, que se acercó en silencio a McFarlane.

—¿Qué pasa? —preguntó este en voz baja.

Antes de que Glinn tuviera tiempo de contestar, se oyó detrás un ruido seco. McFarlane, al girarse, vio salir a Victor Howell de la cabina del telegrafista y presenciar el cambio de guardia.

El oficial tercero se acercó a la capitana y le murmuró algo al oído. Ella miró a Glinn.

—Vigile la proa de estribor —dijo haciendo un gesto con la cabeza para señalar el horizonte, que cruzaba el cielo como una hoja de cuchillo.

A medida que aclaraba fue definiéndose el relieve de las olas. La aurora clavó una lanza de luz en el dosel de nubes que grávidamente cubría las aguas por el lado de estribor. La capitana se apartó del timonel y fue hacia las ventanas delanteras con las manos cruzadas en la espalda. En ese momento recortó la parte alta de las nubes otro rayo de luz, y entonces, sin previo aviso, se encendió todo el horizonte occidental como una llamarada. McFarlane entrecerró los ojos sin saber qué fenómeno se ofrecía a su vista, hasta que reconoció, ardiendo bajo el alba, una hilera de cumbres nevadas rodeadas de glaciares.

La capitana dio media vuelta y encaró al grupo.

—Tierra a la vista —dijo escuetamente—. Las montañas de Tierra del Fuego. Dentro de unas horas cruzaremos el estrecho de Le Maire y entraremos en el océano Pacífico.

Le pasó unos prismáticos a McFarlane, que los usó para mirar la cordillera: cimas lejanas e imponentes, murallas, habríase dicho, de un continente perdido, derramando largos velos de nieve.

Glinn irguió los hombros, se desentendió del panorama y miró a Victor Howell. El primer oficial se acercó a un técnico que estaba al otro lado del puente, y que rápidamente se levantó y salió por la puerta del ala de estribor. Howell regresó al puesto de control.

—Tómese un cuarto de hora para el café —dijo al oficial tercero—. Ya me quedo yo controlando.

El oficial miró a Howell y luego a la capitana, sorprendido por aquella anomalía.

—¿Lo anoto, señora? —preguntó.

Britton negó con la cabeza.

—No es necesario. Limítese a volver en un cuarto de hora.

Cuando el oficial tercero ya no estuvo en el puente, la capitana miró a Howell y dijo:

—¿Banks ya tiene preparada la conexión con Nueva York?

El primer oficial asintió.

—Ya se ha puesto el señor Lloyd.

—Perfecto, pues pásemelo.

McFarlane reprimió un suspiro, pensando: ¿No hay bastante con una vez al día? Estaba un poco harto de las videoconferencias que mantenía con el museo cada día a las doce. Lloyd siempre hablaba por los codos: se moría de ganas de conocer el desarrollo del viaje, milla a milla; les sometía a todos a un verdadero interrogatorio, y al mismo tiempo que ponía en duda sus planes, se le ocurrían a él otros. McFarlane estaba sorprendido por la paciencia de Glinn.

Chisporroteó un altavoz atornillado a un mamparo, y McFarlane oyó la voz de Lloyd resonando por todo el puente, aun siendo este grande.

—¿Sam? ¿No está Sam?

—Al habla la capitana Britton, señor Lloyd —dijo Britton, indicándoles a los demás un micrófono del centro de mando—. Tenemos a la vista la costa de Chile. Falta un día para Puerto Williams.

—¡Maravilloso! —tronó Lloyd.

Glinn se acercó al micrófono.

—Señor Lloyd, soy Eli Glinn. Mañana pasaremos por la aduana chilena. El doctor McFarlane, yo y la capitana iremos en lancha a Puerto Williams para enseñar los papeles del barco.

—¿Es necesario? —preguntó Lloyd—. ¿Por qué tienen que ir todos?

—Le explico la situación. El primer problema es que los de aduanas probablemente quieran subir al barco.

—Pues vaya —se oyó la voz de Lloyd—. A ver si se descubre todo el pastel.

—El riesgo existe. Por eso lo primero que intentaremos será evitar que suban. Los chilenos querrán hablar directamente con el capitán y el ingeniero jefe de minas. Lo más seguro, si enviamos subordinados, es que insistan en subir ellos a bordo.

—¿Y yo? —preguntó McFarlane—. Le recuerdo que en Chile soy persona non grata. Me convendría que se me viera lo menos posible.

—Disculpe, pero usted es nuestra mejor baza —repuso Glinn.

—¿Y eso por qué?

—Porque es el único que ha estado en Chile, y en situaciones así tiene más experiencia. Si los acontecimientos siguieran un derrotero inesperado, que es una posibilidad muy remota, nos haría falta su intuición.

—Genial. Aunque considero que no se me compensa bastante por correr un riesgo así.

—Pues a mí me parece que sí. —El tono de Lloyd era de mal genio—. Una cosa, Eli: ¿y si igualmente quieren subir?

—En ese caso tenemos preparada una sala especial de recepción.

—¿De qué? ¿De recepción? ¡Si lo que nos interesa es que se queden lo menos posible!

—No será una sala que les dé ganas de quedarse. Si resulta que suben, se les conducirá a proa, a la sala de control de limpiado de cisternas, que no es precisamente cómoda. Hemos puesto unas cuantas sillas de metal, pero no bastantes, y una mesa de formica. Está apagada la calefacción, y algunas partes del suelo tienen una capa de líquido que huele un poco a excrementos y vómito.

La risa de Lloyd, amplificada y metálica, resonó por todo el puente.

—Espero que nunca dirijas una guerra, Eli. Pero ¿y si quieren ver el puente?

—Para eso también tenemos una estrategia. No se preocupe, Palmer, que cuando nos hayamos presentado en la aduana de Puerto Williams será muy poco probable que quieran subir a bordo, y menos que quieran ver el puente. —Dio media vuelta—. Doctor McFarlane, de ahora en adelante no habla usted ni una palabra de español. Limítese a seguir mis indicaciones. Ya hablaremos la capitana Britton y yo.

Se produjo un momento de silencio, hasta que intervino Lloyd:

—Ha dicho que era el primer problema. ¿Hay otro?

—Estando en Puerto Williams tendremos que hacer un recado.

—¿Cuál, si puede saberse?

—Quiero contratar los servicios de un tal John Puppup. Habrá que encontrarle y llevarle al barco.

Lloyd gimió.

—Eli, empieza a parecerme que disfrutas dándome sorpresas. ¿Quién es John Puppup, y para qué le necesitamos?

—Es medio yagán medio inglés.

—¿Y qué es eso de yagán?

—Los yaganes eran los indígenas de las islas del cabo de Hornos. Ya se han extinguido. Solo quedan unos cuantos mestizos. Puppup ya es mayor. Tendrá unos setenta años, y puede decirse que ha presenciado la extinción de su pueblo. Es la última persona que conserva algo de la sabiduría de los antiguos habitantes de la zona.

El altavoz de arriba quedó en silencio, hasta que lo devolvió a la vida otro chisporroteo.

—Eli, parece un plan un poco precipitado. ¿Dices que «tienes planeado» contratar sus servicios? ¿Y él lo sabe?

—Todavía no.

—¿Y si dice que no?

—Cuando le encontremos no estará en condiciones de decir que no.

Lloyd gruñó de contrariedad.

—O sea que vamos a añadir el secuestro a nuestra lista de delitos.

—Aquí hay muchas cosas en juego —dijo Glinn—. Ya lo sabía usted al empezar. Puppup volverá rico. Por ese lado no va a haber problemas. El único será encontrarle y llevarle al barco.

—¿Alguna sorpresa más?

—Cuando estemos en la aduana, el doctor McFarlane y yo enseñaremos pasaportes falsificados. Es la vía con más posibilidades de éxito, aunque implique infringir un poco la ley chilena.

—Un momento, un momento —dijo McFarlane—. Viajar con pasaporte falso es infringir la ley de Estados Unidos.

—Nadie se enterará. Lo he arreglado todo para que se pierda el registro de pasaportes durante el tránsito entre Puerto Williams y Punta Arenas. Naturalmente, conservaremos los pasaportes auténticos, donde figura todo correctamente, los visados y los sellos de llegada y salida. Al menos parecerá que son correctos.

Miró alrededor como si esperara alguna objeción, pero no la hubo. El primer oficial estaba al timón, gobernando impasiblemente el barco. La capitana Britton miraba a Glinn con los ojos muy abiertos, pero no dijo nada.

—Bueno —dijo Lloyd—, pero te advierto una cosa, Glinn: este plan tuyo me pone muy nervioso. Quiero que me pongan al corriente en cuanto hayan vuelto de la aduana.

Se cortó la comunicación de manera brusca. Britton hizo señas a Victor Howell, que se metió en la cabina del telegrafista.

—Los que vayan al puerto tendrán que ir vestidos para su papel —dijo Glinn—. El doctor McFarlane, que se presente tal cual. —Sometió a McFarlane a un repaso más bien despectivo—. En cambio, la capitana Britton tendrá que llevar algo bastante menos formal.

—Ha dicho que tendremos pasaportes falsos —dijo McFarlane—. ¿Eso significa que usaremos nombres falsos?

—Correcto. Usted será el doctor Sam Widmanstätten.

—Muy bonito.

Hubo un breve silencio.

—¿Y usted? —preguntó Britton.

Glinn rió, cosa que McFarlane nunca le había visto hacer. Fue una risa grave y menuda que a juzgar por el sonido estaba hecha casi toda de aliento.

—Llámenme Ishmael* —dijo.

---

* Así comienza *Moby Dick*, de Herman Melville: «Call me Ishmael». (N. del T.)

Chile
12 de julio, 9.30 h

Al día siguiente, el *Rolvaag* descansaba en las aguas de los Goree Roads, un canal de gran anchura entre tres islas que emergen del Pacífico. Un sol frío subrayaba todas las aristas. McFarlane estaba apoyado en la borda de la lancha del *Rolvaag*, embarcación decrépita que casi tenía tantas manchas de herrumbre como la principal, y veía alejarse lentamente el petrolero. Desde el nivel del mar parecía aún más grande. Muy arriba, en la bovedilla, estaba Amira enfundada en una parka que le iba tres tallas demasiado grande.

—¡Eh, jefe! —exclamó ella moviendo el brazo, aunque casi no se oía su voz—. ¡No vuelva con gonorrea!

La lancha giró ciento ochenta grados con mar picada y puso rumbo al paisaje desolado de la isla Navarino. Era el territorio habitado más al sur del planeta. A diferencia de la costa montañosa junto a la que habían pasado a finales del día anterior, el lado este de Navarino era bajo y monótono: una marisma helada y nevada que terminaba en vastas playas de guijarros, lamidas por las olas del Pacífico. No se veía ningún rastro de vida humana. Puerto Williams quedaba a unos treinta kilómetros por el canal de Beagle, en aguas protegidas. McFarlane tuvo un escalofrío y se arrebujó un poco más en la parka. Una cosa era pasar cierto tiempo en isla Desolación (remota, incluso, respecto de aquel lugar dejado de la mano de Dios), y otra estar cerca de un puerto chileno. Esto último le ponía nervioso. Menos de dos mil kilómetros al norte quedaría mucha gente que se acordase de su cara; gente con muchas ganas de hacerle probar la punta de una aguijada, y siempre existía la posibilidad, aunque remota, de que una de esas personas estuviera destinada allá abajo.

Algo se movió a su lado: Glinn, acercándose a él. Llevaba una chaqueta a cuadros roñosa, varias capas de camisas de lana sucias, una gorra naranja de punto y, en una mano, un maletín viejo. Se había dejado crecer el pelo del rostro, que en condiciones normales presentaba un afeitado impecable. Le colgaba de los labios un cigarrillo torcido, y McFarlane vio que lo fumaba de verdad, inhalando y exhalando con muestras claras de placer.

—No tengo el gusto —dijo McFarlane.

—Soy Eli Ishmael, ingeniero jefe de minas.

—Pues oiga, señor ingeniero, ya sé que es imposible, pero tiene usted pinta de estar divirtiéndose.

Glinn se sacó el cigarrillo de la boca, lo contempló y lo arrojó en dirección a los hielos.

—El placer no es necesariamente incompatible con el éxito.

McFarlane señaló la ropa desastrada de su acompañante.

—Cambiando de tema, ¿de dónde ha sacado esto? Parece que haya estado echando carbón a la caldera.

—Mientras adaptábamos el barco vinieron de Nueva York unos expertos en vestuario —contestó Glinn—. Hay varios armarios llenos, para todo lo que pueda pasar.

—Pues esperemos que no se dé el caso. ¿Y qué, cuáles son las órdenes exactas?

—Muy sencillas. Tenemos que presentarnos en la aduana, enseñar los papeles, contestar a lo que nos pregunten y encontrar a John Puppup. Somos un grupo que ha venido a buscar hierro. La empresa está al borde de la quiebra, y es nuestra última oportunidad. Si hay alguien que hable inglés y le hace preguntas, usted empérrese en que somos un equipo de primera categoría, aunque si puede no abra la boca. Y si en la aduana tenemos algún contratiempo, reaccione tal como le salga de dentro.

—¿Como me salga? —McFarlane meneó la cabeza—. Lo que me saldría sería echar a correr y no parar en dos días. —Se quedó callado—. ¿Y la capitana? ¿Usted cree que podrá?

—Se habrá fijado en que no responde al estereotipo de capitán de barco.

La lancha cortaba el oleaje. Llegaba de abajo el feroz martilleo de los motores diésel, que estaban retocados para hacer ruido de viejos. De repente se abrió la puerta de la cabina y salió Britton con tejanos viejos, chaquetón de marinero y una gorra muy usada con galones de capitán. Llevaba unos prismáticos colgados del cuello. McFarlane nunca la había visto sin su uniforme perfectamente planchado, y le pareció un cambio refrescante y seductor.

—¿Puedo felicitarla por el disfraz? —dijo Glinn.

McFarlane le miró con cara de sorpresa, porque no le sonaba haber oído ningún otro cumplido de su boca.

El capitán correspondió con una sonrisa.

—No, no puede. Yo lo odio.

Cuando la embarcación dobló el extremo norte de la isla de Navarino, apareció a lo lejos una forma oscura. McFarlane vio que era un barco enorme de hierro.

—¡Dios mío! —dijo—. ¡Fíjense qué armatoste! O damos un rodeo muy grande o nos hunde la estela.

Britton cogió los prismáticos, dedicó un buen rato a mirar por ellos y los bajó con mayor lentitud.

—No creo —contestó—. Tardará bastante en moverse.

Pese a que la proa del barco estaba orientada hacia ellos, tardó una eternidad en acercarse. Los dos mástiles, finos y desnudos, se inclinaron ligeramente hacia un lado, y entonces McFarlane lo entendió: era un barco que había naufragado en un arrecife, justo en medio del canal.

Glinn cogió los prismáticos que le ofrecía Britton.

—Se llama *Capitán Praxos* —dijo—. Por la pinta es un carguero. Debió de encallar en un bajío.

—Parece increíble que un barco tan grande pueda naufragar en aguas tan protegidas —dijo McFarlane.

—Este estrecho solo está protegido cuando el viento llega del nordeste, como hoy —dijo Britton con frialdad—. Si soplara del oeste lo convertiría en un túnel de viento. Quizá coincidiera con que el barco tenía problemas de motor.

Se quedaron callados, viendo acercarse el barco. Permanecía, cosa extraña, borroso, como si estuviera envuelto por la niebla, y eso que hacía una mañana clara y de mucho sol. El barco estaba cubierto de proa a popa por una piel de herrumbre y descomposición. Tenía rotas las dos torres de hierro, una colgando de lado entre pesadas cadenas y la otra rota en la cubierta. En la superestructura, que estaba medio podrida, no había ningún pájaro. Parecía que las propias olas esquivasen sus flancos rugosos. Era fantasmagórico, surrealista: un centinela cadavérico haciendo una muda advertencia a cualquiera que pase.

—Tendría que comentárselo alguien a la cámara de comercio de Puerto Williams —dijo McFarlane.

Nadie le rió el chiste. Era como si el grupo se hubiera quedado helado.

El piloto aceleró como si estuviera impaciente por adelantar al barco naufragado, e ingresaron en el canal de Beagle. Había, a ras de mar, montañas dotadas de un perfil de cuchillo, oscuras y amedrentadoras, con campos de nieve y glaciares titilando en sus repliegues. El barco fue azotado por una ráfaga de viento que hizo que McFarlane se ciñera más la parka.

—Lo de la derecha es Argentina —dijo Glinn—, y lo de la izquierda Chile.

—Y yo me voy adentro —dijo Britton, yendo hacia la cabina.

Una hora más tarde, en la luz gris, apareció Puerto Williams por el lado de estribor de la proa: era una acumulación de casuchas de madera amarillas y con tejados rojos en una hondonada entre montañas, sobre un trasfondo de cordilleras hiperbóreas blancas y afiladas como dientes. Delante había una hilera de muelles en mal estado, y en el puerto, pesqueros de madera y balandras con el casco embreado. McFarlane vio cerca el «barrio de los indios», que se componía tanto de casas hechas a base de planchas como de simples chozas, con chimeneas fabricadas con cualquier material desprendiendo rizos de humo. Detrás quedaba el puesto naval propiamente dicho, triste hilera de edificios de chapa, cerca del cual habían anclado lo que parecían dos gabarras de la marina y un añoso destructor.

El cielo parecía haberse oscurecido en pocos minutos. En cuanto la lancha se arrimó a uno de los muelles de madera, empezó a oler a pescado podrido, cloaca y algas. Acudieron unos cuantos hombres, salidos de las cabañas que había delante, y se acercaron con paso desgarbado por varias pasarelas de madera, desde donde, con gritos y gestos, intentaban que la lancha atracara en una docena de lugares. Cada uno de los hombres llevaba un cabo o señalaba donde amarrarlo. El barco penetró en el muelle, y entre los dos que estaban más cerca estalló un ruidoso altercado, que solo aplacó Glinn repartiendo cigarrillos.

Bajaron los tres al muelle, que estaba resbaladizo, y miraron aquel pueblo tan deprimente. Algunos copos sueltos de nieve habían aterrizado en los hombros de la parka de McFarlane.

—¿Para ir a la aduana? —preguntó Glinn a alguien en español.

—Ya les llevo yo —dijeron tres a la vez.

Había empezado a formarse un grupo de mujeres con cubos de plástico llenos de erizos de mar, mejillones y «congrio colorado», que se empujaban entre ellas y se metían el marisco por la cara.

—Erizos de mar —dijo una en mal inglés. Las arrugas de la cara denotaban a una septuagenaria, con un solo pero blanquísimo diente—. Muy bueno para el hombre. Pone dura.

Hizo un gesto con el brazo en alto para indicar los resultados, entre las risotadas de los varones.

—No, gracias, señora —dijo Glinn, abriéndose camino por la multitud para seguir a los que se habían proclamado guías suyos.

Siguiéndoles, subieron por el espigón y caminaron por el muelle en dirección al puesto naval. Al llegar a un espigón ligeramente en mejor estado, los tres hombres se plantaron delante de un edificio bajo hecho de planchas de madera. Solo tenía una ventana, cuya luz destacaba en la penumbra general. Por la chimenea de zinc que había en la pared opuesta salía un humo que olía agradablemente a madera. Al lado de la puerta había una bandera chilena desteñida.

Glinn repartió propinas a los guías y empujó la puerta con Britton a poca distancia. McFarlane fue el último en entrar, pero antes aspiró una bocanada de aire frío y cargado, recordándose que en semejante lugar corría muy pocos riesgos de que le reconociera alguien por lo de Atacama.

El interior confirmó sus expectativas. Estaba todo: la mesa llena de arañazos, la estufa panzuda y el funcionario de ojos negros. Le ponía nervioso entrar voluntariamente en dependencias del gobierno chileno, aunque fueran tan remotas y tan de provincias. No pudo evitar que se le fueran los ojos hacia el fajo de carteles viejos con caras de delincuentes que había en la pared, colgado de una pinza oxidada. Tranquilo, se dijo.

El oficial de aduanas llevaba el cabello peinado hacia atrás y un uniforme sin mácula. Al sonreírles mostró una hilera de dientes de oro.

—Siéntense, por favor —dijo en español.

Tenía la voz un poco afeminada. Toda su persona desprendía un bienestar, una afabilidad muy poco acorde con lo lúgubre de su población de destino.

La discusión que había estado oyéndose en la habitación del fondo se cortó de manera repentina. McFarlane aguardó a que se sentaran Glinn y Britton, y a continuación les imitó tomando asiento cautelosamente en una vieja silla de madera. La estufa chisporroteaba y desprendía un calor muy agradable.

—Por favor —dijo el oficial, acercándoles una caja de madera de cedro que contenía cigarrillos. Rehusaron todos menos Glinn, que cogió dos, se colocó uno entre los labios y se metió el otro en el bolsillo.

—Más tarde —dijo con una sonrisa.

El oficial se levantó un poco y le encendió el primero con un mechero de oro. Glinn dio una larga calada al cigarrillo sin filtro, y a continuación bajó la cabeza para escupir un trocito de tabaco. McFarlane le miró a él y después a Britton.

—Bienvenidos a Chile —dijo en inglés el oficial, dando vueltas al mechero con sus manos bien cuidadas y volviéndoselo a meter en el bolsillo de la chaqueta. Continuó en español—. Doy por sentado que vienen del barco minero estadounidense *Rolvaag*.

—Sí —dijo Britton, asimismo en español.

Sacó unos documentos y un fajo de pasaportes de una cartera de piel muy gastada, fingiendo despreocupación.

—¿Buscan hierro? —preguntó él sonriendo.

Glinn asintió.

—¿Y esperan encontrarlo en isla Desolación?

A McFarlane le pareció que su sonrisa tenía algo de cínica. ¿O de desconfiada?

—Pues claro —contestó Glinn, tras aguantarse una tos carrasposa—. Estamos equipados con lo último en material de prospección, y tenemos un buen barco. Es una operación sumamente profesional.

La expresión del oficial, de cierto regocijo, indicaba que ya había recibido información sobre el montón de chatarra que había atracado al otro lado del canal. Cogió los papeles y les echó un simple vistazo.

—Tardaremos un poco en tramitarlos —dijo—. Seguramente querremos visitar el barco. ¿Dónde está el capitán?

—Yo misma —dijo Britton.

Las cejas del oficial se arquearon. En la habitación del fondo del puesto de aduanas se oyó ruido de pies, y por la puerta aparecieron otros dos oficiales de rango indefinido que se acercaron a la estufa y se sentaron en un banco que había al lado.

—¿Dice que es el capitán? ¿Usted? —preguntó el oficial.

—Sí.

El oficial gruñó, miró los documentos, los hojeó sin interés y volvió a mirarla a ella.

—¿Y usted, señor? —preguntó, desplazando la mirada hacia McFarlane.

Habló Glinn.

—Es el doctor Widmanstätten, el responsable científico. Y yo soy el ingeniero jefe, Eli Ishmael.

McFarlane notó que el oficial le observaba.

—Widmanstätten —repitió este con lentitud, como paladeando el apellido.

Los otros dos oficiales se giraron para mirarle. A McFarlane se le secó la boca. Ya hacía cinco años que no salía su foto en la prensa chilena, además de que entonces llevaba barba. Se dijo que no había nada que temer, pero empezaron a sudarle las sienes.

Los chilenos le miraron con curiosidad, como si detectaran sus nervios gracias a una especie de sexto sentido profesional.

—*No speak Spanish?* —le dijo el oficial aguzando un poco la mirada.

Se produjo un breve silencio, hasta que McFarlane, involuntariamente, dijo lo primero que se le ocurrió.

—Quiero una puta.

Los oficiales chilenos se echaron a reír.

—Pues habla bastante bien —dijo el de detrás de la mesa.

McFarlane se reclinó en la silla y se pasó la lengua por los labios, suspirando lentamente.

Glinn volvió a emitir una tos de perro bastante asquerosa.

—Disculpe —dijo.

Sacó un pañuelo pringoso, se limpió la barbilla, lo sacudió con fuerza (haciendo que salpicara flema) y volvió a metérselo en el bolsillo.

El oficial miró el pañuelo y se frotó sus manos de señorito.

—Espero que no se haya puesto enfermo. Con la humedad que hay por aquí…

—No es nada —dijo Glinn.

Al mirarle, McFarlane empezó a temer por él. Tenía los ojos inyectados en sangre, y cara de enfermo.

Britton tosió finamente con la mano en la boca.

—Un resfriado —dijo—. Se lo va contagiando la gente en el barco.

—¿Seguro que solo es eso? —preguntó el oficial, que a juzgar por su expresión no las tenía todas consigo.

—Pues… en la enfermería no dan abasto… —dijo Britton.

—No es nada grave —la interrumpió Glinn con la poca voz que le dejaban los mocos—. Puede que haya un poquitín de gripe; ya se sabe que en los barcos, estando todo el mundo en espacios cerrados… —Profirió una risa que también se convirtió en tos—. Hablando de barcos, estaremos encantados de recibirles a bordo hoy o mañana, cuando más les convenga.

—Quizá no sea necesario —dijo el oficial—. Mientras estén en regla estos papeles… —Hojeó el fajo—. ¿Dónde está el permiso de prospección?

Glinn, carraspeando exageradamente, se inclinó sobre la mesa y sacó de la chaqueta unos documentos con membrete y sello. El oficial los cogió, leyó el primero por encima y pasó al siguiente con un giro de muñeca. Después los dejó en la gastada superficie de la mesa.

—Lo lamento —dijo, haciendo un gesto de contrariedad con la cabeza—, pero no es el formulario correcto.

McFarlane vio que los otros dos oficiales se miraban con disimulo.

—¿No? —dijo Glinn.

En la sala hubo un cambio repentino. Ahora se palpaba cierta tensión.

—Tendrán que ir a Punta Arenas a buscar el bueno —dijo el oficial—. Entonces podré sellárselo. De momento me quedo con sus pasaportes.

—Sí que es el formulario correcto —dijo Britton con cierta dureza.

—Déjame a mí —le dijo Glinn en inglés—, que me parece que quieren dinero.

Britton se encolerizó.

—¡Qué dices! ¿Quieren que les sobornemos?

Glinn le indicó que se callara.

—Tranquila.

McFarlane les miró con la duda de si era verdad o puro teatro.

Glinn se giró hacia el oficial de aduanas, que les sonreía falsamente.

—¿Y el formulario correcto no se puede comprar aquí? —dijo en español.

—Es una posibilidad —dijo el oficial—, aunque son caros.

Glinn, con ruido de sonarse, levantó el maletín y lo dejó encima de la mesa. No porque estuviera tan sucio y gastado dejó de suscitar una mirada de interés por parte de los oficiales, que disimulaban mal su codicia. Glinn quitó el seguro y levantó la tapa, fingiendo esconder su contenido a los chilenos. Dentro había más documentos y una docena de fajos de billetes de veinte dólares con gomas elásticas. Glinn sacó la mitad y los depositó en la mesa.

—¿Así hay suficiente? —preguntó.

—Me temo que no, señor. Los permisos son caros.

Ponía todo su empeño en no mirar el maletín abierto.

—¿Pues cuánto?

El oficial fingió calcular mentalmente.

—Yo creo que con el doble habría suficiente.

Se quedaron todos callados, hasta que Glinn, sin decir nada, metió la mano en el maletín, sacó el resto de los fajos y los dejó en la mesa.

McFarlane notó que se esfumaba toda la tensión que había estado flotando en el aire. El oficial de la mesa juntó el dinero. Britton ponía cara de enfadada pero resignada. Los dos oficiales que estaban sentados en el banco sonreían ampliamente. La única excepción era alguien que acababa de llegar, un personaje que llamaba la atención y que llevaba cierto tiempo en la puerta. Era alto, moreno y de rasgos afilados, ojos negros, cejas muy pobladas y unas orejas puntiagudas que le conferían un aura intensa y casi mefistofélica. Llevaba uniforme de la marina chilena, limpio pero gastado, con algunos hilos de oro en los hombros. McFarlane se fijó en que a diferencia de su brazo izquierdo, pegado al cuerpo con rigidez militar, el derecho se mantenía en posición horizontal contra el estómago, con una mano atrofiada e involuntariamente contraída. Primero el hombre miró a los oficiales, después a Glinn y por último al dinero de la mesa, momento en que sus labios esbozaron una sonrisa de desprecio.

Ahora los fajos de billetes formaban cuatro montones.

—¿No nos da recibo? —preguntó Britton.

—Lo siento, pero aquí no funcionamos así. —El oficial de

aduanas abrió las manos con otra sonrisa. Después, con gran rapidez de movimientos, metió en el cajón del escritorio uno de los cuatro montones y repartió dos a los del banco—. Para que esté bien guardado —dijo a Glinn.

Por último, cogió el montón que quedaba y se lo ofreció al del uniforme, pero este, que había estado observando a McFarlane, cruzó sus manos, la sana y la enferma, sin la menor intención de coger el dinero. El oficial siguió tendiéndoselo un rato hasta que le susurró algo muy deprisa.

—Nada —contestó en voz alta el hombre uniformado, que entró unos pasos en la sala y se colocó de cara al grupo con mirada de odio—. Los americanos se creen que pueden comprarlo todo —dijo en un inglés inteligible y sin acento—, pero no. Yo no soy como estos corruptos. Quédense el dinero.

El oficial de aduanas agitó los billetes en dirección a él y dijo con dureza:

—Que te lo quedes, tonto.

Se oyó el clic de Glinn cerrando el maletín.

—No —dijo el del uniforme, ahora en español—. Todo esto es cuento. No hace falta que os lo diga. Nos están robando.

Escupió en dirección a la estufa. En el silencio ominoso que siguió, McFarlane oyó claramente el siseo de la saliva al chocar con el hierro caliente.

—¿Robando? —preguntó el oficial—. ¿En qué sentido?

—¿Qué te crees, que los americanos van a venir aquí a buscar hierro? Eso es que el tonto eres tú. Vienen por otra cosa.

—Ya que eres tan sabio, explícame a qué vienen.

—En isla Desolación no hay hierro. Solo pueden haber venido por una cosa: oro.

Después de una pausa, el oficial se echó a reír roncamente, con falsa alegría.

—¿Oro? —le dijo a Glinn con un tono un poco más severo—. ¿A eso vienen, a robarle el oro a Chile?

McFarlane miró a Glinn de reojo, y se llevó la mala sorpresa de ver que ponía tanta cara de culpabilidad y miedo que ningún oficial, ni el más botarate, habría dejado de albergar sospechas.

—Hemos venido a hacer prospecciones de hierro —dijo Glinn con inequívoco tono de embuste.

—Debo informarle que los permisos de prospección de oro salen mucho más caros —dijo el oficial.

—¡Oiga, que venimos a buscar hierro!

—Seguro —dijo el oficial—; un poco de sinceridad, que así nos ahorramos problemas. Todo esto del hierro...

Sonrió con cara de complicidad, dando paso a un silencio largo y expectante que rompió Glinn con otra tos.

—Dadas las circunstancias —dijo—, podríamos plantearnos un canon, a condición de que el papeleo se tramite lo antes posible.

El oficial aguardó. Glinn volvió a abrir el maletín, sacó los documentos y se los metió en el bolsillo. A continuación palpó la base del maletín vacío como buscando algo. Se oyó un clic en sordina, saltó un fondo falso y salió un resplandor amarillo que se reflejó en la cara de sorpresa del oficial.

—Virgencita querida —susurró este.

—Esto se lo doy ahora a usted y sus socios —dijo Glinn—. En el momento de desembarcar, cuando pasemos por la aduana (suponiendo que haya salido todo bien), recibirán el doble. Naturalmente, si llegan rumores a Punta Arenas de que en isla Desolación se ha encontrado oro, o si recibimos visitas no deseadas, ni nosotros podremos llevar la operación minera a buen término ni ustedes recibir nada más.

Estornudó por sorpresa, rociando de baba la tapa del maletín. El oficial se apresuró a cerrarla.

—Sí, sí, nos ocuparemos de todo.

Pero el comandante chileno reaccionó de manera violenta.

—¡Qué asco de gente! ¡Parecen perros olisqueando a una perra en celo!

Los dos oficiales se levantaron del banco y se acercaron a él entre murmullos y gestos referentes al maletín, pero el comandante se apartó.

—Me da vergüenza estar en la misma habitación que ustedes. Venderían a su propia madre.

El oficial de aduanas se giró en la silla y miró hacia atrás.

—Creo que es mejor que vuelva a su barco, comandante Vallenar —dijo fríamente.

El del uniforme fue mirando uno a uno a todos los presentes con cara de odio. Luego, muy erguido y sin decir nada, rodeó la mesa y se marchó.

—¿Y ese? —preguntó Glinn.

—Les pido que disculpen al comandante Vallenar —dijo el

oficial mientras abría otro cajón y sacaba documentos y un sello. Le puso tinta y lo aplicó rápidamente a los papeles, como si tuviera prisa por que sus visitantes se marcharan—. Es un idealista en un país de gente pragmática. Pero no es nadie. No habrá rumores ni nadie que interrumpa su trabajo. Les doy mi palabra.

Tendió por encima de la mesa los documentos y pasaportes. Glinn los cogió y dio media vuelta, pero antes de marcharse le asaltó una duda.

—Otra cosa. Hemos contratado a alguien que se llama John Puppup. ¿Sabe dónde se le puede encontrar?

—¿Puppup? —Estaba clara la sorpresa del oficial—. ¿Ese viejo? ¿Para qué?

—Nos informaron que conoce a fondo las islas del cabo de Hornos.

—Pues no sé yo quién debió de decírselo. Mala suerte, porque hace unos días recibió dinero y eso solo puede significar una cosa. Yo empezaría por el Picoroco, en el callejón Barranca. —El oficial se levantó y les obsequió con todo el oro de su sonrisa—. Que tengan suerte buscando *hierro* en isla Desolación.

Puerto Williams
11.45 h

Al salir del puesto de aduanas, se alejaron de la costa y emprendieron el ascenso de la colina que llevaba al barrio de los indios. En poco tiempo, la pista de tierra aplanada se convirtió en una mezcla de nieve y barro congelado. Habían puesto maderas como si fueran escalones, para evitar la erosión. Las casuchas que flanqueaban el camino eran de madera despareja, y estaban rodeadas por vallas toscas del mismo material. Un grupo de niños seguía a los extranjeros riendo y señalándoles. Se cruzaron con un burro que bajaba cargado con una descomunal cantidad de leña, y por culpa del cual McFarlane estuvo a punto de caerse en un charco, aunque recuperó el equilibrio insultando al animal.

—¿Qué parte del numerito estaba planeada? —le preguntó a Glinn.

—Todo menos el comandante Vallenar. Y la salida que ha tenido usted: espontánea pero eficaz.

—¿Eficaz? Ahora se creen que hacemos prospecciones ilegales de oro. A mí me parece un desastre.

Glinn sonrió con indulgencia.

—Pues ha salido de perlas. Con que pensasen un poco no podrían creerse que una empresa norteamericana enviara un buque minero al culo del mundo solo para buscar hierro. La rabieta del comandante Vallenar ha llegado en el momento oportuno. Me ha ahorrado tener que meterles yo la idea en la cabeza.

McFarlane sacudió la cabeza.

—De acuerdo, pero imagínese los rumores que empezarán a circular.

—Antes ya circulaban. Y con el oro que les hemos dado, esos

no abren la boca ni muertos. Ahora nuestros amigos de aduanas acallarán los rumores y prohibirán la entrada en la isla. Tienen mejores medios que nosotros. Y un incentivo buenísimo.

—¿Y el comandante? —preguntó Britton—. No se le veía con muchas ganas de participar.

—No se puede sobornar a todo el mundo. La suerte es que no tiene ni poder ni credibilidad. Cuando acaba aquí abajo un oficial de marina, es que ha cometido algún delito o que le castigan por algo. Los de aduanas tendrán muchas ganas de tenerle a raya, seguro que con un soborno al oficial al mando del puesto naval. Con lo que les hemos dado les sobra. —Glinn apretó los labios—. Aunque deberíamos enterarnos de algo más sobre el comandante Vallenar.

Al disminuir la pendiente, cruzaron un arroyuelo de agua jabonosa. Glinn le pidió indicaciones a alguien, y se metieron por un callejón. Empezaba a bajar sobre el pueblo una bruma sucia de mediodía, acompañada por el brusco enfriamiento del aire húmedo. Vieron un mastín muerto e hinchado en la cuneta. A McFarlane, el olor a pescado y tierra y la visión del pequeño comercio de madera endeble con anuncios de Fanta y cervezas nacionales le hicieron retroceder cinco años en el tiempo. Tras dos tentativas infructuosas de cruzar la frontera con Argentina, él y Nestor Masangkay, llevando a cuestas las tectitas de Atacama, habían acabado por pasar a Bolivia, mucho más al norte, cerca de la población de Ancuaque. El parecido era visualmente escaso, pero se respiraba el mismo ambiente.

Glinn se detuvo. Al final del callejón había un edificio en mal estado con tejas rojas y, debajo de una bombilla azul intermitente, un letrero donde ponía EL PICOROCO. LA CERVEZA MÁS FINA. La puerta estaba abierta.

—Me parece que empiezo a entender un poco sus métodos —dijo McFarlane—. ¿Qué han dicho los de la aduana? ¿Que Puppup había recibido dinero? ¿Por casualidad se lo envió usted?

Glinn inclinó la cabeza pero no dijo nada.

—Yo espero fuera —dijo Britton.

McFarlane, precedido por Glinn, cruzó la puerta y se encontró en un espacio poco iluminado. Vio una barra de pino llena de muescas, varias mesas de madera con marcas redondas de botellas y una diana inglesa con los números borrosos. El ambiente estaba cargado de humo, y parecía no haberse ventilado en muchos años. Viéndoles entrar desde detrás de la barra, el encargado se puso derecho. El nivel sonoro de la conversación bajó, y los pocos clientes que había se giraron para ver quién entraba.

Glinn se acercó a la barra y pidió dos cervezas. El camarero se las sirvió tibias y chorreando espuma.

—Buscamos al señor Puppup —dijo Glinn.

—¿Puppup? —El camarero sonrió tanto que se le veían todos los huecos de la dentadura—. Está al fondo.

Le siguieron a través de una cortina de cuentas que daba a un reservado. En la mesa había una botella vacía de Dewar's, y en el banco de al lado de la pared, un hombre estirado. El hombre era viejo y flaco, y su ropa indescriptiblemente sucia. Llevaba bigotito y perilla a lo Fu Manchú, y, desde la cabeza hasta el banco, una gorra de flecos que parecía hecha de trapos viejos.

—¿Duerme o está borracho? —preguntó Glinn.

El encargado rió a carcajada limpia.

—Las dos cosas.

Se agachó, hurgó en los bolsillos de Puppup y sacó un fajo de billetes sucios, que contó y volvió a guardar.

—Estará sobrio el jueves que viene.

—Es que le ha contratado nuestro barco.

El encargado volvió a reírse, esta vez con más cinismo.

Glinn se quedó pensando, o lo parecía.

—Tenemos órdenes de llevarle a bordo. ¿Le molestaría que nos ayudasen un par de clientes?

El encargado asintió, volvió a meterse en el bar y regresó con dos hombres corpulentos. Después de un breve intercambio de palabras, y de dinero, levantaron a Puppup del banco y se echaron cada uno un brazo del viejo a la espalda. La cabeza colgaba hacia adelante. Entre aquellas dos moles, Puppup, tan ligero y frágil, parecía una hoja seca.

Al salir del local, McFarlane, aliviado, respiró una bocanada de aire fresco. Apestaba, pero era mejor que el ambiente rancio del bar. Se acercó Britton, que había estado esperando de pie en la oscuridad de un rincón apartado, y al ver a Puppup puso cara de recelo.

—Visto así no da muy buena impresión —dijo Glinn—, pero será un práctico excelente. Lleva cincuenta años yendo en canoa por las aguas de las islas del cabo de Hornos. Lo sabe todo sobre vientos, corrientes, clima, arrecifes y mareas.

Britton arqueó las cejas.

—¿Este viejo?

Glinn asintió.

—Ya le he dicho a Lloyd esta mañana que es medio yagán. Eran los habitantes originales de las islas del cabo de Hornos. No queda prácticamente nadie más que sepa el idioma, las canciones y las leyendas yaganes. Se pasa casi toda la vida yendo por las islas y alimentándose de marisco, plantas y raíces. Seguro que si le preguntan de quién son las islas del cabo de Hornos dirá que suyas.

—Qué pintoresco —dijo McFarlane.

Glinn se volvió hacia él.

—Sí. Y resulta que también es el que encontró el cadáver de su socio, Masangkay.

McFarlane se quedó helado.

—En efecto —prosiguió Glinn en voz baja—. Es el que recogió la sonda tomográfica y las muestras de roca y las vendió en Punta Arenas. Lo que más nos beneficiará será no tenerlo en Puerto Williams. Ahora que hemos llamado la atención hacia isla Desolación, no estará él presente para chismorrear y propagar rumores.

McFarlane volvió a mirar al borracho.

—Conque es el cabrón que robó a mi socio.

Glinn le puso una mano en el brazo.

—Es pobre de solemnidad. Encontró a un hombre muerto con algunos objetos de valor, y es comprensible que quisiera aprovecharse un poco. Comprensible y perdonable. No perjudicó a nadie. De no ser por él, Masangkay podría seguir desaparecido. Y usted no tendría la oportunidad de acabar lo que empezó él.

McFarlane se apartó, a pesar de que en su fuero interno no tenía más remedio que darle la razón a Glinn.

—Nos será muy útil —dijo Glinn—. Se lo prometo.

McFarlane, silencioso, siguió al grupo por el barro, colina abajo hacia el puerto.

Rolvaag
14.50 h

Cuando la lancha salió del canal de Beagle y se aproximó al *Rolvaag*, el mar estaba cubierto por una niebla impenetrable. El grupito se quedó en la cabina, entre flotadores y casi sin hablar. Puppup, a quien apuntalaban Glinn y Sally Britton, no daba ningún indicio de volver en sí, aunque hubo un par de veces en que fue necesario impedir que se apoyara cómodamente en el chaquetón de la capitana.

—¿Está fingiendo? —preguntó esta al quitarse del regazo una mano del viejo, de aspecto frágil, y apartarle a él con suavidad.

Glinn sonrió. McFarlane reparó en que nada quedaba de los cigarrillos, la tos y los ojos enrojecidos. Volvía a ser el Glinn imperturbable de siempre.

Delante estaba dibujándose la espectral silueta del buque, aunque a partir de cierta altura volvía a devorarlo la niebla. La lancha se acercó por el bravío oleaje, hasta que la levantaron en sus pescantes. Al subir a bordo con los demás, Puppup empezó a dar señales de vida. McFarlane le ayudó a levantarse a trancas y barrancas, entre jirones de niebla. No debe de pesar más de cuarenta kilos, pensó.

—¿John Puppup? —dijo Glinn con su habitual moderación—. Soy Eli Glinn.

Puppup le cogió la mano, la estrechó en silencio y pasó a hacer lo propio con las demás personas que le rodeaban, incluido el piloto de la lancha, un camarero y dos sorprendidos marineros. Por último estrechó la de la capitana, más prolongadamente que las demás.

—¿Se encuentra bien? —preguntó Glinn.

Puppup miró alrededor con ojos negros y brillantes, acariciándose el bigotito. No se le veía ni sorprendido ni turbado por la novedad del entorno.

—Supongo que querrá saber qué hace aquí, señor Puppup.

De repente la mano de Puppup se metió en el bolsillo y sacó el fajo de dinero sucio. Puppup lo contó, gruñó (contento de que no se lo hubieran robado) y volvió a guardarlo.

Glinn señaló al camarero.

—Ahora le acompaña el señor Davies a su camarote, donde podrá lavarse y cambiarse de ropa. ¿Le parece bien?

Puppup le miró con curiosidad.

—Quizá no hable inglés —murmuró McFarlane.

La mirada de Puppup se desplazó velozmente hacia él.

—¡Anda que no! ¡Que no hablo inglés, dice!

Tenía la voz aguda y melodiosa, y McFarlane reconoció una mezcla compleja de acentos, aunque con predominio del cockney.

—Cuando haya tenido tiempo de instalarse, contestaré con mucho gusto a todas las preguntas que me haga —dijo Glinn—. Nos veremos mañana por la mañana en la biblioteca.

Hizo señas a Davies con la cabeza.

Puppup les dio la espalda sin mediar palabra. Todos los ojos le vieron alejarse hacia la superestructura trasera, conducido por el camarero.

Arriba se activó la megafonía.

—Capitán, al puente —dijo la voz metálica de Victor Howell.

—¿Qué pasa? —preguntó McFarlane.

Britton meneó la cabeza.

—Ahora lo veremos.

Desde el puente solo se veía una nube gris que lo envolvía todo. Nada a la vista, ni la propia cubierta del barco. Al entrar por la puerta, McFarlane se dio cuenta de que el ambiente estaba tenso. A diferencia de los demás días, en que la dotación era mínima, ahora había media docena de oficiales. Oyó que en la cabina del telegrafista había alguien tecleando deprisa en un ordenador.

—¿Qué ocurre, señor Howell? —preguntó con calma Britton.

Howell levantó la vista de un monitor que había cerca.

—Contacto radar.

—¿Quiénes son? —preguntó McFarlane.

—Desconocido. No responden a nuestras llamadas. Por la velocidad y la sección del radar, ha de ser un barco de guerra. —Acompañó otro rápido vistazo con el gesto de accionar una serie de interruptores—. Demasiado lejos para que se vea bien por el FLIR.

—¿En qué dirección? —preguntó Britton.

—Parece dar vueltas, como si buscaran algo. Un momento, que se ha fijado el rumbo. Ocho millas, con demora cero seis cero, y acercándose. El ESM está captando un radar. Nos están localizando.

La capitana acudió prestamente a su lado y miró el radar.

—Mantienen fijo el rumbo. ¿Tiempo estimado para el contacto?

—A la velocidad y rumbo actuales, doce minutos.

Britton se volvió hacia el oficial tercero, que tenía el puesto de control a su cargo.

—¿Cómo vamos?

—A todo vapor, señora. Estamos en posicionamiento dinámico.

—Diga a motores que se activen.

—A la orden.

El oficial cogió un teléfono con mango negro. La aceleración de los motores hizo vibrar el suelo. Empezaron a sonar alarmas anticolisión.

—¿Qué hacemos? ¿Maniobras para esquivarlo?

Britton negó con la cabeza.

—Somos demasiado grandes. Pero a ver qué pasa.

La sirena del barco emitió una nota ensordecedora desde lo alto del mástil del radar.

—Sin cambios en el rumbo —dijo Howell con la cabeza pegada al visor del radar.

—El timón responde —dijo el oficial tercero.

—Rumbo al medio. —Britton caminó hacia la cabina del telegrafista y abrió la puerta gris de metal—. ¿Ha habido suerte, Banks?

—No contestan.

McFarlane se aproximó a los ventanales frontales. La batería del limpiaparabrisas iba limpiando una capa de niebla y aguanieve que se empecinaba en reaparecer. Se veía que intentaba salir un poco el sol, pero las nubes eran densas.

—¿No nos oyen? —preguntó McFarlane.

—Sí, sí que nos oyen —dijo Glinn con voz tranquila—. Saben perfectamente que estamos aquí.

—Sin cambios en el rumbo —murmuró Howell mirando el radar—. Colisión en nueve minutos.

—Disparen bengalas en la dirección del barco —dijo Britton, que había vuelto al puesto de control.

Howell comunicó la orden y Britton se dirigió al oficial de guardia.

—¿Qué tal se gobierna?

—A esta velocidad, fatal.

McFarlane se daba cuenta del esfuerzo que hacían los motores por el temblor del barco.

—Cinco minutos y acercándose —dijo Howell.

—Que disparen más bengalas. Pero directas al barco. Póngame en la frecuencia ICM. —Britton cogió un transmisor del puesto de mando—. Embarcación sin identificar tres mil metros a babor, aquí el petrolero *Rolvaag*. Modifiquen el rumbo veinte grados a estribor para evitar colisión. Repito, modifiquen el rumbo veinte grados a estribor.

Repitió el mensaje en español y amplificó el volumen del receptor. Todo el puente, silencioso, oyó el ruido de estática.

Britton devolvió el receptor a su colocación original y miró al timonel y a Howell.

—Colisión en tres minutos —dijo el segundo.

La capitana habló por el teléfono.

—Aquí la capitana. A toda la tripulación: prepárense para colisionar por la proa de estribor.

Otro aullido de sirena desgarró el velo de niebla, que empezaba a diluirse. Sonaba una bocina, y en el puente se encendían y apagaban varias luces.

—Se acerca a proa por estribor —dijo Howell.

—Preparen los sistemas antiincendios —repuso Britton.

A continuación cogió un megáfono del mamparo, corrió hacia la puerta de salida al ala del puente de estribor, la abrió y salió, seguida, como obedeciendo al mismo impulso, por Glinn y McFarlane.

Nada más salir, McFarlane quedó empapado por la niebla, fría y densa. Debajo se oían ruidos confusos de gente corriendo y gritando. A descubierto la sirena se oía todavía más fuerte, como atomizando el aire denso que les rodeaba. Britton había corrido hasta el final del ala y estaba apoyada en la baranda con el megáfono en la boca, dominando el mar desde treinta metros de altura.

La niebla empezaba a despejarse y a correr en jirones por la cubierta, pero McFarlane creyó observar que por el lado de estribor, a proa, volvía a oscurecerse. De repente, en lo gris, se dibujó una masa sólida de antenas y luces de fondeo rojas y verdes, de resplandor apagado. La sirena repitió su advertencia, pero el barco, impasible, se acercaba a gran velocidad, cortando el agua con su proa gris y batiendo una espuma muy prieta. Se perfiló con mayor claridad: era un destructor con los flancos sembrados de agujeros, muescas y herrumbre. La superestructura y la bovedilla portaban banderas chilenas al viento. Las cubiertas de proa y de popa contaban con varios cañones de cuatro pulgadas que asomaban cortos, rechonchos y amenazadores.

Britton se desgañitaba por el megáfono. Sonaban alarmas de colisión, y McFarlane sentía vibrar el puente bajo sus pies, por el esfuerzo que hacían los motores para apartarse. Sin embargo, era imposible maniobrar a tiempo un buque de ese tamaño. Plantó bien los pies, se cogió a la barandilla y se preparó para el choque.

En el último momento, el destructor se desvió a babor y apagó los motores. Pasó flotando al lado del petrolero a menos de veinte metros. Britton bajó el megáfono, y todas las miradas siguieron a la menor de las dos embarcaciones.

Todas las armas del destructor (desde las torretas de la cubierta principal a los cañones de cuarenta milímetros) apuntaban al puente del *Rolvaag*. McFarlane miró el barco con una mezcla de perplejidad y espanto. De repente se fijó en el puente del destructor.

Solo había una persona, un hombre uniformado: el comandante de marina a quien habían conocido en su visita matinal a la aduana. El viento jugaba con las barras doradas de su gorra de oficial. Pasaba tan cerca que McFarlane le vio las gotas de sudor de la cara.

Vallenar no les prestaba atención. Estaba apoyado en una ametralladora de calibre 50 montada en la barandilla, pero la relajación de su postura era ficticia. El cañón del arma, cuyo morro perforado tenía una capa de sal marina y óxido, les apuntaba directamente a ellos, promesa insolente de muerte. Los ojos negros del comandante se ensartaron uno a uno en cada ocupante de la cubierta del otro barco. No pestañeaba. A medida que pasaba de largo el destructor, tanto la ametralladora como el propio comandante fueron girando para seguir vigilándoles.

Entonces el destructor quedó a popa del *Rolvaag* y volvió a tragárselo la niebla, borrando su presencia espectral. A su paso quedó un silencio de sobrecogimiento en que McFarlane oyó que volvían a ponerse en marcha los motores del destructor, y acusó, en forma de ligero vaivén, el paso de su estela bajo el petrolero. Era un movimiento tan suave como el de acunar a un niño y, de no ser por el pavor que inspiraba, habría resultado francamente agradable.

Rolvaag
13 de julio, 6.30 h

Justo antes de amanecer, en la oscuridad de su camarote, McFarlane se desveló un poco. Tenía las sábanas enrolladas al cuerpo, hechas un revoltijo, y la almohada de debajo de su cabeza estaba empapada de sudor. Se giró medio dormido, buscando instintivamente el calor reconfortante de Malou, pero aparte de él la cama estaba vacía.

Se incorporó y esperó a que volviera a latirle el corazón con normalidad, una vez disipadas las imágenes inconexas de la pesadilla (un barco en plena tormenta), pero al pasarse una mano por delante de los ojos se dio cuenta de que no había sido únicamente un sueño: seguía percibiendo el movimiento del agua. Ahora el barco se movía de otra manera, sin la habitual suavidad, sino en bruscas sacudidas. Apartó la sábana, se acercó a la ventana y retiró la cortina. El plexiglás estaba salpicado de aguanieve, y en el borde inferior el grosor del hielo era considerable.

Como le parecía agobiante la oscuridad y cerrazón de sus habitaciones, y a pesar del mal tiempo tenía ganas de respirar aire fresco, se vistió deprisa y bajó por los dos tramos de escalera que llevaban a la cubierta principal, cogiéndose a la barandilla para que el vaivén del barco no le hiciera perder el equilibrio.

Cuando abrió la puerta por donde se salía a la superestructura, recibió una ráfaga de viento helado en la cara. El efecto fue tonificante, y barrió de su cerebro los últimos vestigios de la pesadilla. Había poca luz, pero bastante para ver que todo estaba cubierto por una capa de hielo: los respiraderos de barlovento, los pescantes, los contenedores... La cubierta era un mar de agua enfangada. Ahora McFarlane oía claramente un ruido de mar tempestuosa por toda la longitud del barco. Las aguas oscuras, turbulentas, recibían a intervalos la pincelada blanca de una ola de gran amplitud. Los gemidos del viento no ensordecían del todo el hervor del oleaje rompiendo en el casco.

Había alguien apoyado en la baranda de estribor y con la cabeza inclinada. Al acercarse, McFarlane vio que era Amira, envuelta de nuevo en aquella parka que de tan grande le quedaba ridícula.

—¿Qué hace usted aquí fuera? —preguntó.

Amira se volvió hacia él, dejando entrever una cara verdosa al fondo de la capucha forrada de piel de la parka. Se le habían escapado unos mechones de cabello que volaban al viento.

—Intentar vomitar —dijo—. ¿Y usted qué excusa tiene?

—No podía dormir.

Amira asintió con la cabeza.

—Ojalá vuelva el destructor. ¡Cómo disfrutaría tirándole lo que tengo en el estómago a aquel cardo borriquero de comandante!

McFarlane no contestó. Durante la cena casi no se había hecho otra cosa que comentar el encuentro con el barco chileno y hacer conjeturas sobre el comandante Vallenar y sus motivos. En cuanto a Lloyd, al enterarse se había puesto histérico. El único que no parecía preocupado era Glinn.

—Fíjese —dijo Amira.

McFarlane siguió la dirección de su mirada y vio la forma oscura de alguien corriendo al lado de la baranda de babor con un chándal por única ropa. Después de un rato mirando vio que era Sally Britton.

—Es la única lo bastante hombre para salir a correr con este tiempo —dijo Amira con mal tono.

—Es dura.

—Más que dura, loca. —Amira soltó una risita—. ¿Ha visto cómo le salta la camiseta?

McFarlane, que había estado mirándolo, no dijo nada.

—No me malinterprete, que lo digo por puro interés científico, ¿eh? Estoy pensando cómo se calcularía una ecuación de estado para unos pechos tan rotundos.

—¿Una ecuación de estado?

—Se usa en física. Relaciona todas las propiedades físicas de un objeto: temperatura, presión, densidad, elasticidad…

—Ya voy haciéndome una idea.

De repente Amira cambió de tema y dijo:

—Mire, otro naufragio.

McFarlane vio destacarse a lo lejos, en la grisura invernal, la silueta de un barco grande con la parte trasera empotrada en una roca.

—¿Cuántos llevamos? ¿Cuatro? —preguntó Amira.

—Me parece que con este cinco.

Desde Puerto Williams habían aumentado las apariciones de buques naufragados, algunos del tamaño del *Rolvaag*. Aquella zona era un verdadero cementerio de barcos, y ya nadie se sorprendía de encontrarlos.

Britton ya había rodeado la proa y corría hacia ellos.

—Que viene —dijo Amira.

Al llegar a su altura, Britton se detuvo y empezó a correr sin desplazarse. Como tenía la ropa mojada por el aguanieve y la lluvia, se le pegaba al cuerpo. Ecuación de estado, se dijo McFarlane.

—Quería informarles que a las nueve emitiré la orden de que en cubierta solo se pueda circular con arnés de seguridad.

—¿Por qué? —preguntó McFarlane.

—Porque se acerca una borrasca.

—¿Acercarse? —dijo Amira con risa agorera—. Yo diría que ya ha llegado.

—Cuando salgamos del abrigo de la isla Navarino, nos meteremos en una tormenta. No se permitirá que salga nadie sin chaleco salvavidas.

Britton había contestado la pregunta de Amira, pero mirando a McFarlane.

—Gracias por avisarnos —dijo él.

Britton le hizo una señal con la cabeza y se alejó corriendo. En un minuto ya estaba lejos.

—¿Por qué le cae tan mal? —dijo McFarlane.

Amira se quedó un rato callada.

—Tiene algo que me pone nerviosa. Es demasiado perfecta.

—Me parece que es lo que se llama irradiar autoridad.

—Y es una injusticia que todo el barco tenga que pagar por su problema con el alcohol.

—Eso lo decidió Glinn —dijo McFarlane.

Amira suspiró y sacudió la cabeza.

—Muy propio de él. Seguro que detrás de la decisión hay un

razonamiento impecable. Lo que pasa es que no se lo ha contado a nadie.

Sopló una ráfaga de viento frío que hizo tiritar a McFarlane.

—Bueno, yo de momento ya he respirado bastante aire de mar. ¿Vamos a desayunar?

Amira gimió.

—Baje, que yo me quedo un poco más. En algún momento tendrá que salir esto.

Después del desayuno, McFarlane fue a la biblioteca del barco, donde había quedado con Glinn a petición de este. Era una sala grande, como todos los espacios del barco, con una pared de ventanas donde corría el agua. Abajo, a gran distancia, se veía nevar casi en horizontal, y caer remolinos de copos en el agua negra.

Las estanterías contenían una amplia selección de títulos: textos náuticos, enciclopedias, condensaciones del *Reader's Digest*, viejos bestsellers... McFarlane, que estaba nervioso, distrajo la espera mirándolos. Cuanto más se aproximaban a isla Desolación (el lugar donde había muerto Masangkay), más nervioso se ponía. Ya estaban muy cerca. Antes de que anocheciera habrían rodeado el cabo de Hornos y puesto el ancla en sus islas.

Sus dedos se detuvieron en un libro delgado: *Las aventuras de Gordon Pym.* Era la obra de Poe a la que se había referido Britton durante la primera noche en el mar. Tuvo curiosidad y se lo llevó al sofá que tenía más cerca, sofá cuya piel, al tomar asiento y abrir el libro, le acogió resbaladiza. Ascendió a su nariz el agradable olor del bocací y el papel viejo.

> Me llamo Arthur Gordon Pym. Mi padre, respetable comerciante, trabajaba en el puerto de Nantucket, que es donde nací. Mi abuelo materno era abogado, y de buena posición. Tenía suerte en todo, y había especulado con mucho éxito en acciones del Edgarton New-Bank, como se llamaba entonces.

El inicio era gris, decepcionante, y fue un alivio ver abrirse la puerta y entrar a Glinn. Detrás iba Puppup encorvado y sonriente. Apenas se reconocía al borracho a quien habían llevado a bordo la tarde anterior. Su larga y gris cabellera, recogida en trenzas por detrás, no invadía su frente, y el bigotito que le colgaba del fofo labio superior había recibido escrupulosos cuidados, que no le impedían seguir siendo un poco escaso.

—Perdone que le haya hecho esperar —dijo Glinn—. He estado hablando con el señor Puppup y parece dispuesto a ayudarnos.

Puppup enseñó los dientes y volvió a dar la mano a troche y moche, sorprendiendo a McFarlane por lo fría y seca que la tenía.

—Acompáñeme a las ventanas —dijo Glinn.

McFarlane le siguió y miró por ellas. Ahora, al nordeste, los jirones de niebla permitían entrever una isla desierta que salía del agua como si solo fuera la cima dentada de una montaña submarina, con el blanco oleaje arañando y lamiendo sus laderas.

—Lo de ahí delante —murmuró Glinn— es la isla Barnevelt.

Pasó un frente lejano, como si se hubiera corrido una cortina desde el horizonte, agredido por el temporal. Luego apareció otra isla, negra, escarpada y con nieve y bruma en las cimas.

—Y lo de ahí la isla Deceit, la que queda más al este de las islas del cabo de Hornos.

Detrás, la luz reciente alumbraba otro páramo de cimas montañosas emergiendo del mar. Mientras miraban, desapareció la luz tal como había aparecido. Fue como si cayera la noche sobre el barco. Recibieron el impacto de otro turbión que lanzó toda su furia contra las ventanas, mientras ametrallaba el casco con granizo. McFarlane notó que el buque, a pesar de su volumen, se escoraba.

Glinn enseñó un papel doblado.

—He recibido este mensaje hace media hora.

Se lo entregó a McFarlane, que lo desplegó con gran curiosidad. Se trataba de un breve telegrama: «No se desembarcará bajo ningún concepto en la isla de destino sin nuevas instrucciones por mi parte. Lloyd».

Se lo devolvió a Glinn, y este al bolsillo de donde lo había sacado.

—Lloyd no me ha contado nada de sus planes. ¿Usted cómo lo entiende? ¿No habría sido más fácil llamar por teléfono o enviar un e-mail?

—Puede que no tenga ningún teléfono cerca. —Glinn se puso derecho—. En el puente todavía hay mejor vista. ¿Me acompaña?

McFarlane sospechó que al jefe de EES no le interesaba la vista. Le siguió. En todo caso, Glinn tenía razón: desde el puente todavía intimidaba más la furia del océano. Era un entrechocar, una contienda de negras olas cuya cresta rizaba el viento, profundizando los intervalos. McFarlane vio que el castillo de proa del *Rolvaag* cabeceaba en aquel hervidero de espuma, bajando y volviendo a subir con un chorreo de agua de mar en sus flancos.

Britton orientó hacia ellos un rostro al que la luz artificial daba tintes fantasmagóricos.

—Veo que han traído al piloto —dijo con una mirada de reojo, no muy convencida, a Puppup—. A ver si cuando hayamos doblado el cabo de Hornos nos da algún consejo para el momento de acostar.

Victor Howell, que estaba al lado de ella, se sobresaltó.

—Ya se ve —dijo.

A gran distancia del barco, en el fragor de las aguas revueltas, un claro en la tormenta iluminaba un peñasco de abundantes fisuras, más alto y negro que los anteriores.

—El cabo de Hornos —dijo Glinn—. Pero vengo por otro motivo. Existe la posibilidad de una visita inminente…

—¡Capitana! —le interrumpió el oficial tercero, que estaba inclinado sobre una pantalla—. El Slick 32 detecta un radar. Contacto aéreo acercándose por el nordeste.

—¿Curso?

—Cero cuatro cero, señora. Directamente hacia nosotros.

El ambiente de cubierta se hizo tenso. Victor Howell se acercó en pocos pasos al oficial tercero y miró la pantalla por encima de su hombro.

—¿Distancia y velocidad? —preguntó Britton.

—Cuarenta millas y acercándose a unos ciento setenta nudos, señora.

—¿Es un avión de reconocimiento?

Howell se irguió.

—¿Con este tiempo?

Una ráfaga de viento enloquecido acribilló con lluvia las ventanas.

—¡Pues no será un aficionado con un Cessna! —murmuró Britton—. ¿Podría tratarse de un avión de línea desviado de su ruta?

—Difícilmente. Por aquí abajo solo vuelan aviones pequeños en viajes concertados. Y con este panorama ni siquiera despegan.

—¿Militares?

Nadie contestó. Durante un minuto, en la cubierta no se oyó nada que no fuera el aullido del viento y el ruido del oleaje.

—¿Curso? —volvió a preguntar la capitana en voz más baja.

—Igual que antes, señora.

Britton asintió.

—Muy bien. Señor Howell, todo el mundo a sus puestos.

De repente asomó la cabeza el oficial de comunicaciones, Banks, que estaba en la cabina del telegrafista.

—¿Lo que viene volando? Un helicóptero de la compañía Lloyd.

—¿Está seguro? —preguntó Britton.

—He comprobado el indicativo de llamada.

—Señor Banks, entable contacto.

Glinn carraspeó, y McFarlane le vio meterse el papel doblado en la chaqueta. No se le había contagiado en ningún momento la alarma y sorpresa que acababan de cundir.

—Convendría que preparasen una zona de aterrizaje —dijo con calma.

Banks salió de la cabina del telegrafista.

—Piden permiso para aterrizar, señora.

—Increíble —exclamó Howell—. ¡Estamos en plena tormenta de fuerza ocho!

—Me parece que no hay alternativa —dijo Glinn.

Los siguientes diez minutos fueron de actividad frenética a causa de los preparativos para el aterrizaje. Cuando McFarlane llegó en compañía de Glinn a la escotilla por donde se salía a la bovedilla, les fueron entregados sendos arneses de seguridad por parte de un hombre muy serio y que no abría la boca. McFarlane se puso el suyo, que abultaba mucho, y se lo abrochó. El encargado le propinó un rápido estirón, dio su visto bueno con un gruñido y abrió la escotilla.

Al cruzarla, McFarlane estuvo a punto de caerse por la borda por culpa de una ráfaga de viento. Haciendo acopio de fuerzas, enganchó el arnés a la baranda exterior y se encaminó al área de aterrizaje. Una parte de la tripulación se repartía por la cubierta con los arneses firmemente sujetos a las barandas de metal. Habían reducido máquinas hasta dejarle al barco el mínimo margen de maniobra, sin que la tormenta le hiciera perder el rumbo, y aun así cabeceaba. La tripulación encendió una docena de bengalas y las repartió por todo el perímetro, oponiendo chorros rojos de luz irregular a la fuerza del viento y la nieve.

—¡Ya llega! —gritó alguien.

McFarlane entrecerró los ojos para protegerlos de la tormenta y vio un helicóptero Chinook suspendido en el aire con las luces encendidas. Vio que se acercaba dando bandazos por la fuerza del viento, ora a diestra, ora a siniestra. De repente, cerca de él sonó una alarma, y la superestructura del *Rolvaag* quedó iluminada por varios indicadores naranja. McFarlane oía las hélices del aparato, que luchaban con la furia del temporal. Howell daba órdenes por un megáfono, sin despegarse la radio de la cara.

El helicóptero empezaba a tomar posiciones para el aterrizaje. McFarlane distinguió al piloto en el morro, afanándose con los controles. El viento de las hélices duplicaba la virulencia del granizo. En su cautelosa aproximación a la cubierta, sometida a constante vaivén, la panza del helicóptero parecía un péndulo. Una ráfaga de especial intensidad hizo que se desviara del rumbo. El piloto, rápidamente, se alejó y dio media vuelta para realizar otra tentativa. Hubo un momento peliagudo en que McFarlane tuvo la seguridad de que el piloto perdería el control, pero acabó produciéndose el contacto entre los neumáticos y la zona de aterrizaje, y acudieron corriendo varios marineros para poner cuñas de madera debajo de las ruedas. Entonces se abrió la puerta de carga y salió un tropel de hombres, mujeres y maquinaria.

En ese momento McFarlane vio bajar a la superficie mojada de la zona de aterrizaje al inconfundible Lloyd, genio y figura, con impermeable y botas. Salió corriendo de debajo del aparato. Se protegía la cabeza con un sueste que intentaba arrancarle el vendaval. Al ver a McFarlane y Glinn les dirigió un saludo entusiasta con la mano. Un marinero acudió corriendo para ponerle cinturón y arnés de seguridad, pero Lloyd le rechazó con gestos, siguió caminando mientras se secaba la lluvia de la cara y asió a McFarlane y Glinn por sus respectivas manos.

—Caballeros —dijo con voz de trueno, más fuerte que la tormenta; y sonriendo de oreja a oreja añadió—: Al café invito yo.

Rolvaag
11.15 h

McFarlane entró en el ascensor mirando su reloj de pulsera, y apretó el botón de la cubierta central. Muchas veces, al pasar de largo, se había preguntado por qué Glinn prohibía el acceso a aquella zona vacía. Ahora que empezaba a subir el ascensor, comprendió a qué había estado reservada. Parecía que Glinn tuviera prevista la visita de Lloyd desde el principio.

Las puertas del ascensor se abrieron a un panorama de actividad frenética: teléfonos sonando, faxes e impresoras en funcionamiento, gente, más gente… En una pared había una hilera de mesas con secretarias. Se veía a infinitud de personas hablando por teléfono, tecleando en terminales o cumpliendo la obligación que les correspondiera en la compañía Lloyd.

Esquivando el tráfago, se le acercó un hombre con traje claro en cuyas desproporcionadas orejas, boca fláccida y labios carnosos y apretados McFarlane reconoció a Penfold, mano derecha de Lloyd. Aquel hombre daba la impresión de que nunca iba directo a nada, sino que lo abordaba todo sesgadamente, como si lo contrario fuera una insolencia.

—¿Doctor McFarlane? —dijo con su voz aguda y nerviosa—. Por aquí, por favor.

Salieron por una puerta, recorrieron un pasillo y entraron en una salita con sofás de cuero negro dispuestos alrededor de una mesa de cristal y estructura dorada. Había una puerta que daba a otro despacho, de donde oyó llegar McFarlane la voz de bajo profundo de Lloyd.

—Siéntese, por favor —dijo Penfold—. El señor Lloyd no tardará.

Desapareció, y McFarlane se arrellanó en el sofá de cuero, que crujía. Había una pared cubierta de televisores con canales de noticias de todo el mundo. La mesa ofrecía las revistas más recientes: *Scientific American, New Yorker* y *New Republic*. McFarlane cogió una y volvió a dejarla. ¿A qué se debía la repentina visita de Lloyd? ¿Ocurría algo malo?

—¡Sam!

Levantó la cabeza y vio al gigante de Lloyd ocupando todo el marco de la puerta, un Lloyd que irradiaba poder, buen humor y seguridad ilimitada.

McFarlane se levantó, y Lloyd se acercó a él con una sonrisa efusiva, tendiendo los brazos.

—¡Qué alegría verte, Sam! —Comprimió con sus manazas los hombros de McFarlane, y le examinó sin soltárselos—. No te imaginas lo entusiasmado que estoy por haber venido. Entra, entra.

La ancha espalda de Lloyd, con una chaqueta de Valentino que le sentaba de maravilla, precedió a McFarlane en su camino hacia el despacho interior, que era modesto: una hilera de ventanas, la luz fría de las regiones antárticas entrando por ellas, dos sencillos sillones de orejas, una mesa con teléfono, ordenador portátil... y dos copas de vino al lado de una botella recién abierta de Château Margaux.

Lloyd señaló el vino.

—¿Te apetece una copa?

McFarlane asintió con una sonrisa. Lloyd vertió el líquido rojo en una copa y se sirvió otra. A continuación aposentó su cuerpo en un sillón y levantó su copa.

—Salud.

Entrechocaron las copas, y McFarlane probó aquel caldo exquisito. No era ningún entendido, pero un vino así podía apreciarlo hasta el más tosco paladar.

—Odio la manía que tiene Glinn de no informarme de nada —dijo Lloyd—. ¿Por qué no me explicó el historial de Britton? En eso sí que no le sigo. Debería haberme puesto al corriente en Elizabeth. Suerte que no ha pasado nada.

—Es muy buena capitana —dijo McFarlane—. Tiene el barco dominado; se lo conoce al dedillo, y hay que ver el respeto que le tiene la tripulación. No le aguanta chorradas a nadie.

Lloyd le escuchaba con el entrecejo fruncido.

—Me alegro de saberlo. —Sonó el teléfono y lo cogió—. ¿Diga? —dijo con impaciencia—. Estoy reunido.

Se produjo una pausa, mientras Lloyd escuchaba y McFarlane le miraba pensando que era verdad lo que había dicho de Glinn. El secreto, en él, era costumbre, o quizá instinto.

—Ya llamaré yo al senador —dijo Lloyd al cabo de un rato—. Y no me pases ninguna llamada más.

Se acercó a la ventana en pocos pasos y juntó las manos en la espalda. Ya había pasado lo peor de la tormenta, pero seguía habiendo rayas de aguanieve en el cristal.

—Espectacular —musitó con tono de veneración—. ¡Y pensar que en menos de una hora habremos llegado a la isla! ¡Sam, caray, que casi estamos!

Dio media vuelta. Ya no estaba ceñudo, sino increíblemente eufórico.

—He tomado una decisión. A Eli también tendré que decírselo, pero quería que primero lo supieras tú. —Hizo una pausa y suspiró—. Voy a clavar la bandera, Sam.

McFarlane lo miró.

—¿Cómo?

—Esta tarde iré yo en lancha a isla Desolación.

—¿Usted solo?

McFarlane tuvo una sensación extraña en la boca del estómago.

—Solo. Bueno, yo y el loco de Puppup, claro, para que me lleve hasta el meteorito.

—Pero con este tiempo…

—¡El tiempo es inmejorable! —Lloyd se apartó de la ventana y se paseó inquieto entre los sillones—. Sam, momentos así no los vive mucha gente.

McFarlane, que seguía sentado, notó que se agudizaba la sensación.

—¿Usted solo? —repitió—. ¿No piensa compartir el descubrimiento?

—No. ¡Coño! ¿Por qué iba a compartirlo? Peary, en su último *sprint* hacia el Polo, hizo lo mismo. Glinn tendrá que entenderlo. Puede que no le guste, pero la expedición es mía y pienso ir solo.

—Ni hablar —dijo McFarlane sin levantar la voz. Lloyd interrumpió sus pasos—. Yo aquí no me quedo.

Lloyd, sorprendido, se giró y clavó su intensa mirada en McFarlane.

—¿Tú?

McFarlane la sostuvo sin contestar.

Después de un momento, Lloyd emitió una risita.

—¿Sabes qué te digo, Sam? Que no eres la misma persona que encontré escondida detrás de un arbusto en el desierto de Kalahari. No se me había ocurrido que pudieras darle importancia a algo así. —De repente se le borró la sonrisa—. ¿Y si te digo que no? ¿Qué harás?

McFarlane se levantó.

—No lo sé. Probablemente una imprudencia.

Fue como si se hinchara todo el cuerpo de Lloyd.

—¿Me amenazas?

McFarlane no apartó la mirada.

—Pues sí, supongo que sí.

Lloyd siguió observándole fijamente.

—Vaya, vaya.

—Me buscó usted. No me negará que conocía mi sueño de toda la vida. —McFarlane vigilaba atentamente la expresión de Lloyd. Se trataba de alguien poco acostumbrado a los desafíos—. Yo por ahí, intentando olvidar el pasado, y de repente llega usted y me lo pone delante como una zanahoria en un palo. Sabía que picaría. Pues ahora estoy aquí, y no puede impedirme que le acompañe. Esto no me lo pierdo.

En el silencio, lleno de tensión, McFarlane oyó ruido lejano de teclas, de teléfonos… De repente los rasgos de Lloyd se suavizaron. Se acarició la calva. Luego deslizó los dedos por su perilla.

—Supongamos que te llevo. ¿Y Glinn? ¿O Britton? Querrá apuntarse todo el mundo.

—No. Iremos los dos solos porque nos lo merecemos. No hay más que decir. El poder de conseguirlo lo tiene usted.

La mirada de Lloyd conservaba su fijeza.

—Me parece que me gusta el nuevo Sam McFarlane —acabó diciendo—. La verdad es que no acababa de creerme la pose de cínico. Pero una cosa, Sam: más vale que el interés que tienes sea sano. ¿Hace falta que te lo diga más claro? No quiero segundas partes de lo del Tornarssuk.

McFarlane sintió un arrebato de ira.

—Fingiré no haberlo oído.

—Pues lo has oído. A estas alturas no estamos para timideces.

McFarlane aguardó.

Lloyd bajó la mano con una sonrisa de reprobación.

—Hacía años que no me plantaban cara así. Refresca. Bueno, Sam, está bien, iremos juntos; pero piensa que Glinn intentará evitarlo. —Regresó al lado de la hilera de ventanas, y a medio camino consultó su reloj—. Cuando se entere todo serán pegas.

Justo entonces, como si tuviera calculado el momento (y más tarde McFarlane se daría cuenta de que probablemente fuera así), entró Glinn en el despacho. Le seguía Puppup, que, callado y fantasmal, se convirtió enseguida en parte integrante de la sombra de Glinn, con una especie de regocijo en sus ojos negros y vivarachos. Puppup se tapó la boca e hizo una serie de reverencias y genuflexiones extrañas.

—Justo a tiempo, como siempre —dijo el vozarrón de Lloyd, que se giró hacia Glinn y le cogió la mano—. Oye, Eli, he decidido una cosa. Me gustaría contar con tu aprobación, pero, como no sé si me la darás, empiezo avisándote de que no va a disuadirme ni Dios. ¿Está claro?

—Clarísimo —dijo Glinn, acomodándose en uno de los sillones de orejas y cruzando las piernas.

—No serviría de nada discutir, porque la decisión está tomada.

—Genial. Ojalá pudiera ir yo.

Al principio Lloyd se quedó sin habla, y luego se le llenó de ira la mirada.

—¡Qué cabrón! ¡Has puesto micrófonos por el barco!

—No diga tonterías. Siempre he sabido que insistiría en ser el primero que viera el meteorito.

—Imposible. ¡Si no lo sabía ni yo!

Glinn hizo un gesto con la mano.

—¿Qué se cree, que para analizar todas las posibilidades de éxito y fracaso no tuvimos que tener en cuenta su perfil psicológico? Sabíamos lo que iba a hacer antes que usted. —Miró brevemente a McFarlane—. ¿Sam también ha insistido en ir?

Lloyd se limitó a confirmarlo con un movimiento de la cabeza.

—Ya. Pues lo mejor es que usen la lancha de babor, que es la más pequeña y maniobrable. He organizado que les lleve el señor

Howell, y que carguen mochilas con comida, agua, cerillas, combustible, linternas… De todo. Más una unidad de GPS y radiorreceptores, claro. Me imagino que querrán que les guíe Puppup.

—Encantando de poder ayudarles —entonó Puppup con voz cantarina.

Lloyd miró a Glinn, después a Puppup y nuevamente al primero, hasta que soltó una risa compungida.

—A nadie le gusta ser previsible. ¿Hay alguna manera de sorprenderte?

—No me ha contratado para que me sorprendan, señor Lloyd. En vista de que solo dispondrán de pocas horas de luz diurna, será necesario que se pongan en camino en cuanto llegue el barco al canal de Franklin. Otra posibilidad es esperar hasta mañana por la mañana.

Lloyd negó con la cabeza.

—No. No puedo quedarme mucho tiempo.

Glinn asintió como si se lo esperara.

—Me ha dicho Puppup que en la parte de sotavento de la isla hay una playita en forma de media luna. Podrán llevar la lancha hasta donde empiezan los guijarros, aunque es aconsejable que no se entretengan y se marchen lo antes posible.

Lloyd suspiró.

—Eres un experto en chafarle a la gente el romanticismo.

—No —dijo Glinn levantándose—. Solo elimino incertidumbres. —Señaló las ventanas con la cabeza—. Si quiere romanticismo, mire lo que hay fuera.

Se acercaron a ellas. McFarlane vio que empezaba a verse una isla pequeña y más negra que las propias aguas que la bañaban.

—Desolación, señores.

McFarlane la miró con una mezcla cada vez más acentuada de curiosidad y temor. Un solo rayo de luz, que aparecía y desaparecía al capricho de la omnipresente bruma, recorría las rocas agrestes. El litoral rocoso recibía los mordiscos de un mar infinito. Vio en la punta norte un pitón de lava: una espiral doble de piedra. En el valle central había un campo de nieve profundo, de curso sinuoso, cuyo centro helado quedaba a la vista para que lo puliera el viento, joya turquesa en la monocromía de la marina circundante.

Después de un rato habló Lloyd:

—¡Dios mío! ¡Es ella! —dijo—. Nuestra isla del fin del mundo, Glinn. Nuestra isla. Y mi meteorito.

Detrás del grupo se oyó una risa extraña, grave. Al girarse, McFarlane vio que Puppup, que no había abierto la boca en toda la conversación, se la tapaba con su mano de dedos estrechos.

—¿Qué pasa? —le preguntó duramente Lloyd.

Sin embargo, Puppup no contestó, sino que siguió riendo socarronamente mientras retrocedía poco a poco hacia la puerta haciendo reverencias y sin quitarle a Lloyd la mirada fija de sus ojos negros.

Isla Desolación
12.45 h

Una hora después, el voluminoso petrolero había conseguido acceder a las aguas del canal de Franklin, que más que un canal era una bahía irregular, circundada por las cumbres escarpadas de las islas del cabo de Hornos. McFarlane estaba sentado en el centro de la lancha descubierta, sujeto a la borda con ambas manos y acusando el peso incómodo del salvavidas que llevaba encima de la chaqueta y el impermeable. El mar, que al *Rolvaag* le imprimía un balanceo no del todo agradable, jugaba con la lancha como con un barquito de papel. El timón corría a cargo del primer oficial, Victor Howell, que tenía la cara crispada por el esfuerzo de no perder el rumbo. John Puppup estaba agachado en la proa, y se le veía emocionado como una criatura. En el transcurso de la última hora había ejercido de práctico improvisado, murmurando palabras (pocas) gracias a las cuales la maniobra, que podría haber sido francamente angustiosa, no había pasado de un poco tensa. Ahora tenía el rostro orientado hacia la isla, y le caía un poco de nieve en los hombros estrechos.

McFarlane se aferró con más fuerza, porque la lancha se encabritaba.

El oleaje disminuyó al colocarse a sotavento de la isla. La tenían delante de sus ojos, digna del nombre que llevaba: negros peñascos sobresaliendo entre la nieve, como nudillos rotos que flagelaba el viento. Apareció una caleta a la sombra de una cornisa. Siguiendo la señal de Puppup, Howell puso rumbo hacia ella. Cuando faltaban diez metros apagó el motor, y al mismo tiempo levantó el eje de la hélice. La embarcación siguió avanzando hasta que crujieron suavemente los guijarros de la playa. Puppup bajó con un salto de mono, seguido por McFarlane, que se giró para tenderle la mano a Lloyd.

—Oye, que tampoco soy tan viejo —dijo este, cogiendo un fardo y bajando a tierra.

Howell, de un golpe de motor, hizo retroceder la lancha.

—Volveré a las tres —exclamó.

McFarlane le vio alejarse entre los suaves embates de las olas, y observó que se acercaba un frente grisáceo de mal tiempo. Cruzó los brazos para protegerse del frío. Pese a saber que el *Rolvaag* estaba a menos de una milla, habría agradecido tenerlo a la vista. Tenía razón Nestor, pensó, esto es el culo del mundo.

—Bueno, Sam, pues tenemos dos horas —dijo Lloyd con una ancha sonrisa—. A ver si las aprovechamos al máximo. —Metió la mano en el bolsillo y sacó una cámara pequeña—. Ahora que nos haga Puppup una foto. —Miró alrededor—. ¿Se puede saber dónde está?

McFarlane miró por toda la playita, pero no había ni rastro del indio.

—¡Puppup! —exclamó Lloyd.

Se oyó una voz lejana:

—¡Aquí arriba, jefe!

McFarlane levantó la vista y divisó al viejo subido a la cornisa, con el cielo por marco cada vez menos luminoso. De sus dos brazos enjutos, uno saludaba y el otro señalaba un barranco que a pocos metros cortaba el acantilado en dos.

—¿Cómo ha subido tan deprisa? —preguntó McFarlane.

—Menudo personaje, ¿eh? —Lloyd sacudió la cabeza—. Espero que se acuerde del camino.

Se encaminaron a la base de la cornisa, pisando guijarros. La playa estaba sembrada de pedazos de hielo traídos por la tormenta, y olía intensamente a musgo y sal. McFarlane examinó el acantilado de basalto negro, respiró hondo y emprendió el ascenso de la grieta, que era estrecha. Resultó más difícil de lo que parecía: la presencia de nieve prensada hacía que el barranco fuera resbaladizo, y los últimos cinco metros obligaban a trepar por una serie de rocas cubiertas de hielo. McFarlane oyó resoplar a Lloyd, que iba detrás; pero a buen ritmo, sobre todo tratándose de un hombre de sesenta años, con el resultado de que en poco tiempo estuvieron los dos en lo alto del acantilado.

—¡Bien! —exclamó Puppup entre reverencias y aplausos—. ¡Muy bien!

McFarlane se inclinó y se apoyó en las rodillas con las palmas de las manos. Por una parte le quemaba los pulmones lo frío del aire, y por otra, debajo de la parka, le sudaba el resto del cuerpo. Oyó a Lloyd al lado, recuperando la respiración. De la cámara no se habló más.

Al erguirse, McFarlane vio que estaban en un llano con rocas diseminadas. El campo de nieve quedaba a medio kilómetro, extendido longitudinalmente hasta el centro de la isla. Ahora el cielo estaba nublado, y empezaba a nevar con más fuerza.

Puppup les dio la espalda sin decir nada y abrió la marcha a paso ligero. Lloyd y McFarlane tenían dificultades en seguir su ritmo por la cuesta, poco pronunciada, pero cuesta al fin. La nieve, a sorprendente velocidad, se espesó hasta encerrarles en un círculo blanco. De Puppup, que estaba a seis o siete metros, solo se veía un fantasma. Cuanto más subían, más viento soplaba, y a partir de cierto punto a McFarlane le llegaba la nieve en sentido horizontal, interfiriendo su campo de visión. Ahora se alegraba de la insistencia de Glinn en que se llevaran botas y parkas árticas.

Cuando llegaron al final de la cuesta, se apartó la cortina de nieve y McFarlane tuvo ocasión de ver el valle. Estaban al borde de un collado con vistas al campo de nieve. Desde arriba parecía mucho mayor: una masa grande y blanquiazulada, irresistible, casi glacial. Llegaba hasta el centro del valle, entre colinas. Detrás, como dos colmillos, se levantaban las cumbres volcánicas gemelas. McFarlane vio que se acercaba otra tormenta de nieve por el valle, un muro blanco sin fisuras que en su avance iba engullendo el paisaje.

—Vaya vista, ¿eh? —dijo Puppup.

Lloyd asintió. Tenía nevado el borde de la parka, y la perilla manchada de hielo.

—Me tiene intrigado el campo de nieve que hay en medio. ¿Tiene nombre?

—Ah, sí —dijo Puppup con varias inclinaciones de la cabeza, que hacían menearse su bigotito—. Lo llaman el vómito de Hanuxa.

—Qué pintoresco. ¿Y los dos picos?

—Las mandíbulas de Hanuxa.

—Tiene lógica —dijo Lloyd—. ¿Quién es Hanuxa?

—Una leyenda de los indios yaganes —repuso Puppup escuetamente.

McFarlane se quedó mirándolo. Se acordaba de que en el diario de Masangkay había referencias a leyendas yaganas, y tuvo curiosidad por saber si la presencia de su ex socio en la isla se debía a la de Hanuxa.

—Siempre me han interesado mucho las leyendas —dijo como si tal cosa—. ¿Nos la podría contar?

Puppup se encogió de hombros y volvió a mover alegremente la cabeza.

—Yo no creo en supersticiones —dijo—. Soy cristiano.

Volvió a darles la espalda en silencio y a reemprender la marcha por la ladera hacia el campo de nieve. McFarlane casi tuvo que correr un poco para no quedarse rezagado, mientras oía jadear a Lloyd detrás.

El campo de nieve ocupaba un pliegue hondo del terreno, y sus bordes estaban sembrados de pilas formadas por trozos de roca y detritos. Llegaron justo cuando se descargaba el temporal. El viento hizo inclinarse a McFarlane.

—¡Venga, venga! —se oyó exclamar a Puppup en la ventisca.

Caminaban en paralelo al campo, de flancos empinados, como los de un enorme animal. De vez en cuando Puppup se detenía para examinarlo con mayor atención.

—Aquí —acabó diciendo.

Dio una patada a la pared vertical, creando un punto de apoyo, y luego, trepando por él, dio otra. McFarlane le siguió con cautela, usando los boquetes hechos por Puppup y apartando la cara del viento.

Poco a poco fue abriéndose el ángulo del lado del campo, que al principio era pronunciadísimo, pero el viento llegaba de todas partes, un viento huracanado.

—¡Dile a Puppup que no vaya tan deprisa! —exclamó Lloyd desde atrás.

Sin embargo, Puppup no solo no le hizo caso sino que aceleró.

—Hanuxa —dijo de repente con su extraño sonsonete— era hijo de Yekaijiz, dios del cielo nocturno. Yekaijiz tenía dos hijos: Hanuxa y su hermano gemelo Haraxa. El favorito siempre había sido Haraxa, que era lo que se dice la niña de los ojos de Yekaijiz. Con el paso del tiempo, Hanuxa fue poniéndose cada vez más celoso de su hermano. Quería quedarse con su poder.

—Ya. La vieja historia de Caín y Abel —dijo Lloyd.

En el centro del campo la nieve estaba barrida y solo quedaba hielo azul. McFarlane pensó que en el fondo era rarísimo, inverosímil, estar yendo hacia el centro de aquella nada hacia una roca enorme y misteriosa, hacia la tumba de su ex socio; y escuchar mientras tanto, en boca de aquel viejo, la leyenda de isla Desolación.

—Para los yaganes, la sangre es fuente de vida y poder —prosiguió Puppup—. Por eso, un día Hanuxa mató a su hermano, le cortó el cuello y se bebió su sangre. Entonces se le puso la piel de color sangre y tuvo el poder; pero se enteró el padre, Yekaijiz, y le encerró dentro de la isla, debajo de la superficie. A veces, en noches de viento y mucho oleaje, cuando se acerca alguien demasiado, ve chispazos y oye gritos de rabia. Es Hanuxa intentando escapar.

—Y ¿lo conseguirá? —preguntó Lloyd.

—No lo sé, jefe, pero como se escape, malo.

El campo de nieve empezaba a bajar y terminaba en una cornisa de dos metros. Bajaron uno a uno por el borde y se deslizaron hasta pisar suelo más duro. Había empezado a amainar el viento, y ahora nevaba con menor intensidad, a copos grandes que giraban y caían al suelo como ceniza. Aun así, el viento mantenía casi completamente desnudo aquel estéril llano. McFarlane vio una roca grande a unos centenares de metros, y que Puppup corría hacia ella.

Lloyd dio unas zancadas en la misma dirección, seguido a menor velocidad por McFarlane. Al lado de la roca había huesos de animales y dos cráneos, uno de los cuales conservaba un ronzal en estado de putrefacción. La roca tenía atada una cuerda llena de hilachas. También había varias latas desperdigadas, un trozo grande de lona y dos alforjas rotas. La lona tenía un bulto debajo. De repente McFarlane tuvo escalofríos.

—¡Dios mío! —dijo Lloyd—. Deben de ser las mulas de tu ex socio. Se quedaron atadas a la roca hasta morirse de hambre.

Quiso tocarla, pero McFarlane le detuvo levantando una mano. Quien se acercó a la roca fue él. Inclinado, cogió con suavidad el borde de la lona congelada, la sacudió un poco para quitar la nieve y la apartó; pero lo de debajo no era el cadáver de Masangkay, sino un amasijo de objetos descompuestos, sus pertenencias.

Vio paquetes viejos de fideos y latas de sardinas que habían reventado, escupiendo trozos de pescado por la superficie helada. A Nestor le encantaban las sardinas, pensó con súbita angustia.

De pronto le volvió a la memoria algo de hacía muchos años (cinco) y mucho espacio (varios miles de kilómetros al norte): él y Nestor agachados en una cuneta al lado de una carretera sin asfaltar, con las mochilas tan llenas de tectitas de Atacama que les faltaba poco para reventar. Cerca, a uno o dos metros, pasaban camiones militares, arrojando una lluvia de piedrecitas a la cuneta. Ellos dos, sin embargo, saboreaban las mieles del éxito, y estaban tan eufóricos que reían y se palmeaban la espalda. Estaban muertos de hambre, pero no se atrevían a encender fuego por miedo de que les descubrieran. Entonces Masangkay había abierto la mochila, había sacado una lata de sardinas y se la había ofrecido a McFarlane. «Tú estás loco —le había susurrado este—. ¡Si aún sabe peor de lo que huele!»

Respuesta, igualmente susurrada, de Masangkay: «Por eso me gusta. *Amoy ek-ek yung kamay mo!*».

McFarlane le había mirado sin comprender, pero Masangkay, en vez de explicárselo, se había reído, primero en voz baja y después cada vez más estrepitosamente. En aquel ambiente enrarecido de peligro y tensión, algo había en su risa que se contagiaba, con el resultado de que McFarlane, sin saber por qué, también había sucumbido a las convulsiones de hilaridad silenciosa, cogiendo las preciosas mochilas bajo un tráfico incesante de camiones que les perseguían precisamente a ellos.

McFarlane, de cuclillas en la nieve, regresó al presente, a las latas congeladas de comida y los harapos diseminados a sus pies. Le había acometido una sensación extraña. Aquella especie de basurero resultaba de un efecto tan patético... Como lugar para morirse solo, era horrible. Notó un cosquilleo en la comisura de los ojos.

—Bueno, ¿y el meteorito? —oyó preguntar a Lloyd.

—¿El qué? —dijo Puppup.

—El agujero, hombre. ¿Dónde está el agujero que hizo Masangkay?

Puppup hizo vagas señales hacia donde caía la nieve.

—¡Pero llévame, caramba!

McFarlane miró primero a Lloyd y luego a Puppup, que ya volvía a estar en movimiento. Se levantó y les siguió a través de la nevada.

A ochocientos metros, Puppup se detuvo y señaló algo. McFarlane dio unos pasos más y miró fijamente el hoyo que había en el suelo. Se habían hundido los lados, y en el fondo había nieve acumulada. Notó que Lloyd le cogía por el brazo, y que se lo apretaba tanto que conseguía hacerle daño a pesar de las capas superpuestas de lana y plumón.

—Imagínate, Sam —susurró Lloyd—. Está aquí, justo debajo de nuestros pies. —Apartó la mirada del hoyo y miró a McFarlane—. ¡Ojalá pudiéramos verlo!

McFarlane se dio cuenta de que debería haber sentido algo más que una tristeza profunda y un silencio insidioso y sobrecogedor, que era lo que experimentaba.

Lloyd se quitó la mochila, la desabrochó y sacó un termo con tres vasos de plástico.

—¿Un poco de chocolate caliente?

—Con mucho gusto.

Lloyd sonrió compungidamente.

—Eli es un puñetero. Debería habernos puesto una botella de coñac. Suerte que al menos está caliente.

Desenroscó la tapa, llenó los vasos y levantó el suyo. Lo mismo hicieron tanto McFarlane como Puppup.

—Por el meteorito Desolación.

La nevada silenciosa amortiguó la voz de Lloyd.

—Masangkay —se oyó decir a McFarlane tras un breve silencio.

—¿Cómo?

—El meteorito Masangkay.

—Sam, eso no es de protocolo. Los meteoritos siempre se bautizan por donde se han...

McFarlane sintió disolverse la sensación de vacío.

—Ni protocolo ni hostias —dijo bajando el vaso—. Lo encontró él, no usted ni yo. Dio la vida por él.

Lloyd le miró como diciendo: «Es un poco tarde para ataques de ética».

—Ya lo discutiremos —dijo serenamente—. Ahora a brindar.

Hicieron chocar los vasos de plástico y se bebieron de un trago el chocolate caliente. Pasó invisible una gaviota, y la nieve se llevó su triste grito. McFarlane tuvo una sensación muy agradable de calor en el estómago, y de repente se le fue el enfado. Ya oscurecía, y los bordes de su pequeño mundo se habían teñido de un blanco que derivaba hacia el gris. Lloyd recogió los vasos y volvió a metérselos en la mochila junto con el termo. Era un momento un poco incómodo; quizá, pensó McFarlane, como todos los que se vivían como algo histórico.

No obstante, la desazón tenía otro motivo. Todavía no habían encontrado el cadáver. McFarlane se dio cuenta de que temía levantar la vista del suelo por miedo al descubrimiento. Temía girarse hacia Puppup y preguntar dónde estaba.

Lloyd volvió a demorarse en la contemplación del hoyo que tenía delante. Después consultó su reloj.

—Que Puppup haga una foto.

McFarlane hizo lo debido: colocarse junto a Lloyd mientras este le pasaba la cámara a Puppup.

Justo en el momento en que hacía clic el obturador, Lloyd se puso tenso y fijó la mirada a media distancia.

—¿Has visto? —dijo, señalando por encima del hombro de Puppup.

A unos cien metros del hoyo se elevaba un poco el terreno, y en el punto más alto había varias cosas marrones.

Se acercaron. Los restos óseos estaban medio tapados por la nieve, y tan rotos que lo único reconocible era la mueca torcida de una mandíbula. Al lado había una pala sin mango. Uno de los dos pies seguía calzando una bota podrida.

—Masangkay —susurró Lloyd.

McFarlane se quedó callado. Él y Masangkay habían compartido muchas cosas. Su ex amigo y ex cuñado, reducido a frío amasijo de huesos rotos en el culo del mundo. ¿De qué había muerto? ¿De frío? ¿De un infarto imprevisto? De hambre no, evidentemente, porque al lado de las mulas sobraba la comida. Y ¿qué había roto y dispersado los huesos? ¿Pájaros? ¿Animales? La isla no parecía contener ninguna forma de vida. Y Puppup ni siquiera se había molestado en enterrarle.

Lloyd se volvió hacia Puppup.

—¿Usted sabe de qué murió?

Puppup se limitó a hacer un ruido por la nariz.

—Ya. Hanuxa.

—Eso, jefe, para el que crea en las leyendas —dijo Puppup—; y ya les he dicho que no es mi caso.

Lloyd le miró fijamente, hasta que suspiró y dio un apretón al hombro de McFarlane.

—Lo siento, Sam —dijo—. Has de estar pasándolo mal.

Guardaron un rato más de silencio, apiñados junto a los patéticos despojos. Luego Lloyd se incorporó y dijo:

—Venga, a moverse. Ha dicho Howell que a las tres de la tarde, y prefiero no pasar la noche en este pedrusco.

—Un momento —dijo McFarlane, que seguía mirando el suelo—. Primero hay que enterrarle.

Lloyd titubeó, y McFarlane se aprestó a oír sus objeciones, pero solo hubo un gesto de asentimiento.

—Sí, claro.

Mientras Lloyd recogía los trozos de hueso y los amontonaba, McFarlane buscaba rocas por la nieve y las desprendía del suelo helado con los dedos, que se le iban quedando insensibles. Entre uno y otro formaron un mojón sobre los restos, mientras Puppup lo observaba todo sin participar.

—¿No piensa ayudarnos? —preguntó Lloyd.

—No, yo no. Ya le digo que soy cristiano, y en la Biblia pone que los muertos entierren a sus muertos.

—Pues lo de ser tan cristiano no le impidió vaciarle los bolsillos —dijo McFarlane.

Puppup cruzó los brazos con una tonta sonrisa de culpabilidad.

McFarlane volvió a poner manos a la obra, y terminaron en un cuarto de hora. Luego hizo una cruz con dos palos y la plantó cuidadosamente en el montoncito de piedras, hecho lo cual retrocedió unos pasos limpiándose los guantes de nieve.

—*Canticum graduum de profundis clamavi ad te Domine* —dijo entre dientes—. Que descanses, socio.

Hizo señas a Lloyd con la cabeza y pusieron rumbo al este, hacia la masa blanca del campo de nieve. Seguía oscureciendo, y a sus espaldas se fraguaba otra tormenta.

Isla Desolación
16 de julio, 8.42 h

McFarlane contemplaba la carretera de grava que, recién trazada en la superficie luminosa de nieve fresca, parecía una serpiente negra. Sacudió la cabeza, y a su pesar sonrió de admiración. Solo habían pasado tres días desde su primera visita, pero la isla estaba casi irreconocible.

Se produjo una sacudida tan brusca que a McFarlane se le cayó la mitad del café en los pantalones.

—¡Hostia! —exclamó, apartando al máximo la taza y dándose palmadas en las piernas.

Dentro de la cabina sonrió el conductor, un hombre corpulento que se llamaba Evans.

—Perdone —dijo—. Es que estos trastos, lo que es de suspensión no matan.

A pesar de su volumen y de llevar unos neumáticos el doble de alto que una persona, el Cat 785 tenía una cabina donde solo cabía una persona, y al final McFarlane había tenido que sentarse con las piernas cruzadas en la plataforma estrecha que había al lado, justo encima de donde rugía el motor diésel, una verdadera monstruosidad. Pero le daba igual. Había llegado el día. Iban a desenterrar el meteorito.

Repasó las últimas setenta y dos horas. Glinn, la misma noche de llegar, había puesto en marcha un proceso de descarga verdaderamente pasmoso, de velocidad y eficacia inexorables. Por la mañana habían usado maquinaria pesada para bajar a la isla el equipo más comprometedor y meterlo en hangares prefabricados. Simultáneamente, un equipo de EES al mando de Garza y Rochefort nivelaba la zona de la playa con dinamita, construía espigones y rompeolas a base de cascajo y acero y hacía una carretera ancha desde el lugar del desembarco a la zona del meteorito, rodeando el campo de nieve. Era la misma por donde viajaba McFarlane. El equipo de EES, además, había descargado una parte de los contenedores-laboratorio y los había trasladado a la zona de excavaciones, intercalándolos entre varias hileras de barracones prefabricados.

Sin embargo, cuando el Caterpillar 785 dio la vuelta al campo de nieve y se acercó a la zona de excavaciones, McFarlane vio que el más asombroso de todos los cambios había tenido por escenario una escarpadura que quedaba a unos dos kilómetros. Una brigada de trabajadores con maquinaria pesada había empezado a hacer un pozo. Al margen había aparecido una docena de casetas. Periódicamente, McFarlane oía explosiones y veía levantarse nubes de polvo en el cielo de encima del pozo. A un lado crecía una montaña de desechos, y cerca habían construido un estanque de lixiviación.

—¿Qué hacen ahí? —preguntó McFarlane a Evans a grito pelado, por el ruido que hacía el motor.

Señalaba la escarpadura.

—Minas.

—Eso ya lo veo, pero ¿minas de qué?

Evans enseñó los dientes.

—De nada.

McFarlane tuvo que reírse. Glinn era increíble. Viendo la zona, cualquiera pensaría que lo principal era la actividad de la escarpadura, mientras que la zona de alrededor del meteorito tenía aspecto de cumplir funciones meramente secundarias.

Desplazó la mirada desde la falsa mina a la carretera que tenía delante. El campo de nieve de Hanuxa centelleaba como si capturase la luz y la enterrase en sus profundidades, dándole infinitos matices de azul y turquesa. Detrás estaban las mandíbulas de Hanuxa, algo menos siniestras gracias a que estaban espolvoreadas de nieve fresca.

McFarlane se había pasado la última noche sin dormir, pero se sentía muy despierto, casi demasiado. Lo sabrían en menos de una hora. Lo verían. Lo tocarían.

El vehículo sufrió una nueva sacudida, y McFarlane, con una mano, se cogió más fuerte a la baranda de metal, mientras usaba la otra para acabarse deprisa el café. Para variar hacía sol, pero la contrapartida era un frío de mil demonios. Aplastó la taza de espuma y se la metió en un bolsillo de la parka. En cuanto a destartalamiento, el aspecto del Cat apenas desmerecía del propio *Rolvaag*, pero McFarlane se daba cuenta de que era igual de ficticio: por dentro el vehículo estaba nuevecito.

—¡Vaya trasto! —le dijo a Evans a grito pelado.

—Sí —repuso el conductor despidiendo una nube de vaho.

El firme se volvió más liso, y el Cat aceleró. Durante el recorrido se cruzaron con otro vehículo de transporte, así como con un bulldozer que volvía a la playa, y los dos conductores saludaron alegremente a Evans. McFarlane pensó que no sabía nada de las personas que manejaban toda la maquinaria pesada, ni quiénes eran ni qué opinión les merecía aquel proyecto tan especial.

—¿Trabajáis para Glinn? —le preguntó a Evans, que asintió.

—Sí, todos. —Parecía que en su rostro castigado, que remataban dos cejas hirsutas, fuera perpetua la sonrisa—. Pero no a jornada completa. Hay algunos que trabajan en plataformas petroleras, otros que hacen puentes... De todo. Ahora, que cuando te llaman de EES lo dejas todo y vas corriendo.

—¿Por qué?

La sonrisa de Evans se ensanchó.

—Pues porque pagan cinco veces más.

—Vaya, que me he equivocado de jefe.

—Venga, doctor McFarlane, que seguro que tampoco se puede quejar.

Evans frenó un poco para dejar que les adelantara una niveladora, con las palas de metal brillando al sol.

—¿Es el trabajo más grande que has visto hacer a EES?

—No, qué va. —Evans pegó otro acelerón—. La verdad es que es medianito.

Tras ellos quedó el campo de nieve. Ahora McFarlane veía por delante una depresión de gran anchura en la tierra helada, de unos cinco mil metros cuadrados. La zona de excavaciones estaba enmarcada por cuatro parabólicas infrarrojas de enorme tamaño, que señalaban hacia abajo. Cerca había una hilera de niveladoras como en formación militar. La presencia humana se componía de una serie de ingenieros y otros trabajadores dispersos por el área, algunos juntos y mirando planos, otros midiendo, otros hablando por radio... Al fondo había un snowcat (un vehículo grande con aspecto de tráiler y orugas gigantescas) deslizándose hacia el campo de nieve, cargado de instrumentos de alta tecnología. Al margen, pequeño y triste, quedaba el túmulo que habían hecho él y Lloyd sobre los restos de Nestor Masangkay.

Evans frenó al borde de la zona de excavaciones. McFarlane se apeó de un salto y se dirigió a la caseta donde ponía COMEDOR. Lloyd y Glinn estaban dentro, compartiendo mesa al lado de la cocina improvisada, y enzarzados en intenso debate. Amira se encontraba delante de una plancha, llenándose el plato de comida. Cerca estaba John Puppup, acurrucado y durmiendo la siesta. Olía a café y beicon.

—Ya era hora —dijo Amira al volver a la mesa con una docena o más de lonchas de beicon en el plato—. ¡Qué manera de remolonear! Debería dar ejemplo a su ayudante.

Vertió una taza de jarabe de arce sobre el montón de beicon, lo removió, cogió una loncha y se la metió doblada en la boca, chorreando jarabe.

Lloyd se calentaba las manos con una taza de café.

—Rachel —dijo jovialmente—, con esa manera de comer ya deberías haberte muerto.

Amira rió.

—El cerebro gasta más calorías por minuto pensando, que el cuerpo haciendo jogging. ¿Cómo se cree que consigo estar tan esbelta y tan sexy? —Y se dio unos golpecitos en la frente.

—¿Cuánto falta para desenterrar la roca? —preguntó McFarlane.

Glinn se incorporó, se sacó el reloj de oro del bolsillo y lo abrió.

—Media hora. Solo desenterraremos lo justo para dejarle hacer a usted algunas pruebas. La doctora Amira le ayudará con los tests y el análisis de los datos.

McFarlane asintió. Ya lo habían discutido a fondo, pero Glinn tenía la costumbre de repetirlo todo.

—Habrá que bautizarlo —dijo Amira, llevándose a la boca otra loncha de beicon—. ¿Quién se encarga del champán?

Lloyd frunció el entrecejo.

—Por desgracia, esto más que una expedición científica parece una reunión de abstemios militantes.

—Pues nada, habrá que romper un termo de chocolate caliente contra la roca —dijo McFarlane.

Glinn se agachó, cogió una bolsa, sacó una botella de Perrier-Jouët y la dejó en la mesa con delicadeza.

—Fleur de Champagne —susurró Lloyd, al borde de la veneración—. Mi favorito. Eli, mentiroso, no me habías dicho que tuvieras botellas de champán a bordo.

La única respuesta de Glinn fue un esbozo de sonrisa.

—Para bautizarlo hace falta un nombre. ¿Tenéis alguno? —preguntó Amira.

—Sam quiere que se llame meteorito Masangkay —dijo Lloyd, e hizo una pausa—. Yo preferiría ceñirme a la nomenclatura habitual y llamarlo Desolación.

Flotó un silencio incómodo.

—Se necesita un nombre —dijo Amira.

—Para encontrar este meteorito, Nestor Masangkay hizo el sacrificio máximo —dijo McFarlane con voz grave, mirando a Lloyd fijamente—. Sin él no estaríamos aquí. Por otro lado, financiando usted la expedición, se ha ganado el derecho de bautizar la roca. —Siguió mirando al multimillonario con la misma intensidad.

Lloyd, al hablar, lo hizo con más sosiego del que tenía por costumbre.

—Por saber, ni siquiera sabemos si Nestor Masangkay habría aceptado el honor —dijo—. Sam, no es momento para romper con la tradición. Lo bautizaremos meteorito Desolación, pero la sala donde esté expuesto llevará el nombre de Masangkay. Colocaremos una placa explicando su descubrimiento. ¿Te parece aceptable?

McFarlane pensó un poco y asintió sucintamente.

Glinn le pasó a Lloyd la botella y se levantó. Salieron todos a donde brillaba el sol de la mañana, y Glinn, de camino, se acercó a McFarlane.

—Supongo que es consciente de que en algún momento habrá que exhumar a su amigo —dijo, señalando el túmulo con la cabeza.

—¿Por qué? —preguntó McFarlane, sorprendido.

—Tenemos que saber de qué murió. El doctor Brambell tiene que examinar los restos.

—¿Para qué?

—Es un cabo suelto. Lo siento.

McFarlane se detuvo a media protesta. La lógica de Glinn era tan irrefutable como siempre.

En poco tiempo llegaron al confín de la zona nivelada. Había desaparecido el hoyo de Nestor. Lo habían colmado las niveladoras.

—Hemos excavado hasta más o menos un metro de la roca —dijo Glinn—, recogiendo muestras de cada capa. El resto lo nivelaremos casi todo, y para los últimos treinta centímetros usaremos trullas y escobillas. No queremos que el meteorito se lleve ni un rasguño.

—Así me gusta —contestó Lloyd.

Garza y Rochefort estaban juntos al lado de la fila de niveladoras. Se les sumó Rochefort con la cara morada por el viento.

—¿Listo? —preguntó Glinn.

Rochefort asintió. Las niveladoras tenían los motores encendidos, cada una con su conductor al volante, cada una despidiendo humo y vapor.

—¿Va todo bien? —preguntó Lloyd.

—Sí, todo.

Glinn les echó un vistazo y levantó el pulgar a Garza, que iba vestido como siempre, con ropa de deporte. Garza se giró, levantó el puño y lo movió en redondo. Entonces las niveladoras se pusieron en marcha, avanzaron lentamente ensuciando el aire de humo de diésel y bajaron las palas hasta clavarlas en el suelo.

Detrás de la primera iban varios trabajadores con chaqueta blanca y bolsas para recoger muestras. Su cometido era recoger las piedras y la tierra levantadas por las niveladoras y guardarlas para su posterior examen.

La hilera de niveladoras rebajó quince centímetros de tierra de una sola pasada. Lloyd lo observó con una mueca.

—La idea de que se acerquen tanto las palas a mi meteorito me pone los pelos de punta.

—No se preocupe —dijo Glinn—, que hemos previsto una distancia de margen y no se corre peligro de dañarlo.

Las niveladoras efectuaron otra pasada por la zona. A continuación, Amira cruzó lentamente la parte central del área nivelada, y al llegar al otro lado pulsó unas teclas del tablero frontal del aparato y arrancó la tira de papel que había salido. Entonces se les acercó arrastrando el magnetómetro.

Glinn cogió el papel.

—Tenga —dijo, dándoselo a Lloyd.

Lloyd lo cogió, y McFarlane se inclinó para leerlo. El suelo estaba representado por una línea poco marcada, errática, debajo de la cual aparecía el borde superior de una forma semicircular de gran tamaño. Sujetando el papel, a Lloyd le temblaban las manos de gigante. McFarlane pensó: conque es verdad que abajo hay algo. ¡Dios! Hasta entonces no se lo había creído del todo.

—Faltan cuarenta centímetros —dijo Amira.

—Bueno, pues ahora le toca a la arqueología —dijo Glinn—. El agujero vamos a hacerlo un poco más lejos de donde Masangkay, para poder recoger muestras de tierra que no esté removida.

El grupo le siguió por la grava que acababa de quedar al descubierto. Amira hizo unas cuantas lecturas más, clavó algunos palos y ató unos cordeles para formar un cuadrado de dos metros de lado. Entonces se acercó el grupo de trabajadores y empezó a apartar tierra del cuadrado usando paletas, todo con sumo cuidado.

—¿Por qué no está helado el suelo? —preguntó McFarlane.

Glinn señaló las cuatro torres con la cabeza.

—Hemos bañado la zona con infrarrojos lejanos.

—Piensan en todo —dijo Lloyd, sacudiendo la cabeza.

—Para eso nos pagan.

Los trabajadores siguieron excavando un cubo perfecto, y recogiendo, a medida que bajaban, muestras de minerales, grava y arena. Uno de los del grupo interrumpió su trabajo y enseñó un objeto anguloso con una capa de arena.

—Interesante —dijo Glinn, que se había acercado enseguida—. ¿Qué es?

—Ni idea —dijo Amira—. ¡Qué raro! Casi parece cristal.

—Fulgurita —dijo McFarlane.

—¿Qué?

—Fulgurita. Es lo que pasa cuando cae un rayo muy fuerte en arena mojada. Funde la arena a lo largo y forma un tubo de cristal.

—Por algo le he contratado —dijo Lloyd, mirando alrededor con una sonrisa satisfecha.

—Aquí hay más —dijo otro trabajador.

Levantaron la tierra con muchas precauciones, hasta dejar una especie de rama brotando de la arena.

—Los meteoritos son ferromagnéticos —dijo McFarlane, poniéndose en cuclillas y extrayendo el objeto de la arena con los guantes—. Este seguro que ha atraído unos cuantos rayos.

Prosiguió la excavación, con el resultado de varias fulguritas más que se envolvieron en papel de seda y se metieron en cajas de madera. Amira rastreó la zona con el aparato.

—Quince centímetros más —dijo.

—Ahora con las escobillas —dijo Glinn.

Dos hombres se agacharon alrededor del agujero y el resto se colocó detrás. McFarlane vio que a aquella profundidad la tierra estaba húmeda, casi saturada de agua; más que apartar arena, lo que hacían los trabajadores era quitar barro. Centímetro a centímetro fue aumentando la profundidad del hoyo, ante el silencio general.

—Limpiadlo con agua —dijo Glinn, y a McFarlane le pareció detectar cierta impaciencia en su tono.

—¡Venga, venga! —exclamó Lloyd.

Llegó corriendo uno de los trabajadores, desenrollando una manguera pequeña, y Glinn se ocupó personalmente de coger la boca, dirigirla hacia el meteorito cubierto de barro y apretar. El único ruido, durante varios segundos, fue el del agua limpiando los últimos restos de barro de la superficie.

A continuación, Glinn cerró el chorro con un giro de la muñeca y el agua abandonó la superficie desnuda del meteorito. Al principio se adueñó de los presentes una especie de parálisis, un momento eléctrico de suspensión.

Lo siguiente fue el ruido de la botella de champán chocando con la tierra mojada.

Isla Desolación
9.55 h

Palmer Lloyd estaba al borde del corte hecho en la tierra, un corte limpio, y no apartaba la vista de la superficie del meteorito. Era una visión tan asombrosa que al principio se le quedó la mente en blanco, hasta que poco a poco fue recuperando la conciencia de sí mismo: notó el pulso de la sangre en las sienes, el aire llenándole los pulmones, y el frío helándole la nariz y las mejillas. Seguía, eso sí, igual de apabullado por la sorpresa. Lo miraba, lo veía, pero no le daba crédito.

—Margaux —murmuró, y el páramo nevado empequeñeció su voz.

El silencio alrededor era total. Todos se habían quedado mudos de la sorpresa.

Lloyd había peregrinado a casi todos los grandes meteoritos de hierro que había en el mundo: el Hoba, el Anighito, el Willamette, el Woman… Variaban mucho en cuanto a forma, pero todos tenían la misma superficie, con agujeritos y entre marrón y negra. Todos los meteoritos de hierro coincidían en su aspecto.

En cambio aquel meteorito era intensamente rojo. No, pensó al recuperar la velocidad de su cerebro; la palabra «rojo» no le hacía justicia. Era el color puro y aterciopelado de la cornalina pulida, pero con una riqueza de matices todavía mayor. De hecho, era el color exacto de un buen vino de Burdeos, como los traguitos cortos de Château Margaux con que había debido contentarse a bordo del *Rolvaag*.

Rompió el silencio una voz dotada de tanta autoridad que Lloyd estuvo seguro de que era la de Glinn.

—Por favor, que se aparte todo el mundo del hoyo.

Lloyd advirtió que nadie daba un paso.

—Apártense —repitió Glinn con mayor severidad.

Esta vez el círculo apretado de observadores retrocedió unos pasos, aunque a regañadientes. Al separarse las sombras, la luz del sol atravesó al grupo e iluminó el agujero, y Lloyd revivió la sensación de no poder respirar. A la luz del sol, el meteorito revelaba una superficie sedosa y metálica cuya mayor similitud era con la del oro. Se asemejaban ambas en que aquel metal rojo daba la sensación de capturar la luz ambiente, oscureciendo el mundo exterior y, al mismo tiempo, dotándose de una luminosidad interna inefable. Además de bello, era indescriptiblemente extraño.

Y le pertenecía.

Le invadió un júbilo tan repentino como poderoso; júbilo por lo que tenía a sus pies, aquel prodigio, y por lo increíble de una trayectoria vital que le había dado la oportunidad de encontrarlo. Llevarse a su museo el meteorito más grande de la historia humana siempre le había parecido suficiente meta, pero ahora la apuesta era más fuerte. Nada tenía de casual que justamente él, acaso la única persona del planeta dotada de semejante visión y recursos, se hallara presente en aquel momento y lugar, contemplando aquel objeto cautivador.

—Señor Lloyd —oyó decir a Glinn—, le he dicho que se aparte.

Lloyd no solo no se apartó, sino que se agachó.

Glinn levantó la voz.

—¡No, Palmer!

Sin embargo, Lloyd ya estaba dentro del hoyo: acababa de aterrizar de pie en la superficie del meteorito. Lo siguiente que hizo fue dejarse caer de rodillas y pasar las yemas de los dedos, o mejor dicho la punta de los guantes, por aquella superficie de metal, ligeramente ondulada. Después siguió el impulso de inclinarse y apoyar la mejilla.

Arriba se produjo un breve silencio.

—¿Qué tacto tiene? —oyó preguntar a McFarlane.

—Frío —contestó al levantarse. Le temblaba la voz y tenía lágrimas congeladas en la piel insensibilizada de sus mejillas—. Muy frío.

Isla Desolación
13.55 h

McFarlane estaba absorto en el ordenador portátil que tenía en las rodillas. En la pantalla, casi en blanco, parpadeaba el cursor con mirada de reproche. McFarlane suspiró e intentó ponerse cómodo en la silla plegable de metal. La única ventana que había en el comedor brillaba de escarcha. Fuera, el buen tiempo se había convertido en nieve. Suerte que la estufa de carbón de la barraca calentaba a las mil maravillas.

Dio una orden con el ratón y cerró el portátil, acompañando el gesto con una palabrota. La impresora que había al lado, en una mesa, comenzó a zumbar. McFarlane volvió a cambiar de postura y a repasar por enésima vez los sucesos de la mañana. El silencio de sorpresa, el salto impulsivo de Lloyd al hoyo, la orden de Glinn y el hecho de que McFarlane nunca le hubiera oído llamar al millonario por su nombre de pila... Todo lo ocurrido estaba cubierto por el velo de una sensación abrumadora de incomprensión. Se notaba falto de aire, como si no pudiera respirar.

Él también había experimentado el impulso de saltar, de tocarlo, de cerciorarse de que fuera de verdad, pero en contrapartida le inspiraba cierto temor: tan rojo, tan desplazado en la monocromía del paisaje... Le había recordado una mesa de operaciones, una superficie muy grande de sábanas blancas con una incisión en el centro, sangrando. Le repelía, y a la vez le fascinaba. Además de despertar una esperanza que creía muerta.

Se abrió la puerta de la caseta y penetró una ráfaga de nieve. McFarlane levantó la vista y vio entrar a Amira.

—¿Ya ha terminado el informe? —preguntó ella, quitándose la parka y sacudiéndose la nieve.

McFarlane respondió señalando la impresora con la cabeza. Amira se acercó, cogió la hoja que salía y soltó una carcajada bronca.

—«El meteorito es rojo» —leyó en voz alta, y mandó volando la hoja a las rodillas de McFarlane—. Así me gusta: conciso.

—¿Qué sentido tiene gastar papel en hipótesis que no sirven de nada? Mientras no tengamos una muestra para analizarla, ¿cómo coño voy a decir qué es?

Amira acercó una silla y se sentó al lado de McFarlane, que se sintió observado bajo una fachada de naturalidad.

—Con los años que lleva estudiando meteoritos, seguro que sus hipótesis servirían de algo.

—¿Usted qué opina?

—Se lo digo si me dice usted lo suyo.

McFarlane se quedó mirando el dibujo de la mesa de contrachapado y lo siguió con el dedo. Tenía la perfección fractal de una costa, un copo de nieve o un conjunto de Mandelbrot, y le recordó lo complicado que era todo: el universo, un átomo, un trozo de madera. Vio de reojo que Amira sacaba de la parka un tubo para puros, lo abría y extraía uno a medio fumar.

—No, por favor —dijo—. Con el frío que hace preferiría no tener que salir.

Amira volvió a meter el puro.

—Me huelo que algo piensa.

McFarlane se encogió de hombros.

—Bueno, vale —dijo ella—. ¿Quiere que le diga lo que pienso? Que se reprime.

McFarlane se giró hacia ella para mirarla.

—Sí, no ponga esa cara. Hace años se tomó muy a pecho una teoría; sus colegas se burlaban, pero usted estaba convencido. ¿A que sí? Y el día en que creyó encontrar la prueba, se metió en un lío. Estaba tan entusiasmado que perdió el buen juicio y le hizo una jugarreta a un amigo, y eso que al final resultó que de prueba nada.

McFarlane la miró.

—No sabía que también tuviera el título de psiquiatra.

Ella se acercó un poco más e insistió.

—Me enteré de la noticia. Ahora la cuestión es que ya tiene lo que ha buscado tantos años. No es una prueba, es la prueba definitiva. Pero no quiere reconocerlo. Tiene miedo de que se repita lo de entonces.

McFarlane le aguantó un minuto la mirada, notando que se le pasaba el enfado, y se dejó caer en la silla con la cabeza hecha un lío. ¿Tendrá razón?, se preguntó.

Ella rió.

—El color, por ejemplo. ¿Sabe por qué no hay metales tan rojos?

—No.

—Las cosas tienen el color que tienen por su manera de interactuar con los fotones de la luz. —Amira se metió una mano en el bolsillo y sacó una arrugada bolsa de papel—. ¿Un Jolly Rancher?

—¿Y eso qué coño es?

Amira le tiró un caramelo y se echó otro en la mano. Sostuvo la pastilla verde entre el pulgar y el índice.

—Todos los objetos, a menos que sean cuerpos negros perfectos, absorben unas longitudes de onda de la luz y dispersan otras. Este caramelo, por ejemplo, es verde porque devuelve a nuestro ojo las longitudes de onda verdes de la luz y absorbe el resto. He hecho bastantes cálculos, y no encuentro ninguna combinación teórica de aleación de metales que pueda devolver luz roja. Parece imposible que sean tan rojas las aleaciones que conocemos. Amarillas, blancas, naranjas, moradas, grises... Todo menos así de rojas. —Se metió en la boca el caramelo verde, lo mordió ruidosamente y empezó a masticar.

McFarlane dejó el suyo encima de la mesa.

—¿Qué quiere decir?

—Ya lo sabe. Que se compone de un elemento desconocido, o sea que menos evasivas. Yo ya sé lo que ha pensado: que es un meteorito interestelar. Esta vez sí.

McFarlane levantó la mano.

—Está bien, reconozco que sí, que lo he pensado.

—¿Y?

—Hasta ahora todos los meteoritos que se han encontrado eran compuestos de elementos conocidos: níquel, hierro, carbón y silicio. Todos formados en nuestro sistema solar a partir de la nube de polvo primigenio que había rodeado a nuestro sol. —Hizo una pausa para escoger bien las palabras—. Ya sabe que yo me había planteado la posibilidad de un meteorito procedente de fuera del sistema solar, un trozo de algo que fuera absorbido por el campo de gravedad del sol. Un meteorito interestelar.

Amira sonrió de manera cómplice.

—Pero según los matemáticos era imposible: una posibilidad sobre un trillón.

McFarlane rió.

—Eso. Billón, trillón… ¿Qué más da?

—Una posibilidad sobre un trillón por año.

McFarlane dejó de reír.

—Exacto —dijo Amira—. En varios miles de millones de años, las posibilidades de que cayera uno en la Tierra son bastante altas. No es que sea posible, es probable. Ya ve, le he resucitado su teoría. Está en deuda conmigo.

En el comedor solo se oía el ruido del viento, hasta que tomó la palabra McFarlane.

—¿Qué quiere decir? ¿Que está convencida de que el meteorito se compone de una aleación metálica que no existe en ninguna parte del sistema solar? ¿En serio?

—Sí, y usted también. Por eso no ha redactado el informe.

Las siguientes palabras las pronunció McFarlane lentamente, como si hablara para sí.

—Si en alguna parte existiera este metal, habríamos encontrado indicios. A fin de cuentas, el sol y los planetas se formaron a partir de la misma nube de polvo, es decir, que tiene que venir de fuera. Es la única posibilidad. —La miró—. No hay vuelta de hoja.

Ella sonrió.

—Pienso lo mismo.

McFarlane permaneció callado, absorto, al igual que Amira.

—Tenemos que conseguir un trozo —acabó diciendo ella—, y resulta que tengo la herramienta que hace falta, un sacatestigos de diamante de alta velocidad. ¿Está de acuerdo en que para empezar habría bastante con cinco kilos?

McFarlane asintió.

—Sí, pero de momento que no se entere nadie de nuestras teorías. Están a punto de llegar Lloyd y los demás.

Nunca mejor dicho, porque justo entonces se oyó ruido de pasos en la entrada de la caseta, y al abrirse la puerta apareció Lloyd con una parka de mucho abrigo y más aspecto de oso que nunca, enmarcado por una luz débil y azul. Detrás, en el siguiente orden, iban Glinn, Rochefort y Garza. El último en aparecer fue el ayudante de Lloyd, Penfold; tiritaba, y se le habían puesto azules los labios, gruesos y apretados.

—Aquí fuera hace un frío que pela —exclamó Lloyd, dando patadas en el suelo y acercando las manos a la estufa.

Rebosaba buen humor, mientras que los de EES se limitaron a sentarse a la mesa con aspecto abatido.

Penfold se apostó al fondo de la sala con la radio en la mano.

—Tenemos que irnos, señor Lloyd —dijo—. O sale el helicóptero como máximo en una hora, o llegará demasiado tarde a Nueva York para la reunión de accionistas.

—Sí, sí, un momento, que quiero oír lo que dice Sam.

Penfold suspiró y murmuró algo por la radio.

Glinn miró a McFarlane con sus ojos grises y serios.

—¿Está preparado el informe?

—Sí, sí.

McFarlane señaló la hoja de papel con la cabeza, y Glinn le echó un vistazo.

—No estoy de humor para chistes, doctor McFarlane.

Era la primera vez que McFarlane veía manifestar irritación, o cualquier emoción fuerte, a Glinn, y sospechó que también estaba afectado por lo que habían encontrado al fondo del hoyo. A este hombre, pensó, le gustan muy poco las sorpresas.

—Señor Glinn, no puedo hacer un informe basándome en simples conjeturas —dijo—. Tengo que estudiarlo.

—Pues ¿sabes qué tenemos que hacer nosotros? —dijo Lloyd con voz estentórea—. Desenterrarlo rapidito y salir a aguas internacionales antes de que se huelan algo los chilenos.

McFarlane tuvo la impresión de que era el último coletazo de una discusión entre Glinn y Lloyd.

—Quizá pueda simplificarle yo las cosas, doctor McFarlane —dijo Glinn—. Lo que más me interesa saber es lo siguiente: ¿es peligroso?

—Sabemos que no es radiactivo. Venenoso… supongo que sí, que podría serlo. Todos los metales lo son en algún grado.

—¿Hasta qué punto?

McFarlane se encogió de hombros.

—Lo ha tocado Palmer y no se ha muerto.

—Pues será el último —repuso Glinn—. He dado órdenes de que no entre nadie en contacto directo con el meteorito, en ninguna circunstancia. —Hizo una pausa—. ¿Algo más? ¿Podría ser portador de algún virus?

—Teniendo en cuenta que lleva enterrado varios millones de

años, ya hace tiempo que se habría dispersado cualquier tipo de microbio extraterrestre. Es posible que valga la pena recoger muestras de suelo, musgo, líquenes y otras plantas de la zona, para ver si hay alguna anomalía.

—¿Como cuál?

—Mutaciones, quizá, o indicios de baja exposición a toxinas o teratógenos.

Glinn asintió.

—Se lo comentaré al doctor Brambell. Doctora Amira, ¿tiene alguna idea sobre sus propiedades metalúrgicas? Porque es metálico, ¿no?

Ruido de partir un caramelo con los dientes.

—Siendo ferromagnético, lo más probable es que sí. Le pasa lo mismo que al oro, que no se oxida; aunque no veo que pueda ser rojo un metal. Justo ahora estaba comentando con el doctor McFarlane que habría que recoger una muestra.

—¿Una muestra? —preguntó Lloyd.

Su cambio de tono provocó un silencio en la sala.

—Sí, claro —dijo McFarlane al cabo—. Es lo habitual.

—¿Piensan cortarle un trozo a mi meteorito?

McFarlane miró a Lloyd y luego a Glinn.

—¿Por qué no?

—¿Que por qué no? —dijo Lloyd—. Está destinado a un museo. Lo tendremos expuesto, y no quiero que se rompa ni que se perfore.

—Nunca se ha encontrado ningún meteorito importante sin hacerle un corte. Solo habría que extraer un trozo de cinco kilos. Sería suficiente para hacerle todas las pruebas posibles. Con un trozo tan grande tendríamos para varios años de investigación.

Lloyd negó con la cabeza.

—Ni hablar.

—Es que no hay más remedio —dijo McFarlane con vehemencia—. Este meteorito no se puede estudiar sin vaporizarlo, fundirlo, pulirlo o corroerlo. Con lo grande que es, la muestra sería insignificante.

—Tampoco es la Mona Lisa —murmuró Amira.

—Ese comentario es de ignorantes —dijo Lloyd, y con un suspiro se recostó en la silla—. Es que cortarlo parece tan... no sé, sacrílego. ¿No podría seguir siendo un misterio?

—Imposible —dijo Glinn—. Sin conocerlo más a fondo no

puedo autorizar su traslado. Tiene razón el doctor McFarlane.

Lloyd se le quedó mirando, mientras se le ponía roja la cara.

—¿Autorizar *tú* su traslado? Oye, Eli, hasta ahora me he ceñido a tus reglas y te he seguido el juego, pero las cosas claras: el que paga soy yo, y el meteorito es mío. Tú lo que has hecho es firmar un contrato para conseguírmelo. Te encanta presumir de que nunca fallas, pero como vuelva el barco a Nueva York sin el meteorito, habrás fallado. ¿Tengo razón?

Glinn le miró, y después habló con sosiego, casi como si se dirigiera a un niño.

—Tendrá su meteorito, señor Lloyd. Solo procuro conseguírselo sin perjudicar a nadie innecesariamente. ¿Usted no?

Lloyd vaciló.

—Sí, claro.

McFarlane quedó asombrado por la celeridad con que le había puesto Glinn a la defensiva.

—Pues lo único que pido es que actuemos con prudencia.

Lloyd se humedeció los labios.

—Es que de repente se está frenando todo. ¿Por qué? Resulta que el meteorito es rojo, y pregunto yo: ¿qué tiene de malo que sea rojo? A mí me encanta. ¿Ya no se acuerda nadie de nuestro amigo del destructor? Aquí lo que menos tenemos es tiempo.

—¡Señor Lloyd! —dijo Penfold enseñando la radio como si fuera un mendigo pidiendo limosna—. El helicóptero. ¡Por favor!

—¡A la mierda! —exclamó Lloyd, y al poco rato empezó a marcharse—. Adelante, coged la muestrecita de las narices, pero tapad el agujero para que no se vea. Y deprisa. Quiero que al volver a Nueva York hayáis empezado a mover el muerto.

Salió de la caseta hecho un energúmeno, con Penfold a la zaga, y dio un portazo. La sala quedó en silencio por uno o dos minutos, hasta que Amira se levantó y dijo:

—Venga, Sam, a hacerle un agujero al cabroncete.

Isla Desolación
14.15 h

Después del calor de la caseta, el viento parecía un cuchillo. McFarlane, que tenía escalofríos, siguió a Amira hacia los almacenes de instrumental, sintiendo nostalgia del calor seco del Kalahari.

El barracón era más largo y ancho que el resto, sucio por fuera y limpio y espacioso por dentro. En la penumbra brillaban varios monitores y herramientas de diagnóstico que se alimentaban del generador central, alojado en otra caseta. Amira se dirigió hacia una mesa metálica donde había un trípode plegado y un taladro de minero portátil de gran velocidad. De no ser por la correa de cuero que tenía el aparato, McFarlane no lo habría considerado especialmente «portátil». Parecía una especie de bazuka del siglo XXI.

Amira le dio una palmadita afectuosa.

—¿A usted no le pirran los juguetes de alta tecnología que rompen cosas? Fíjese en este armatoste. ¿Conocía el modelo?

—No, tan grande no.

McFarlane la vio desmontar el taladro con mano experta y examinar sus componentes. Una vez satisfecha, volvió a montarlo, enchufó la punta de un cable muy grueso y ejecutó el diagnóstico del aparato.

—Mire. —Cogió una barra larga y metálica de aspecto amenazador, dotada de una punta bulbosa y con muescas—. Solo en la broca ya hay diez quilates de diamante industrial. —Pulsó un botón y el portabrocas electrónico se desprendió con un chasquido. A continuación, gruñendo, se echó al hombro la perforadora y apretó el gatillo, llenando la habitación de un ruido gutural—. Venga, a hacer un agujero —dijo.

Salieron de la caseta de las herramientas con el cable a rastras. McFarlane procuraba que no se enrollase. Fuera era de noche. Ahora la parte desenterrada del meteorito estaba tapada por una simple barraca de mantenimiento, o algo con aspecto de tal. Dentro, la luz fría de varias hileras de focos halógenos bañaba la escasa profundidad del corte. Glinn ya estaba al borde del hoyo con la radio en la mano, mirando hacia abajo. La luz subrayaba los contornos de su cuerpo menudo.

Se reunieron con él al borde del agujero. Con aquella luz blanca, el meteorito adquiría un brillo casi purpúreo, como un morado reciente. Amira se quitó los guantes, cogió el trípode que llevaba McFarlane, desplegó rápidamente las patas y montó encima el taladro.

—Tiene un sistema de vacío que es una barbaridad —dijo, señalando un distribuidor estrecho que dibujaba una curva debajo de la broca—. Absorbe todas las partículas de polvo. Daría lo mismo que el metal fuera venenoso.

—Por si acaso, evacuaré la zona —dijo Glinn, acercando la radio a la boca y transmitiendo un mensaje rápido—. Y repito que nada de acercarse. Ni de tocarlo.

Despidió a los trabajadores con señas.

McFarlane vio que Amira apretaba el botón de encendido, verificaba los indicadores luminosos que se alineaban en un lateral del taladro y aplicaba la broca con habilidad al meteorito.

—Ni que lo hubiera hecho toda la vida —dijo.

—Pues casi que sí. Eli me lo hizo repetir una docena de veces.

McFarlane miró a Glinn.

—¿Lo habían ensayado?

—Paso a paso —dijo Amira, sacándose un mando a distancia del bolsillo y empezando a calibrarlo—. Y de principio a fin, ¿eh? No solo esta parte. Eli planea todos los proyectos como si fueran invasiones. Te matas a ensayos porque en el momento de la verdad te lo juegas todo a un solo intento. —Retrocedió y se sopló las manos—. ¡Si hubiera visto la bola de hierro que nos hizo desenterrar Eli y pasearla mil veces como de aquí a la luna! La llamábamos la Gran Berta, y ya puede imaginarse el odio que le cogí.

—Y ¿dónde lo hacían?

—En Montana, cerca de Bozeman. ¿Qué se creía, que era el primer intento? ¡Hombre!

Una vez tuvo calibrado el mando a distancia y aplicado el

taladro a la superficie desnuda del meteorito, Amira se acercó a una caja que tenía a unos pasos y levantó la tapa. Sacó una latita de metal, la abrió por la lengüeta y vertió su contenido sobre el meteorito, manteniendo las distancias. Era una sustancia negra y pegajosa que se derramó por la superficie roja hasta formar una capa viscosa. Luego, con ayuda de un cepillito, aplicó el resto al extremo de la broca de diamante. Por último, volvió a meter la mano en la caja, sacó una lámina fina de goma y la aplicó con cuidado al sellador.

—Ahora a esperar a que espese —explicó—. No tiene que volar ni una mota de polvo de meteorito.

Metió una mano en la parka, extrajo el tubo del puro, vio las caras que ponían Glinn y McFarlane, suspiró y optó por pelar cacahuetes.

McFarlane meneó la cabeza.

—Cacahuetes, caramelos, puros… ¿Hace algo más que pueda molestar a su madre?

Ella le miró.

—Sexo loco, rock and roll, esquí de riesgo y apostar mucho al black-jack.

McFarlane rió y le preguntó:

—¿Está nerviosa?

—Más que nerviosa, con una adrenalina alucinante. ¿Y usted?

McFarlane se lo pensó un poco. Casi parecía que se estuviera dejando entusiasmar, que se estuviera dejando acostumbrar a la idea de que había encontrado el objeto de tantos años de búsqueda.

—Sí, también —dijo.

Glinn sacó el reloj de oro, abrió la tapa y consultó la esfera.

—Es la hora.

Amira volvió al taladro y ajustó un dial. El ambiente cerrado de la barraca fue cargándose de un zumbido grave. Amira verificó la posición de la broca y retrocedió un paso tocando algo en el mando a distancia. El zumbido se convirtió en pitido. Movió un conmutador del mando a distancia, y la broca, obediente, bajó y volvió a subir en plena rotación.

Glinn sacó tres mascarillas de la caja y tiró una a McFarlane y otra a Amira.

—Es el momento de salir y trabajar con el mando a distancia.

McFarlane se colocó la mascarilla en la cabeza, con la goma fría alrededor de la mandíbula, y salió. Sin capucha, el viento le mordía cruelmente las orejas y la nuca. Seguía oyéndose con gran nitidez el ruido como de avispón que hacía el taladro dentro de la caseta.

—Más lejos —dijo Glinn—. Distancia mínima treinta metros.

Se apartaron de la construcción. La nieve, con su baile de copos, convertía la zona en un mar blanco, como de gasa.

—Si resulta que es una nave espacial —dijo Amira con la voz en sordina—, a los de dentro les sentará un poco mal ver asomar la cabeza de diamante.

Nevaba en tal cantidad que casi no se veía la barraca. La puerta abierta era un rectángulo blanco sumido en olas de color gris.

—Todo a punto.

—Muy bien —contestó Glinn—. Perfora el sellador. Pararemos a un milímetro debajo de la superficie del meteorito, para comprobar que no haya fugas de gas.

Amira asintió, apuntó con el mando a distancia y tocó el conmutador. Al principio aumentó el pitido, pero de repente perdió intensidad. Pasaron unos segundos.

—¡Qué raro! No avanzo nada —dijo Amira.

—Levanta la broca.

Amira cambió el conmutador de posición. Volvió a aumentar el pitido, que en poco tiempo se había convertido en una nota sostenida.

—Parece que funciona.

—¿RPM?

—Doce mil.

—Aumenta a dieciséis mil y vuélvela a bajar.

El pitido se hizo más agudo, hasta que McFarlane oyó que volvía a amortiguarse. A continuación se oyó ruido de moler algo, y luego el silencio.

Amira consultó un indicador luminoso del mando a distancia, cuyos números se destacaban muy rojos en lo negro de la carcasa.

—Se ha parado —dijo.

—¿Tienes alguna explicación?

—Parece que se caliente. Quizá le pase algo al motor, aunque lo había comprobado todo.

—Levanta y deja que se enfríe. Luego dobla la velocidad y vuélvelo a bajar.

Aguardaron a que Amira hiciera los ajustes en el mando a distancia. McFarlane vigilaba la puerta abierta del barracón. Después de un rato, gruñendo para sus adentros, Amira movió el conmutador hacia adelante, y volvió a oírse el pitido de antes, pero más ronco. De repente empezó a bajar la nota, y a ahogarse el taladro.

—Vuelve a calentarse —dijo Amira—. ¡Trasto de mierda!

Se le tensó la mandíbula. Dio un tirón brusco al conmutador.

Hubo un cambio de tono repentino, ruido de algo rompiéndose, y en la puerta un destello de luz anaranjada, seguido por dos chisporroteos, más fuerte el primero que el segundo. Luego, silencio absoluto.

—¿Qué ha pasado? —exigió saber Glinn.

Amira miró por la mascarilla frunciendo el entrecejo.

—No lo sé.

Impulsivamente dio un paso hacia el barracón, pero Glinn levantó la mano para detenerla.

—No, Rachel; primero determina qué ha pasado.

Amira suspiró profundamente y volvió a dedicar su atención al mando a distancia.

—Salen muchas cosas que no me suenan de nada —dijo, haciendo correr los mensajes por el indicador luminoso—. Espera, espera, que aquí hay algo. Pone «Código de error 47». —Levantó la mirada y resopló—. Genial. Y seguro que el manual se ha quedado en Montana.

Entonces apareció un librito en el guante derecho de Glinn, como por obra de un truco de prestidigitador. Lo hojeó hasta detenerse en una página.

—¿Qué código de error dices? ¿Cuarenta y siete?

—Sí.

—Imposible.

Hubo una pausa.

—Me parece que es la primera vez que te oigo decir esa palabra —contestó Amira.

Glinn, que con su parka y aquella mascarilla de tonto parecía un extraterrestre, apartó la mirada del manual.

—Se ha quemado el taladro.

—¿Que se ha quemado? ¿Con los caballos que lleva? No me lo creo.

Glinn volvió a meterse el manual en los pliegues de la parka.

—Pues créetelo.

Se miraron entre los copos que caían.

—Solo podría pasar si el meteorito fuera más duro que el diamante —dijo Amira.

La única respuesta de Glinn fue ir hacia la caseta.

Dentro había un pronunciado olor a goma quemada. Había tanto humo que casi no se veía el taladro. Tenía apagados los indicadores luminosos del lateral, y por debajo estaba chamuscado.

—No responde —dijo Amira, manipulando los controles.

—Debe de haberse disparado el cortacircuitos —dijo Glinn—. Saca a mano la broca.

McFarlane la vio salir enorme, centímetro a centímetro, de entre el humo apestoso. Al aparecer lo último, la punta, vio que se había convertido en un feo muñón de metal, fundido y quemado.

—¡La madre! —dijo Amira—. Era una broca de diamante-carborundo. Valía cinco mil dólares.

McFarlane miró a Glinn, que estaba medio envuelto por el humo, y vio que sus ojos no se fijaban en la broca, sino en algo lejano. Siguió observándole y le vio desabrocharse la mascarilla y quitársela.

Una ráfaga de viento dio tal portazo que temblaron las bisagras y el pomo.

—¿Y ahora? —preguntó Amira.

—Ahora nos llevamos el taladro al *Rolvaag* para examinarlo a fondo —dijo Glinn.

Amira se volvió hacia el aparato, pero la expresión de Glinn permanecía igual de distante.

—Y también es hora de que nos llevemos otra cosa —añadió sin alterarse.

Isla Desolación
15.05 h

Fuera del barracón, McFarlane se quitó la mascarilla y se ciñó a la cara la capucha de la parka. Por la zona de excavaciones soplaba un viento que hacía patinar los copos por el suelo helado. A esas horas, Lloyd debía de estar por la mitad de su viaje a Nueva York. Ya se borraba del cielo la poca luz que consentía el espesor de las nubes. En media hora habría oscurecido del todo.

Se oyeron pasos en la nieve y aparecieron Glinn y Amira volviendo de la barraca de suministros. Ella tenía una linterna fluorescente en cada mano, mientras que Glinn arrastraba un trineo de aluminio largo y bajo.

—¿Qué es eso? —preguntó McFarlane señalando lo que había en el trineo, un baúl de plástico moldeado azul.

—Para los restos —dijo Glinn.

McFarlane sintió un principio de mareo.

—¿Es necesario?

—Ya sé que para usted no será fácil —repuso Glinn—, pero es una incógnita, y en EES no nos gustan las incógnitas.

A medida que se acercaban al montón de piedras que señalaba el lugar de entierro de Masangkay, fueron calmándose las ráfagas de viento. Aparecieron, oscuras contra un cielo todavía más oscuro, las mandíbulas de Hanuxa. Lejos, en el horizonte, arañaban el cielo los picos agrestes de la isla Wollaston. Era increíble lo deprisa que cambiaba el tiempo.

El viento ya había llenado de nieve y hielo los resquicios del túmulo improvisado, dándole una mano blanca a la tumba. Glinn sacó la cruz sin ceremonias, la dejó en el suelo y empezó a retirar piedras heladas del montón y apartarlas rodando.

—Si no quiere, no hace falta que ayude, ¿eh? —dijo, girando la cabeza hacia McFarlane.

Este tragó saliva. Se imaginaba muy pocas cosas tan desagradables como aquel trabajo, pero, ya que había que hacerlo, prefería participar.

—No, ya voy —dijo.

Fue más fácil deshacer la tumba que hacerla, con el resultado de que en poco tiempo quedaron a la vista los despojos de Masangkay. Entonces los movimientos de Glinn se hicieron más lentos y cautos. McFarlane contempló los huesos fracturados, la calavera partida y los dientes rotos, los trozos resecos de cartílago, la carne en proceso de momificación… Se le hacía difícil creer que hubiera sido socio y amigo suyo. Sintió náuseas, y se le aceleró la respiración.

Oscurecía a marchas forzadas. Tras apartar las últimas piedras, Glinn encendió las linternas y puso una a cada lado de la tumba. Después, armado de fórceps, empezó a depositar los huesos en los compartimientos forrados de plástico del baúl. Algunos huesos se mantenían pegados mediante restos de tendones, piel y cartílago seco, pero la mayoría ofrecía el aspecto de haber sido arrancados con violencia.

—No soy forense —dijo Amira—, pero este tío, por la pinta, es como si lo hubiera atropellado un camión.

Glinn se quedó callado y siguió trasladando los fórceps del suelo al baúl y viceversa, con la capucha tapándole la cara. De repente se detuvo.

—¿Qué pasa? —preguntó Amira.

Glinn utilizó el fórceps para levantar algo del suelo helado con muchas precauciones.

—Esta bota, además de podrida, está quemada —dijo—. Y algunos huesos parece que también.

—¿Tú qué dirías? ¿Que le asesinaron para quedarse con el equipo? —preguntó Amira—. ¿Y que luego quemaron el cadáver para encubrir el crimen? Coño, con el suelo que hay aquí era mucho más fácil que enterrarle.

—Entonces Puppup sería un asesino —dijo McFarlane, que fue el primero en darse cuenta de lo duro de su tono.

Glinn expuso a la luz una falange distal y la examinó como si fuera una joya.

—Lo dudo mucho —dijo—, pero bueno, quien tiene que decirlo es un médico.

—Ya le tocaba trabajar un poco —dijo Amira—, porque se pasa el día leyendo y paseándose por el barco como un vampiro.

Glinn guardó el hueso en el contenedor de plástico, volvió a girarse hacia la tumba y cogió algo más con el fórceps.

—Esto estaba debajo de la bota —dijo.

Orientó el objeto hacia la luz, lo limpió de hielo y tierra y volvió a levantarlo.

—Una hebilla de cinturón —dijo Amira.

—¿Qué? —preguntó McFarlane.

Se acercó unos pasos sin apartar la vista.

—Es una especie de piedra preciosa violeta con engarce de plata —dijo Amira—. ¡Oye, está fundida!

McFarlane retrocedió.

—¿Se encuentra mal? —dijo Amira, mirándole.

McFarlane se limitó a tocarse los ojos con el guante y negar con la cabeza. Anda, que ver esto aquí, pensó... Unos años atrás, después del éxito de las tectitas de Atacama, había encargado dos hebillas para celebrar el golpe, cada una con una mitad de tectita. Él la había perdido tiempo atrás, mientras que Nestor, a pesar de todo, había conservado la suya hasta el momento de su muerte. McFarlane quedó sorprendido por lo mucho que significaba para él.

Recogieron las escasas pertenencias de Masangkay en silencio. Por último, Glinn cerró el baúl, Amira cogió las linternas y emprendieron ambos el camino de regreso. McFarlane se quedó un poco más, contemplando el montón de piedras frías. Luego se marchó.

Con los restos de un puro en la boca, el comandante Vallenar se untaba la cara con espuma de afeitar, frente al minúsculo lavamanos de metal de su camarote. Detestaba tanto aquella espuma aromatizada como la maquinilla de usar y tirar que había dejado en el lavamanos, amarilla y con dos hojas: la típica porquería yanqui desechable. Aparte de los americanos, ¿quién podía fabricar semejante derroche, dos cuchillas cuando con una había bastante? Pero las tiendas de a bordo tenían sus caprichos, sobre todo en barcos que navegaban casi todo el año tan al sur. Miró la maquinilla desechable con cara de asco. Pertenecía a un paquete de diez que le había dado el intendente por la mañana. La única alternativa era afeitarse con navaja, y a bordo las navajas podían ser peligrosas.

Le pasó agua y se la aplicó al pómulo izquierdo. Siempre empezaba por el lado izquierdo de la cara, porque nunca había aprendido a afeitarse bien con la izquierda, y era el lado que presentaba menos dificultades.

Al menos el olor de la espuma de afeitar disimulaba el del barco. El *Almirante Ramírez* era el destructor más antiguo de la marina chilena. Había sido adquirido en los años cincuenta a los británicos. Varias décadas de insalubridad, las pieles de frutas y verduras pudriéndose en el agua de la sentina, los disolventes químicos, el tratamiento de aguas defectuoso y los derrames de combustible diésel habían impregnado el barco de un hedor que solo podía eliminarse mandándolo a pique.

De repente, el balido de una sirena cubrió el ruido de pájaros y el rumor lejano del tráfico. Vallenar miró el muelle, y detrás la ciudad, por el ojo de buey oxidado. Era un día luminoso, con el cielo muy azul y un viento gélido del oeste.

Siguió afeitándose. Nunca le había gustado anclar en Punta Arenas, porque era mal sitio para los barcos, sobre todo con viento del oeste. Como siempre, le rodeaban barcos de pesca que aprovechaban la ocasión para ponerse a sotavento del destructor. Típica anarquía sudamericana: ni disciplina ni sentido de la dignidad que se merecía un barco militar.

Llamaron a la puerta.

—Comandante…

Era la voz de Timmer, el oficial de comunicaciones.

—Pase —dijo el comandante sin girarse.

Vio por el espejo que se abría la puerta y entraba Timmer seguido por otra persona: un civil bien alimentado, con medios y contento de sí mismo.

Vallenar se afeitó el mentón con varias pasadas sucesivas. Luego limpió la maquinilla en la pileta de metal y dio media vuelta.

—Gracias, señor Timmer —dijo sonriendo—. Puede marcharse; y tenga la amabilidad de apostar a alguien en la puerta.

Cuando se hubo marchado Timmer, Vallenar dedicó un momento a observar al hombre que tenía delante. Estaba frente al escritorio, sonriendo un poco y sin que se le notara ninguna aprensión. ¿De qué iba a tener miedo?, pensó Vallenar sin malicia. Lo único que tenía de comandante era el nombre. Le habían asignado el peor barco de la flota, y el peor destino. Por lo tanto, ¿cómo criticarle a aquel individuo que sacara un poco el pecho y se sintiera importante, con derecho a mirar por encima del hombro a alguien con tan poco poder como el comandante de un barco viejo y oxidado?

Vallenar dio la última calada al puro y lo arrojó por el ojo de buey, que estaba abierto. Después soltó la maquinilla y, con la mano buena, sacó una caja de puros de un cajón del escritorio. Ante el ofrecimiento, el civil miró los puros con desdén y sacudió la cabeza. Vallenar cogió uno.

—Disculpe por los puros —dijo el comandante, volviendo a meterlos en el cajón—; son muy malos, pero aquí en la marina hay que aceptar lo que te dan.

El civil sonrió con condescendencia y le miró el brazo derecho atrofiado. Vallenar observó que llevaba brillantina y las uñas muy blancas, perfectamente pulidas.

—Siéntese, haga el favor —dijo, metiéndose el puro en la boca—. Y perdone que siga afeitándome durante nuestra conversación.

El civil tomó asiento delante del escritorio y cruzó las piernas con elegancia.

—Me han dicho que se dedica a la compraventa de artículos electrónicos de segunda mano: relojes, ordenadores, fotocopiadoras... —Vallenar hizo una pausa para afeitarse el labio superior—. ¿Es verdad?

—De segunda mano y nuevos —dijo el otro.

—Perdone la equivocación —dijo Vallenar—. En concreto, hace cuatro o cinco meses (me parece que hacia marzo) compró una sonda tomográfica. Se trata de una herramienta que se emplea para prospecciones. Varas largas de metal con un teclado en el centro. ¿Es así?

—Mi negocio es grande, comandante, y no puedo acordarme de todos los trastos que pasan por mi puerta.

Vallenar se volvió hacia él.

—No he dicho que fuera un trasto. ¿No acaba de decir que vende artículos tanto de segunda mano como nuevos?

El comerciante se encogió de hombros, levantó las manos y sonrió. El comandante había visto aquella sonrisa en innumerables rostros: de insignificantes burócratas, de funcionarios, de hombres de negocios... Decía la sonrisa: no sabré nada ni te ayudaré hasta recibir la coima, el soborno. Era la misma que había visto una semana antes en las caras de los funcionarios de la aduana de Puerto Williams. Con todo, verla en el civil no le inspiró rabia, sino una gran compasión. Un hombre así no era corrupto de nacimiento. Le habían corrompido gradualmente, y era el síntoma de una enfermedad más grave, que se manifestaba en todo su entorno.

Suspiró profundamente, rodeó el escritorio y se sentó en el borde que quedaba más cerca de su visitante, a quien sonrió notando que se le secaba la espuma de afeitar en la piel. El comerciante asintió con un guiño cómplice, y al mismo tiempo hizo el gesto universal de frotarse el pulgar y el índice, apoyando la otra palma en la mesa.

El comandante lanzó la mano con la rapidez de una serpiente al ataque y, mediante un movimiento brusco, clavó la doble cuchilla en el nacimiento de la uña del dedo corazón. Al comerciante, aterrorizado, se le cortó la respiración, y miró al comandante con ojos de miedo, topando con la más absoluta impasibilidad. A continuación, Vallenar dio un estirón brutal, y su invitado gritó al perder la uña.

Vallenar sacudió la maquinilla para tirar la uña ensangrentada por el ojo de buey, después de lo cual se giró hacia el espejo y continuó afeitándose. Por unos instantes, los únicos ruidos del pequeño camarote fueron el de las cuchillas en la piel y los gemidos de dolor del comerciante. Vallenar observó con cierto interés que la maquinilla dejaba una franja sin afeitar. Debía de haberse quedado enganchado algo entre las hojas.

Volvió a pasar agua por la maquinilla y concluyó el afeitado. Solo entonces, mientras se daba palmadas en la cara y se la secaba, se volvió hacia el comerciante. Este, que seguía gimiendo, se había levantado, y estaba delante del escritorio balanceándose de un pie a otro y apretándose el dedo, que goteaba sangre.

Vallenar se apoyó en la mesa, sacó un pañuelo del bolsillo y lo anudó con suavidad en torno al dedo herido de su visitante.

—Siéntese, por favor —dijo.

El comerciante lo hizo lloriqueando un poco. Los carrillos le temblaban de miedo.

—Háganos un favor a los dos y conteste a mis preguntas con rapidez y precisión. Se lo repito: ¿compró usted un instrumento como el que le he descrito?

—Sí —dijo el hombre—. Sí, mi comandante, he tenido uno así.

—Y ¿quién se lo compró?

—Un artista norteamericano. —Se apretó el dedo herido.

—¿Artista?

—Un escultor. Quería aprovecharlo para hacer una escultura moderna y exponerla en Nueva York. Estaba tan oxidado que no servía para nada más.

Vallenar sonrió.

—Conque un escultor norteamericano. ¿Cómo se llamaba?

—No me lo dijo.

Vallenar asintió con la misma sonrisa. ¡Qué ganas, ahora, las del comerciante de decir la verdad!

—Ya. Otra pregunta, señor… ¡Pero si no le he preguntado su nombre! ¡Qué maleducado!

—Tornero, mi comandante. Rafael Tornero Perea.

—Pues dígame, señor Tornero, ¿a quién le compró el aparato?

—A un mestizo.

—¿A un mestizo? Y ¿cómo se llamaba?

—Lo siento, pero no lo sé.

Vallenar frunció el entrecejo.

—¿No lo sabe? Quedan pocos mestizos, y que lleguen a Punta Arenas, menos.

—Es que no me acuerdo, comandante… En serio… —El comerciante trató de hacer memoria con la mirada desquiciada—. No era de Punta Arenas. Era del sur, y tenía un nombre raro.

De repente Vallenar tuvo una idea.

—¿No sería Puppup, Juan Puppup?

—¡Sí! Gracias, comandante, muchas gracias por refrescarme la memoria. Eso mismo, Puppup. Se llamaba Puppup.

—¿Dijo de dónde lo sacaba?

—Sí. Lo había encontrado en las islas del cabo de Hornos, pero yo no me lo creí. No tiene sentido que aparezca algo de valor por allá abajo. —Ahora el comerciante hablaba con verdadero atropello, como si no le salieran bastante deprisa las palabras—. Pensé que intentaba conseguir más dinero. —Se le animó la cara—. Ahora me acuerdo de que también había un piolet y un martillo un poco raro.

—¿Raro en qué sentido?

—Tenía una punta larga y curvada. En el lote también había un saco de cuero lleno de piedras. El americano lo compró todo junto.

Vallenar se apoyó en la mesa con vivo interés.

—¿Piedras? ¿Se fijó usted en ellas?

—Sí, sí que me fijé.

—Y ¿eran oro?

—No, no. No tenían valor.

—Ah. Porque claro, usted es geólogo.

El tono de Vallenar era afable, pero el comerciante se encogió en el asiento.

—Verá, comandante, es que se las enseñé a Alonso Torres, el dueño de la tienda de minerales de la calle Colinas, pensando que podían valer algo, pero me dijo que no. Que las tirara.

—Y ¿él qué sabía?

—Sabe, sabe, comandante; Torres es un experto en rocas y minerales.

Vallenar se acercó al único ojo de buey del camarote, que con tantos años de agua salada se había oxidado.

—¿Dijo qué eran?

—Según él, nada.

Vallenar volvió a mirar al comerciante.

—¿Qué aspecto tenían?

—Solo eran piedras, sin nada de bonito.

Vallenar cerró los ojos e hizo un gran esfuerzo por no sucumbir a la ira. Habría sido indecoroso perder los estribos teniendo visita en su propio barco.

—Es posible que me quede alguna en la tienda, comandante.

Vallenar volvió a abrir los ojos.

—¿Posible?

—El señor Torres se quedó una para hacerle más análisis, y me la devolvió después de venderle yo el aparato al americano. Al principio la usaba de pisapapeles. Tenía la esperanza de que se hubiera equivocado el señor Torres y fuera valiosa. Es cuestión de buscarla.

De repente el comandante Vallenar sonrió, se sacó de la boca el puro apagado, examinó la punta y la encendió con una cerilla de madera de una caja que tenía en el escritorio.

—Tengo interés en adquirir la piedra a la que se refiere.

—¿Le interesa la piedra? Pues tendría muchísimo gusto en regalársela. No hablemos de compra, comandante.

Vallenar hizo una ligera reverencia.

—En ese caso, permita que le acompañe a su negocio a fin de aceptar su amable regalo.

A continuación dio al puro una larga calada y, con la mayor cortesía, acompañó al comerciante al fétido pasillo central del *Almirante Ramírez*.

Rolvaag
9.35 h

La broca del taladro estaba expuesta en una mesa, con una base de plástico blanco donde reposaba la cabeza quemada. Los fluorescentes del techo bañaban el aparato de una luz azul. Al lado había una hilera de instrumentos de muestreo, cada uno en una bolsa hermética de plástico. McFarlane se ajustó una mascarilla a la cabeza. Las aguas del canal estaban más plácidas que de costumbre. Dentro de aquel laboratorio sin ventanas, costaba creer que se estuviera a bordo de un barco.

—¿Escalpelo, doctor? —preguntó Amira con la voz en sordina por la mascarilla.

McFarlane negó con la cabeza.

—Enfermera, creo que hemos perdido al paciente.

Amira chasqueó la lengua en señal de lástima. Eli Glinn estaba detrás, observando con los brazos cruzados.

McFarlane se acercó a un microscopio electrónico y lo enfocó sobre la mesa, haciendo que en el monitor de la terminal que había al lado parpadeara la imagen muy aumentada de la punta de la broca: un paisaje apocalíptico de cañones y montañas derretidas.

—¿Hacemos una copia? —dijo.

—Enseguida, doctor —dijo Amira, insertando un CD grabable en la unidad lectora del aparato.

McFarlane acercó una silla giratoria a la mesa, se sentó al microscopio y se ajustó el binocular. Movió los oculares lentamente, rastreando las grietas con la esperanza de que la broca se hubiera llevado algo, por pequeño que fuera, de la superficie del meteorito, pero en el paisaje lunar no brillaba ninguna partícula roja, ni siquiera al activar la luz ultravioleta. En plena búsqueda, se dio cuenta de que se había acercado Glinn y miraba el monitor.

Tras varios minutos infructuosos, McFarlane suspiró.

—Póngalo en ciento veinte aumentos.

Amira ajustó el aparato, y el paisaje dio un salto hacia adelante, todavía más grotesco. McFarlane volvió a inspeccionarlo sector a sector.

—Increíble —dijo Amira mirando la pantalla—. ¡Algo tendría que haber recogido!

McFarlane se incorporó suspirando.

—Pues este microscopio no tiene bastante potencia para que se vea.

—Se deduce que el meteorito ha de ser una red cristalográfica muy resistente.

—Lo que está claro es que no es un metal normal.

McFarlane plegó el binocular y volvió a meterlo en el aparato.

—Y ¿ahora qué? —dijo Glinn en voz baja.

McFarlane hizo girar la silla, se bajó la mascarilla y reflexionó.

—Siempre queda la microsonda de electrones.

—¿Qué es?

—La herramienta favorita del geólogo planetario. Aquí tenemos una. Se mete una muestra del material en una cámara de vacío y se le dispara un chorro de electrones de alta velocidad. Normalmente se analizan los rayos X que genera, pero también se puede calentar el chorro de electrones hasta el punto de que vaporice una pequeña cantidad del material. Luego esa cantidad se condensa en forma de película muy fina en una placa de oro. Y ya tenemos muestra. Pequeña pero viable.

—Y ¿cómo sabe que el chorro de electrones podrá vaporizar una porción de la roca? —preguntó Glinn.

—Los electrones salen despedidos a velocidad altísima de un filamento. Se puede aumentar la velocidad casi hasta la de la luz y enfocarlo con precisión de un micrómetro. Le aseguro que como mínimo arañará unos cuantos átomos.

Glinn se quedó callado. Era evidente que sopesaba tanto el riesgo como la necesidad de conseguir más información.

—Pues adelante —dijo—. Pero le recuerdo que el meteorito no se toca.

McFarlane frunció el entrecejo.

—Lo complicado es la manera de hacerlo. Normalmente se lleva la muestra a la microsonda, pero en este caso tendremos que llevar la microsonda a la muestra. La pega es que no es portátil, porque pesa unos trescientos kilos. Y en la superficie habrá que instalar algo que se parezca a una cámara de vacío.

Glinn echó mano a la radio que llevaba en el cinturón.

—¿Garza? Que vengan enseguida ocho hombres a la cubierta principal. Necesitamos una eslinga y un vehículo que puedan subir un aparato de trescientos kilos al primer transporte de la mañana.

—Dígale que también necesitamos un generador potente —añadió McFarlane.

—Y trae un cable con capacidad para veinte mil vatios.

McFarlane silbó entre dientes.

—Será suficiente.

—Dispone de una hora para conseguir la muestra. Más tiempo no tenemos. —Fueron palabras pronunciadas con lentitud y máxima claridad—. Ahora mismo llega Garza. Esté preparado.

Glinn se levantó como un resorte y salió del laboratorio. Al cerrarse, la puerta aspiró una ráfaga de aire frío.

McFarlane miró a Amira.

—Se está poniendo susceptible.

—Es que odia no saber —dijo ella—. Le vuelve loco la incertidumbre.

—Ha de ser difícil vivir así.

En el rostro de Amira apareció una fugaz expresión de sufrimiento.

—No se lo imagina.

McFarlane la miró con curiosidad, pero ella se limitó a bajarse la mascarilla y quitarse los guantes.

—Venga, a desmontar la microsonda para el transporte —dijo.

Isla Desolación
13.45 h

A principios de la tarde, la zona de excavaciones estaba lista para la prueba. Dentro de la caseta había mucha luz y hacía un calor asfixiante. McFarlane estaba al borde del hoyo, observando la superficie roja y aterciopelada del meteorito. Ni siquiera aquella luz tan cruda le restaba lustre o suavidad. La microsonda, largo cilindro de acero inoxidable, reposaba en un soporte acolchado. Amira estaba poniendo a punto el resto del equipo solicitado por McFarlane: una campana de vidrio de tres centímetros de grosor que contenía un filamento y una clavija, varios discos de oro en bolsa hermética de plástico y un electroimán para enfocar el haz de electrones.

—Necesito tener perfectamente limpios mil centímetros cuadrados de meteorito —dijo McFarlane a Glinn, que estaba cerca—. Si no, arrastraremos contaminantes.

—Déjenoslo a nosotros —dijo Glinn—. ¿Qué plan tiene para cuando hayamos conseguido las muestras?

—Someterlas a una serie de pruebas. Con un poco de suerte podremos determinar sus propiedades eléctricas, químicas y físicas básicas.

—¿Cuánto tiempo hará falta?

—Cuarenta y ocho horas. Comiendo y durmiendo, más.

Glinn apretó los labios.

—Solo disponemos de doce. Limítese a las pruebas más esenciales.

Consultó su reloj de bolsillo, que era de oro y muy macizo.

Una hora más y estaba todo a punto. La campana de vidrio había sido fijada herméticamente a la superficie del meteorito, mediante una operación de extrema delicadeza. Contenía diez discos pequeños para muestras, en bases de cristal y formando un círculo. A su vez, la campana estaba rodeada por un círculo de electroimanes. Cerca estaba la microsonda de electrones, parcialmente abierta y enseñando su complicado interior, del que surgían cables y alambres multicolores.

—Rachel, por favor, encienda la bomba de vacío —dijo McFarlane.

Zumbó el mecanismo, chupando el aire de la campana de vidrio. McFarlane estaba atento a una pantalla de la microsonda.

—Parece mentira, pero está aguantando la junta hermética. El vacío ha bajado a cinco microbares.

Glinn se aproximó con la mirada puesta en la pantallita.

—Encienda los electroimanes —dijo McFarlane.

—A sus órdenes —dijo Amira.

—Apague las luces.

La habitación quedó a oscuras. La única luz procedía de las rendijas de las paredes, por el pésimo acabado de la caseta, y de los indicadores luminosos que había en los controles de la microsonda.

—Ahora enciendo el chorro a poca potencia —susurró McFarlane.

En la campana de vidrio apareció un haz de color azul y poca intensidad, que con su parpadeo y rotación proyectaba una luz espectral en la superficie roja del meteorito, ennegreciéndola casi del todo. Las paredes de la barraca eran un baile de sombras.

McFarlane activó dos series de diales con precaución, alterando los campos magnéticos alrededor de la campana. El haz interrumpió su rotación y empezó a afinarse y a hacerse más luminoso, hasta que parecía un lápiz azul con la punta en la superficie del meteorito.

—Listo —dijo McFarlane—. Ahora, durante cinco segundos voy a ponerlo a potencia máxima.

Contuvo la respiración. Si los temores de Glinn eran justificados (es decir, si el meteorito tenía algo de peligroso), podían estar a punto de averiguarlo.

Pulsó el temporizador. De repente apareció un haz mucho más luminoso en el interior de la campana, y, en el lugar donde tocaba la superficie del meteorito, un punto de luz muy violeta. A los cinco segundos volvía a estar todo a oscuras.

McFarlane notó que se le relajaba el cuerpo involuntariamente.

—Luces.

Cuando se encendieron, McFarlane estaba de rodillas junto a la superficie del meteorito y miraba ansiosamente los discos de oro. Se aguantó la respiración. Ahora cada uno de los discos tenía una vaga marca roja. Además, justo donde el chorro de electrones había tocado el meteorito, vio (o creyó ver) un agujerito insignificante, un simple punto en la tersura de la superficie.

Se levantó.

—¿Qué? —preguntó Glinn—. ¿Qué ha pasado?

McFarlane le enseñó los dientes.

—Parece que tampoco era tan duro.

Isla Desolación
18 de julio, 9 h

McFarlane caminaba en compañía de Amira. A simple vista estaba todo igual: las mismas hileras de contenedores y casetas prefabricadas, la misma tierra, desnuda y helada... La diferencia estaba en él. Se sentía muerto de cansancio, pero eufórico. Caminaba en silencio con la sensación de que el aire puro lo amplificaba todo: el crujido de sus botas en la nieve reciente, el rumor lejano de la maquinaria, su propia respiración... Le ayudaba a quitarse de la cabeza las extrañas conjeturas que habían suscitado los experimentos de la noche.

Al llegar a la hilera de contenedores, se dirigió al laboratorio principal y le abrió la puerta a Amira. Dentro, a la poca luz que había, vio a Stonecipher, el ingeniero segundo del proyecto, trabajando en una caja abierta de ordenador con los discos y placas base dispuestos en abanico. Al verles entrar, Stonecipher irguió su cuerpo de hombre bajo y poco corpulento.

—Quiere verles a los dos el señor Glinn —dijo.

—¿Dónde está? —preguntó McFarlane.

—En el subterráneo. Ya les llevo yo.

Ahora, cerca de la barraca que tapaba el meteorito había otra de aspecto todavía más lamentable. Se abrió la puerta de la nueva y apareció Garza con casco debajo de la capucha y unos cuantos más en las manos. Les lanzó uno por barba.

—Pasen —dijo, invitándoles a entrar en la barraca, que era más pequeña que la otra.

Queriendo saber qué ocurría, McFarlane echó un vistazo general al espacio en penumbra. Aquella barraca solo contenía herramientas viejas y barriles de clavos.

—¿Qué es? —preguntó.

—Ya lo verá —dijo Garza, sonriendo.

Hizo rodar los barriles para apartarlos del centro del barracón. Quedó a la vista una placa de acero, que Garza abrió haciendo palanca.

McFarlane se quedó de piedra. La trampilla daba a una escalera montada en un túnel con mucho refuerzo de acero. Salía mucha luz.

—Qué misterioso —dijo.

Garza rió.

—Yo lo llamo método Tutankamón. El túnel que llevaba a la cámara del tesoro de Tutankamón lo escondieron poniendo la entrada debajo del barracón de un obrero.

Bajaron por la escalera en fila india, porque era muy estrecha, y llegaron a un túnel no mucho más ancho, iluminado con una hilera doble de fluorescentes. Había tal refuerzo de vigas que parecía íntegramente de acero. El grupo avanzaba en fila de a uno, dejando el vaho de su respiración en el aire gélido. Los puntales de arriba tenían carámbanos, y escarcha las planchas y tirafondos de las paredes. McFarlane aguantó la respiración, porque acababa de ver que tenían delante una mancha de un color inconfundible: muy rojo, contrastando con el brillo del hielo y el acero.

—Lo que ven es una pequeña porción de la parte inferior del meteorito —dijo Garza, deteniéndose al lado.

La superficie, roja y lustrosa, se asentaba en una hilera de gatos de treinta centímetros de diámetro, montados a su vez con anchas bases (semejantes a garras) en la estructura metálica del suelo y las paredes.

—Aquí están —dijo Garza afectuosamente—: los machacas que se encargarán de subirlo. —Dio con el guante una palmadita al que tenía más cerca—. A la señal de ya, levantaremos la roca seis centímetros exactos. Luego meteremos una cuña, volveremos a posicionar los gatos y repetiremos la operación. Cuando haya bastante espacio, empezaremos a montar el andamio por debajo. Se estará muy estrecho, y hará un frío de muerte, pero es la única manera.

—Hemos instalado cincuenta por ciento más gatos de lo necesario —añadió Rochefort. Con el frío le habían salido manchitas en la cara y se le había puesto azul la nariz—. El túnel está diseñado para ser más fuerte que la matriz del suelo. Es completamente seguro.

Hablaba muy deprisa y apretando los labios con una mueca de reprobación, como si considerara que poner en duda su trabajo era una pérdida de tiempo y una ofensa.

Garza dio la espalda al meteorito y condujo al grupo por un túnel que descendía en ángulos rectos. Bajando a mano derecha había túneles más pequeños que llevaban a otras zonas descubiertas de la parte inferior del meteorito, y a otras series de gatos. Recorridos unos treinta o cuarenta metros, el túnel desembocaba en una enorme sala de almacenamiento subterráneo. El suelo era de tierra prensada y el techo de planchas. Contenía vigas, madera laminada y acero estructural, todo ordenado en hileras y complementado por maquinaria diversa de construcción. Al fondo estaba Glinn hablando con un técnico.

—¡Caray! —musitó McFarlane—. ¡Esto es enorme! Me parece increíble que lo hayan hecho en pocos días.

—La cuestión es evitar presencias no deseadas en el almacén —dijo Garza—. Si esto lo viera un ingeniero, enseguida sabría que no buscamos hierro. Ni oro. Todo esto servirá para montar el andamio a medida que levantemos el meteorito y nos formemos una idea más clara del contorno que tiene. Allá al fondo hay soldadores de arco, lámparas de acetileno y algunas herramientas de carpintería de las de toda la vida.

Vino Glinn, que saludó con la cabeza primero a McFarlane y luego a Amira.

—Siéntate, Rachel, por favor, que tienes cara de cansada.

Le ofreció sentarse en un montón de vigas. Ella sonrió débilmente.

—Cansada y pasmada.

—Tengo muchas ganas de oír el informe.

McFarlane apretó los párpados y volvió a abrirlos.

—Aún no hay nada escrito. Si quiere un parte tendrá que ser oral.

Glinn juntó las manos por las yemas y asintió, mientras McFarlane se sacaba de la chaqueta una libreta. Cada respiración se convertía en columna de vaho. McFarlane abrió la libreta y hojeó con rapidez varias páginas escritas a mano.

—Ante todo, decir que solo es el principio. Con doce horas casi no hemos tenido tiempo ni de arañar la superficie.

Glinn volvió a asentir quedamente.

—Voy a describir los resultados de la prueba, pero una advertencia: no tienen mucho sentido. Lo primero que hemos hecho ha sido intentar determinar las propiedades básicas del metal: punto de fusión, densidad, resistencia eléctrica, peso atómico, valencia… Cosas así. Hemos empezado calentando una muestra para encontrar el punto de fusión. La hemos sometido a cincuenta mil grados Kelvin, vaporizando el sustrato de oro, pero se ha quedado sólida.

Glinn tenía los ojos entrecerrados.

—Ahora se explica que sobreviviera al impacto —murmuró.

—Exacto —dijo Amira.

—En segundo lugar hemos intentado usar un espectrómetro de masa para encontrar el peso atómico, pero no ha salido bien el experimento por lo alto del punto de fusión. Ni con la microsonda hemos conseguido que se quedara bastante tiempo en estado gaseoso para hacer la prueba.

McFarlane pasó unas páginas.

—La densidad relativa, más de lo mismo. La microsonda no nos ha facilitado una muestra bastante grande para determinarla. Químicamente parece inactivo. Le hemos aplicado todos los disolventes, ácidos y sustancias reactivas que hemos encontrado en el laboratorio, y lo hemos sometido a temperaturas y presiones altas, pero nada, inerte. Es como un gas noble, con la diferencia de que es sólido. No hay electrones de valencia.

—Siga.

—Después le hemos conectado cables para determinar las propiedades electromagnéticas, que es donde ha saltado la liebre. Parece ser, resumiendo, que el meteorito es un superconductor a temperatura ambiente: conduce la electricidad sin resistencia. Se le aplica una corriente y circula indefinidamente hasta que la apaga cualquier otro factor.

Glinn no dejó traslucir sorpresa ante el dato.

—Luego le hemos aplicado un haz de electrones, que es una prueba habitual para materiales desconocidos: los neutrones hacen que emita rayos X, y así se sabe qué contiene. En este caso, sin embargo, han desaparecido los neutrones. Se los ha tragado sin dejar rastro. Y con el haz de protones igual.

Esta vez Glinn arqueó las cejas.

—Sería como dispararle a una hoja de papel con una mágnum del cuarenta y cuatro y que la bala desapareciera en el papel —dijo Amira.

Glinn la miró.

—¿Alguna explicación?

Ella negó con la cabeza.

—He intentado hacer un análisis de mecánica cuántica de todas las pruebas, pero nada. Sale que es imposible.

McFarlane siguió hojeando la libreta.

—La última prueba que hemos hecho es la difracción de rayos X.

—Explíquela —murmuró Glinn.

—Se somete el material a rayos X y se hace una foto de la difracción. Luego la procesa un ordenador y te dice qué tipo de red cristalográfica ha generado el diagrama. Pues bien, nos ha salido un diagrama de difracción francamente raro: prácticamente fractal. Rachel ha hecho un programa para calcular qué clase de red cristalográfica produciría un diagrama así.

—Aún está en marcha —dijo Amira—. Para mí que se le ha atragantado. Son unos cálculos tremendos. Eso si se puede hacer.

—Ya termino —dijo McFarlane—. Hemos hecho un análisis por marcas de fisión para fechar la coesita procedente de la zona de excavaciones, y hemos asignado una fecha a la caída del meteorito: treinta y dos millones de años atrás.

A lo largo de la escucha, Glinn había ido bajando la mirada hacia el suelo de tierra prensada y helada.

—¿Conclusiones? —dijo al cabo en voz muy baja.

—Son muy preliminares —dijo McFarlane.

—Lo tengo en cuenta.

McFarlane respiró hondo.

—¿Conoce la hipótesis de la «isla de estabilidad» de la tabla periódica?

—No.

—Durante muchos años, los científicos han buscado elementos cada vez más pesados en la zona más alta de la tabla periódica. La mayoría de los que han encontrado tienen la vida muy corta: solo duran un milmillonésimo de segundo, y luego se convierten en algún otro elemento; pero existe la teoría de que muy, muy arriba de la tabla periódica podría haber un grupo de elementos que sí fueran estables, que no se descompusieran. Una isla de estabilidad. Nadie sabe qué clase de propiedades tendrían, pero serían extrañísimos y muy, muy pesados. No se podrían sintetizar de ningún modo, ni siquiera con el acelerador de partículas más grande de los que existen hoy en día.

—Y ¿usted cree que hemos encontrado un elemento así?

—La verdad es que estoy casi seguro.

—Y ¿cómo se habría creado?

—Solo en el acontecimiento de mayor violencia que se conoce en el universo: una hipernova.

—¿Una hipernova?

—Sí. Es mucho más grande que una supernova. Se produce cuando entra una estrella gigante en un agujero negro, o con la colisión de dos estrellas de neutrones y la formación de un agujero negro. Durante unos diez segundos, una hipernova produce tanta energía como el resto del universo conocido. Un fenómeno así es posible que tuviera bastante energía para crear los elementos a que me refería. También podría haber tenido bastante energía para lanzar al espacio este meteorito a una velocidad que le hiciera cruzar espacios interestelares y caer en la Tierra.

—Un meteorito interestelar —dijo Glinn inexpresivamente.

McFarlane se llevó la sorpresa de observar un intercambio breve pero significativo de miradas entre Glinn y Amira. Enseguida se puso tenso, pero Glinn se limitó a asentir.

—Nos ha dado más preguntas que respuestas.

—Solo disponíamos de doce horas.

Se produjo un breve silencio.

—Volvamos a la pregunta básica —dijo Glinn—. ¿Es peligroso?

—No hay que preocuparse de que envenene a nadie —dijo Amira—. Es completamente inocuo. Ni radiactivo ni reactivo. Yo creo que no es peligroso; ahora bien, no me dedicaría a manipularlo eléctricamente. Tratándose de un superconductor a temperatura ambiente, tiene propiedades electromagnéticas de mucha potencia, y un poco raras.

Glinn se giró.

—¿Doctor McFarlane?

—Es un cúmulo de contradicciones —dijo McFarlane, manteniendo un tono neutral—. En cuanto a peligro, no le hemos descubierto ninguno en concreto, pero tampoco hemos demostrado que sea inofensivo del todo. En este momento lo estamos sometiendo a la segunda tanda de pruebas, y cuente con que le informaremos de cualquier resultado que aporte datos nuevos, pero son preguntas que se contestan en años, no en doce horas.

—Ya. —Glinn suspiró. Fue un sonido sibilante que en cualquier otra persona habría significado irritación—. Pues nosotros sí hemos descubierto algo del meteorito que quizá le interese.

—¿Qué?

—Al principio calculábamos que tendría mil doscientos metros cúbicos, o trece metros de diámetro, pero durante la perforación de los túneles Garza y sus hombres midieron el contorno exterior del meteorito, y resulta que es mucho más pequeño de lo que creíamos. Solo tiene unos seis metros de diámetro.

La mente de McFarlane se esforzó por integrar el dato, que, cosa extraña, le decepcionó. No era mucho mayor que el Ahnighito, que estaba en el museo de Nueva York.

—De momento es difícil medir la masa —dijo Glinn—, pero todo indica que el meteorito sigue pesando al menos diez mil toneladas.

A McFarlane se le pasó la decepción de golpe.

—O sea que tiene una densidad relativa de...

—¡Como mínimo de setenta y cinco! ¡Joder! —dijo Amira.

Glinn arqueó una ceja.

—¿Y eso qué quiere decir?

—Los dos elementos más pesados que se conocen son el osmio y el iridio —dijo Amira—. Los dos tienen una densidad relativa más o menos de veintidós. Si la del meteorito es de setenta y cinco, su densidad triplica la de cualquier elemento terrestre conocido.

—Ya tenemos la prueba —murmuró McFarlane, notando que se le aceleraba el pulso.

—¿Cómo? —dijo Glinn.

McFarlane tenía la misma sensación que si le hubieran quitado un peso de los hombros. Miró a Glinn a la cara.

—Ya no cabe ninguna duda. Es interestelar.

Glinn permaneció inescrutable.

—Algo tan denso es imposible que se haya originado en nuestro sistema solar. Tiene que venir de otra parte, de un lugar del universo muy diferente. La región de una hipernova.

Se produjo un largo silencio. McFarlane oía gritos lejanos de gente trabajando en los túneles, y un ruido amortiguado de martillos neumáticos y soldadores. Glinn, al cabo, carraspeó.

—Doctor McFarlane... —dijo con voz sosegada—. Sam, perdone si me ve escéptico, pero tenga en cuenta que trabajamos fuera de los parámetros de cualquier modelo posible. No hay ningún precedente que nos guíe. Ya sé que no ha tenido tiempo de hacer pruebas a fondo, pero nuestra ventana de oportunidades está a punto de cerrarse. Le pido su opinión de científico y de persona sobre si es seguro seguir, o si deberíamos cancelar la operación y volver a casa.

McFarlane respiró hondo. Comprendía la petición, pero también tenía muy claro lo que se había callado Glinn. «Su opinión de científico y de persona.» Glinn le pedía un análisis de la cuestión, pero un análisis objetivo, no el de la persona que cinco años antes había traicionado a un amigo en las mismas circunstancias. Le pasó por la cabeza una sucesión de instantáneas: Lloyd paseándose delante de su pirámide, los ojos negros y brillantes del comandante del destructor, y los huesos rotos y gastados de su socio muerto.

Empezó a hablar con parsimonia.

—Hace treinta y dos millones de años que está aquí enterrado, y no parece que haya ocasionado problemas. Sin embargo, no lo sabemos. Solo puedo decir una cosa: que se trata de un descubrimiento científico de importancia capital. ¿Que si vale la pena correr el riesgo? No hay nada importante que se consiga sin riesgos.

Los ojos de Glinn parecían mirar muy lejos. Su expresión era la de siempre, inescrutable, pero McFarlane adivinó que había expresado lo que pensaban los dos.

Glinn sacó el reloj de bolsillo y lo abrió con un giro de muñeca. Había tomado una decisión.

—Levantaremos la roca en treinta minutos. Rachel, si tú y Gene comprobáis las servoconexiones, estaremos preparados.

De repente McFarlane se sintió abrumado por la emoción.

—Todo el mundo arriba para las pruebas —dijo Garza consultando su reloj—. Aquí abajo está prohibido estar.

La emoción se apagó con la misma rapidez.

—¿No ha dicho que esto era seguro? —dijo McFarlane.

—Siempre hay que doblar las previsiones —murmuró Glinn.

Y salió el primero del almacén subterráneo, encabezando al grupo por el estrecho túnel.

Rolvaag
9.30 h

El doctor Patrick Brambell estaba en su litera, bien arropadito y leyendo *The Faerie Queen*, de Spenser. El petrolero navegaba por el estrecho sin sobresaltos, y el colchón era deliciosamente mullido. La temperatura de la suite médica había sido aumentada a treinta grados, que para él era lo ideal. Salvo la dotación indispensable, estaba en tierra todo el mundo, preparando el alzamiento del meteorito, y el barco era todo silencio. Brambell no acusaba el menor malestar, a menos que se entendiera por tal el hecho de que, tras media hora de sostener el libro, empezaba a dormírsele el brazo; problema, por lo demás, de fácil arreglo. Suspirando de satisfacción, se cambió el libro de mano, pasó la página y volvió a enfrascarse en la lectura de los dáctilos elegantes de Spenser.

La interrumpió. A decir verdad había otra molestia. Se le escapó la mirada hacia el laboratorio, que quedaba al fondo de un pasillo. El contenedor azul de las pruebas estaba encima de una camilla de reluciente metal, cerrada pero con las abrazaderas levantadas. Tenía un aire de tristeza, de reproche. Glinn quería hecho el examen para la noche.

Brambell se lo quedó mirando, y al cabo, para disgusto de su alma, dejó el libro, se levantó de la litera y se alisó la bata. Pese a que apenas ejercía, y a que, en lo tocante a operaciones, ese apenas era un jamás, le encantaba llevar bata de cirujano y solo se la quitaba para dormir. Le parecía un uniforme más intimidador que el de policía, y casi tanto como el de la mismísima Parca. Las batas de cirujano ayudaban a acelerar las visitas de pacientes y abreviar las conversaciones innecesarias, sobre todo si había manchas de sangre.

Salió del camarote y se quedó unos segundos en el pasillo que llevaba a la consulta, observando las filas paralelas de puertas abiertas. En la sala de espera no había nadie. Diez camas y todas vacías. Muy satisfactorio.

Una vez estuvo en el laboratorio, se lavó las manos en la pila (de un tamaño exagerado) y se las secó moviendo los dedos; esto último, acompañado de un pequeño giro del cuerpo, conformaba una imitación bien poco reverente de un sacerdote. Encendió el secador de aire caliente con el codo y expuso al chorro, frotándoselas, sus manos nudosas por la edad. Mientras tanto, miraba las hileras perfectas de libros gastados que no habían cabido en el camarote. Encima había colgado dos cuadros: una imagen de Jesucristo con las llamas y espinas del sagrado corazón y una foto pequeña y descolorida de dos gemelos idénticos vestidos de marinerito. La estampa de Jesús le traía muchos recuerdos, algunos de ellos contradictorios, pero en ningún caso anodinos. La fotografía de él y su hermano gemelo Simon, muerto en Nueva York a manos de un atracador, le recordaba el motivo de que no hubiera contraído matrimonio ni hubiera tenido descendencia.

Se puso guantes de látex, encendió la luz y colocó la lupa sobre la camilla. A continuación abrió el contenedor de las pruebas y dirigió una mirada crítica al amasijo de huesos. Le había bastado un simple vistazo para ver que faltaban varios y que el resto estaba amontonado a la buena de Dios, sin respeto alguno por la anatomía. La incompetencia general del mundo le hizo mover su cabeza cana.

Empezó por sacar los huesos, identificarlos y devolverles su colocación correcta en la camilla. Aparte de algunas marcas de roedores, no se apreciaba ningún deterioro de origen animal. De repente frunció el entrecejo. La cantidad de fracturas era anómala, más aún, extraordinaria. Se detuvo con un trozo de hueso a medio camino entre el contenedor y la camilla, hasta que lentamente lo depositó en la superficie de metal. En el silencio de las dependencias médicas, Brambell retrocedió, cruzó las mangas verdes de su bata y observó los despojos con gran atención.

Desde la infancia dublinesa de los gemelos Brambell, su madre había alimentado sueños de que se hicieran médicos; y, como mamá era una fuerza irresistible de la naturaleza, tanto Simon como Patrick habían ingresado en la facultad de medicina. Contrariamente a Simon, encantado de ser médico y acogido en Nueva York con todos los honores, a Patrick le molestaba no poder dedicar todo su tiempo a la literatura, y el paso de los años le había llevado al ámbito de la navegación. Últimamente se inclinaba por los petroleros, cuyas bazas eran lo reducido de la tripulación y lo confortable del alojamiento. Hasta ahora el *Rolvaag* había estado a la altura de sus expectativas, en el sentido de que no le había agobiado con huesos rotos, fiebres graves ni gonorreas con flujo. Su única distracción de la lectura habían sido algunos casos de mareo y una sinusitis, además, naturalmente, de la preocupación de Glinn por el buscador de meteoritos. Hasta ahora.

Sin embargo, al examinar la colección de huesos rotos, Brambell sintió despertarse una curiosidad muy poco típica de él. El silencio del laboratorio ya no era completo. Ahora se oía silbar una melodía irlandesa.

Brambell, pues tal era la identidad del alegre silbador, terminó de formar el esqueleto con mayor rapidez y examinó los efectos personales: botones, trozos de ropa y una bota vieja. Solo una bota, cómo no: los muy zopencos se habían olvidado la otra. Eso y la clavícula derecha, una parte del ilion, el radio izquierdo, los carpos e intercarpianos… Elaboró una lista mental de los huesos que faltaban. Al menos tenía el cráneo, si bien en varios pedazos.

Se fijó más. Presentaba la misma red tupida de fracturas. El borde de la órbita estaba muy marcado, y era robusta la mandíbula. Varón, con toda seguridad. A juzgar por el estado de la sutura, andaría sobre los treinta y cinco o cuarenta años. Era un individuo de baja estatura, como máximo un metro setenta, pero recio y con los músculos bien sujetos; el resultado, sin duda, de muchos años de trabajo de campo. Todo coincidía con el perfil del geólogo planetario Nestor Masangkay que le había facilitado Glinn.

Había muchos dientes rotos por la raíz. Parecía que el pobre hombre, durante su agonía, hubiera sufrido convulsiones tan graves que se le hubieran partido todos los dientes, e incluso la mandíbula.

Brambell, que seguía silbando, encauzó su atención hacia el esqueleto poscraneal. Estaban rotos casi todos los huesos que podían romperse. Se preguntó qué causa podía tener un traumatismo tan generalizado. Parecía deberse a un golpe frontal que lo afectara todo simultáneamente, desde los dedos de los pies hasta la coronilla. Se acordó de cuando iba a la facultad y le había hecho la autopsia a un paracaidista. El pobre se había puesto mal el paracaídas y se había caído en plena carretera desde mil metros de altura.

Brambell contuvo la respiración, y dejó a medias la última nota de la canción que silbaba. Tan atento había estado a la fractura de los huesos que no se había fijado en las demás características. Ahora sí, y veía que las falanges proximales presentaban un desmenuzamiento propio de temperaturas muy altas o de una quemadura grave. Faltaban casi todas las falanges distales, probablemente por haberlas consumido la quemadura. Tanto en los pies como en las manos. Acercó más la vista. Los dientes partidos estaban chamuscados y se les descascarillaba el esmalte.

Su mirada recorrió el conjunto de los restos. El parietal presentaba quemaduras muy graves, y una textura quebradiza en extremo. Acercó la cara y olfateó. En efecto, hasta olía. ¿Y aquello? Brambell cogió una hebilla. ¡Demontre, si estaba fundida! Y la bota, algo más que podrida: chamuscada, al igual que los restos de ropa. El muy liante de Glinn no le había hecho ningún comentario al respecto, y eso que seguro que se había fijado.

Brambell recuperó la posición erguida, y le apenó comprender que al fin y al cabo no había ningún misterio. Ahora sabía con exactitud cómo había muerto Masangkay.

En la penumbra de las dependencias médicas volvieron a sonar las notas de la canción irlandesa, pero ahora que Brambell ponía cuidado en cerrar el contenedor de las pruebas y volvía a su litera, la alegre melodía estaba teñida de cierta pesadumbre.

Isla Desolación
10 h

McFarlane estaba al lado de la ventana del centro de comunicaciones, haciendo un agujero en la escarcha con la mano. Las mandíbulas de Hanuxa estaban cubiertas de nubes muy negras que tendían su manto de oscuridad sobre el conjunto de las islas del cabo de Hornos. McFarlane tenía detrás a Rochefort, quien, todavía más tenso de lo habitual, tecleaba en una terminal de Silicon Graphics.

La última media hora había sido de actividad frenética. Una parte de los preparativos había consistido en desplazar el barracón de chapa que escondía el meteorito y excavar las inmediaciones del hoyo hasta dejar una capa de tierra oscura, como una cicatriz en aquel paisaje nevado de ensueño. Un ejército pequeño de trabajadores se afanaba por la zona en cumplimiento de a saber qué tareas. Las comunicaciones radiofónicas habían sido una Babel perfecta de incomprensión técnica.

Fuera sonó la nota grave de una sirena, y McFarlane notó que se le aceleraba el pulso.

De golpe se abrió la puerta de la barraca y entró Amira sonriendo. Detrás iba Glinn, que cerró la puerta con delicadeza y se colocó detrás de Rochefort.

—¿Está lista la secuencia de alzamiento?

—Todo a punto.

Glinn cogió una radio y habló por ella.

—¿Garza? Cinco minutos para el alzamiento. Mantén sintonizada esta frecuencia, por favor.

Dejó la radio y miró a Amira, que se había sentado cerca en una consola y estaba poniéndose auriculares.

—¿Servos?

—Conectados —contestó ella.

—Y ¿qué veremos? —inquirió McFarlane.

Ya preveía el alud de preguntas de Lloyd durante la siguiente videoconferencia.

—Nada —dijo Glinn—. Solo lo levantamos seis centímetros. Puede que se resquebraje un poco la tierra de encima. —Hizo señas a Rochefort—. Sube los gatos a sesenta toneladas cada uno.

Las manos de Rochefort se movieron por el teclado.

—Agarran todos bien. No ha resbalado ninguno.

En el suelo se notó una vibración muy ligera, imperceptible al oído. Glinn y Rochefort se inclinaron sobre la pantalla y examinaron los datos que pasaban por ella. Se les veía muy tranquilos, impasibles. Teclear, esperar, teclear otro poco... Parecía simple rutina, no como a lo que estaba acostumbrado McFarlane: cavar a la luz de la luna en el jardín de algún jeque con el corazón en vilo y procurando no hacer ruido con la pala.

—Sube los gatos a setenta —dijo Glinn.

—Hecho.

Siguió una espera larga y aburrida.

—Mierda —murmuró Rochefort—. No consta que se mueva absolutamente nada.

—Súbelos a ochenta.

Rochefort pulsó unas teclas, y al poco rato negó con la cabeza.

—¿Rachel? —dijo Glinn.

—A los servos no les pasa nada.

Esta vez el silencio fue más largo.

—Con las setenta toneladas por gato deberíamos haber visto movimiento. —Glinn hizo una pausa y añadió—: Súbelos a cien.

Rochefort le dio al teclado, y McFarlane observó las dos caras a la luz del monitor. Dentro de la barraca se había multiplicado la tensión en pocos segundos.

—¿Nada? —preguntó Glinn con algo parecido a preocupación.

—Sigue plantado en el mismo sitio.

A Rochefort se le había acentuado todavía más su habitual cara de vinagre.

Glinn se puso derecho, caminó hacia la ventana lentamente y apartó la escarcha con chirridos del dedo en el cristal.

Los minutos pasaban interminables, mientras Rochefort se

quedaba clavado al ordenador y Amira controlaba los servos. Al final se giró Glinn.

—Bueno, pues abajo con los gatos y a examinar los puntos de apoyo. Habrá que hacer otro intento.

De repente la habitación fue invadida por un extraño lamento, que procedía a la vez de todas partes y de ninguna. El efecto bordeaba lo fantasmal. McFarlane tenía la piel de gallina.

Rochefort se concentró en el monitor.

—Fallo en el sector seis —dijo, haciendo volar los dedos por el teclado.

El sonido cesó.

—¡Caray! ¿Qué ha sido eso? —preguntó McFarlane.

Glinn sacudió la cabeza.

—Parece que en el sector seis puede haberse levantado el meteorito un milímetro o así, pero ha vuelto a caerse y ha hundido un poco los gatos.

—Otro desplazamiento —dijo Rochefort con cierta alarma.

Glinn se acercó y miró la pantalla.

—Es asimétrico. Deprisa, baja los gatos a noventa.

Ruido de teclas, y Glinn retrocedió con expresión ceñuda.

—¿Qué le pasa al sector seis?

—Se han atascado los gatos en cien toneladas —dijo Rochefort—, porque no bajan.

—¿Cómo lo analizas?

—Puede que esté basculando la roca hacia ese sector. Entonces habrían recibido mucho peso de golpe.

—Pon todos los gatos a cero.

A McFarlane le estaba pareciendo una escena casi surrealista. No había ningún ruido, nada espectacular como pudiera ser una vibración subterránea. Todo se reducía a unas cuantas personas mirando pantallas.

Rochefort dejó de teclear.

—Se ha bloqueado todo el sector seis. Habrán recibido demasiado peso.

—¿El resto se puede poner a cero?

—Podría desestabilizarse el meteorito.

—Desestabilizarse —repitió McFarlane—. ¿En el sentido de inclinarse?

La mirada de Glinn se posó en él y volvió a la pantalla del ordenador.

—¿Qué sugieres? —preguntó fríamente a Rochefort.

El ingeniero se apoyó en el respaldo, se lamió el índice izquierdo y aplicó la yema al pulgar derecho.

—Te voy a dar mi opinión. Los gatos los dejamos en la posición de ahora. Luego soltamos el fluido de las válvulas hidráulicas de emergencia de los del sector seis y los desbloqueamos.

—¿Cómo? —preguntó Glinn.

Rochefort tardó un poco en contestar.

—Manualmente.

Glinn se acercó la radio a la boca.

—¿Garza?

—Aquí.

—¿Estás escuchando?

—Sí.

—¿Y qué opinas?

—Estoy de acuerdo con Gene. Debemos de haber calculado muy por lo bajo el peso de la roca.

Los ojos grises de Glinn volvieron a mirar a Rochefort.

—¿Quién propones que vacíe los gatos?

—No se lo pediría a nadie más que a mí. El paso siguiente será dejar que el meteorito recupere una posición estable, instalar más gatos y repetir la operación.

—Necesitarás que te ayuden —dijo Garza—. Yo mismo.

—No pienso mandar a mi ingeniero jefe y mi jefe de construcción a ponerse debajo de esa roca —dijo Glinn—. Rochefort, analiza el riesgo.

Rochefort realizó una serie de operaciones en una calculadora de bolsillo.

—En principio los gatos aguantan el peso máximo durante dieciséis horas.

—¿Y si es más? Basa los cálculos en el doble del máximo.

—Se acorta el factor tiempo. —Rochefort llevó a cabo otra serie de cálculos—. Aunque en la media hora que viene el riesgo de fallos es menos del uno por ciento.

—Aceptable —dijo Glinn—. Rochefort, llévate a los hombres que prefieras. —Consultó su reloj de bolsillo—. A partir de ahora tienes media hora exacta. Ni un segundo más. Buena suerte.

Rochefort se levantó y les miró con la cara pálida.

—Te recuerdo que no creemos en la suerte —dijo—. De todos modos, gracias.

Isla Desolación
10.24 h

Rochefort abrió la puerta del barracón y apartó las barricas de clavos, dejando a la vista el tubo de acceso y el halo crudo de los fluorescentes. Cogiéndose a los travesaños de la escalera, empezó a bajar con el palmtop y la radio en el cinturón. Detrás iba Evans tarareando una variante desafinada de *Muskrat Ramble*.

La emoción dominante en Rochefort era la vergüenza. A pesar de lo corta que era la distancia desde la barraca de comunicaciones, se le había hecho eterna. El hecho de que estuviera vacía la zona de excavaciones no le había impedido sentir en la espalda la mirada de muchos ojos, mirada, seguro, de reproche.

Había instalado cincuenta por ciento más gatos de los necesarios. Estaba dentro de las pautas de EES, y le había parecido un margen seguro, pero se había equivocado en el cálculo. Ajustándose al principio de doble previsión, debería haber puesto doscientos gatos, pero siempre lo desvirtuaba todo la presión del plazo, que se comunicaba de Lloyd a Glinn y contaminaba todas las actividades. Tal era el motivo de que Rochefort hubiera propuesto ciento cincuenta, y de que Glinn no hubiera cuestionado su decisión. De hecho, el error no había merecido comentarios de nadie, ni una simple insinuación, pero seguía siendo un hecho. Y Rochefort no soportaba la idea de haberse equivocado. Le saturaba la amargura.

Al llegar al fondo se metió deprisa por el túnel, agachando instintivamente la cabeza para no chocar con las hileras de fluorescentes. La estructura de vigas estaba cubierta de cristales de hielo que parecían plumas, y que se habían formado por condensación del aliento de los trabajadores. Evans iba detrás silbando y pasando el dedo por ellos.

Rochefort estaba humillado, pero no preocupado. Sabía que aunque fallaran los gatos del sector seis (posibilidad minúscula), era muy poco probable que el meteorito hiciera algo más que recuperar su posición inicial. Había ocupado la misma durante muchísimos milenios, y probablemente, por dictado de las fuerzas de la masa y la inercia, la conservara. En el peor de los casos volverían al punto de partida.

Volver al punto de partida… Apretó la mandíbula. Eso querría decir poner más gatos, y quizá hasta perforar más túneles. Él le había recomendado encarecidamente a Glinn que no se llevase a nadie del museo Lloyd, que la expedición fuera estrictamente de EES y que la única participación personal de Lloyd consistiera en la toma de posesión final del meteorito y el pago de los gastos, pero Glinn, por motivos que solo conocía él, había dado su visto bueno a que Lloyd recibiera partes diarios. A la vista estaba el resultado.

El túnel desembocaba en el sector uno y giraba noventa grados a la izquierda. Rochefort siguió otros quince metros por el principal y se metió por uno de los ramales que se dirigían en arco al lado opuesto del meteorito. Oyendo sonar la radio, se la sacó del cinturón.

—Nos acercamos al sector seis —dijo.

—El diagnóstico indica que hay que desatascar todos los gatos del sector menos el cuatro y el seis —dijo Glinn—. Calculamos que se puede terminar la operación en dieciséis minutos.

Doce, pensó Rochefort, pero contestó:

—Afirmativo.

El túnel lateral seguía la curva del meteorito y se dividía en tres tubos de acceso. Rochefort eligió el del medio. Veía delante los gatos del sector seis, amarillos contra el color sangre del meteorito. Formaban una hilera muy larga, partiendo del final del tubo de acceso. Fue avanzando y examinando los quince uno a uno. Se veían muy bien asentados en la base de las montantes, con manojos de cables saliendo de ellos como ríos. No se apreciaba ningún indicio de desplazamiento. Costaba dar crédito a que estuvieran todos atascados por efecto de cien toneladas de presión.

Suspiró irritadamente y se puso en cuclillas al lado del primer gato. Tenía encima la curva del meteorito, con un estriado tan suave y homogéneo que parecía hecho a máquina. Llegó Evans con una herramienta pequeña para desatascar las válvulas hidráulicas.

—¿A que parece salido de una bolera gigante? —dijo con jovialidad.

Rochefort gruñó y señaló el pitorro de la válvula del primer gato. Evans se arrodilló, lo cogió con la herramienta y empezó a girarlo con precaución.

—Menos miedo, que no se va a romper —dijo con dureza Rochefort—. Venga, que quedan doce.

Evans se dio más prisa e imprimió un giro de noventa grados al pitorro. Mediante el diestro manejo de un martillito, Rochefort, entretanto, levantó la deslizadera manual de detrás del gato y tuvo acceso a la placa de seguridad. Se encendió una luz roja, indicando que la válvula tenía quitado el seguro y estaba lista para abrirse.

Después del primer gato, Evans ganó confianza y empezaron a trabajar deprisa en tándem, avanzando por la hilera y saltándose los gatos que llevaban el número cuatro y el seis. Al terminar con el último gato, el número quince, Rochefort miró su reloj. Solo habían tardado ocho minutos. Faltaba, únicamente, volver al principio de la hilera y pulsar los botones de apertura de cada válvula. Mientras tanto, el ordenador de control de la caseta de comunicaciones disminuiría simultáneamente la presión hidráulica de todos los demás gatos. La situación volvería a la normalidad y estarían a punto para instalar más gatos y hacer otra tentativa. Esta vez le tomaría la delantera a Glinn: trescientos gatos, no doscientos. Aunque eso sí, necesitarían como mínimo un día para transportarlos desde el barco, colocarlos, enchufarles los servos y realizar el diagnóstico. También les harían falta más túneles... Sacudió la cabeza. Habría sido mejor empezar por trescientos.

—¡Qué calor! —dijo Evans, echándose hacia atrás la capucha.

Rochefort no contestó. Le daba igual el frío que el calor. Dieron media vuelta y retrocedieron por la hilera de gatos, deteniéndose en cada uno para levantar la placa de seguridad y pulsar el botón de vaciado de emergencia.

A media hilera, Rochefort quedó en suspenso porque oía un ruidito; algo insignificante, como el que pudiera hacer un ratón.

Pese a que era importante empezar a sacar fluido de todos los gatos a la vez, se trataba de un ruido tan anómalo que Rochefort miró la hilera de gatos con el propósito de detectar su origen. El momento de mirar coincidió con la repetición del sonido: una especie de crujido casi imperceptible. Aguzó la vista. Al gato número uno le pasaba algo. Estaba torcido en un ángulo extraño.

No le hizo falta tiempo para pensar.

—¡Fuera! —exclamó—. ¡Fuera ahora mismo!

Se levantó y corrió hacia el tubo de acceso con Evans detrás, sabiendo que en los gatos debía de haber más peso que en la hipótesis de trabajo más pesimista. Mucho más. Según la cantidad, podían tener tiempo de salir o no.

Oía a Evans corriendo detrás; oía sus pisadas, y el gruñido con que acompañaba cada una. Sin embargo, antes de que llegaran al tubo de acceso, el primer gato cedió con un ruido escalofriante, seguido por otros a medida que iban cediendo los demás. Se produjo una pausa, y luego un ruido como de metralleta, el del resto de los gatos cediendo. Rochefort quedó inmediatamente rodeado por chorros cegadores de fluido hidráulico. La estructura del túnel empezó a caerse con un zumbido como de máquina de coser gigante. Rochefort corría a la desesperada entre los chorros, mientras la fuerza del fluido a presión le hacía jirones la chaqueta y le quemaba la piel. Calculó que las probabilidades de supervivencia estaban cayendo en picado.

Supo que estaban exactamente a cero cuando el meteorito se inclinó hacia él con una especie de estallido sordo, doblando a su paso el acero, salpicando tierra, barro y hielo e invadiendo su campo de visión hasta que lo vio todo rojo, fulgurante, inexorable, implacablemente rojo.

Rolvaag
Mediodía

Al llegar a la biblioteca del *Rolvaag*, McFarlane encontró a un grupo silencioso de personas repartidas por los sofás y butacas. Se respiraba un ambiente de conmoción y desánimo. Garza, que parecía una estatua, miraba fijamente por los ventanales hacia la isla Deceit, por el canal de Franklin. Amira estaba sentada en un rincón con las rodillas a la altura del cuello. Britton y Howell, el primer oficial, hablaban en voz baja. El mismísimo doctor Brambell había abandonado su habitual reclusión y tamborileaba en los brazos de su butaca, entre miradas impacientes a su reloj de pulsera. El único protagonista ausente de la operación era Glinn. Justo cuando McFarlane tomaba asiento, volvió a abrirse la puerta y entró el jefe de EES con una carpetita bajo el brazo. Inmediatamente detrás iba John Puppup, cuya sonrisa y paso elástico desentonaban con el abatimiento del grupo. A McFarlane no le sorprendió su aparición: Puppup era poco propenso a bajar del barco, pero en las ocasiones en que estaba Glinn a bordo siempre tenía al yagán acompañándole como un perro fiel.

Al ocupar el centro de la sala, Glinn se convirtió en el centro de todas las miradas. McFarlane se preguntó si estaría muy afectado: dos empleados suyos muertos, incluido el ingeniero jefe. En todo caso conservaba la calma, neutralidad e impasibilidad que le caracterizaban.

Los ojos grises de Glinn recorrieron el grupo.

—Gene Rochefort trabajaba en Effective Engineering Solutions desde el principio. Frank Evans era un empleado relativamente nuevo, lo cual no es motivo para sentir menos su muerte. Ha sido una tragedia para todos los que estamos en esta sala. Pero no he venido a pronunciar discursos fúnebres. Ni Gene ni Frank lo habrían querido. Hemos hecho un descubrimiento importante, pero a muy alto precio. El meteorito Desolación pesa mucho más de lo que habíamos predicho. Ahora que hemos analizado a fondo los datos del fallo de los gatos, y que hemos hecho algunas mediciones gravimétricas de alta precisión, contamos con una estimación más exacta de la masa. Que es de veinticinco mil toneladas.

Las últimas palabras dejaron helado a McFarlane, a pesar de que todavía le duraba la impresión. Hizo un cálculo rápido y obtuvo una densidad relativa de unos ciento noventa. Ciento noventa veces más denso que el agua. Un metro cúbico pesaría... Dios santo. Más de doscientas toneladas.

Sin embargo habían muerto dos hombres. Dos más, se corrigió McFarlane, acordándose del patético amasijo de huesos que había sido su ex socio.

—Nos regimos por el principio de doble previsión —decía Glinn—. Lo habíamos planeado todo previendo el doble del máximo previsto: el doble de gastos, el doble de trabajo... y el doble de masa. Eso quiere decir que ya contábamos con una roca que pesara casi tanto como he dicho. Por lo tanto, he venido a decirles que podemos seguir trabajando dentro del plazo estipulado. Todavía disponemos de los medios necesarios para transportar el meteorito, subirlo al barco e introducirlo en la zona de carga.

En la frialdad del tono de Glinn, McFarlane creyó detectar una nota disonante: la de algo parecido al triunfo.

—Un momento —dijo—. Acaban de morir dos hombres. Tenemos la responsabilidad...

—Usted no tiene ninguna —le interrumpió educadamente Glinn—. La tenemos nosotros, y estamos asegurados al ciento por ciento.

—No me refiero al seguro, sino a dos vidas humanas. Han muerto dos personas intentando mover este meteorito.

—Habíamos tomado todas las precauciones sensatas. La probabilidad de un fallo era inferior a uno por ciento. Usted mismo, hace poco, señaló que siempre hay riesgos, en todo. Y la verdad es que en cuanto a víctimas seguimos dentro de las previsiones.

—¿Previsiones? —McFarlane no daba crédito a sus oídos.

Miró a Amira y Garza, pero no vio que compartieran su indignación—. ¿Se puede saber qué quiere decir eso?

—En todas las situaciones complejas de ingeniería hay víctimas, por muchas precauciones que se tomen. Nosotros habíamos calculado que en esta fase habría dos.

—Qué cálculo más cruel.

—Al contrario. Cuando diseñaron el puente del Golden Gate, calcularon que en la construcción perderían la vida tres docenas de personas. No era frío ni cruel, sino una parte del proceso de planificación. Lo cruel es exponer a la gente a riesgos sin haberlos calculado. Rochefort y Evans conocían el riesgo y lo aceptaban. —Glinn, cuyo tono era casi inexpresivo, miró a McFarlane a los ojos—. Le aseguro que lo estoy pasando peor de lo que pueda imaginarse, pero me han contratado para el transporte de este meteorito, y pienso hacerlo. No puedo dejar que mis sentimientos enturbien mi raciocinio o debiliten mi energía.

De repente habló Britton, en cuyos ojos McFarlane vio el brillo de la indignación.

—Una cosa, señor Glinn: ¿cuántas muertes más han calculado hasta que llevemos el meteorito Desolación a su destino?

Ante aquel proyectil de procedencia inesperada, se habría dicho que cedía muy brevemente la capa de neutralidad de Glinn.

—Si podemos evitarlo, ninguna —dijo con mayor frialdad—. Haremos todo lo que esté en nuestra mano para que no haya heridos ni muertos. En cuanto a lo que sugiere sobre mí, que me parece aceptable cierto número de muertos, lo único que demuestra es que no sabe nada de evaluación de riesgos. La cuestión es la siguiente: por muy cuidadosos que seamos, puede haber víctimas. Es como volar: siempre se estrella algún avión, aunque trabajen todos por lo contrario. Cualquier pasajero de un avión tiene unas probabilidades de morir que se pueden calcular, pero la gente sigue volando. La decisión de seguir yendo en avión no hace que sean más aceptables las muertes. ¿Me explico?

Britton miró fijamente a Glinn, pero no dijo nada más.

A continuación, el tono de Glinn adquirió una suavidad inesperada.

—Su preocupación es sincera. La entiendo y la valoro. —Se giró, y se le endureció un poco la voz—. Ahora bien, doctor McFarlane, este meteorito no se puede transportar a medias.

McFarlane se ruborizó.

—No quiero que haya más heridos. No es mi manera de trabajar.

—Pues yo no puedo prometérselo —dijo Glinn—. Usted sabe mejor que nadie lo excepcional que es este meteorito. No se le puede asignar un valor concreto, ni en dólares ni en vidas humanas. Se reduce todo a una sola pregunta, que le formulo en calidad de representante del museo Lloyd: ¿todavía lo quieren?

McFarlane miró a los presentes. Se había convertido en el centro de atención. En el silencio, se dio cuenta de que era incapaz de dar una respuesta.

Glinn asintió con lentitud.

—Recuperaremos los cadáveres, y al volver a Nueva York les haremos un entierro de héroes.

El doctor Brambell se aclaró la garganta e hizo oír su voz quejosa de irlandés.

—Mucho me temo, señor Glinn, que aparte de dos cajas de… de tierra mojada no haya nada que enterrar.

Glinn le dirigió una mirada gélida.

—¿Desea añadir algo importante, doctor?

Brambell cruzó las piernas por debajo de la bata verde y juntó las manos por las puntas de los dedos.

—Puedo explicarles cómo murió el doctor Masangkay.

De repente se quedó todo el mundo callado.

—Adelante —acabó diciendo Glinn.

—Fue un rayo.

McFarlane hizo el esfuerzo de asimilarlo. ¿Su ex socio muerto por un rayo, justo cuando hacía el descubrimiento de su vida? Parecía sacado de una mala novela. Bien pensado, sin embargo, tenía su lógica. Una pista la daban las fulguritas que había visto en las inmediaciones. Y encima el meteorito era un pararrayos gigante.

—¿De qué pruebas dispone? —preguntó Glinn.

—Tal como están quemados los huesos, se deduce que fue un rayo: una descarga eléctrica muy fuerte que atravesó todo el cuerpo. Ya he visto otros casos. Por otro lado, lo único que puede desmenuzar y partir los huesos de esa manera es una descarga eléctrica de la intensidad de un rayo. Los rayos, además de quemar los huesos y hacer que hierva la sangre de golpe, provocando un desprendimiento explosivo de vapor, desencadenan contracciones musculares tan violentas que parten los huesos. En algunos casos es tan violento el impacto en el cuerpo que se parece al atropello por un camión. Puede decirse que el cuerpo del doctor Masangkay explotó.

El doctor se entretuvo en la palabra «explotó», demorándose con delectación en cada sílaba. McFarlane se estremeció.

—Gracias, doctor —dijo secamente Glinn—. No veo el momento de conocer su análisis de la biota que contengan las ochenta bolsas de tierra de muestra que extrajimos de las inmediaciones del meteorito. Haré que se los envíen lo antes posible al laboratorio.

Abrió la carpeta que llevaba.

—Si el meteorito atrae los rayos, es otra razón para dejarlo cubierto. Sigamos. Hace un rato he dicho que podíamos ceñirnos al plazo. No obstante, habrá que hacer algunos reajustes. Por ejemplo: el peso del meteorito es tan grande que ahora nos obliga a seguir el camino más corto entre el lugar del impacto y el barco. Por lo tanto, habrá que transportar el meteorito por el campo de nieve en lugar de rodearlo. Solo se puede mover en línea recta y por una cuesta de inclinación constante. No será fácil, y habrá que cortar y rellenar mucho, pero es factible. Por otro lado, me informa la capitana Britton de que se acerca una tormenta de invierno. Si se mantiene en esta dirección, habrá que introducirla en nuestros planes. El lado bueno es que será más difícil que nos descubran. —Se levantó—. Escribiré cartas a la familia de Gene Rochefort y la viuda de Frank Evans. Si hay alguien que quiera incluir una nota personal, que me la entregue antes de que lleguemos a Nueva York. Bueno, solo me queda una cosa que decir.

Miró a McFarlane.

—Me dijo que la coesita y la impactita de alrededor del meteorito se habían formado hace treinta y dos millones de años.

—Sí —dijo McFarlane.

—Pues tenga la amabilidad de recoger muestras de las coladas de basalto y el pitón de lava de detrás del campo y fecharlas. Está claro que tenemos que profundizar en la geología de esta isla. ¿La segunda serie de pruebas ha llevado a alguna conclusión nueva?

—Solo a nuevos enigmas.

—En ese caso, nuestro próximo proyecto será de geología insular. —Miró a sus oyentes—. ¿Desean hacer más comentarios antes de volver al trabajo?

—Sí, jefe —pronunció una voz quebradiza desde un rincón de la biblioteca.

Era Puppup, olvidado de todos. Estaba sentado en una silla de respaldo recto, con el pelo alborotado y la mano levantada a la manera de un colegial.

—Diga.

—Ha dicho que se han muerto dos personas.

Glinn no contestó. McFarlane, que le observaba, se fijó en que no miraba a Puppup de la misma manera que a los demás.

—Y ha dicho que pueden morir más.

—Yo no he dicho eso —contestó escuetamente Glinn—. Bueno, pues si no hay más preguntas…

—¿Y si morimos todos? —preguntó Puppup, que de repente hablaba con más energía.

La reacción fue de incomodidad.

—Está como una cabra —murmuró entre dientes Garza.

Puppup se limitó a señalar por la ventana sucia, arrastrando todas las miradas.

Justo detrás del perfil rocoso de la isla Deceit había una mancha negra en el cielo crepuscular. Se estaba dibujando la proa descarnada de un destructor con los cañones apuntando al petrolero.

Rolvaag
12.25 h

Glinn sacó del bolsillo unos prismáticos en miniatura y examinó el barco. Ya había previsto que volverían a saber de Vallenar. Por lo visto se confirmaba.

Britton se levantó de golpe y se acercó a la ventana con un par de zancadas.

—Parece que vaya a dejar esto hecho un colador —dijo.

Glinn empezó por examinar los mástiles y continuó por los cañones de diez centímetros. Bajó los prismáticos.

—Es un farol.

—¿Cómo lo sabe?

—Controle el Slick 32.

Britton se volvió hacia Howell.

—No consta que en esas coordenadas haya radares de control de tiro.

Britton miró a Glinn con curiosidad.

Glinn le pasó los prismáticos.

—Nos tiene encañonados, pero sin intención de abrir fuego. Fíjese en que los radares de control de tiro no giran.

—Sí, ya lo veo. —Britton le devolvió los prismáticos—. Todo el mundo a sus puestos, señor Howell.

—Garza, haz el favor de verificar que esté lista la sala de recepciones, por si acaso. —Glinn se guardó los prismáticos en el bolsillo y miró a Puppup, que había vuelto a recostarse en el asiento y se acariciaba su largo y fino bigote—. Señor Puppup, le ruego que me acompañe a cubierta.

La expresión de Puppup no cambió. Se levantó y siguió a Glinn por el ancho pasillo por el que se accedía a la biblioteca.

Fuera, en la bahía, soplaba un viento glacial que hacía cabrillear las aguas. Por la cubierta patinaban trozos de hielo. Llegaron, Glinn en cabeza y el viejecito detrás, a la gran curva bulbosa de la proa, que fue donde se detuvo Glinn y, apoyándose en el cabrestante de un ancla, miró el destructor. Ahora que Vallenar había movido ficha, el problema sería prever sus futuras acciones. Glinn miró a Puppup de reojo. La única persona de a bordo capaz de aclarar algo sobre Vallenar era a la que menos entendía. Se había encontrado con que no sabía predecir ni controlar los actos de Puppup, que para colmo le seguía como una sombra. Glinn estaba sorprendido de lo nervioso que le ponía.

—¿Tiene un cigarrillo? —preguntó Puppup.

Glinn se sacó del bolsillo un paquete sin abrir (un Marlboro que valía su peso en oro) y se lo ofreció a Puppup, que quitó el celofán y sacó un cigarrillo con un golpecito.

—¿Cerillas?

Glinn se lo encendió con un mechero.

—Gracias, jefe. —Puppup dio una profunda calada—. Está el día un poco fresco, ¿eh?

—Sí, mucho. —Una pausa—. Señor Puppup, ¿dónde aprendió inglés?

—De los misioneros. La poca educación que tengo me la dieron ellos.

—¿Y por casualidad había alguno de Londres?

—Los dos, los dos.

Glinn miró fumar a Puppup. Aunque hubiera tanta diferencia de culturas, no acababa de entenderse que fuera tan difícil de interpretar. De hecho Glinn nunca se había encontrado con nadie tan impenetrable.

Empezó a hablar lentamente.

—Qué anillo más bonito —dijo, señalando al desgaire el anillito de oro que llevaba el mestizo en el meñique.

Puppup enseñó el anillo y los dientes.

—Sí que es bonito, sí. Oro puro, una perla y dos rubíes. No falta nada.

—Supongo que se lo regalaría la reina Adelaida.

Puppup, que tenía colgando el cigarrillo de los labios, se llevó una sorpresa de la que, sin embargo, tardó muy poco en recuperarse.

—Supone bien.

—Y ¿qué le pasó al sombrero de la reina?

Puppup le miró con curiosidad.

—Lo enterraron con ella. La verdad es que le quedaba muy bien.

—Entonces ¿usted es tataratataranieto de Fuegia Basket?

—En cierto modo.

La mirada de Puppup seguía velada.

—Procede de muy buena familia.

Glinn hablaba sin perder de vista los ojos de Puppup, y al verlos desviarse supo que el comentario había surtido el efecto deseado. Con todo, era fundamental llevar la conversación con la mayor diplomacia. No tendría otra ocasión de desentrañar el misterio de John Puppup.

—Debe de hacer mucho tiempo que perdió a su esposa.

Puppup siguió sin contestar.

—¿Viruela?

Puppup negó con la cabeza.

—Sarampión.

—Ah —dijo Glinn—. Como mi abuelo.

De hecho era verdad.

Puppup asintió.

—Y tenemos otra cosa en común —dijo Glinn.

Puppup le miró de soslayo.

—Mi tataratatarabuelo era el capitán Fitzroy. —Glinn dijo la mentira con sumo cuidado y sin mover los ojos.

Los de Puppup enfocaron el mar, pero Glinn les notó inseguridad. Los ojos siempre delataban. Salvo entrenarlos, por supuesto.

—Es curioso cómo se repite la historia —prosiguió—. Tengo un grabado de su tataratatarabuela de niña y con la reina. La tengo colgada en el salón.

Si eran correctas las lecturas etnográficas de Glinn, para los yaganes establecer la conexión familiar lo era todo.

Puppup se puso tenso.

—¿Me deja ver otra vez el anillo, John?

Puppup levantó su mano morena, pero sin mirarle, y Glinn la cogió suavemente, aplicando una cálida presión con la palma. Ya se había fijado en el anillo en Puerto Williams, al encontrar a Puppup borracho en aquel reservado. Su gente de Nueva York había tardado unos cuantos días en averiguar de qué se trataba y de dónde procedía.

—El destino es muy raro, John. Mi tataratatarabuelo, el capitán Fitzroy, que estaba al mando del *Beagle*, raptó a la tataratatarabuela de usted, Fuegia Basket, y se la llevó a Inglaterra para presentársela a la reina. Y ahora le rapto yo a usted —añadió sonriendo—. Qué irónico, ¿eh? La diferencia es que yo no me lo llevo a Inglaterra, sino que pronto volverá a estar en su casa.

En la época de Fitzroy estaba de moda volver de los confines del planeta trayendo «primitivos» para enseñarlos en la corte. Fuegia Basket había tardado muchos años en regresar a Tierra del Fuego, y lo había hecho a bordo del mismo barco, el *Beagle*, portadora del sombrero y el anillo que le había regalado la reina. En aquel viaje iba otro pasajero que se llamaba Charles Darwin.

A pesar de que Puppup no le miraba, la opacidad de sus ojos parecía estar desapareciendo.

—¿Qué pasará con el anillo? —preguntó Glinn.

—Me lo quedaré en la tumba.

—¿No tiene hijos?

Glinn ya sabía que Puppup era el último yagán, pero quería observar la reacción.

Puppup negó con la cabeza.

Glinn asintió con la suya, sin soltarle la mano.

—¿No queda ninguno más?

—Unos cuantos mestizos, pero aparte de mí nadie habla el idioma.

—Ha de ser un poco triste.

—Hay una leyenda yagana muy antigua, y cuanto más viejo me hago más me parece que está hecha para mí.

—¿Qué leyenda es?

—Cuando llegue el momento en que se muera el último yagán, Hanuxa en persona se lo llevará bajo tierra, y de sus huesos nacerá una raza nueva.

Glinn soltó la mano de Puppup.

—¿Y de qué manera se llevará Hanuxa al último yagán?

Puppup negó con la cabeza.

—Son supersticiones, tonterías. No me acuerdo de los detalles.

Glinn no insistió. Volvía a hablar el Puppup de siempre, y se dio cuenta de que era imposible saber si había tenido éxito en establecer contacto con él.

—John, necesito que me ayude con el comandante Emiliano

Vallenar. Tenerlo aquí es un peligro para nuestra misión. ¿Qué puede contarme de él?

—El comandante Emiliano llegó hace veinticinco años, después del golpe de Pinochet.

—¿Por qué?

—Su padre fue arrojado de un helicóptero. Era de los de Allende. El hijo también, y le destinaron aquí abajo para... para tenerle lo más lejos posible, vaya.

Glinn asintió. Ahora se explicaba muchas cosas: su descrédito en el ejército chileno, pero también que odiara a Estados Unidos, e incluso a sí mismo como chileno.

—¿Por qué sigue al mando de un destructor?

—Porque sabe cosas de una serie de personas. Es buen oficial, y muy tozudo. Y muy prudente.

—Ya —dijo Glinn, advirtiendo la sagacidad de los comentarios de Puppup—. ¿Me conviene saber algo más de su vida? ¿Está casado?

Puppup lamió el filtro de otro cigarrillo y se lo introdujo entre los labios.

—Tiene a sus espaldas dos asesinatos.

Glinn disimuló la sorpresa encendiendo un cigarrillo.

—Se llevó a su esposa a Puerto Williams, que no es buen sitio para las mujeres: no se puede hacer nada. No hay bailes ni fiestas. Durante la guerra de las Malvinas, el comandante tuvo que bajar al estrecho de Magallanes y tener vigilada a la flota argentina, para que estuvieran informados los británicos. Al volver se enteró de que su mujer tenía un amante. —Puppup dio una larga calada—. El comandante, que es listo, esperó a poder sorprenderles con las manos en la masa, por decirlo de alguna manera. A ella le cortó el cuello, y me contaron que a él le hizo algo peor. Murió desangrado antes de llegar al hospital de Punta Arenas.

—¿Por qué no le metieron en la cárcel?

—Aquí abajo no se estila solucionar estas cosas con cuatro palabrotas. ¿Sabe qué pasa? Que los chilenos tienen ideas un poco chapadas a la antigua sobre el honor. —Puppup hablaba con claridad, y se limitaba a constatar—. Otra cosa habría sido matarles fuera del dormitorio, pero... —Se encogió de hombros—. A todo el mundo le pareció comprensible reaccionar así habiendo encontrado a su esposa en aquella... situación. Que es otra razón de que el comandante haya conservado tanto tiempo el mando de un barco.

—¿Qué razón?

—Que es capaz de todo.

Glinn se quedó callado, mirando el destructor al fondo del canal: un bulto inmóvil, oscuro.

—Quería preguntarle otra cosa —dijo sin dejar de mirar el barco de guerra—. El comerciante de Punta Arenas, el que le compró el equipo de prospección, ¿se acordaría de usted? Si se lo pidieran, ¿podría identificarle?

Puppup puso cara de pensárselo.

—No lo sé —contestó después de un minuto—. Era una tienda grande, pero es verdad que en Punta Arenas hay muy pocos indios yaganes. Y que tuvimos una sesión de regateo bastante larga.

—Ya —dijo Glinn—. Gracias, John. Me ha ayudado mucho.

—No hay de qué, jefe —dijo Puppup, mirándole de reojo con un brillo de astucia y diversión en los ojos.

Glinn pensó deprisa. Las mentiras, a veces, era preferible confesarlas de inmediato. Bien llevada, la estrategia podía generar una clase de confianza perversa.

—Le confieso que no he sido del todo sincero —dijo—. Sé mucho del capitán Fitzroy, pero no es verdad que sea antepasado mío.

Puppup soltó una risa estridente.

—No, claro, ni Fuegia Basket mía.

Una ráfaga de viento helado tironeó el cuello de la camisa de Glinn. Miró a Puppup.

—Pues ¿de dónde saca el anillo?

—Han muerto tantos yaganes que al final lo ha heredado todo el último. Por eso tengo el sombrero, el anillo y casi todo lo demás.

Puppup siguió mirando a Glinn con la misma socarronería.

—Y ¿dónde está?

—Prácticamente todo vendido. Los beneficios me los bebí.

Glinn, a quien volvía a sorprender la franqueza de la respuesta, comprendió que seguía sin entender ni la mitad sobre el yagán.

—Cuando acabe todo esto —añadió el viejo—, tendrá que llevarme con usted a donde vaya. A casa ya no puedo volver.

—¿Por qué no?

Pero Glinn, en el mismo momento de preguntarlo, se dio cuenta de que ya sabía la respuesta.

Rolvaag
23.20 h

McFarlane caminaba por la moqueta azul del pasillo de la cubierta del puente inferior. Se caía de cansado, pero no podía dormir. Habían ocurrido demasiadas cosas para un solo día: la cadena de descubrimientos extraños, las muertes de Rochefort y Evans, la reaparición del destructor... Ahora que había renunciado a dormir, se paseaba por las cubiertas del *Rolvaag* como un fantasma errabundo.

Detuvo sus pasos frente a una puerta de camarote. Sin querer le habían llevado sus pies al de Amira. Se dio cuenta, sorprendido, de que le apetecía su compañía. En un momento así, quizá el mejor tónico fuera su risa cínica. Lo mejor del tiempo que pasara con ella sería no tener que hablar por hablar, ni enredarse en explicaciones sin fin. Se preguntó si a ella le apetecería tomar un café en la sala de oficiales, o jugar una partida de billar.

Llamó a la puerta.

—¿Rachel?

Nadie contestó. Era imposible que durmiera, porque Amira presumía de que en los últimos diez años nunca se había acostado antes de las tres de la madrugada.

Volvió a llamar, y la presión de sus nudillos hizo ceder la puerta, que no estaba cerrada.

—Rachel, soy Sam.

Entró sin poder aguantarse la curiosidad, porque nunca había estado en el camarote de Amira. Esperaba encontrarlo todo desordenado, sábanas, ceniza, ropa, pero no, reinaba un orden meticuloso; perfectamente alineados el sofá y las butacas, y en orden impecable los estantes de manuales científicos. Al principio dudó que el camarote estuviera habitado, hasta que vio un semicírculo de cáscaras de cacahuete debajo de la mesa del ordenador.

Sonriendo con afecto, se acercó a la mesa. Entonces se le fue la vista hacia la pantalla, y le llamó la atención leer su apellido.

Al lado, en la impresora, había un documento de dos páginas. Cogió la primera y empezó a leerla.

EES. CONFIDENCIAL
De: R. Amira
Para: E. Glinn
Asunto: S. McFarlane

Desde el último informe, el sujeto está cada vez más absorto en el meteorito y su incomprensibilidad. Sigue teniendo dudas sobre nuestro proyecto, y sobre el propio Lloyd; por otro lado, se ha dejado absorber casi contra su voluntad por los problemas que plantea el meteorito. Casi no hablamos de nada más, al menos hasta lo de esta mañana. No estoy segura de que no me esconda algo, pero me resultaría incómodo insistir.

Al principio, justo después de desenterrar una parte del meteorito, entablé conversación con él acerca de su antigua teoría sobre la existencia de meteoritos interestelares, y en poco tiempo pasó de reticente a entusiasmado. Me explicó cómo se adapta la teoría al meteorito Desolación, pero le pareció que era mejor guardar el secreto, y me pidió no comentarle a nadie sus sospechas. Su fe en la naturaleza interestelar del meteorito no va a menos, sino a más, como habrás observado en la discusión de esta mañana.

Se oyó cerrarse una puerta y cortarse una respiración. McFarlane se giró. Amira estaba de espaldas a la puerta del camarote. Todavía llevaba el vestido de la cena, negro y hasta las rodillas, pero se había echado la parka a los hombros para el trayecto desde el comedor. Se había quedado a medio movimiento de sacarse del bolsillo una bolsa de cacahuetes recién comprada. Miró a McFarlane, miró el papel que tenía en la mano y se quedó callada.

Al principio se limitaron a mirarse. Poco a poco, como por iniciativa propia, la bolsa de cacahuetes volvió al bolsillo de la parka.

En McFarlane, la sensación predominante era una oscuridad interior, como si después de tantas conmociones seguidas ya no encontrara reservas de emoción en que beber.

—Ya ves —dijo al cabo—. Parece que no soy el único Judas del barco.

Amira, pálida, le sostuvo la mirada.

—¿Lo de entrar en habitaciones ajenas y leerles los papeles es una costumbre?

McFarlane sonrió fríamente y dejó el documento encima de la mesa.

—Perdona, pero hay defectos de redacción. Absorber se escribe con dos bes. Vas a perder puntos con Eli. —Dio un paso hacia la puerta, que seguía obstaculizada por el cuerpo de ella—. Apártate, por favor.

Amira titubeó y bajó la mirada, pero no se apartó.

—Espera —dijo.

—Que te apartes.

Ella señaló la impresora con la cabeza.

—Primero lee el resto.

La contestación provocó una descarga de ira por todo el cuerpo de McFarlane, que levantó una mano para apartar a Amira a la fuerza, pero consiguió dominarse e hizo el esfuerzo de bajar la mano.

—No, gracias, con lo que he leído me sobra. ¡Venga, déjame pasar!

—Lee el resto y te marchas.

Amira parpadeó y se humedeció los labios sin ceder terreno.

Él la miró a los ojos por espacio de uno o dos minutos. Luego se giró, cogió el resto del informe y lo leyó.

Debo decir que estoy de acuerdo con él. Hay pruebas muy sólidas, y hasta podría decirse que irrefutables, de que el meteorito procede de mucho más lejos que el sistema solar. Se confirma la teoría de Sam. Por lo demás, no le observo ningún síntoma de obsesión, ni de nada que pudiera poner en peligro la expedición. Todo lo contrario: parece que el meteorito haya despertado su faceta de científico. Últimamente casi ya no le veo aquella otra faceta más sarcástica, a la defensiva, y a veces hasta de mercenario, que al principio se notaba tanto. Ha sido sustituida por una curiosidad voraz y un profundo deseo de entender esta roca tan extraña.

Por lo tanto, este tercer informe mío será el último. Seguir escribiéndolos iría contra mi conciencia. Si detecto problemas, te los comunicaré, como es mi obligación de empleada leal de EES. La verdad es que el meteorito, en cuanto a peculiaridad, desborda todas las expectativas. Incluso podría ser peligroso. No puedo vigilarle y trabajar con él a la vez. Me pediste ser la ayudante de Sam, y es lo que tengo pensado ser: por su bien, por el mío y por el de la misión.

McFarlane apartó la silla de la mesa del ordenador y se sentó con el papel en la mano, arrugándolo un poco. Notaba que estaba pasándosele el enfado, dejando una mezcla confusa de emociones.

Se quedaron callados un rato que se hizo largo. McFarlane oía el ruido lejano del agua, y notaba la percusión de los motores. Se decidió a mirarla.

—Fue idea de Eli —dijo ella—. A ti te había escogido Lloyd, no él; tenías un historial dudoso, y en la primera reunión, con lo del bocadillo, demostraste ser un poco imprevisible. Como le pone nervioso la gente imprevisible, me dijo que te vigilara. Que le fuera entregando partes por escrito.

McFarlane la miraba en silencio desde la silla.

—A mí la idea no me gustó; y menos, al principio, lo de ser tu ayudante. Los informes los veía como una lata, pero no tenía ni idea, lo que se dice ni idea de lo que iban a costarme. Cada vez que me sentaba a escribir uno, me sentía la última mierda. —Suspiró profundamente, y le hizo ruido la garganta—. Este último par de días… No sé. —Sacudió la cabeza—. Luego, al escribir este… Nada, que me he dado cuenta de que no puedo seguir. Ni siquiera por él.

Se interrumpió de repente, y desplazó la mirada de la de McFarlane a la alfombra. Él vio que no podía evitar que le temblara la barbilla, y que por la cara le corría una lágrima errática.

McFarlane se levantó rápidamente y se acercó a ella para secársela. Amira le puso las manos en la nuca, le atrajo hacia sí y apoyó la cara en su cuello.

—Sam —susurró—, lo siento tanto…

—No pasa nada.

Empezó a surcarle la mejilla otra lágrima. McFarlane se agachó para secársela, pero ella orientó su rostro hacia el de él, y lo que se unió fueron sus labios.

Amira gimió quedamente y le apretó con más fuerza contra su cuerpo. McFarlane, arrastrado hacia el sofá, notó la presión de sus pechos, y que le enlazaba las caderas con las pantorrillas. Al principio vaciló, pero luego notó que le acariciaba la nuca, que estaba aprisionado por sus muslos, y sucumbió a una marea de pasión. Entonces le pasó a Amira las manos por detrás del vestido y apretó su cuerpo, levantándole las piernas y poniéndole las palmas en el interior de las rodillas. Ella le besó ardientemente, al mismo tiempo que sus manos le acariciaban la espalda.

—Sam, Sam —repitió.

Y puso su boca en la de él.

Isla Desolación
19 de julio, 11.30 h

McFarlane miraba las torres de lava negra. De cerca, los inmensos colmillos impresionaban todavía más. Geológicamente los reconocía como los típicos «pitones de lava», restos de un doble volcán donde la erosión de los flancos había dejado desnudas las dos gargantas rellenas de basalto.

Se giró un poco y miró por encima del hombro. La zona donde había caído el meteorito se extendía muchos kilómetros por detrás y en pendiente, blanco paisaje sembrado de manchas negras, con hilos de pistas que llevaban a otros puntos de la isla. La suspensión de los preparativos del traslado por las muertes de Rochefort y Evans había sido breve. Ahora estaban dirigidos por Garza y el segundo ingeniero, Stonecipher, hombre adusto de quien se habría dicho que además de las responsabilidades de Rochefort heredaba su personalidad.

Llegó Rachel Amira exhalando vaho, y contempló los picos con expresión ceñuda.

—¿Hasta dónde hay que ir?

—Quiero llegar más o menos a la mitad de aquella franja de material más oscuro. Si es un resto de la última erupción, y creo que sí, nos servirá para fechar la efusión.

—Eso está hecho —dijo ella, enseñando el instrumental con chulería.

Había llegado de muy buen humor al punto de encuentro para la escalada. Hablaba poco, pero tarareaba o silbaba. Por su parte, McFarlane estaba inquieto e impaciente.

Recorrió con la mirada las posible rutas, en busca de obstáculos, cornisas o rocas sueltas. A continuación reemprendió su camino, clavando las raquetas en la nieve recién caída. Avanzaban lentamente por las piedras sueltas de la cuesta. Cuando les faltaba poco para llegar a la base del cono, McFarlane se quedó al lado de una piedra que sobresalía de la nieve y llamaba la atención. Le dio un golpe seco con el martillo, se metió dos esquirlas en la bolsa de muestras e hizo una breve anotación.

—Ya estás jugando con piedras —dijo Rachel—. Típico de niños.

—Por eso me hice geólogo planetario.

—Seguro que de crío tenías una colección de minerales.

—Pues no, la verdad es que no. ¿Y tú? ¿Qué coleccionabas, Barbies?

Rachel resopló.

—Tenía una colección bastante variada: nidos, pieles de serpiente, tarántulas secas, huesos, mariposas, escorpiones, un búho muerto, bichos atropellados... Cosas así.

—¿Tarántulas?

—Sí. De niña vivía en Portal, Arizona, al pie de los montes Chiricahua. En otoño salían a la carretera las tarántulas macho buscando un polvo. Tenía unas treinta clavadas a una plancha, pero un día la jodida perra se me comió toda la colección.

—¿Y murió?

—No, por desgracia no, pero vomitó por toda la cama de mi madre. En plena noche. Tuvo su gracia.

El recuerdo la hizo reír.

Hicieron una pausa. La cuesta se volvía más pronunciada. En aquel punto, el viento constante había formado una costra de nieve de grosor considerable.

—¿Nos quitamos las raquetas? —dijo McFarlane.

Se bajó la cremallera de la parka, porque estaba asfixiado de calor, y eso que la temperatura era de unos grados bajo cero.

—Vamos al paso que hay entre los dos picos —dijo, poniéndose crampones en las botas y reanudando la marcha—. ¿Qué bichos encontrabas por la carretera?

—Más que nada me movía por la herpeto.

—¿La qué?

—La herpetología. Anfibios y reptiles.

—¿Por qué?

Amira sonrió.

—Porque eran interesantes. Secos, planos, fáciles de clasificar y de guardar. Tenía algunos especímenes bastante poco habituales.

—Seguro que tu madre estaba contentísima.

—No, si no lo sabía.

Volvieron a quedarse en silencio, dejando el rastro blanco de sus dos respiraciones. En pocos minutos estuvieron en el paso, y McFarlane se detuvo para hacer otra pausa.

—Estoy en baja forma. Eso de pasarse tres semanas en un barco... —resolló.

—Pues esta noche no has estado mal.

Empezó a formarse una sonrisa en la boca de Amira, pero de repente se ruborizó y apartó la cara.

McFarlane no contestó. Rachel había sido una buena compañera, y a pesar del engaño le parecía que podía fiarse de ella, pero lo de la última noche era una complicación inesperada y, dadas las circunstancias, habría preferido evitarlas.

Descansaron un par de minutos bebiendo de la misma cantimplora. McFarlane vio una franja oscura al oeste del horizonte: presagio de tormenta.

—Te veo diferente del resto del equipo de Glinn —dijo—. ¿Por qué?

—Porque lo soy. Y no es casualidad. La gente de EES es el colmo de la prudencia, incluido Glinn. Le hacía falta alguien que corriera riesgos. Y no sé si te has fijado, pero soy inteligente.

—Sí, sí que me había fijado —dijo McFarlane, sacando una barra de chocolate y ofreciéndosela.

Masticaron en silencio hasta que McFarlane volvió a guardar el envoltorio vacío en la mochila y se la echó a la espalda, examinando la cuesta que tenían por delante.

—A partir de aquí parece un poco complicado. Ya voy yo a...

Sin embargo, Rachel ya había empezado a trepar por el campo de nieve helada, que, en su ascenso hacia la base de la roca, se iba poniendo azul (azul de hielo) cuanto más pronunciada era la cuesta.

—¡Qué prisas! —exclamó él, contemplando el panorama de las escarpadas islas del cabo de Hornos, que era espectacular.

Más allá del horizonte se distinguían las cimas de las montañas fueguinas. Por voluminoso que fuera el *Rolvaag*, parecía una bañera de juguete flotando en el agua negra de la bahía. El destructor se entreveía tras una isla de accidentado relieve. En el límite de su visión, McFarlane veía la línea de tormenta corroyendo el cielo cristalino.

Volvió a mirar hacia arriba, a la montaña, y al ver lo deprisa que había escalado Rachel se asustó.

—¡No vayas tan deprisa! —le dijo con mayor seriedad.

—¡Tortuga! —le provocó ella.

Justo entonces bajó rodando una piedra, seguida por otra mayor que le pasó a pocos centímetros de la oreja. A los pies de Rachel, una parte pequeña del talud se deshizo ruidosamente, dejando a la vista una cicatriz oscura debajo de la nieve. Su estómago chocó contra la piedra y se quedó con las piernas colgando en el vacío. Ahogó un grito de miedo y se retorció buscando un punto de apoyo.

—¡Aguanta! —exclamó McFarlane, empezando a trepar.

Tardó poco en llegar a un saliente de gran anchura que quedaba justo debajo de ella. Desde ahí fue acercándose con mayores precauciones, asegurando cada pie en la dura superficie. Tendió la mano y cogió a Rachel por el antebrazo.

—Ya te tengo —jadeó—. Suéltate.

—No puedo —dijo ella con los dientes apretados.

—Tranquila, que te aguanto —repitió él con calma.

Rachel emitió un gemido agudo y aflojó los dedos. Al notar el peso de su cuerpo, McFarlane cambió de postura y le guió los pies hacia el saliente donde estaba apoyado. La caída fue brusca. Rachel se dejó caer de rodillas y temblando.

—Dios mío —dijo con voz trémula—. Casi me caigo.

Rodeó a McFarlane con un brazo.

—No pasa nada —dijo él—. Te habrías caído un metro y medio, en un montón de nieve.

—¿En serio? —Rachel miró hacia abajo e hizo una mueca—. Pues parecía que se derrumbara toda la montaña. Iba a decir que me has salvado la vida, pero parece que no. De todos modos, gracias.

Acercó su cara a la de él y le dio un besito en la boca. Después de unos segundos le dio otro menos apresurado, pero al notar resistencia se apartó y le miró fijamente con sus ojos oscuros. Se miraron un rato sin decirse nada, con el mundo a más de trescientos metros.

—¿Aún no te fías, Sam? —preguntó ella con voz queda.

—Sí que me fío.

Rachel volvió a acercarse y arrugó las cejas con mirada de consternación.

—¿Pues entonces qué pasa? ¿Hay otra? ¿No será nuestra aguerrida capitana? Parece que hasta a Eli...

De repente se quedó callada, bajó al suelo la mirada y se abrazó las rodillas.

A McFarlane se le ocurrieron cinco o seis respuestas, pero ninguna que no le pareciera frívola o condescendiente; por eso, a falta de nada mejor, se limitó a ponerse otra vez la mochila y a mover la cabeza con una sonrisa tonta.

—Unos seis o siete metros más arriba hay un buen sitio para recoger muestras —dijo después de un rato.

Rachel seguía mirando el suelo.

—Pues ve a cogerlas. Yo creo que me quedo.

Llegar al punto en cuestión, arrancar de la roca una docena de pedazos de basalto oscuro y volver junto a Rachel fue cosa de minutos. Al verle acercarse, ella se levantó y volvieron al paso entre los picos sin decirse nada.

—Un descansito —acabó diciendo McFarlane de la manera más natural que pudo.

Miraba a Rachel. Iban a colaborar estrechamente en lo que quedaba de expedición, y lo que menos le convenía era tener mal ambiente. Le tocó el codo, y ella se giró a la expectativa.

—Oye, Rachel, lo de esta noche ha sido maravilloso, pero mejor que se quede como está. Al menos de momento.

La mirada de ella se endureció.

—Explícate.

—Estamos aquí para trabajar. Trabajar juntos. Ya hay bastantes complicaciones, ¿no? Pues no forcemos la máquina. ¿Vale?

La reacción de Rachel consistió en un veloz parpadeo, un gesto de asentimiento y una sonrisa breve para disimular la decepción, y hasta el dolor, que le habían asomado a la cara.

—Vale —dijo apartando la mirada.

McFarlane la rodeó con sus brazos. Con la parka tan gruesa que llevaba, era como abrazar al muñeco de Michelin. Le levantó la cabeza con un dedo.

—¿En serio que vale? —preguntó.

Ella volvió a asentir.

—No es la primera vez que lo oigo —dijo—. Así es más fácil.

—¿Por qué lo dices?

Se encogió de hombros.

—No, por nada. Será que no se me dan muy bien estas cosas.

Se abrazaron, asediados por un viento frío. McFarlane miró los cabellos sueltos que salían de la capucha de Rachel. Entonces, impulsivamente, le formuló la pregunta que llevaba haciéndose desde la primera noche en cubierta.

—¿Entre tú y Glinn ha habido algo?

Ella le miró y se apartó. Primero estaba como a la defensiva, pero al poco suspiró y se relajó.

—Total, por qué no iba a contártelo… Pues sí, hace años nos liamos. Nada, duró poco, pero… fue bonito.

En sus labios apareció una sonrisa que lentamente se borró. Entonces dio la espalda a McFarlane y se sentó en la nieve con las piernas extendidas, contemplando el blanco panorama.

McFarlane se sentó al lado.

—¿Qué pasó?

Ella le miró de reojo.

—¿Tengo que explicarlo con pelos y señales? Rompió Eli. —Sonrió fríamente—. Y ¿sabes qué? Que iba todo perfecto. No había ninguna pega. Es cuando he sido más feliz. —Se quedó callada—. Supongo que es lo que le dio miedo. No aguantaba la idea de que con el tiempo pudiera ser menos perfecto. Por eso cortó cuando ya no podía mejorar. Así, por las buenas. Porque cuando algo no puede mejorar solo puede empeorar. Y claro, entonces sería un fracaso, ¿no? Y Eli Glinn es el hombre que no puede fracasar.

Rió sin ganas.

—Pero en algunas cosas seguís pensando igual —dijo McFarlane—. Como ayer en la biblioteca. Yo pensaba que intervendrías. Sobre lo de Rochefort y Evans, digo. Pero no. ¿Eso qué quiere decir, que a ti también te parece bien que se murieran?

—Sam, por favor. A nadie puede parecerle bien que se muera otra persona. Pero casi todos los proyectos de EES en que he participado han tenido bajas. Es algo intrínseco a este negocio.

Se quedaron sentados y sin mirarse, hasta que después de un rato Rachel se levantó.

—Venga —dijo con calma, sacudiéndose la nieve—. El último limpia las probetas.

Almirante Ramírez
14.45 h

Desde el puente del destructor, el comandante Emilio Vallenar escudriñaba el enorme petrolero con sus prismáticos de campo. Lenta y cuidadosamente sus ojos viajaban desde la proa a la cubierta principal, y proseguían hasta llegar a la superestructura. Como siempre, estaba siendo un viaje interesante. Se había demorado tanto en cada detalle, había prestado tal atención, que le parecía conocer cada ojo de buey herrumbroso, cada pescante y cada mancha de aceite. Aquel supuesto carguero de minerales tenía algunas cosas que le parecían sospechosas: aquellas antenas disimuladas, que por su aspecto bien podían pertenecer a algún dispositivo electrónico de vigilancia pasiva; y una antena muy larga al final del mástil, que no obstante su apariencia desastrada parecía un radar de búsqueda aérea.

Bajó los prismáticos, se metió en la chaqueta una mano enguantada y extrajo la carta que le había enviado el geólogo de Valparaíso.

> Estimado señor:
> El mineral que tuvo la amabilidad de enviarme es una clase bastante poco habitual de cuarzo estriado (concretamente, dióxido de silicio) con inclusiones microscópicas de feldespato, hornblenda y mica. Lamento, sin embargo, comunicarle que carece de valor, sea comercial, sea de cara al coleccionismo de minerales. En referencia a su pregunta, no aparecen restos de oro ni de plata, ni en general de minerales o compuestos que posean algún valor. Este tipo de mineral tampoco se encuentra asociado a depósitos de petróleo, gas, esquistos bituminosos u otros hidrocarburos comerciales.

Lamento una vez más que la información que le comunico sea desfavorable a su intención de profundizar en las pretensiones mineras de su tío abuelo.

Vallenar acarició el membrete en relieve, y a continuación, en un arrebato, arrugó la carta y se la metió en el bolsillo. Demasiado buen papel para un análisis tan pobre.

Volvió a dirigir los prismáticos hacia el buque extranjero. Aquellas aguas no eran las adecuadas para que fondeara una embarcación de aquel tamaño. A las islas del cabo de Hornos solo se les conocía un fondeadero, Surgidero Otter, pero estaba al otro lado de la isla Wollaston. El canal de Franklin no ofrecía ningún fondo de firmeza aceptable, a excepción de un arrecife descubierto por el propio comandante y que no conocía nadie más. Las corrientes eran fuertes. Fondear allí solo podía ocurrírsele a un capitán muy ignorante; y, aun en ese caso, seguro que habría tendido amarras a la costa.

Aquel barco, sin embargo, había anclado en mal lugar y llevaba varios días a merced de la marea y el viento como si hubiera encontrado el fondeadero más firme que pudiera concebirse. Al principio a Vallenar le había parecido un milagro, hasta que se había fijado en ciertos remolinos menudos que se generaban en la popa del barco, y comprendido que se debían al funcionamiento de hélices auxiliares. Un funcionamiento constante, sujeto a ajustes cuyo objetivo era garantizar la inmovilidad del barco en un canal de corrientes muy volubles, menos cuando cambiaba la marea; entonces Vallenar había visto que se usaban para dar la vuelta al barco.

Lo cual solo podía significar una cosa: que los cables de las anclas eran un engaño. El barco disponía de un sistema de posicionamiento dinámico. Para ello se precisaba un satélite de geoposicionamiento, y un ordenador de mucha potencia que gobernara el motor del barco. Juntos el satélite y el ordenador, se ocupaban de mantener el barco en unas coordenadas invariables. Era lo último en tecnología. Vallenar lo conocía por lecturas, pero nunca había visto ninguno. En la marina chilena no había ningún barco equipado con sistema de posicionamiento dinámico. Costaba muchísimo instalarlo, hasta en barcos pequeños, y consumía una barbaridad de combustible. Sin embargo, aquel petrolero reconvertido (o que quería pasar por tal) lo tenía instalado.

Respiró hondo y apartó los prismáticos del barco para enfocarlos en la isla de detrás. Vio el barracón de herramientas, y la pista que llevaba a la mina. Una de las colinas presentaba una cicatriz muy grande, hecha con maquinaria pesada. Lo de al lado parecían estanques de lixiviación, pero era otro engaño. No había toberas hidráulicas ni canales de lavado que indicasen una explotación aurífera. Aparte de los estanques, la operación era muy limpia; demasiado. Vallenar había pasado su infancia en un campo minero del norte del país, y estaba familiarizado con operaciones de esa clase.

Ahora el comandante estaba seguro de que los americanos no buscaban oro; en cuanto a hierro, se habría dado cuenta hasta un tonto de que tampoco era su objetivo. A lo que más se parecía era a buscar diamantes, aunque en ese caso, ¿qué sentido tenía traer un barco tan enorme? De principio a fin, la operación apestaba fuertemente a engaño.

Se preguntó si tendría algo que ver con las leyendas sobre la isla, los antiguos mitos yaganes. Se acordaba vagamente de que una noche, en el bar, el borracho de Juan Puppup había desbarrado acerca de un dios furioso y su hijo fratricida. En cuanto le pusiera las manos encima, se aseguraría de que el último acto terrenal del mestizo fuera contarle con pelos y señales todo lo que sabía.

Se acercaron pasos, y apareció el oficial de guardia.

—Comandante —dijo cuadrándose—, informan del cuarto de motores que están todos en marcha.

—Muy bien, pues ponga rumbo cero nueve cero. Y envíeme a Timmer, por favor.

El oficial repitió el saludo y abandonó el puente. Viéndole bajar por la escalera metálica, Vallenar frunció el entrecejo. Habían recibido nuevas órdenes. Lo de siempre: más patrullar para nada en aguas desiertas.

Metió su mano buena en el bolsillo de la chaqueta y encontró el mineral que le habían devuelto junto con la carta. Su tamaño apenas superaba el de una ciruela seca. Vallenar, a pesar de todo, tenía la certeza absoluta de que la clave de las actividades de los yanquis estaba contenida en aquella piedra. El aparato y la bolsa de minerales del prospector les habían proporcionado alguna información, datos de suficiente importancia para llevar dinero e instrumental a espuertas a aquel lugar remoto y peligroso.

Vallenar cerró el puño alrededor del mineral. Era necesario

averiguar qué sabían los yanquis. Si no podía ayudarle aquel geólogo gilipollas de la universidad, encontraría a otra persona. Sabía que algunos de los mejores geólogos del mundo eran australianos. Eso haría: enviarla a Australia por correo urgente. Allá descifrarían el secreto de la piedra. Entonces sabría qué buscaban, y cómo reaccionar.

—¡Señor!

Era la voz de Timmer, interrumpiendo sus meditaciones.

Vallenar vio su cuerpo esbelto en posición de firmes; vio sus ojos azules, su pelo emblanquecido por el sol y su uniforme sin mácula. Hasta en una tripulación como aquella, que tenía inculcada la obediencia inmediata, destacaba el oficial de comunicaciones Timmer. Su madre, mujer guapa, culta y sensual, había llegado a Chile en 1945, procedente de Alemania. Timmer había sido educado con disciplina. Y no era ajeno al empleo de la fuerza.

—Descanse —dijo Vallenar con un tono menos brusco.

Timmer se relajó de manera casi imperceptible.

Vallenar juntó las manos en la espalda y miró el cielo, donde no había ni una sola nube.

—Ponemos rumbo al este —dijo—, pero mañana habremos vuelto. Se espera mal tiempo.

—Sí, señor.

Timmer mantuvo la vista al frente.

—Mañana le tendré preparada una misión. Una misión de riesgo.

—No veo el momento de cumplirla, señor.

El comandante Vallenar sonrió.

—Me lo esperaba —dijo, con una punta de orgullo en la voz.

Rolvaag
14.50 h

Justo después de franquear la puerta de la enfermería del *Rolvaag*,
McFarlane se detuvo. Siempre había tenido un miedo patológico
a las consultas, los hospitales… Cualquier lugar con resonancias
de muerte. La sala de espera del *Rolvaag* carecía hasta del falso
ambiente de tranquilidad que solían querer infundir aquellos espacios. Faltaban las revistas muy leídas y las malas reproduccio-
nes de Norman Rockwell. La única decoración era un póster
médico muy grande, de los que se ponían en los colegios, con
enfermedades de la piel expuestas en color y con todo detalle.
Olía tanto a alcohol y yodo que McFarlane sospechó que aquel
médico tan raro debía de usarlos para limpiar la moqueta.

En sus vacilaciones, le pareció que estaba haciendo un poco el
tonto. Este recado puede esperar, pensó. Sin embargo, respiró hondo y cruzó mecánicamente la sala, por la que accedió a un pasillo
largo. Al llegar a la última puerta dio unos golpes en el marco.

Dentro estaban la capitana Britton y el doctor, hablando en
voz baja y con un gráfico en la mesa. Brambell se irguió en el
asiento, al mismo tiempo que cerraba la carpeta como si no tuviera importancia.

—Ah, doctor McFarlane. —Su voz seca no expresaba sorpresa. Miró a McFarlane sin pestañear y esperó a que dijera algo.

No tiene que ser ahora, volvió a pensar McFarlane; pero era
demasiado tarde, porque se había convertido en el centro de atención.

—Los efectos personales de Masangkay —dijo—. Lo que
había con el cadáver, ¿sabe? Ahora que ya ha hecho las pruebas,
¿se pueden recuperar?

Brambell siguió mirándole. No era una mirada de compasión humana sino de interés clínico.

—No había nada de valor —contestó.

McFarlane se apoyó en el marco de la puerta y permaneció a la espera, negando cualquier indicio a aquel inquisitivo par de ojos. El doctor acabó por suspirar.

—Ya que están hechas las fotos, no veo ninguna razón para quedármelos. ¿En concreto qué le interesa?

—Cuando se puedan recoger, si es tan amable avíseme.

McFarlane se apartó del marco, saludó a Britton con la cabeza y regresó hacia la sala de espera. Cuando abría la puerta de salida, oyó que a sus espaldas se acercaba alguien deprisa.

—Doctor McFarlane. —Era la capitana Britton—. Le acompaño.

—No quería interrumpir nada —dijo McFarlane al salir al pasillo.

—No, si de todos modos tenía que subir al puente. Espero nuevos datos sobre la tormenta que se acerca.

Recorrieron el pasillo, ancho y, a excepción de los haces de luz solar que penetraban por los ojos de buey, oscuro.

—Doctor McFarlane, siento mucho lo de su amigo Masangkay —dijo ella con una amabilidad inesperada.

Él la miró.

—Gracias.

Los ojos de la capitana brillaban a pesar de la penumbra. McFarlane se preguntó si pensaba indagar en su deseo nostálgico de hacerse con las pertenencias de Masangkay, pero Britton se quedó callada, y él volvió a experimentar una afinidad indescriptible.

—Y llámame Sam —dijo.

—De acuerdo, Sam.

Salieron a la cubierta principal.

—¿Damos un paseo por cubierta? —dijo Britton.

Sorprendido, McFarlane la siguió por la superestructura hasta llegar a la bovedilla. El porte majestuoso de la capitana, su manera de balancearse al caminar, tenían algo que le recordaba a su ex esposa Malou. La popa del barco estaba iluminada por una luz dorada y de poca intensidad. Las aguas del canal tenían un brillo azul y lleno de matices.

Britton cruzó la pista de aterrizaje, se apoyó en la baranda y entrecerró los ojos para mirar hacia el sol.

—Sam, tengo un dilema. La verdad, no me gusta lo que oigo sobre el meteorito; tengo miedo de que ponga en peligro el barco, y los marineros siempre nos fiamos de las corazonadas. Luego, lo que ya no me gusta nada, pero nada, es ver eso. —Movió la mano hacia el perfil bajo y alargado del destructor chileno que ocupaba las aguas de detrás del canal—. Por otro lado, lo que veo de Glinn me da muchos motivos para estar segura de que tendremos éxito. —Le miró—. ¿Te das cuenta de la paradoja? No puedo fiarme a la vez de Eli Glinn y de mi instinto, y si hago algo tiene que ser ahora. No pienso cargar nada peligroso en la bodega de mi barco.

La luz inclemente del sol hacía que Britton pareciera mayor de lo que era. McFarlane, sorprendido, pensó: Se está planteando suspender la misión.

—No sé si Lloyd estaría muy contento de que ahora te plantases —dijo.

—El capitán del *Rolvaag* no es Lloyd. Te lo digo a ti por lo mismo de siempre: porque no puedo hablar con nadie más.

McFarlane la miró.

—Como capitana no puedo sincerarme con nadie de mi tripulación, ni oficiales ni no oficiales, y al personal de EES está claro que no puedo comentarle estas preocupaciones; o sea, que solo quedas tú, el experto en meteoritos. Tengo que saber si consideras que el meteorito hará que corra peligro mi barco. Y necesito tu opinión, no la de Lloyd.

McFarlane sostuvo un poco más su mirada y se colocó de cara al mar.

—No puedo contestar —dijo—. Peligroso lo es; eso ya lo hemos comprobado a las malas. Pero ¿que lo sea concretamente para el barco? No lo sé. Lo que me parece, por otro lado, es que quizá sea demasiado tarde para renunciar, aunque quisiéramos.

—Pero por lo que has dicho antes, en la biblioteca, se notaba que estabas preocupado, como yo.

—¿Preocupado? Sí, mucho, pero no es tan fácil. El meteorito es un misterio de los más insondables del universo, y lo que representa es tan importante que me parece que la única opción que tenemos es seguir. Si Magallanes hubiera sido sensato, si hubiera tomado en cuenta los riesgos que corría, no habría dado la vuelta al mundo: se habría quedado en casa. Y Colón tampoco habría descubierto América.

Britton le observaba calladamente.

—¿Tú crees que este meteorito, como descubrimiento, se puede comparar con Magallanes o Colón?

—Sí —contestó él finalmente.

—En la biblioteca Glinn te ha hecho una pregunta, pero no has contestado.

—Porque no podía.

—¿Por qué?

McFarlane se giró y miró fijamente sus ojos verdes y serenos.

—Porque me he dado cuenta de que quiero el meteorito, a pesar de Rochefort y de todo. Lo que más en mi vida.

Britton, se puso derecha.

—Gracias, Sam —dijo.

Y, dando media vuelta, se encaminó al puente.

Isla Desolación
20 de julio, 14.05 h

McFarlane y Rachel estaban al borde de la zona de excavaciones, en una tarde fría de sol. A oriente, el cielo estaba muy despejado, y el aire era tan puro que el paisaje presentaba una nitidez hiriente. En cambio al oeste era otro el cielo: un manto enorme y oscuro que se perdía en el horizonte y se acercaba retumbando, tragándose las cimas. Una ráfaga de viento levantó en sus pies un remolino de nieve vieja. La tormenta ya no era un parpadeo en una pantalla, sino algo que tenían casi encima.

Vino Garza.

—Si llegan a decirme que me gustaría ver una tormenta con tan mala pinta… —dijo, sonriendo y señalando hacia el oeste.

—¿Ahora qué hay que hacer? —preguntó McFarlane.

—De aquí a la playa, cortar y tapar —dijo Garza, guiñando el ojo.

—¿Cortar y tapar?

—Túnel instantáneo. Es la clase de túnel con menos dificultades técnicas. Ya lo usaban en Babilonia. Abrimos un canal con la excavadora hidráulica, lo tapamos con planchas de acero y las escondemos con tierra y nieve. A medida que se lleva el meteorito hacia la playa, vuelve a llenarse el túnel por donde ha pasado y se sigue excavando delante.

McFarlane hizo revisión mental de lo progresado en los últimos dos días, desde que el meteorito había aplastado a Rochefort y Evans. Habían limpiado los túneles, les habían cambiado la estructura y habían duplicado el número de gatos colocados debajo de la roca. La operación de levantar el meteorito se había desarrollado sin pegas. Después le habían montado un andamio por debajo, habían apartado la tierra y traído del barco un carro gigantesco que pusieron al lado. Ahora era el momento de cargar el meteorito y el andamio en el carro. Con Garza parecía todo muy fácil.

El ingeniero volvió a enseñar los dientes. Estaba contento y parlanchín.

—¿Preparados para ver moverse el objeto más pesado de la historia de la humanidad?

—Venga —contestó McFarlane.

—El primer paso es instalarlo en el carro. Para eso habrá que destapar el meteorito, pero solo un rato. Por eso me gusta la pinta que tiene la tormenta. Solo faltaría que los chilenitos nos vieran el pedrusco.

Garza retrocedió y habló por la radio. Stonecipher, que estaba más lejos, hizo señas con las manos al operador de la grúa, y McFarlane le vio retirar las planchas de acero del corte donde estaba el meteorito, amontonándolas al lado. El viento, que empezaba a ser fuerte, silbaba alrededor de las barracas y levantaba nieve del suelo. La última plancha de metal dio varias vueltas en el aire, mientras el operador de la grúa procuraba que las ráfagas de viento no sacudieran la pluma.

—¡A la izquierda, a la izquierda! —dijo Stonecipher por radio—. Ahora abajo… abajo… abajo… ¡Vale!

Tras un momento de tensión, la última plancha corrió el destino del resto y McFarlane miró la zanja abierta.

Era la primera vez que tenía a la vista el conjunto del meteorito. Con el andamio debajo, parecía un huevo muy rojo en un nido de tablones y vigas de metal, que lo aguantaban un poco torcido. El espectáculo era impresionante. Oyó la voz de Rachel sin prestarle atención.

—Lo que te decía —dijo a Garza—. Pone ojitos.

«Poner ojitos» era la expresión que se había inventado para describir la manera que tenía casi todo el mundo (técnicos, científicos y obreros) de interrumpir su trabajo y quedarse mirando el meteorito como si estuvieran hipnotizados.

McFarlane hizo el esfuerzo de apartar la vista del meteorito y mirarla a ella. Los ojos de Rachel habían recuperado aquella chispa contagiosa de alborozo cuya pérdida había sido tan patente en las últimas veinticuatro horas.

—Es precioso —dijo.

Recorrió con la mirada la extensión de túnel descubierto que llevaba hasta el carro destinado al transporte de la roca. Llamaba mucho la atención. Eran unos treinta metros de plataforma alveolada hecha de acero y un compuesto cerámico. Desde arriba no se veían, pero McFarlane sabía que tenía una hilera de neumáticos de avión: treinta y seis ejes a cuarenta neumáticos por eje para soportar el peso inconcebible del meteorito. Al final había un cabrestante de acero gigantesco que salía del fondo del túnel.

Glinn daba órdenes a los ocupantes de este último. La intensidad creciente del viento le obligaba a forzar la voz. Ahora tenían el frente encima, como un acantilado de mal tiempo que devoraba la luz en su camino. Glinn interrumpió sus instrucciones y se acercó a McFarlane.

—Doctor McFarlane, ¿hay algún resultado nuevo de la segunda tanda de pruebas? —preguntó, vigilando el trabajo de los hombres del túnel.

McFarlane asintió.

—Sí, en varios frentes.

Se quedó callado, sabiendo que la satisfacción de obligar a Glinn a hacer preguntas era muy pequeña. Seguía molesto por tenerle vigilando sus acciones, pero había decidido no darle mayor importancia, al menos de momento.

Glinn inclinó la cabeza como si le adivinara el pensamiento.

—Ya. Y ¿nos los puede explicar?

—Con mucho gusto. Ahora ya conocemos el punto de fusión; aunque tendría que decir de vaporización, porque pasa directamente de sólido a gas.

Glinn arqueó las cejas inquisitivamente.

—Un millón coma dos grados Kelvin.

Glinn exhaló.

—Dios mío.

—También hemos avanzado un poco en lo de la estructura cristalina. Es un diseño fractal complicadísimo, asimétrico, a base de triángulos isósceles que se imbrican. Se repite a diferentes escalas, desde lo macroscópico hasta los átomos individuales. Un fractal de manual. Por eso es tan duro. Parece que es elemental, no una aleación.

—¿Se sabe algo más de su posición en la tabla periódica?

—Muy arriba, por encima del ciento setenta y siete. Lo más probable es que sea un elemento superactínido. Parece que se compone de átomos gigantes con centenares de protones y neutrones. Ahora ya está claro que es un elemento de la «isla de estabilidad» que decíamos.

—¿Algo más?

McFarlane se llenó los pulmones de aire glacial.

—Sí, algo muy interesante. Con Rachel hemos fechado las mandíbulas de Hanuxa. Las erupciones volcánicas y las coladas coinciden en fecha con el impacto del meteorito.

Glinn parpadeó, mirándole.

—¿Qué conclusión saca?

—Hasta ahora suponíamos que el meteorito había caído cerca de un volcán, pero ahora parece que el volcán lo formó el propio meteorito.

Glinn permaneció a la espera.

—El meteorito era tan pesado y tan denso, e iba a tanta velocidad, que se hundió como una bala en la corteza terrestre, provocando una erupción volcánica. Por eso Desolación es la única isla volcánica de las del cabo de Hornos. Nestor, en su diario, decía que en esta zona había una coesita muy rara. Yo he vuelto a examinarla con el difractor de rayos X y he visto que tenía razón. Es diferente. El impacto del meteorito fue tan violento que las rocas de alrededor, las que no se vaporizaron, quedaron sometidas a un cambio de fase. Químicamente, el impacto produjo una variedad de coesita que se desconoce.

Señaló las mandíbulas de Hanuxa.

—La potencia de la erupción, la turbulencia del magma y el desprendimiento explosivo de gases volvieron a levantar el meteorito hasta que se quedó enterrado a varios miles de metros de profundidad. Luego, a lo largo de millones de años, al surgir y erosionarse la cordillera meridional, fue acercándose a la superficie hasta que, con la erosión, salió por el valle de la isla. Al menos es una teoría que se ajusta a los datos.

Tras un silencio reflexivo, Glinn miró a Garza y Stonecipher.

—Adelante.

Garza dio órdenes a grito pelado, y McFarlane vio que algunos ocupantes del túnel ataban una red de correas Kevlar de mucho grosor al andamio y el meteorito, mientras otros, igual de precavidos, las pasaban por encima del carro y las ataban alrededor del cabrestante. A continuación se apartaron todos. Un ruido metálico, una vibración, y empezó a temblar el suelo que pisaba McFarlane. Dos generadores diésel de gran potencia y tamaño empezaron a accionar el cabrestante de acero, cuya rotación, al enrollar las correas Kevlar, las tensó alrededor de la roca. Los generadores se apagaron. El meteorito ya estaba listo para su traslado.

La mirada de McFarlane volvió a reposar en el meteorito. Toda la zona estaba cubierta por la sombra de la tormenta, con lo cual el meteorito presentaba un color más mate, como si se hubiera apagado un fuego interno.

—¡Ay, que ya la tenemos aquí! —dijo Rachel, mirando la pared de nieve y viento que se les echaba encima.

—Ya está todo colocado —dijo Garza.

Glinn se giró con la parka al viento.

—A la primera señal de relámpagos, lo suspendemos —dijo—. Movedlo.

De repente aumentó la oscuridad, silbó el viento y llegaron ráfagas horizontales de copos de nieve como perdigones. La visión de McFarlane se redujo en cuestión de segundos a sombras en blanco y negro. Con el encendido de los generadores, el rugir de la maquinaria pesada se sumó al del viento. El suelo se movía más que antes, y McFarlane notó una vibración por todo el cuerpo, una presión en los oídos y las tripas que quedaba por debajo de lo audible. Los generadores fueron adquiriendo velocidad y zumbaron con mayor intensidad en sus esfuerzos por mover la roca.

—Un momento histórico y no veo tres en un burro —se quejó Rachel.

McFarlane se ciñó a la cara la capucha de su parka y se agachó. Vio que ahora las correas estaban tiesas como barras de hierro zumbando por la tensión. Por encima del viento se oían crujidos y extrañas vibraciones. La roca no se movía, pero aumentaba la tensión. Las vibraciones, como tañidos de cuerdas, se hacían más agudas; rugían los generadores, pero la roca seguía en su lugar. De repente, con la cacofonía en su apogeo, a McFarlane le pareció ver que se desplazaba, pero, ensordecido por el viento y medio ciego por la nieve, no podía estar seguro.

Garza levantó la cabeza con media sonrisa y les enseñó los dos pulgares.

—¡Se mueve! —exclamó Rachel.

Garza y Stonecipher vociferaron órdenes a los de la zanja. Los rieles de acero de debajo del andamio chirriaban y sacaban humo.

Los trabajadores bombeaban un chorro continuo de grafito sobre los rieles y la superficie del carro. A McFarlane le llegó el olor punzante del acero quemándose.

Y de repente estuvo todo hecho. El meteorito y el andamio se asentaron en el carro con un ruido tremendo. Se soltaron las correas y se apagaron paulatinamente los generadores.

—¡Lo hemos conseguido!

Rachel se llevó a la boca los dos índices y emitió un silbido penetrante.

McFarlane miró el meteorito, que ya estaba fijo en el carro.

—Tres metros —dijo—. Y faltan quince mil kilómetros.

Detrás de las Mandíbulas de Hanuxa, el destello de un relámpago, precediendo en poco a otro, originó un trueno descomunal que retumbó en los oídos de todo el grupo. El viento creciente barría el suelo con blancas cortinas de nieve que se metían en la zanja.

—¡Ya está! —dijo Glinn al grupo—. Garza, por favor, tapen el túnel.

Garza se volvió hacia el operador de la grúa y se protegió la vista del viento con una mano enguantada.

—¡No se puede! —exclamó—. Hay demasiado viento. Derribará la pluma.

Glinn asintió.

—Pues, mientras pasa la tormenta, tápalo con las lonas.

McFarlane vio que un grupo de trabajadores corría por ambos lados de la zanja desenrollando una lona y procurando que no se levantara con el viento. Llevaba impresa un dibujo de manchas blancas y grises, a fin de parecerse a la superficie desierta de la isla. Una vez más, admiró el talento de Glinn para prever todas las posibilidades y disponer en todo momento de un plan alternativo.

Otro relámpago, más cercano que el anterior, iluminó la nevada con extrañas luces.

Cuando Glinn consideró que la lona aguantaría, le hizo señas a McFarlane con la cabeza.

—Vamos a las barracas. —Miró a Garza—. Hasta que pase la tormenta que nadie circule por la zona. Ponga vigilancia en turnos de cuatro horas.

A continuación, mediante gestos, invitó a McFarlane y Rachel a acompañarle por la zona de excavaciones, inclinados contra el viento feroz.

Isla Desolación
22.40 h

Adolfo Timmer aguardaba al amparo de una pared de nieve, a oscuras y sin moverse. Tanto tiempo llevaba vigilando boca abajo que la tormenta casi le había sepultado. Abajo la nieve hacía parpadear las lucecitas. Era más de medianoche y no había visto ninguna actividad. En la zona despejada no había nadie. Seguro que los trabajadores se habían metido en las barracas. Era hora de actuar.

Levantó la cabeza, exponiéndola a un viento que arreciaba sin tregua. Se puso de pie, y el viento barrió la nieve acumulada en sus extremidades. Alrededor de Timmer, la tormenta había formado largas crestas diagonales que llegaban a superar los tres metros de altura. Como protección eran perfectas.

Avanzó con las raquetas y escudándose en las crestas hasta detenerse cerca del borde de la zona despejada. Delante había un área de luz sucia. Se agachó detrás de un banco de nieve y, después de un rato esperando, levantó la cabeza y echó un vistazo. Tenía delante, a unos cincuenta metros, un barracón aislado con agujeros en el techo de cinc por los que silbaba el viento. Al fondo de la zona despejada, tomando como referencia la barraca, se adivinaba la larga hilera de casetas prefabricadas, cuyas ventanas eran rectangulitos amarillos. Al lado había otras estructuras y varios contenedores. Timmer aguzó la vista. Se había confirmado que los estanques de lixiviación y los colectores del otro lado de la isla eran una estratagema, la tapadera de algo más.

Pero ¿qué?

Se puso tenso. Había aparecido alguien por la esquina de la barraca. El hombre, que llevaba una parka muy acolchada, abrió la puerta, miró dentro y volvió a cerrarla. A continuación caminó lentamente por el borde de la zona despejada, frotándose los mitones y agachando la cabeza contra el viento y la nieve.

Timmer observó con atención. Aquel hombre no había salido a fumar. Estaba de guardia.

Pero ¿qué sentido tenía poner vigilancia en un páramo así?

Se arrastró centímetro a centímetro hasta alcanzar otra cresta de nieve. Ya estaba mucho más cerca de la barraca. Permaneció a la espera, sin moverse, mientras el vigilante regresaba a la puerta, daba patadas en el suelo para entrar en calor y volvía a marcharse. Debía de ser el único, salvo que hubiera alguien más haciendo guardia dentro de la barraca.

Timmer rodeó la cresta y se acercó a la construcción de manera a tenerla interpuesta entre él y el vigilante. No se despegaba del suelo, para no abandonar la protección de la oscuridad y la tormenta. Procuraba que el círculo de luz no recayera más que en el nailon blanco de su ropa.

Antes de abandonar el *Almirante Ramírez*, el comandante le había dicho que no corriera riesgos innecesarios. Dicho y repetido: «Cuidado, señor Timmer, que quiero que vuelva entero». Como no se podía saber si el vigilante iba armado, Timmer actuaría sobre la premisa de que sí. Se agachó a la sombra de la barraca y metió la mano entre la ropa hasta empuñar el cuchillo y desenfundarlo para comprobar que no se hubiera atascado por el frío. Después se quitó un guante y tocó la hoja: glacial, y afilada como una navaja. Perfecto. Sí, mi comandante, pensó; tendré muchísimo cuidado. Apretó los dedos sin importarle el frío. Quería que la hoja estuviera bastante caliente para cortar carne sin desgarrarla.

Durante la espera, la tormenta se agravó. El viento silbaba y gemía alrededor de los flancos desnudos del barracón. Se bajó la capucha y aguzó el oído hasta que lo oyó de nuevo: suave crujir de pisadas acercándose por la nieve.

En la penumbra de la esquina de la barraca se adivinó una sombra. Viéndola acercarse, Timmer se arrimó a la pared. El ruido de respiración y de brazos golpeando el cuerpo atestiguaba los esfuerzos del hombre por contrarrestar el frío.

Timmer salió por la esquina proyectando el pie a baja altura. El otro cayó de bruces en la nieve. Timmer estuvo sobre él en un periquete, hincándole una rodilla en la espalda al mismo tiempo que le torcía la cabeza y le arrastraba hacia la oscuridad. El cuchillo se clavó profundamente en el cuello de la víctima. Timmer notó que la hoja tocaba las vértebras cervicales. Primero se oyó un borboteo, y a continuación salió un chorro de sangre caliente. Timmer siguió levantando la cabeza del hombre para que se desangrara en la nieve. Después aflojó la presión y dejó desplomarse el cadáver.

Le dio la vuelta y le examinó la cara, viendo que era blanco, no el mestizo que le había mandado vigilar el comandante. Rápidamente le palpó los bolsillos y encontró un radiorreceptor y un arma pequeña semiautomática. Se los guardó y escondió el cadáver tras un montón de nieve que había cerca, tapándolo con ella y alisando después la superficie. Por último, limpió el cuchillo en la nieve y se esmeró en esconder la pasta roja. Que solo hubiera visto un vigilante no quería decir que no hubiese otro.

Rodeando la barraca por detrás, y evitando la luz, se deslizó por el borde de la zona despejada mediante el procedimiento de seguir las huellas que había dejado el vigilante. Resultaba francamente extraño: solo había nieve. De repente, al reanudar la marcha, se le hundió el pie en el suelo y retrocedió alarmado. Exploró la zona a gatas y notó algo raro debajo de la capa fina de nieve. No era tierra ni una grieta, sino un hueco tapado con alguna tela tensada y aguantada con separadores.

Timmer, cauteloso, volvió a la protección de la parte trasera de la barraca. Antes de seguir explorando había que asegurarse de que dentro no hubiera sorpresas. Cuchillo en mano, se deslizó hacia la pared delantera, entreabrió la puerta y miró por la rendija. Nadie. Entró, cerró la puerta, sacó una linterna pequeña y paseó su luz por el interior, pero el haz solo iluminaba barricas de clavos.

¿Qué sentido tenía poner vigilancia a una barraca vacía y sin utilidad?

De repente se fijó en algo y apagó la linterna. Una de las barracas tenía debajo una plancha de acero, y salía luz por el borde.

Al apartarla, Timmer vio una trampilla metálica. Se arrodilló al lado y, tras unos momentos de escucha, la cogió y la levantó con suavidad.

Después de tantas horas de noche invernal, horas de espera y vigilancia, la fluorescencia que salía de abajo tenía efectos deslumbrantes. Volvió a cerrar la trampilla y se quedó en cuclillas pensando, hasta que se quitó las raquetas, las escondió al otro lado de la barraca, volvió a abrir la puerta y esperó a que se le acostumbrara la vista, momento en que bajó por la escalerilla cuchillo en mano.

A diez metros bajó de la escalera y pisó el túnel. Se detuvo. Abajo hacía más calor, pero al principio casi no se fijó, porque con tanta luz se sentía vulnerable. Encorvado, veloz, se desplazó por el túnel. Aquello no se parecía a ninguna descripción de mina de oro; ni, a decir verdad, de ningún otro mineral.

Llegó a una encrucijada, que se detuvo a examinar. No había nadie. No se oía ni se movía nada. Se humedeció los labios y meditó el paso siguiente.

Le llamó algo la atención. El túnel se ensanchaba por delante. Había un espacio abierto que contenía algo muy grande. Se deslizó hacia su entrada y usó la linterna. Una carreta gigante.

Se acercó con cautela y sin despegarse de la pared. Se trataba de un remolque de proporciones gigantescas: unos treinta metros de longitud. Debajo tenía centenares de neumáticos muy grandes con ejes de titanio que brillaban. Poco a poco se le fueron los ojos hacia arriba. La carreta soportaba un entramado complejo en forma de pirámide. Y encima había algo que Timmer no había visto ni imaginado en toda su vida. Algo enorme y rojo. Algo cuyo brillo, en la luz artificial del túnel, poseía una riqueza inverosímil de matices.

Volvió a mirar alrededor y se aproximó a la carreta, donde usó el neumático que tenía más cerca para subir a la plataforma. Jadeaba. La ropa especial para la nieve le estaba acalorando por momentos, pero no le dio importancia. El techo era un hueco tapado por una lona, la que había pisado él. Timmer, sin embargo, no se interesó por ella. Era todo ojos para lo que descansaba en aquella monstruosidad de andamio.

Trepó con cuidado por el andamiaje. Estaba clarísimo: los yanquis habían venido por aquello. Bien, pero ¿qué era?

No había tiempo que perder. Por no haber tiempo, no lo había ni para salir en busca del mestizo. El comandante Vallenar querría enterarse lo antes posible de aquella novedad. Aun así, Timmer, que hacía equilibrios por el andamio de madera, tuvo sus dudas.

Era de una belleza casi etérea. Parecía que no tuviera superficie, que se pudiera hundir la mano sin resistencia en sus profundidades de rubí. Enfrascado en la contemplación de su interior, le pareció distinguir diseños sutiles y en perpetuo cambio, centelleos de luz. Casi le parecía notar en la cara un frescor que paliaba su acaloramiento. Jamás había visto nada tan hermoso, tan de otro mundo.

Guardó el cuchillo sin apartar la mirada, se quitó el guante y lentamente, casi con veneración, adelantó una mano hacia la superficie de intensa luminosidad.

Isla Desolación
23.15 h

Sam McFarlane despertó de golpe con el pulso acelerado. Lo habría tomado por una pesadilla, de no ser porque el ruido de la explosión aún se propagaba por la zona. Se levantó como un resorte y tiró al suelo la silla. De reojo vio que Glinn también estaba de pie y escuchaba. Se miraron justo en el momento en que se apagaba la luz de la barraca. Tras un intervalo de oscuridad absoluta, se encendió una bombilla de emergencia encima de la puerta y bañó la habitación de luz naranja.

—¿Qué coño ha sido eso? —dijo McFarlane.

La pregunta coincidió con una ráfaga de viento que casi se la tragó. Se había reventado la ventana, y en la barraca entró una mezcla de nieve, astillas de madera y trocitos de cristal.

Glinn se acercó a la ventana y escudriñó la oscuridad de la tormenta. A continuación miró a Garza, que también se había levantado.

—¿Quién está de guardia?

—Hill.

Glinn se llevó una radio a la boca.

—Hill, aquí Glinn. Informe. —Quitó el dedo del botón de transmisión y escuchó—. ¡Hill! —Cambió de frecuencia—. ¿Puesto de proa? ¿Thompson?

La respuesta fue una descarga de estática.

Soltó la radio.

—No funciona. No contesta nadie. —Se giró hacia Garza, que estaba poniéndose el mono para la nieve—. ¿Adónde vas?

—A la barraca de la electricidad.

—Negativo. Vamos juntos. —El tono de Glinn había cobrado severidad militar.

—Sí, señor —respondió Garza prontamente.

Fuera se oyó ruido, y Amira, llegada de la caseta de comunicaciones, se precipitó al interior con nieve en los hombros.

—No hay corriente en ninguna parte —dijo sin respiración—. Solo tenemos la de reserva.

—Comprendido —dijo Glinn.

Ahora tenía en la mano una pequeña pistola Glock 17. Verificó la recámara y se la remetió en el cinturón.

McFarlane también se había girado para coger su mono. Al introducir los brazos por las mangas vio que le miraba Glinn.

—Ni una palabra —dijo—. Yo también voy.

Glinn titubeó, pero al verle tan decidido se dirigió a Amira:

—Tú quédate.

—Pero...

—Necesitamos que te quedes, Rachel. Cuando salgamos cierra la puerta con llave. Dentro de poco llegará un vigilante.

En breves momentos aparecieron en la puerta tres hombres de Glinn (Thompson, Rocco y Sanders). Llevaban linternas muy potentes y metralletas Ingram M10 al hombro.

—Señor, solo falta Hill —dijo Thompson.

—Sanders, pon guardia en cada caseta. Thompson y Rocco, acompañadme.

Glinn se puso raquetas, se ató las correas, cogió una linterna y salió el primero a la oscuridad y el viento.

A McFarlane le costaba caminar con aquel calzado. Las horas de modorra al lado de la estufa le habían hecho olvidar el frío de fuera y el daño que hacían los copos en la cara al ser arrojados por el viento.

La caseta de la electricidad solo quedaba a cincuenta metros. Garza abrió la puerta con llave y penetraron en el interior, cuyo reducido espacio barrieron Thompson y Rocco con sus respectivas linternas. Olía a cable quemado. Garza se arrodilló para abrir la tapa metálica del armario de control general. Al hacerlo, una nube de humo maloliente invadió el haz de las linternas.

Garza tocó el panel.

—Frito del todo —dijo.

—¿Tiempo estimado de reparación? —preguntó Glinn.

—Máximo diez minutos para la caja de cambios principal. Entonces podremos ejecutar el diagnóstico.

—Pues adelante. Los demás salid y vigilad la puerta.

El jefe de construcción trabajaba en silencio, observado por McFarlane. Glinn hizo otra tentativa con la radio, pero solo captaba ruido y se la guardó en el bolsillo. Después de un rato Garza retrocedió y accionó una serie de interruptores. Se oyeron clics y zumbidos, pero no se encendió ninguna luz. Garza gruñó de sorpresa, abrió un armario de metal que había al lado, sacó un ordenador pequeño de diagnóstico, lo enchufó en una conexión del armario de control general y lo encendió. La pantallita parpadeó y se puso azul.

—Hay quemado en varios puntos de la línea —dijo al cabo de un rato.

—¿Y los supresores de sobretensión?

—No sé qué ha pasado, pero el pico ha sido de órdago. Más de mil millones de voltios en menos de una milésima de segundo, y con una corriente superior a cincuenta mil amperios. A eso no hay diodo amortiguador ni supresor de sobretensión que lo pare.

—¿Mil millones de voltios? —dijo McFarlane, incrédulo—. Esa potencia no la tiene ni un relámpago.

—Exacto —dijo Garza, desenchufando el aparato de la pared y guardándoselo en un bolsillo del mono—. En comparación con una descarga así, los relámpagos parecen estática.

—Pues ¿qué ha sido?

Garza sacudió la cabeza.

—A saber.

Glinn se quedó un momento callado, mirando los componentes fundidos.

—Vamos a ver la roca.

Volvieron a salir a la tormenta, pasaron al lado de las barracas y avanzaron con dificultad por la zona de excavaciones. Desde tan lejos, McFarlane ya veía que la lona estaba arrancada de los amarres. Al acercarse, Glinn hizo el gesto de que se callaran y dio instrucciones a Rocco y Thompson de que entraran en el barracón y bajaran al túnel. Él sacó la pistola y caminó al lado de Garza procurando no hacer ruido. McFarlane se acercó al borde de la zanja, donde flotaban hacia arriba los restos de la lona como sábanas fantasmagóricas. Glinn orientó hacia abajo el haz de la linterna, por el túnel.

Estaba todo lleno de tierra, piedras y madera chamuscada. Una parte del carro estaba derretida y retorcida, y desprendía nubes de vapor acompañadas por un ruido sibilante. El túnel estaba salpicado de grumos espumosos de metal vuelto a solidificarse. Debajo del carro se habían derretido juntos varios neumáticos, cuya combustión seguía desprendiendo un humo negro y apestoso.

Rápidamente, la mirada de Glinn recorrió el panorama siguiendo la linterna.

—¿Ha sido una bomba?

—Más bien parece un arco voltaico gigante.

Al fondo del túnel parpadearon varias luces, preludio a la aparición de Thompson y Rocco, que braceaban para apartar el humo. Empezaron a rociar los neumáticos con espuma de extintor.

—¿Veis que al meteorito le haya pasado algo? —les preguntó Glinn.

Los hombres de abajo esperaron a haber hecho un examen visual.

—Que se vea, ni un rasguño.

—Aquí, Thompson —dijo Glinn, señalando el interior de la zanja.

Siguiendo la dirección del brazo de Glinn, McFarlane se fijó en un punto próximo a la carreta. Había algo quemándose, y al lado una serie de bultos irregulares, parcialmente óseos. Thompson enfocó uno con la linterna. Había una mano, un trozo de lo que parecía un hombro humano sin piel, y un pedazo de intestino grisáceo.

—Dios mío —dijo McFarlane.

—Parece que hemos encontrado a Hill —dijo Garza.

—Aquí está su pistola —dijo Thompson.

Glinn dio voces hacia el túnel.

—Thompson, comprueba el resto de la red de túneles y dame el parte. Rocco, reúneme un equipo médico y que recojan los restos.

—Sí, señor.

Glinn giró la cabeza hacia Garza.

—Acordone el perímetro. Reúna todos los datos de vigilancia y que los analicen enseguida. Avise al barco para que se pongan en alerta general. Quiero que en seis horas esté montada una nueva red eléctrica.

—Las comunicaciones con el barco están cortadas —dijo Garza—. No se capta nada en ninguna frecuencia.

Glinn volvió a mirar el túnel.

—¡Thompson! Cuando hayas acabado coge un *snowcat*, ve a la playa y ponte en contacto con el barco desde la zona de desembarco. Si hace falta, por morse.

Thompson hizo un saludo militar y se alejó por el túnel, desapareciendo rápidamente en el humo y la oscuridad.

Glinn se volvió hacia McFarlane.

—Vaya a buscar a Amira y todas las herramientas de diagnóstico que le hagan falta. Yo, mientras tanto, voy a hacer que registre los túneles una patrulla. Cuando esté acordonada la zona y hayan recogido el cadáver de Hill, examinen el meteorito ustedes dos. De momento no hace falta que sea a fondo. Con que averigüen qué ha pasado, listos. Y no toquen la roca.

McFarlane miró hacia abajo. Rocco recogía algo en la base de la carreta, algo que parecía pulmón, y lo metía en un trozo de lona doblada. Encima, el meteorito echaba humo en su nido de madera. No pensaba tocarlo, pero no dijo nada.

—Rocco —dijo Glinn señalando una zona justo detrás del carro dañado—. Allá hay algo más que se quema.

Rocco se acercó con el extintor, se quedó parado y les miró.

—Señor, me parece que es un corazón.

Glinn apretó los labios.

—Ya. Pues apágalo, Rocco, y continúa.

Isla Desolación
21 de julio, 0.05 h

McFarlane caminaba hacia la hilera de casetas con el viento empujándole la espalda, como si quisiera ponerle de rodillas. Rachel, que iba al lado, tropezó y recuperó el equilibrio.

—¿Esta tormenta se acabará alguna vez? —preguntó.

McFarlane, en cuya cabeza se arremolinaban las ideas, no contestó.

Otro minuto y estuvieron dentro del barracón médico. McFarlane se quitó el mono. Olía fuertemente a carne a la brasa. Vio a Garza hablando por radio.

—¿Cuánto hace que tienen comunicaciones? —preguntó a Glinn.

—Una media hora. Todavía falla, pero va mejorando.

—Qué raro. Acabamos de intentar contactar con ustedes desde el túnel y solo había ruido.

McFarlane iba a añadir algo, pero lo dejó a medias e hizo el esfuerzo de sacudirse el cansancio de la cabeza.

Garza bajó el radiorreceptor.

—Es Thompson, desde la playa. Dice que la capitana Britton se niega a enviar a nadie con el equipo mientras no amaine la tormenta. Que es demasiado peligroso.

—Inaceptable. Dame la radio. —Glinn habló con rapidez—. ¿Thompson? Explícale a la capitana que nos hemos quedado sin comunicaciones, sin red informática y sin suministro eléctrico. Necesitamos el generador y el equipo. Enseguida. Hay vidas humanas en peligro. Si vuelve a ponerte pegas, me lo dices y me encargaré personalmente. Y que venga Brambell, que quiero que examine los restos de Hill.

McFarlane se dio cuenta vagamente de que Rocco, que tenía cubiertos las manos y los antebrazos con gruesos guantes de goma, recogía restos humanos de una lona y los metía en una nevera.

—Todavía hay algo más —dijo Garza, que volvía a escuchar por la radio—. Palmer Lloyd se ha puesto en contacto con el *Rolvaag* y exige que le pasen a Sam McFarlane.

La impresión hizo que McFarlane se reintegrara de golpe al curso de los acontecimientos.

—No es que sea el momento más oportuno —dijo con una risa de incredulidad y mirando a Glinn.

Sin embargo, la expresión de este último le tomó por sorpresa.

—¿Se puede montar un altavoz? —preguntó Glinn.

—Voy a buscar uno a la caseta de comunicaciones —dijo Garza.

McFarlane se dirigió a Glinn.

—¿En serio que piensa estar de cháchara con Lloyd? ¿Justo ahora?

Glinn le sostuvo la mirada.

—Es mejor que la alternativa —contestó.

McFarlane tardaría bastante en comprenderlo.

Hacer un empalme provisional entre el transmisor de la caseta y un altavoz externo fue cuestión de minutos. Al conectar Garza su radio, la habitación se llenó de estática. El ruido de fritura disminuyó, volvió a aumentar, disminuyó… McFarlane miró por toda la caseta: a Rachel, acurrucada al lado de la estufa, a Glinn, que daba vueltas delante de la radio, y a Rocco, que estaba al fondo de la habitación clasificando partes corporales con industriosidad. Tenía una teoría, o al menos sus fundamentos, pero aún la veía demasiado verde y con demasiadas lagunas para compartirla. Sin embargo, se daba cuenta de que no había alternativa.

Se oyó el ruido de una conexión, y una voz entrecortada habló por el altavoz.

—¿Hola? —dijo—. ¿Hola? —Era Lloyd, distorsionado.

Glinn se acercó al micro.

—Señor Lloyd, soy Eli Glinn. ¿Me oye?

—¡Sí, sí que te oigo! Pero muy lejos, Eli.

—Tenemos interferencias en la radio. Habrá que ir al grano. Están pasando muchas cosas y la batería no da para tanto.

—¿Por qué? ¿Se puede saber qué pasa? ¿Por qué no ha llamado Sam para el informe diario? A la bruja de la capitana no ha habido manera de sacarle nada claro.

—Hemos tenido un accidente y se nos ha muerto un hombre.

—Dirás dos. McFarlane me contó lo del meteorito. ¡Caray! Lástima por Rochefort.

—Hemos tenido otra baja. Un hombre que se llamaba Hill.

El altavoz emitió un pitido estridente. Después volvió la voz de Lloyd aún más lejana.

—¿… le ha pasado?

—Todavía no lo sabemos —dijo Glinn—. Acaban de volver McFarlane y Rachel Amira de examinar el meteorito.

Hizo señas a McFarlane de que se acercara al altavoz.

McFarlane lo hizo con reticencia y tragó saliva.

—Señor Lloyd —empezó—, lo que voy a decirle es pura teoría, una conclusión basada en lo que he observado, pero creo que nos habíamos equivocado en la explicación de la muerte de Nestor Masangkay.

—¿Cómo que equivocado? —dijo Lloyd—. Y ¿qué tiene que ver con que se haya muerto el tal Hill?

—Si tengo razón, todo. Mi teoría es que la causa de las dos muertes es el contacto con el meteorito.

Por unos segundos el único ruido de la caseta fueron los chisporroteos de la radio.

—No tiene sentido, Sam —dijo Lloyd—. El meteorito también lo toqué yo.

—Ahora se lo explico. Nosotros pensábamos que a Nestor le había matado un rayo, y es verdad que el meteorito es un atractor muy potente, pero que se lo diga Garza: la descarga del túnel era de unos mil millones de voltios. Esa intensidad no la tiene ningún rayo. He examinado el carro y el meteorito, y las características de los estragos son concluyentes: ha salido una descarga eléctrica muy fuerte del propio meteorito.

—¡Pero hombre, si apoyé la mejilla y aquí estoy!

—Ya lo sé, y aún no tengo la explicación de que se salvara, pero no existe otra teoría que se ajuste a los hechos. En el túnel no había nadie, y el meteorito estaba a cubierto de los elementos. No había ninguna otra fuerza que actuara sobre él. Parece que ha salido un rayo de la roca y ha atravesado una parte del carro y el andamio, salpicando metal fundido hacia arriba. Y debajo del carro he encontrado un guante. Es la única prenda de Hill que no se ha quemado. Me lo explico como que se lo quitó para tocar el meteorito.

—¿Tocarlo? ¿Para qué? —preguntó Lloyd, impaciente.

Esta vez contestó Rachel, con una pregunta.

—¿Y usted para qué lo tocó? El pedrusco es tan raro que no se puede prever la reacción de la gente al verlo por primera vez.

—¡Caray! ¡Es increíble! —dijo Lloyd. Hubo un momento de silencio—. Pero podéis seguir, ¿no?

McFarlane dirigió a Glinn una mirada elocuente.

—Han sufrido daños el carro y el andamio —dijo Glinn—, pero me ha dicho Garza que se pueden arreglar en veinticuatro horas. Queda en pie la cuestión del meteorito.

—¿Por qué? —preguntó Lloyd—. ¿Le ha pasado algo?

—No —continuó Glinn—, por lo que se ve está intacto. Desde el principio di órdenes de tratarlo como si fuera peligroso, y ahora (si tiene razón el señor McFarlane) sabemos que lo es. Habrá que tomar precauciones adicionales para el traslado al barco, pero tenemos que actuar deprisa. También es peligroso quedarse aquí más de lo estrictamente necesario.

—No me gusta. Esas precauciones deberías haberlas previsto antes de zarpar de Nueva York.

McFarlane creyó observar un ligero entornamiento de los ojos de Glinn.

—Señor Lloyd, este meteorito ha desbaratado todas nuestras previsiones. Ahora estamos fuera de los parámetros del análisis inicial de EES, cosa que nunca había ocurrido. ¿Sabe lo que puede significar?

Lloyd no contestó.

—Que suspendemos el proyecto —concluyó Glinn.

—¡De eso ni hablar! —Ahora Lloyd vociferaba, pero se recibía tan mal la señal que McFarlane tenía que esforzarse para oírla—. Oye, Glinn, no me vengas con historias. Sube al barco la puñetera roca y tráela.

La radio se quedó muda.

—Ha cortado él la transmisión —dijo Garza.

Todos callaron y miraron a Glinn.

McFarlane, que veía a Rocco por encima del hombro de su jefe, observó que seguía con su truculenta labor. Sostenía lo que parecía un trozo de cráneo con un globo ocular colgando del nervio.

Rachel suspiró, sacudió la cabeza y lentamente se levantó de la silla.

—Pues ¿qué hacemos?

—De momento ayudarnos a recuperar el suministro eléctrico. Cuando tengamos corriente, la solución del problema correrá a cargo de ustedes dos. —Glinn se volvió hacia McFarlane—. ¿Dónde está el guante de Hill?

—Aquí.

McFarlane, cansado, metió la mano en la cartera, sacó una bolsita cerrada y la enseñó.

—Es de piel —dijo Garza—. Al equipo de construcción se le repartieron guantes de Gore-Tex.

Se hizo un silencio repentino.

—¿Señor Glinn?

El tono de Rocco era tan brusco, y se le notaba tanto la sorpresa en la voz, que todos le miraron. Conservaba en la mano el trozo de cráneo. Lo tenía a la altura de la barbilla, como si fuera a hacer una foto con él.

—¿Qué pasa, Rocco?

—Frank Hill tenía los ojos marrones.

La mirada de Glinn pasó de Rocco al cráneo y viceversa. No le hacía falta formular la pregunta, porque se le leía en la cara.

Rocco, con un movimiento de sorprendente delicadeza, limpió el globo ocular con la manga de su camisa.

—No es Hill —dijo—. Este ojo es azul.

Isla Desolación
0.40 h

La visión del globo ocular colgando de un trozo de nervio dejó a Glinn en suspenso.

—¿Garza? —Hablaba con una calma inhabitual.

—Dime.

—Forma un equipo y encuentra a Hill. Usa sondas y sensores térmicos.

—A la orden.

—Pero estad muy atentos. Ojo con las bombas y los francotiradores. No descartéis nada.

Garza se perdió en la noche. Glinn le cogió a Rocco el ojo suelto y lo hizo girar, dando a McFarlane la impresión de que lo examinaba como si fuera porcelana fina. A continuación se acercó a la mesa donde estaban clasificadas en la lona las partes corporales, junto a la nevera portátil.

—A ver qué hay aquí… —murmuró.

McFarlane le vio levantar una a una las partes, someterlas a examen, devolverlas a su anterior colocación y pasar a la siguiente como un cliente eligiendo carne en cualquier supermercado.

—Rubio —dijo Glinn, exponiendo a la luz un cabello corto. Empezó a juntar trozos de cabeza—. Pómulos marcados… pelo rapado… rasgos nórdicos… —Los soltó y siguió buscando—. Una calavera tatuada en el brazo derecho… Joven, de unos veinticinco años…

Su examen duró un cuarto de hora, durante el cual no habló nadie más. Por último, se puso derecho y fue a lavarse las manos. Como no había agua, se sacudió la materia orgánica de las manos y se las limpió con una toalla. A continuación recorrió la caseta en toda su longitud y de nuevo en sentido inverso.

De repente se detuvo, como si hubiera tomado una decisión, y cogió una radio de la mesa.

—¿Thompson?

—Sí, señor.

—¿Cómo está lo del generador?

—Lo trae la propia Britton, para no poner en peligro a su tripulación. Dice que Brambell vendrá en cuanto sea seguro. Se supone que al alba empezará a remitir la tormenta.

Se oyó un pitido por la radio, y Glinn cambió de frecuencia.

—Hemos encontrado a Hill —dijo la voz de Garza, lacónica.

—¿Y?

—Enterrado en un montón de nieve. Con el cuello cortado. Trabajo de profesional.

—Gracias, Garza.

La bombilla de emergencia de la caseta prestaba una luz tenue al perfil de Glinn, en cuya frente había una gota, solo una, de sudor.

—Y en el barracón de entrada hay escondidas unas raquetas. Pasa como con el guante, que no son nuestras.

—Entendido. Por favor, traed el cuerpo de Hill al barracón médico. No nos conviene que se congele antes de que llegue Brambell.

—Entonces ¿el otro quién era? —preguntó McFarlane.

En lugar de responder, Glinn se alejó y murmuró algo en español, con el volumen justo de voz para que lo oyera McFarlane.

—Es usted muy poco sensato, comandante. Muy poco sensato.

Isla Desolación
23 de julio, 12.05 h

Pasó la tormenta, y veinticuatro horas sin novedad. Se reforzó bastante la seguridad, triplicando las guardias, instalando cámaras adicionales y enterrando sensores de movimiento en la nieve por todo el perímetro de la zona de operaciones.

Mientras tanto proseguía a ritmo vertiginoso el trabajo de abrir la zanja e instalar los raíles. En cuanto se tenía construida una sección, se arrastraba centímetro a centímetro el meteorito, cuyos únicos momentos de inmovilidad correspondían a los cambios de emplazamiento del cabrestante, la construcción de otro tramo de vía y el rellenado del corte anterior. En torno al meteorito se habían doblado las medidas de seguridad.

Al final las excavadoras llegaron al interior del campo de nieve, donde el meteorito aguardó, protegido por casi sesenta metros de hielo sólido, a que las brigadas de excavación perforasen el campo por los dos extremos.

Eli Glinn estaba dentro de la boca del túnel de hielo, observando los progresos a que daba lugar el trabajo de la maquinaria pesada. A pesar de las últimas dos muertes, se ceñían a lo planeado. Del agujero practicado en el hielo salía una docena de mangueras gruesas que escupían humos de diésel y hollín por los extremos. Se trataba de un sistema provisional de airear el túnel mientras la maquinaria pesada excavaba hielo. A su manera, pensó Glinn, era bonito, otro prodigio de ingeniería que añadir a una lista que desde el principio del proyecto ya se había hecho muy larga. Las paredes y el techo del túnel eran rugosos, irregulares, con un dibujo fractal de protuberancias interminables. Las paredes estaban cubiertas por redes de grietas y fisuras con aspecto de absurdas telarañas de color blanco, contrastando con el azul oscuro del hielo. Lo único liso era el suelo, cubierto con la grava omnipresente, por la que viajaría el carro.

El túnel estaba iluminado por una hilera de luces. Glinn aguzó la vista y vio el meteorito en el carro, mancha roja en un tubo azul fantasmal. El túnel resonaba con los chirridos y golpes de una maquinaria invisible. Lejos parpadeaban unos faros. Un vehículo rodeó el meteorito y se acercó a Glinn. Era un convoy de carros mineros llenos de esquirlas azules de hielo.

La revelación de que el contacto con el meteorito podía ser mortal había impresionado más a Glinn de lo que estaba dispuesto a admitir. Hasta entonces, pese a haber ordenado no tocar directamente la roca en ninguna circunstancia, siempre lo había considerado una simple precaución. Intuía que McFarlane tenía razón, que la explosión se debía al contacto. No se le ocurría otra respuesta. Había surgido la necesidad de una repetición estratégica de los cálculos, y, por ende, de otra revisión de su análisis de probabilidades; revisión que había requerido casi toda la potencia informática de EES en su sede de Nueva York.

Volvió a mirar la roca roja, posada en su lecho de roble como una piedra preciosa gigantesca. Era lo que había matado al hombre de Vallenar, a Rochefort, a Evans y a Masangkay. Lo raro era que Lloyd hubiera salido indemne. No podía cuestionarse que el meteorito era mortal… pero lo cierto, en cuanto a previsión de víctimas, era que seguían teniendo margen. El proyecto del volcán había costado catorce vidas, incluida la de un funcionario entrometido que insistía en estar donde no tenía que estar. Glinn se recordó que a pesar de la singularidad de la roca, a pesar del problema del destructor chileno, básicamente seguía siendo un problema de mover algo pesado.

Consultó su reloj. McFarlane y Amira serían tan puntuales como siempre. De hecho ya les veía apearse de un *snowcat* en la boca del túnel de hielo. McFarlane llevaba una bolsa de lona llena de instrumentos. En cinco minutos estuvieron junto a Glinn, que se dirigió a ellos en los siguientes términos:

—Tienen cuarenta minutos, hasta que esté acabado el túnel y vuelva a moverse el meteorito. Aprovéchenlos bien.

—Es nuestra intención —dijo Amira.

Glinn la vio sacar aparatos de la bolsa y ponerlos a punto, mientras McFarlane, callado, hacía fotos de la roca con una cámara digital. Amira era competente. Cumpliendo las previsiones de Glinn, McFarlane se había enterado de los informes, y con el efecto deseado: darse cuenta de que le observaban. En cuanto a Amira, ahora tenía un dilema ético con el que entretenerse, lo cual era una buena manera de distraerla de las cuestiones morales, más espinosas, que tenía tendencia a plantear. Cuestiones morales que nada tenían que ver con un frío proyecto de ingeniería. McFarlane lo había encajado mejor de lo que daba a entender su perfil. Era una persona complicada, pero que había resultado más útil de lo previsible.

Glinn vio llegar otro vehículo, y también llevaba un pasajero. Sally Britton se apeó con su largo abrigo azul marino flotando detrás. El dato curioso era que no llevaba la gorra de siempre, la de oficial. La luz del túnel sacaba brillos trigueños a su cabello. Glinn sonrió. También lo tenía previsto, desde la explosión que había acabado con el espía chileno. No solo previsto, sino deseado.

Al acercarse Britton, Glinn le ofreció una sincera sonrisa de bienvenida y le estrechó la mano.

—Me alegro de verla, capitana. ¿A qué debemos su visita?

Britton miró alrededor, fijándose en todo con sus ojos verdes e inteligentes, que se le helaron al ver el meteorito.

—Santo Dios —dijo, perdiendo la regularidad de su paso.

Glinn sonrió.

—Visto por primera vez siempre impresiona.

Ella asintió sin decir nada.

—En este mundo, capitana, no hay nada grande que no comporte dificultades. —Glinn hablaba afablemente pero con gran convicción—. Es el descubrimiento científico del siglo.

A Glinn no le importaba demasiado el aspecto científico. Su interés se limitaba a los aspectos técnicos. Sin embargo no pensaba hacerle ascos a una pizca de teatro, y menos si era en beneficio de sus intereses.

Britton seguía absorta en el meteorito.

—Me habían dicho que era rojo, pero no me imaginaba...

Siguió mirando fijamente un minuto, dos minutos, entre ecos de maquinaria pesada en el túnel de hielo. Finalmente, y con visible esfuerzo, respiró, apartó la vista y miró a Glinn.

—Han muerto dos personas más, pero las noticias de aquí tardaban en llegar y ahora todo son rumores. La tripulación está nerviosa, y mis oficiales también. Necesito saber exactamente qué ha pasado y por qué.

Glinn asintió y se mantuvo a la espera.

—Mientras no se me convenza de que no es peligroso el meteorito, a mi barco no sube.

Lo dijo de un tirón y se quedó muy erguida en la grava, menuda, delgada.

Glinn sonrió. Era Sally Britton al ciento por ciento. Cada día la admiraba más.

—Pienso exactamente lo mismo —dijo.

Ella le miró desconcertada. Se notaba que había previsto encontrar resistencia.

—Señor Glinn, ahora tenemos que explicar a las autoridades chilenas la muerte de un oficial de su marina. También tenemos rondando un destructor que se entretiene apuntándonos con los cañones. Han muerto tres personas de su equipo. Aquí hay una roca de veinticinco mil toneladas que o aplasta a la gente o la hace explotar, y usted quiere metérmela en mi barco. —Hizo una breve pausa y siguió en voz más baja—. Todas las tripulaciones pueden ser supersticiosas, incluidas las mejores. Circulan verdaderas locuras.

—Hace bien en preocuparse. Voy a explicarle qué ha pasado. Disculpe que no haya ido yo al barco, pero es que se nos echa el tiempo encima, ya lo sabe.

Britton aguardó.

—Hace dos noches, durante la tormenta, vino un espía del barco chileno. Murió por una descarga eléctrica salida del meteorito. Antes, por desgracia, había matado a uno de nuestros hombres.

La mirada de Britton fue elocuente.

—¡O sea que es verdad! ¡Salió un rayo del meteorito! Y yo que no me lo creía. Pues oiga, no lo entiendo.

—En el fondo es muy fácil. El meteorito se compone de un metal que es un superconductor de electricidad. El cuerpo humano, la piel, tiene potencial eléctrico; si una persona toca el meteorito, este descarga una parte de la electricidad que circula en su interior. Es como un rayo, pero más grande. McFarlane me ha explicado la teoría, y consideramos que es lo que mató tanto al chileno como a Masangkay, el descubridor del meteorito.

—Y ¿por qué reacciona así?

—Es lo que están intentando averiguar McFarlane y Amira, pero, como ahora la prioridad es mover la roca, no han tenido tiempo de analizarlo más a fondo.

—Y ¿cómo se impedirá que a bordo pase lo mismo?

—Otra buena pregunta. —Glinn sonrió—. También está en fase de estudio. Estamos tomando precauciones para asegurarnos de que no lo toque nadie. De hecho es la política que hemos seguido desde antes de saber que el contacto podía desencadenar una explosión.

—Ya. Y ¿de dónde sale la electricidad?

La vacilación de Glinn fue muy breve.

—Es una de las cosas que está estudiando el doctor McFarlane.

Britton no contestó.

De repente Glinn le cogió una mano. Percibió una resistencia instintiva, pero al punto la capitana se relajó.

—Comprendo su preocupación, capitana —dijo amablemente—; por eso estamos tomando todas las precauciones posibles, pero le aseguro que no fallaremos. Hágame caso. Tenga fe en mí, como la tengo yo en que usted mantendrá la disciplina en el barco a pesar del nerviosismo y las supersticiones de la tripulación.

Ella le miró, pero Glinn se dio cuenta de que no podía resistir el impulso de contemplar la roca roja.

Britton volvió a mirarle a él, y después, vacilante, al meteorito.

Justo entonces se activó la radio que llevaba en el cinturón, y la capitana soltó la mano y se apartó.

—Aquí la capitana Britton —dijo.

Al ver que le cambiaba la expresión, Glinn tuvo una idea exacta de lo que estaba oyendo.

Ella volvió a guardarse la radio.

—El destructor ha vuelto.

Glinn asintió. Seguía sonriendo.

—No es ninguna sorpresa —dijo—. El *Almirante Ramírez* ha perdido a uno de los suyos, y viene a buscarlo.

Rolvaag
24 de julio, 15.45 h

Anochecía en isla Desolación. McFarlane, con una taza de café en la mano, veía descender el crepúsculo en la soledad del puente volante. Era una tarde perfecta: despejada, fría y sin viento. Lejos quedaban algunas franjas de nubes, largos cirros de color rosa y naranja. La isla se dibujaba con una nitidez antinatural. Detrás, las aguas brillantes del canal de Franklin reflejaban los últimos rayos del sol poniente. El destructor de Vallenar, gris y maligno, casi estaba demasiado lejos para poder leer su nombre en los herrumbrosos flancos. Por la tarde se había acercado hasta embocar el canal de Franklin, única vía de escape para el *Rolvaag*. Por lo visto no pensaba moverse.

McFarlane tomó un sorbo de café y, siguiendo un impulso, echó el resto por la borda. En un momento así lo que menos falta le hacía era cafeína. Ya se le había hecho un buen nudo en el estómago. Tenía curiosidad por conocer los planes de Glinn respecto al destructor, que era la gota que colmaba el vaso. A decir verdad le había visto tranquilo durante todo el día, más de lo normal. Se preguntó si sufriría una crisis nerviosa.

Dificultosamente, centímetro a centímetro, el meteorito había cruzado el campo de hielo y se había desplazado por los raíles de la zanja hasta el borde mismo de la isla. Se había quedado en un risco, delante del canal de Franklin. Para esconderlo habían montado otro de los barracones de Glinn. McFarlane lo examinó desde su observatorio del puente. Volvía a ser una obra maestra del engaño: cuatro chapas gastadas en precario equilibrio, y delante una montaña de neumáticos pelados. Tuvo curiosidad por saber cómo pensaban bajarlo a la bodega, tema sobre el que Glinn había mantenido especiales reservas. Solo sabía que lo harían todo en una noche: la que empezaba.

Oyó abrirse la escotilla y se giró, llevándose la sorpresa de ver que era Glinn; sorpresa porque, que él supiera, llevaba casi una semana sin subir al barco.

Glinn se acercó con paso tranquilo y hasta un poco saltarín, a diferencia de su cara, tan seria como siempre.

—Buenas noches —dijo.

—Muy tranquilo le veo.

Glinn no contestó, sino que sacó un paquete de cigarrillos y, para sorpresa de McFarlane, se metió uno en la boca. Al encenderlo, la cerilla le iluminó la tez cetrina. Dio una calada larga.

—No sabía que fumara. Bueno, sí, como disfraz.

Glinn sonrió.

—Me permito doce cigarrillos al año. Es la única tontería que cometo.

—¿Cuándo fue la última vez que durmió? —preguntó McFarlane.

Glinn miró las aguas tranquilas.

—No estoy seguro. Dormir es como comer: solo lo echas de menos los primeros días.

Fumó un minuto en silencio.

—¿Algún dato nuevo de cuando han estado en el túnel? —preguntó al cabo.

—Tentaciones sueltas, como que tiene una valencia atómica que pasa de cuatrocientos.

Glinn asintió.

—Conduce el sonido al diez por ciento de la velocidad de la luz. Tiene una estructura interna muy poco pronunciada: una capa externa y otra interna con una inclusión pequeña en el centro. La mayoría de los meteoritos se forman por desintegración de algo más grande. Este es lo contrario: parece que se haya formado por adición, seguramente en un chorro de plasma de una hipernova. Un poco como las perlas alrededor de un grano de arena. Por eso es un poco asimétrico.

—Increíble. ¿Y la descarga eléctrica?

—Sigue siendo un misterio. No nos explicamos que solo la desencadene el contacto humano, ni que el único que se salvó de la explosión fuera Lloyd. Tenemos tantos datos que no podemos ni empezar a analizarlos, y todos se contradicen.

—¿Y lo de que después de la explosión no funcionaran las radios? ¿Tiene algo que ver?

—Sí. Se ve que después de la descarga el meteorito estaba en un estado de excitación, y que emitía ondas de radio, radiaciones electromagnéticas de onda larga. De ahí la interferencia con la comunicación normal. Se le fue pasando, pero en un radio corto, por ejemplo dentro del túnel, seguía emitiendo bastante ruido para anular las comunicaciones como mínimo durante unas cuantas horas.

—¿Y ahora?

—Se ha estabilizado. Al menos hasta la próxima explosión.

Glinn fumaba en silencio. Se veía que disfrutaba. A continuación hizo un gesto hacia la costa y el barracón que escondía el meteorito.

—Dentro de unas horas lo tendremos en la bodega. Si le queda alguna reserva, dígamela ahora. Nos jugamos la supervivencia en alta mar.

McFarlane se quedó callado. Casi notaba el peso de la pregunta en los hombros.

—No puedo hacer un pronóstico tan a la ligera.

Glinn siguió fumando.

—No le pido ningún pronóstico. Solo una conjetura con un poco de base.

—Hemos tenido la oportunidad de observarlo durante varias semanas en condiciones variables, y aparte de la descarga eléctrica, cuya causa parece ser el contacto humano, muestra una inercia total. No reacciona ni al metal ni a una microsonda de electrones de mucha potencia. Mientras sean estrictas las medidas de seguridad, no veo ninguna razón de que en la bodega del *Rolvaag* vaya a reaccionar de otra manera.

McFarlane titubeó por la duda de si su fascinación por el meteorito le hacía perder objetividad. La idea de no llevárselo era… inconcebible. Cambió de tema.

—Lloyd ha estado llamando casi cada hora y se muere por tener noticias.

Glinn dio una calada con cara de felicidad y los ojos medio cerrados, como un Buda.

—Dentro de media hora, en cuanto sea noche cerrada, arrimaremos el barco al risco y empezaremos a cargar el meteorito en una torre que sale de la bodega. A las tres de la mañana estará dentro, y para cuando amanezca nos faltará poco para llegar a aguas internacionales. Puede comunicárselo al señor Lloyd. Está todo controlado. La operación correrá a cargo de Garza y Stonecipher. Yo no haré falta hasta la fase final.

—¿Y eso? —McFarlane señaló el destructor con la cabeza—. En cuanto se empiece a bajar la roca al tanque, la verá todo el mundo. El *Rolvaag* será un blanco perfecto.

—Contamos con dos protecciones: la oscuridad y que se prevé niebla. De todos modos, en el período crítico le haré una visita al comandante Vallenar.

McFarlane no estaba seguro de haber oído bien.

—¿Que hará qué?

—Así le distraemos. —Y en voz más baja—: Y servirá para algo más.

—¡Qué locura! ¿Y si le arresta? ¿Y si le mata?

—Lo dudo. Vallenar tiene fama de hombre brutal, pero no de loco.

—No sé si se ha fijado, pero tiene bloqueada nuestra única salida.

Se había hecho de noche, y la isla quedaba bajo el manto de la oscuridad. Glinn consultó su reloj de oro y se sacó una radio del bolsillo.

—¿Manuel? Adelante.

Se encendió casi enseguida una batería de focos muy potentes que iluminaron el risco y bañaron con luz fría el desolado paisaje. Entonces apareció una muchedumbre de trabajadores, como caídos del cielo, y se oyó rugir la maquinaria pesada.

—¡Pero hombre! ¡Solo falta que ponga un letrero diciendo «Está aquí»! —dijo McFarlane.

—Desde el destructor no se ve el risco —dijo Glinn—. Lo tapa aquel cabo. Si Vallenar quiere saber en qué consiste esta nueva actividad, y seguro que querrá, tendrá que mover el barco hacia la punta norte del canal. A veces la mejor manera de disfrazarse es no disfrazarse. Piense que Vallenar no esperará que nos marchemos.

—¿Por qué no?

—Porque mantendremos toda la noche el señuelo de la operación minera. Se quedará en la isla todo el equipo pesado, y dos docenas de hombres trabajando sin descanso. Lógicamente habrá algunas explosiones y muchas transmisiones radiofónicas. Encontrarán algo justo antes de amanecer, o al menos lo parecerá desde el *Almirante Ramírez*. Estará todo el mundo muy alborotado. Los trabajadores harán una pausa para comentar el descubrimiento. —Arrojó la colilla y la vio volar en la oscuridad—. El barco auxiliar del *Rolvaag* está escondido en la otra punta de la isla. Nada más marcharnos, los trabajadores embarcarán y se reunirán con nosotros detrás de la isla de Hornos. Lo demás se quedará en Desolación.

—¿Todo?

McFarlane hizo revisión mental de las barracas llenas de aparatos, las excavadoras, los contenedores-laboratorio, los enormes tráilers amarillos…

—Sí. Se quedarán funcionando los generadores y encendidas todas las luces. Dejaremos millones de dólares de maquinaria a la vista, y, cuando nos vea zarpar Vallenar, supondrá que volveremos.

—¿No nos perseguirá?

Glinn tardó un poco en contestar.

—Puede que sí.

—¿Entonces?

Sonrió.

—Están analizadas todas las posibilidades. —Volvió a sacar la radio—. Arrimad el barco al risco.

Después de una pausa, McFarlane notó la vibración de los motores. El barco empezó a girar muy, muy lentamente.

Glinn volvió a mirarle.

—En esto, Sam, usted tiene un papel importantísimo.

McFarlane le miró con cara de sorpresa.

—¿Yo?

Glinn asintió.

—Le pido lo siguiente: esté en contacto con Lloyd, téngale informado, procure que no se ponga nervioso y, lo principal, que no se mueva de donde está. En estos momentos podría ser un desastre que viniera. Y ahora me despido, porque tengo que prepararme para la visita a nuestro amigo chileno. —Se quedó callado y miró a McFarlane a los ojos—. Le debo disculpas.

—¿Por qué? —preguntó McFarlane.

—Ya lo sabe. No podría haber encontrado a un científico mejor ni de más confianza. Al cierre de la expedición destruiremos el informe que tenemos sobre usted.

McFarlane no supo cómo tomárselo. Glinn parecía sincero, pero era un hombre tan calculador que hasta aquella confesión podía esconder segundas o terceras intenciones al servicio de los planes de su autor.

Glinn tendió la mano. McFarlane la cogió y le puso la otra en el hombro.

Segundos después Glinn se había marchado.

McFarlane aún tardaría un poco en comprender que el relleno que había tocado no era el de la chaqueta, sino un chaleco antibalas.

Canal de Franklin
20.40 h

En la proa de una lancha, Glinn disfrutaba del aire glacial que le soplaba en la cara. Callados, invisibles para él, los cuatro hombres que formaban parte de la operación estaban sentados en el puente de la cabina, donde no había ninguna luz encendida. Directamente enfrente titilaban las luces del destructor en las aguas plácidas del estrecho. Se había desplazado canal arriba, confirmando las previsiones de Glinn.

Miró hacia atrás, hacia la propia isla. La actividad minera, febril, estaba rodeada de una ingente cantidad de focos, a cuya luz circulaba sin descanso la maquinaria pesada. Mientras miraba, retumbó en el aire el eco sordo y lejano de una explosión. En comparación, el verdadero trabajo, el del risco, parecía secundario. Por radio se había presentado el movimiento del *Rolvaag* como medida de precaución frente a otra tormenta: el buque se pondría a sotavento de la isla y tendería cables a la costa.

Aspiró el aire marino, cargado de humedad, y se empapó de aquella tranquilidad engañosa. En efecto, se acercaba una gran tempestad, cuyas características concretas solo conocían Glinn, Britton y los oficiales de guardia del *Rolvaag*. Siendo el momento tan crítico, no habían considerado necesario preocupar a la tripulación ni a los técnicos de EES. Sin embargo, el análisis por satélite indicaba la posibilidad de que se convirtiese en un *panteonero*, y que se declarase pronto, al alba. Los vientos así siempre llegaban del sudoeste, y luego, al ganar fuerza, viraban al noroeste. Podían llegar a ser de fuerza 15, pero, si el *Rolvaag* conseguía cruzar el estrecho de Le Maire a mediodía, estarían a sotavento de Tierra del Fuego antes de que empezara lo peor. Y tendrían el viento detrás: ideal para un gran petrolero e infernal para un perseguidor de menor tamaño.

Tenía la seguridad de que Vallenar, a esas alturas, ya estaba al corriente de su llegada. La lancha navegaba lentamente y con todas las luces de navegación encendidas. En aquella agua negra, sin luna, ni siquiera haría falta radar para detectar su presencia.

La lancha se colocó a menos de doscientos metros del barco. Glinn oyó ruido de caer algo en el agua, pero no se giró. Cumpliendo las previsiones, hubo tres ruidos más de zambullida. Glinn experimentaba una calma sobrenatural, la agudeza sensorial que precedía a todas las operaciones de combate. Después de tanto tiempo, fue una sensación placentera, casi nostálgica.

Se encendió un foco en la bovedilla del destructor, foco que al orientarse hacia la lancha deslumbró a Glinn. Este permaneció inmóvil en la proa, mientras perdía velocidad la lancha. Si le pegaban un tiro sería ahora. No obstante, tenía la firme convicción de que no habría disparos. Inspiró, exhaló lentamente y repitió el proceso. Había pasado el momento crítico.

Le recibieron en la escotilla de embarque y le condujeron por una serie de pasillos hediondos y pasarelas resbaladizas de metal hasta detenerse a la entrada del puente. Vallenar tenía por único acompañante al oficial de puente. Estaba al lado de las ventanas de proa, mirando la isla con un puro en la boca y las manos en la espalda. Hacía frío. O bien no funcionaba la calefacción, o bien la habían apagado. El puente olía igual que el resto del barco: a una mezcla de combustible, agua de sentina y pescado.

Vallenar no se giró. Antes de tomar la palabra, Glinn dejó transcurrir un silencio muy largo.

—Comandante —dijo educadamente en español—, vengo a presentarle mis respetos.

Vallenar profirió un ruidito que Glinn consideró de burla, pero siguió sin girarse. Alrededor de Glinn, parecía que la atmósfera estuviera cargada de una claridad sobrehumana. Se notaba el cuerpo ligero, como si fuera de aire.

Vallenar se sacó una carta del bolsillo, la desdobló y quedó en suspenso. Glinn reconoció el membrete de una universidad australiana de prestigio. El comandante se decidió a hablar.

—Es un meteorito —dijo secamente, con voz inexpresiva.

Conque lo sabía. Les había parecido la secuencia menos probable de todas las que habían analizado, pero ahora era la que debían seguir.

—Sí.

Vallenar se giró y, al abrírsele su abrigo de lana, se vio que llevaba una vieja Luger metida en el cinturón.

—Están robando un meteorito de mi país.

—No es ningún robo —dijo Glinn—. Nos ajustamos al derecho internacional.

La lúgubre risa de Vallenar resonó en el puente casi desierto.

—Sí, ya lo sé. Es una expedición minera, y se trata de un metal. Al final resulta que me equivocaba, y que es verdad que venían a por hierro.

Glinn no dijo nada. Cada palabra de Vallenar le suministraba información sobre su manera de ser, información que le permitiría formular predicciones todavía más precisas sobre sus futuras acciones.

—Pero no se ajustan a mi ley. La ley del comandante Vallenar.

—No le entiendo —dijo Glinn, pero mentía.

—No saldrán de Chile con el meteorito.

—Suponiendo que lo encontremos —dijo Glinn.

Vallenar guardó un silencio brevísimo, pero que le reveló a Glinn que no sabía que lo hubieran encontrado.

—¿Qué me impide informar a las autoridades de Santiago? ¡Porque tan lejos no ha llegado el soborno!

—Es libre de informar a quien desee —dijo Glinn—. No hacemos nada ilegal.

Sabía que Vallenar no informaría de nada. Era de los que arreglaban las cosas a su manera.

Vallenar chupó el puro y sopló el humo hacia Glinn.

—Dígame una cosa, señor… Ishmael, ¿verdad?

—Mi verdadero nombre es Glinn.

—Ah. Pues dígame una cosa, señor Glinn: ¿por qué ha venido a mi barco?

Glinn se daba cuenta de que la respuesta requería extremar las precauciones.

—Verá, comandante, es que tenía la esperanza de llegar a un acuerdo.

Viendo lo previsto, que el comandante se enfadaba, insistió.

—Tengo autorización para entregarle un millón de dólares en oro a cambio de su cooperación.

De repente Vallenar sonrió, la mirada inescrutable.

—¿Lo lleva encima?

—No, claro que no.

El comandante se entretuvo en dar unas caladas.

—Mire, usted podrá pensar que tengo un precio, como todos los demás; que porque soy sudamericano, un sucio latino, siempre estoy dispuesto a cooperar a cambio de una buena coima.

—Mi experiencia me dice que todo el mundo tiene su precio —dijo Glinn—. Norteamericanos incluidos.

Observó atentamente al comandante. Sabía que rechazaría el soborno, pero se podía obtener información del rechazo.

—Con esa experiencia, seguro que ha tenido una vida de corrupción entre putas, degenerados y homosexuales. No saldrá de Chile con ese meteorito. ¿Sabe qué le digo? Que agarre el oro y se lo meta a su puta madre en el coño.

Glinn no respondió al insulto.

Vallenar bajó el puro.

—Queda en pie otra cuestión. Envié a alguien a reconocer la isla y aún no ha vuelto. Se llama Timmer y es mi oficial de comunicaciones.

Glinn quedó algo sorprendido. No creía que el comandante fuera a sacar el tema, y menos reconocer que su subordinado desempeñara funciones de espía. A fin de cuentas el tal Timmer había fracasado, y se notaba que Vallenar era de los que despreciaban el fracaso.

—Le cortó el cuello a uno de los nuestros. Le tenemos prisionero.

El comandante contrajo los párpados, y hubo un momento en que pareció a punto de perder el control, pero se rehízo y volvió a sonreír.

—Pues haga el favor de devolvérmelo.

—Lo siento —dijo Glinn—, pero ha cometido un crimen.

—O me lo devuelve enseguida o le reviento el barco —dijo Vallenar, levantando la voz.

Glinn volvió a experimentar cierta sorpresa. Respecto a la situación, aquel arrebato era francamente excesivo. Oficial de comunicaciones era un rango intermedio, fácil de sustituir. Allí había gato encerrado. Repasó mentalmente las posibilidades, al mismo tiempo que pronunciaba la respuesta.

—No se lo aconsejo, porque tenemos a su oficial encerrado en el barco.

El comandante lo miró fijamente y con dureza. En las siguientes palabras recuperó la mesura.

—Si me devuelven a Timmer, me plantearé dejar que se lleven el meteorito.

Glinn sabía que era mentira. Había tan pocas posibilidades de que, una vez devuelto Timmer, Vallenar les franqueara el paso como de que le devolvieran ellos a Timmer. Según Puppup, contaba con una tripulación fiel hasta el fanatismo. Quizá empezara a entenderlo: Vallenar les correspondía con la misma entrega incondicional. Hasta entonces Glinn había creído que el comandante era capaz de prescindir de cualquiera. Aquella faceta de Vallenar era imprevista. No se ajustaba al perfil elaborado por su gente de Nueva York, ni al currículum que había conseguido; pero bueno, era útil. Tendría que replantearse a Vallenar. En cualquier caso ya tenía la información que necesitaba: saber qué sabía Vallenar. Y sus hombres habían tenido tiempo de sobra para hacer lo que habían venido a hacer.

—Transmitiré su oferta a nuestro capitán —dijo—. Yo creo que se podrá llegar a algún arreglo. Tendré la respuesta a mediodía. —Glinn se inclinó un poco—. Ahora, con su permiso, vuelvo a mi barco.

La sonrisa de Vallenar casi consiguió disimular la rabia que sentía.

—Buena idea; porque, como a mediodía estos ojos no hayan vuelto a ver a Timmer, sabré que está muerto. Y sus vidas no valdrán lo que una cagada de perro debajo de esta bota.

Rolvaag
23.50 h

McFarlane recibió la llamada en las oficinas de Lloyd, donde no había nadie. Al otro lado de los anchos ventanales había empezado a soplar brisa, y llegaba oleaje del oeste. El petrolero estaba protegido por los acantilados de basalto, y amarrado a la costa por una serie de cabos clavados en la roca con pernos de acero. Estaba todo preparado, en espera del manto de niebla que según Glinn se preveía para medianoche.

El teléfono del escritorio de Lloyd se puso a parpadear como loco, y McFarlane lo cogió con un suspiro. Sería su tercera conversación con Lloyd en una tarde. Aborrecía su nuevo papel de emisario y secretario.

—¿Señor Lloyd?

—Sí, sí, soy yo. ¿Ya ha vuelto Glinn?

Se oía el mismo ruido de fondo que en la conversación anterior, fuerte y continuo. McFarlane tuvo curiosidad por saber de dónde llamaba Lloyd.

—Hace dos horas.

—Y ¿qué ha dicho? ¿Vallenar ha aceptado el soborno?

—No.

—Quizá no haya ofrecido bastante.

—Se ve que Glinn está convencido de que pasaría lo mismo con cualquier suma.

—¡Pero hombre! ¡Todo el mundo tiene un precio! Supongo que ahora ya es demasiado tarde, pero yo habría pagado veinte millones. Díselo. Veinte millones en oro, y enviados a cualquier parte del planeta. Más pasaportes norteamericanos para él y su familia.

McFarlane no contestó. Tenía la impresión de que a Vallenar le interesarían muy poco los pasaportes norteamericanos.

—Bueno, y ¿qué plan tiene Glinn?

McFarlane tragó saliva. Cada vez le gustaba menos.

—Dice que es infalible, pero que de momento no nos lo puede contar. Dice que la confidencialidad es clave para el éxito…

—¡Chorradas! Que se ponga. Enseguida.

—Al oír que volvía a llamar he intentado encontrarle, pero no contesta ni por busca ni por radio, y al parecer nadie sabe dónde está.

—¡Me cago en…! Ya sabía yo que era un error jugarme todo el…

Una oleada de estática borró el resto de la frase. Después volvió la voz, pero un poco más lejana.

—¿Sam? ¡¡Sam!!

—Aquí.

—Escúchame. Tú que eres el representante de Lloyd, dile a Glinn que me llame enseguida y que es una orden. Si no, le despido y le echo yo personalmente por la borda de una patada en el culo.

—Sí —dijo McFarlane, cansado.

—¿Estás en mi despacho? ¿Ves el meteorito?

—Todavía está escondido en el acantilado.

—¿Cuándo lo bajarán al barco?

—En cuanto se levante la niebla. Me han dicho que solo tardarán un par de horas en cargarlo en la bodega, una media hora en fijarlo, y que entonces zarparemos. Está previsto que nos hayamos marchado como máximo a las cinco de la mañana.

—Lo veo muy justo. Y dicen que viene otra tormenta peor que la anterior.

—¿Una tormenta? —preguntó McFarlane.

La única respuesta fue la estática. Aguardó, pero la comunicación se había cortado. Colgó el auricular y miró por la ventana. Justo entonces dio las doce el reloj electrónico del escritorio de Lloyd.

Había dicho: «le echo yo personalmente por la borda».

De repente McFarlane entendió en qué consistía el ruido de fondo de la llamada: un motor a reacción.

Lloyd iba en avión.

Almirante Ramírez
25 de julio, medianoche

El comandante Vallenar miraba con prismáticos desde el puente. Su barco ocupaba el extremo norte del canal, desde donde tenía una visión sin obstáculos de la actividad de la costa. Una visión muy reveladora.

Los americanos habían arrimado el petrolero al risco y habían tendido cables a la costa. Se notaba que el capitán del *Rolvaag* tenía nociones sobre el clima del cabo de Hornos. A falta de información sobre el arrecife submarino donde había anclado Vallenar el *Almirante Ramírez*, su opción había sido atar el barco a sotavento de la isla con la esperanza de protegerse de lo peor de la tormenta. Con suerte, la brisa de tierra alejaría al barco de las rocas peligrosas, pero, teniendo en cuenta la posibilidad de un cambio repentino del viento, no dejaba de ser una maniobra muy arriesgada para un barco tan grande, sobre todo estando equipado con posicionamiento dinámico. Habría sido mucho más seguro apartarse del todo de la isla. Había algo urgente que les retenía en sus proximidades.

Y no había que buscar mucho para encontrarlo. Volvió a enfocar el centro de la isla y la operación minera a gran escala que se desarrollaba a unos tres kilómetros del *Rolvaag*. Llevaba vigilándola desde antes de llegar el americano, Glinn. Dos horas antes se había producido una aceleración repentina de la actividad: explosiones, chirridos incesantes de máquinas, circulación rápida de trabajadores, focos de mucha potencia iluminando toda la zona… Las comunicaciones radiofónicas interceptadas indicaban que las brigadas habían encontrado algo. Algo grande.

Sin embargo, el hallazgo les estaba planteando serias dificultades. En primer lugar, al intentar levantarlo se les había roto aquel andamio tan fuerte que tenían, y ahora intentaban arrastrar el objeto con maquinaria pesada; pero las conversaciones radiofónicas dejaban muy claro que tenían poca o ninguna suerte. Seguro que el *Rolvaag* se había quedado cerca por si faltaba personal o maquinaria. Vallenar sonrió: los norteamericanos, después de todo, tampoco eran tan eficaces. A aquel ritmo tardarían varias semanas en subir a bordo el meteorito.

Claro que eso él no iba a permitirlo. En cuanto hubiera vuelto Timmer, Vallenar inutilizaría el petrolero para evitar que se marcharan, y a continuación transmitiría las noticias de la tentativa de robo. La honra de su país quedaría intacta. Cuando los políticos vieran el meteorito (cuando se enterasen de cómo habían querido robarlo los americanos), lo comprenderían. Aquel meteorito podía, incluso, ganarle un ascenso para salir de Puerto Williams. El mal trago no sería para él, sino para los cerdos corruptos de Punta Arenas. Todo, sin embargo, dependía de elegir bien el momento...

Se le borró la sonrisa al pensar en Timmer encerrado en el petrolero. No le sorprendía que hubiera matado a alguien, porque el joven Timmer era algo irreflexivo y tenía muchas ganas de causar buena impresión. Le sorprendía, en cambio, que le hubieran apresado. Estaba impaciente por oír el parte.

No quiso pensar en la otra posibilidad: que los americanos hubieran mentido, y que Timmer estuviera muerto.

Se oyó ruido de alguien acercándose. Era el oficial de guardia.

—¿Comandante?

Vallenar asintió sin mirarle.

—Señor, hemos recibido la segunda orden de volver a la base.

Vallenar se quedó pensando.

—¿Señor?

Vallenar escrutó la oscuridad. Ya se estaba levantando la niebla del pronóstico.

—No den ninguna respuesta.

La petición hizo parpadear un poco al oficial, pero tenía demasiada buena instrucción para cuestionar una orden.

—Sí, señor.

Vallenar contempló la niebla. Parecía humo materializándose de la nada y echando un velo sobre el mar. Las luces del petrolero empezaron a titilar entre bancos de niebla, hasta que desaparecieron del todo. Primero, en medio de la isla, la luz brillante de la zona de excavaciones se convirtió en un fulgor indistinto; después se apagó por completo, y delante del puente solo quedó una pared de oscuridad. Vallenar acercó la cabeza al FLIR, donde se perfilaba el barco en un contorno amarillo borroso.

Se puso derecho, se apartó del instrumento y pensó en Glinn. Era un hombre un poco raro, inescrutable. Su visita al *Almirante Ramírez* había sido una gran osadía. Hacían falta cojones. Sin embargo, le inquietaba.

Dedicó un rato más a contemplar la niebla, y a continuación se volvió hacia el oficial.

—Que acuda al puente el oficial de informaciones de combate —dijo en voz baja pero con precisión.

Rolvaag
medianoche

Cuando llegó McFarlane al puente, encontró a un grupo de oficiales apiñados en el puesto de control y con cara de preocupación. Había sonado una sirena, y el sistema de megafonía había ordenado a todos que ocuparan sus puestos. Britton, por quien había sido convocado McFarlane, no dio señas de haberse dado cuenta de su llegada. Al otro lado de los ventanales flotaba un banco de niebla. Las luces potentes del castillo de proa eran puntitos amarillos.

—¿Tiene nuestras coordenadas? —preguntó Britton.

—Afirmativo —respondió un oficial que estaba cerca—. Con radar de tiro.

La capitana se pasó el dorso de la mano por la frente, levantó la mirada y vio a McFarlane.

—¿Y el señor Glinn? —preguntó—. ¿Por qué no contesta?

—No lo sé. Ha desaparecido poco después de volver del barco chileno. Yo también le buscaba.

Britton miró a Howell.

—Quizá no esté en el barco —dijo el primer oficial.

—Está. Formen dos patrullas, y que busque una a proa y la otra a popa. Que avancen las dos hacia la mitad del barco. Que le encuentren y le traigan enseguida al puente.

—No hace falta.

Glinn, siempre tan sigiloso, había aparecido al lado de McFarlane. Tenía detrás a dos individuos a quienes McFarlane no recordaba haber visto antes, ambos con la insignia circular de EES en la camisa.

—Eli —dijo McFarlane—, ha vuelto a llamar Palmer Lloyd...

—¡Por favor, doctor McFarlane, silencio en el puente! —le espetó Britton. Su tono poseía una autoridad abrumadora. McFarlane se quedó callado. Britton se volvió hacia Glinn—. ¿Quiénes son estos hombres y qué hacen en mi puente?

—Son empleados de EES.

Britton hizo una pausa como para digerirlo.

—Quisiera recordarle, señor Glinn (a usted y al doctor McFarlane, como representante de Lloyd Industries a bordo) que en tanto que capitana del *Rolvaag* detento la máxima autoridad sobre lo que ocurra en este barco.

Glinn asintió, o se lo pareció a McFarlane, porque el gesto fue casi imperceptible.

—Pues bien, deseo ejercer la prerrogativa que me confiere dicha autoridad.

McFarlane reparó en que tanto Howell como los demás oficiales que había en el puente tenían tensas las facciones. Se notaba que estaba a punto de pasar algo, a pesar de lo cual las palabras de la capitana dejaron a Glinn bastante indiferente.

—Y ¿cómo piensa ejercerla?

—El meteorito no subirá a bordo.

Glinn la miró afablemente y en silencio.

—Capitana, creo que sería mejor que lo discutiésemos en privado.

—No. —Britton se giró hacia Howell—. Inicien los preparativos para abandonar la isla. Nos marcharemos dentro de noventa minutos.

—Señor Howell, por favor, espere un minuto. —Glinn seguía mirando a la capitana—. ¿Podría decirme qué ha precipitado la decisión?

—Ya conoce mis temores sobre la roca. Usted, aparte de conjeturas, no me ha dado ninguna garantía de que sea seguro llevarla a bordo; y solo hace cinco minutos que el destructor nos ha localizado con radar de control de tiro. Somos un blanco perfecto. Aunque fuera seguro el meteorito, no lo son las condiciones. Se acerca una tormenta de gran intensidad. Sería una locura cargar el objeto más pesado de la historia apuntándonos un cañón de cuatro pulgadas.

—No disparará. Al menos de momento. Cree que tenemos a su hombre, Timmer; y se le ve con muchas ganas de que vuelva a bordo sano y salvo.

—Ya. Y ¿cómo reaccionará cuando se entere de que Timmer está muerto?

Glinn no contestó a la pregunta.

—Huir sin un plan como Dios manda es condenarse al desastre, además de que, mientras no vuelva Timmer, Vallenar no va a dejarnos pasar.

—Pues le digo una cosa: prefiero huir ahora que con un meteorito como lastre.

Glinn siguió mirándola con la misma expresión afable, casi triste.

Un técnico carraspeó.

—Contacto aéreo en cero cero nueve, a cincuenta y cinco kilómetros y acercándose.

—Sígalo y avíseme —dijo Britton sin cambiar de postura ni desviar la mirada de Glinn.

Se produjo un silencio breve y tenso.

—¿Se ha olvidado del contrato que firmó con EES? —preguntó Glinn.

—No me he olvidado de nada, señor Glinn, pero existe una ley por encima de cualquier contrato: la del mar. En lo que respecta al barco, la última palabra la tiene el capitán. Y, dadas las circunstancias, no permitiré que el meteorito sea subido a bordo.

—Capitana Britton, si no quiere que hablemos en privado solo puedo asegurarle que no hay motivos de preocupación.

Glinn hizo una señal a sus hombres, uno de los cuales avanzó y se sentó a una consola informática de acero negro que no se utilizaba. El segundo hombre se colocó detrás y de espaldas a la consola; de cara, por lo tanto, al conjunto de los oficiales. McFarlane observó que la consola era una versión menor de la misteriosa máquina que le había señalado Britton en el cuarto de control de carga.

Britton miró con mala cara a los dos desconocidos.

—Señor Howell, despeje el puente de todo el personal de EES.

—No va a ser posible —dijo Glinn, apesadumbrado y con un tono que hizo vacilar a Britton.

—¿Qué quiere decir?

—El *Rolvaag* es una maravilla de barco, lo último en informatización marítima. EES, como precaución, ha empleado la informática para evitar estas situaciones. Resulta que al ordenador central lo controla nuestro sistema. Normalmente es un control transparente, pero desactivé el *bypass* al anclar el *Rolvaag* en la isla. Ahora los códigos de autorización para controlar los motores principales solo los tenemos nosotros. No se puede transmitir ninguna orden de navegación sin introducir el código correcto.

Britton le miró con rabia muda.

Howell cogió un auricular de la consola de mando.

—Seguridad al puente, y deprisa.

Britton se dirigió al oficial de guardia.

—Inicie la secuencia de motores.

El oficial introdujo una serie de comandos.

—No responden los motores, señora.

—Ejecute el diagnóstico —dijo ella.

—Me temo, capitana —continuó Glinn—, que tendrá que cumplir con el contrato le guste o no.

Britton se volvió de manera brusca, le taladró con la mirada y le dijo algo en voz demasiado baja para que lo oyera McFarlane.

Glinn se adelantó unos pasos.

—No —dijo casi susurrando—. Usted prometió que el barco volvería a Nueva York. Yo lo único que hice fue tomar medidas preventivas contra la infracción de la promesa, viniera de usted o de otros.

Britton se quedó callada, temblándole un poco el esbelto cuerpo.

—Si nos marchamos ahora, sin plan, cuente con que nos mandarán a pique. —Glinn mantenía la voz en un registro bajo, persuasivo, urgente—. En este momento, nuestra supervivencia depende de que se obedezcan mis indicaciones. Sé lo que me hago.

Britton siguió mirándole.

—Me niego.

—Capitana, hágame caso: solo hay una manera de sobrevivir. O coopera conmigo o moriremos todos. Así de sencillo.

—Capitana —dijo el oficial de guardia—, el diagnóstico... —Viendo que no contaba con la atención de la capitana, se interrumpió.

En el puente apareció un grupo de oficiales de seguridad.

—Ya han oído a la capitana —dijo Howell, haciéndoles señas de que se acercaran—. Despejen el puente del personal de EES.

Los técnicos de Glinn se pusieron tensos, pero de repente Britton levantó la mano.

—Capitana… —dijo Howell.

—Que se queden.

Howell la miró con cara de incredulidad, pero ella no se giró.

El silencio fue largo y lleno de crispación. Glinn hizo señas a su equipo.

El que estaba sentado cogió una llavecita metálica que tenía colgada en el cuello y la insertó en el frontal de la consola. Glinn se acercó, tecleó una secuencia breve de órdenes, pasó a un teclado numérico y pulsó unas cuantas teclas más.

El oficial de guardia levantó la cabeza.

—Señora, la pantalla se ha puesto verde.

Britton asintió.

—Ojalá sea verdad que sabe lo que se hace. —Lo dijo sin mirar a Glinn.

—Capitana, si es capaz de confiar en algo, que sea en esto. He hecho un pacto tanto personal como profesional para llevar el meteorito a Nueva York. He invertido una cantidad enorme de recursos en resolver cualquier problema que pudiéramos tener, y no fallaré. No fallaremos.

A McFarlane no le pareció que Britton quedara muy impresionada por sus palabras. La mirada de la capitana conservaba su frialdad.

Glinn retrocedió.

—Capitana, las próximas doce horas serán las más duras de toda la misión. Ahora el éxito depende de cierto grado de subordinación de su autoridad de capitana. Le pido disculpas. Sin embargo, una vez que el meteorito esté seguro en la bodega, volverá a ser suyo el barco; y mañana a mediodía estaremos de camino a Nueva York. Llevando algo que no tiene precio.

Siguió mirándola, y McFarlane vio que sonreía. Era una sonrisa muy tenue, extremadamente, pero allí estaba.

Banks salió de la cabina del telegrafista.

—Señora, tengo identificado lo que se acerca. Es un helicóptero de Lloyd Holdings. Está mandando una señal en clave en la frecuencia de puente a puente.

A Glinn se le borró la sonrisa. Miró a McFarlane, que estuvo a punto de decir: «A mí no me mire. Tendría que haberle mantenido usted a raya».

El oficial de la consola del radar se ajustó los auriculares.

—Capitana, pide permiso para aterrizar.

—¿Estimación?

—Treinta minutos.

Glinn dio media vuelta.

—Si no le importa, capitana, tengo un par de cosas que solucionar. Haga los preparativos que considere oportunos para la partida. Vuelvo enseguida.

Los dos hombres de EES se quedaron en la consola. Al llegar a la puerta, Glinn se detuvo y dijo sin girarse:

—Doctor McFarlane, el señor Lloyd esperará una recepción. Haga el favor de ocuparse usted.

Rolvaag
0.30 h

McFarlane caminaba por la cubierta principal con una sensación deprimente de *déjà vu*, en espera de que el helicóptero se acercase al petrolero. Durante unos minutos, que se le hicieron eternos, lo único que se oía era un ruido de rotores perdidos en la oscuridad. Observó la actividad frenética que había comenzado justo al bajar la niebla e impedir la visión del barco desde el *Almirante Ramírez*. El risco estaba al lado, con el duro perfil suavizado por la niebla; y encima, el barracón que contenía el meteorito. McFarlane tenía delante el tanque central, vacío y emanando una luz pálida. Al mismo tiempo que lo contemplaba, varias brigadas de trabajadores empezaron a montar una torre de puntales relucientes a una velocidad que provocaba estupefacción. Era una especie de enrejado metálico que sobresalía del tanque y brillaba suavemente bajo las luces de sodio. Dos grúas añadían componentes prefabricados a la torre, en la que trabajaban como mínimo una docena de soldadores. Los cascos y los hombros de los técnicos de abajo recibían una lluvia constante de chispas. A pesar de su tamaño, la estructura, curiosamente, tenía mucho de delicado, como una telaraña complicada en tres dimensiones. A McFarlane no le entraba en la cabeza que hubiera una manera de meter el meteorito en el tanque después de colocarlo encima de la torre.

De repente aumentó la intensidad del ruido de las palas, y McFarlane recorrió toda la superestructura a paso ligero hasta llegar a la bovedilla. El Chinook, voluminoso, emergía de la niebla y levantaba cortinas de agua pulverizada de la cubierta. Un hombre con linternas en las manos dirigía la maniobra de acercamiento. Se trataba de un aterrizaje de rutina, sin la excitación de cuando doblaban el cabo de Hornos y en plena tormenta había llegado Lloyd.

Taciturno, vio posarse en la plataforma los neumáticos descomunales del helicóptero. Actuar de recadero entre Lloyd y Glinn era una situación sin beneficio posible. Él era un científico, no un intermediario. No le habían contratado para eso. Saberlo le ponía de mal humor.

Se abrió una escotilla en la panza del helicóptero. Dentro estaba Lloyd de pie, con un abrigo largo de cachemira al viento y un sombrero de fieltro en la mano. Su calva mojada reflejaba las luces de aterrizaje. Dio el salto a tierra, que para alguien tan voluminoso no careció de agilidad, y caminó por la cubierta con zancadas de hombre erguido, poderoso, ajeno al batiburrillo de aparatos y trabajadores que se derramaba del helicóptero por la rampa hidráulica que desplegaron tras él. Sometió la mano de McFarlane a un férreo apretón, sonrió, asintió con la cabeza y continuó caminando. McFarlane le siguió por la cubierta barrida por el viento, alejándose del ruido de las palas. Lloyd se detuvo cerca de la baranda de proa y contempló la fantástica torre.

—¿Dónde está Glinn? —vociferó.

—Ya debería haber vuelto al puente.

—Pues vamos.

El puente vibraba de tensión, poblado por rostros que la escasa luz revelaba crispados. Lloyd se quedó en la puerta el rato necesario para asimilarlo todo. Después su corpachón se puso en movimiento.

Glinn estaba de pie al lado de la consola de EES, hablando en voz baja con el empleado del teclado. Lloyd se le acercó en cuatro zancadas y le rodeó toda la mano, estrecha, con la suya.

—¡El gran protagonista! —exclamó. Si había hecho el vuelo de mal humor, ya se le había pasado. Hizo un gesto con la mano, refiriéndose a la estructura que salía del tanque—. ¡Caray, Eli! ¡Es alucinante! ¿Seguro que aguantará una roca de veinticinco mil toneladas?

—Doble previsión —fue la respuesta de Glinn.

—Claro, tonto de mí. Y ¿cómo demonios se supone que funciona?

—Fallo controlado.

—¿Qué? ¿«Fallo»? ¿Dicho por ti? Imposible.

—Ponemos la roca en la torre y activamos una serie de cargas explosivas que harán que ceda la torre nivel a nivel, y que el meteorito caiga en el tanque muy poco a poco.

Lloyd miró la estructura.

—Increíble —dijo—. ¿Ya lo habéis probado?

—Exactamente así no.

—Y ¿seguro que funcionará?

En los labios finos de Glinn apareció una sonrisa irónica.

—Perdona la pregunta. Todo eso lo llevas tú, Eli, y no pienso cuestionarlo. Mi visita responde a otros motivos. —Se irguió en toda su estatura y miró alrededor—. No voy a andarme con rodeos. Aquí hay un problema que no se está solucionando. Hemos llegado demasiado lejos para que algo nos detenga. A eso vengo, a meter caña y tirarle de las orejas al que se lo merezca. —Señaló la niebla densa—. Tenemos un barco de guerra pegadito a nuestra proa. Ha enviado espías. Ahora solo espera a que movamos ficha, y tú, Eli, te quedas cruzado de brazos. ¡Pues se acabó lo de ser unos cagados! Hacen falta medidas contundentes, y a partir de ahora mando yo. Me quedaré en el barco y haré con vosotros el viaje a Nueva York, pero lo primero es que a este chulo le llame la marina chilena. —Se giró hacia la puerta—. Mi gente solo tardará unos minutos en calentar motores. Eli, te espero en mi despacho dentro de media hora. Voy a hacer unas cuantas llamadas. Estas situaciones de politiquilla barata ya me las conozco.

Durante el breve parlamento, Glinn no había apartado de Lloyd la mirada de sus ojos grises. Al final se tocó la frente con un pañuelo y miró a McFarlane. Su expresión era tan inescrutable como de costumbre. ¿Cansancio? ¿Rabia? ¿Nada?

Habló.

—Perdone, señor Lloyd. ¿Ha dicho que se ha puesto en contacto con las autoridades chilenas?

—Todavía no. Primero quiero enterarme exactamente de qué ocurre. Pero en Chile tengo amigos influyentes, incluido el vicepresidente y el embajador de Estados Unidos.

Glinn, tranquilamente, se acercó un paso a la consola de EES.

—Lo siento, pero me parece que no podrá ser.

—¿El qué?

El tono de Lloyd era una mezcla de sorpresa e impaciencia.

—Que participe en ningún aspecto de la operación. Habría hecho mejor en quedarse en Nueva York.

La voz de Lloyd se endureció de ira.

—Ni se te ocurra decirme lo que tengo que hacer, Glinn. La parte técnica la dejo en tus manos, pero esto es una situación política.

—Le aseguro que estoy solucionando todos los aspectos de la situación política.

A Lloyd le tembló la voz.

—¿Ah, sí? ¿Y el destructor? Está armado hasta los dientes, y no sé si te has fijado, pero nos apunta. No has hecho nada de nada.

Al oírlo, la capitana Britton dirigió sendas miradas a Howell y a Glinn, más elocuente la segunda.

—Solo se lo diré una vez, señor Lloyd. Usted me hizo un encargo, y en ello estoy. En este momento su papel es muy sencillo: dejarme ejecutar mi plan. No hay tiempo para explicaciones a fondo.

Lloyd no contestó, sino que se giró hacia Penfold, que se había quedado en la entrada del puente, nervioso.

—Pásame al embajador Throckmorton y dile que ponga una conferencia con Santiago, con el despacho del vicepresidente. Yo bajo enseguida.

Penfold desapareció.

—Señor Lloyd —dijo Glinn sin levantar la voz—, como máximo puede quedarse en el puente y observar.

—Para eso es demasiado tarde, Glinn.

Glinn se giró sin aspavientos y habló con su empleado del ordenador negro.

—Corta la corriente de la suite de Lloyd Industries y suspende todas las comunicaciones con tierra, sin excepción.

Al oírlo enmudecieron todos.

—¡Cabrón! —rugió Lloyd, recuperándose deprisa. Se volvió hacia Britton—. Contravengo la orden. El señor Glinn queda relevado de su autoridad.

Sordo a sus palabras, Glinn sintonizó otra frecuencia en su radio.

—¿Garza? Adelante con el informe.

Escuchó un rato y contestó.

—Estupendo. Ahora que nos cubre la niebla, iniciaremos la

primera fase de la evacuación de la isla. Llama a bordo a todo el personal que no sea indispensable; pero sigue el plan al pie de la letra: que dejen encendidas las luces y la maquinaria funcionando. Le he dicho a Rachel que pusiera las transmisiones radiofónicas en automático. Lleva el barco auxiliar al otro lado de la isla, pero con cuidado de que no salga de la protección de la isla o del *Rolvaag*, no vaya a detectarlo el radar.

Lloyd, tan furioso que le temblaba la voz, terció:

—Oye, Glinn, ¿no te estás olvidando de quién es el primero que manda en la operación? No solo te despido, sino que suspendo todos los pagos a EES. —Se volvió hacia Britton—. Restablezca la corriente de mis oficinas.

Volvió a parecer que Glinn no le hubiera oído. Britton tampoco reaccionó. Glinn siguió hablando por radio tan tranquilo, dando órdenes y verificando que saliera todo bien. Una ráfaga de viento azotó las ventanas del puente, y el plexiglás recibió un chorro de agua. Lloyd miraba al capitán y a la tripulación, y enrojeció tanto que parecía morado, pero nadie le miraba. En el puente se seguía trabajando.

—¿Me ha oído alguien? —exclamó.

Por último se giró Glinn.

—No me olvido de que al final manda usted, señor Lloyd —contestó. De repente adoptaba un tono conciliador, y hasta amistoso.

Lloyd, a quien descolocó el comentario, respiró hondo.

Glinn siguió hablando con sosiego y poder de convicción, sin desestimar cierta simpatía.

—Señor Lloyd, en las operaciones siempre tiene que mandar una sola persona. No hace falta que se lo diga. En nuestro contrato le hice una promesa, y no la infringiré. Si le parezco insubordinado, piense que es por su bien. Si se hubiera puesto en contacto con el vicepresidente chileno, se habría ido todo al traste. Le conozco personalmente; antes jugábamos al polo en su rancho de la Patagonia, y le encantaría poder fastidiar a los americanos.

Lloyd titubeó.

—¿Que jugabas al polo con...?

Glinn siguió hablando muy deprisa.

—El único que tiene todos los datos soy yo, y el único que sabe cómo tener éxito. No es que me lo calle por hacerme el interesante, señor Lloyd. Existe una razón fundamental: hay que evitar por todos los medios que se predigan las decisiones y se tomen por cuenta propia. El meteorito en sí no me interesa, francamente, pero he prometido moverlo desde el punto A al punto B, y nadie me detendrá, nadie. Conque espero que entienda el motivo de que no renuncie al control de la operación ni le facilite explicaciones y pronósticos. En cuanto a lo de la suspensión de los pagos, lo discutiremos como caballeros en suelo americano.

—Oye, Glinn, todo eso es muy bonito, pero...

—Se acabó la discusión. Ahora me obedecerá usted a mí. —De repente la voz sosegada de Glinn había adquirido un matiz de inflexibilidad—. En cuanto a si se queda aquí tranquilo, se marcha a su oficina o le llevan al calabozo, me es indiferente.

Lloyd lo miró atónito.

—Pero ¿tú te has creído que puedes encerrarme, hijo de puta pretencioso?

La expresión de Glinn fue suficiente respuesta.

Lloyd se quedó un rato callado y rojo de rabia. A continuación se giró hacia Britton.

—¿Y usted para quién trabaja?

Pero los ojos de Britton, verdes y profundos como el océano, seguían puestos en Glinn.

—Trabajo para el que tiene las llaves del coche —acabó diciendo.

Lloyd estaba cada vez más furioso, pero su reacción no fue inmediata. Optó por dar una vuelta por el puente, a paso lento y dejando un rastro de agua con los zapatos, y detenerse en las ventanas, donde se quedó un rato más con la respiración pesada y sin mirar nada en concreto.

—Repito la orden: que se vuelva a conectar la corriente y las comunicaciones de mis oficinas.

No hubo respuesta. Saltaba a la vista que ni el más humilde oficial pensaba obedecer a Lloyd.

Este se giró con lentitud y su mirada recayó en McFarlane. Habló con voz grave.

—¿Y tú, Sam?

Otra ráfaga de viento chocó contra las ventanas. McFarlane estaba en suspenso, sensible a la vibración del aire. En el puente reinaba un silencio sepulcral. Tenía que tomar una decisión, y le pareció una de las más fáciles de toda su carrera.

—Yo trabajo para el meteorito —dijo con tranquilidad.

Lloyd siguió mirándole con ojos negros e inflexibles, hasta

que de repente fue como si se derrumbara, como si abandonara su cuerpo aquella fuerza de toro. Caído de hombros, perdido el color rojo de la cara, se volvió, vaciló, caminó lentamente por el puente y salió por la puerta.

Después de un rato, Glinn volvió a inclinarse hacia el ordenador negro y murmuró algo a la persona que lo manejaba.

Rolvaag
1.45 h

La capitana Britton mantenía la vista al frente sin delatar lo que sentía. Procuraba acomodarlo todo al pulso del barco: la respiración, los latidos de su corazón… En las últimas horas había arreciado el viento, a cuyo paso gemía y vibraba el buque. Ahora llovía más. Las gotas que salían de la niebla tenían calibre de balas. Faltaba poco para el *panteonero*.

Desplazó su atención hacia la telaraña metálica que sobresalía del tanque del barco. A pesar de que todavía quedaba bastante por debajo del nivel del risco, parecía terminada. Britton no poseía el menor indicio sobre el siguiente paso. No saberlo era molesto, por no decir humillante. Echó un vistazo al ordenador de EES y la persona que lo manejaba. Había creído conocer a todos los de a bordo, pero de repente aparecía un desconocido a quien se le observaba un gran dominio del manejo de un superpetrolero. Apretó más los labios.

Por supuesto que había ocasiones en que cedía el mando, como al repostar o cuando subía un práctico a bordo, pero respondían a una pauta establecida y cómoda de llevar un barco, una pauta de décadas. En cambio aquello no tenía nada de cómodo. Era una humillación. El proceso de carga lo estaban ejecutando unos desconocidos, con el barco anclado a tierra y ella convertida en blanco ideal para un barco de guerra que quedaba a tres mil metros… Volvió a hacer el esfuerzo de reprimir emociones de ira y ofensa. A fin de cuentas, comparado con lo que les esperaba en la oscuridad, poca importancia tenía lo que pudiera sentir.

Ira y ofensa… Su mirada se posó en Glinn, que estaba de pie al lado de la consola negra y de vez en cuando le susurraba algo al operador. Acababa de humillar, incluso de aplastar, al industrial más poderoso del mundo, y él tan delgado, tan normal... Siguió observándole con disimulo. Comprendía la ira, pero la ofensa... La capitana se había quedado despierta más de una noche preguntándose qué pensaba y qué afectaba a aquel hombre. Le extrañaba que alguien de tan poca presencia física, una persona tan normal que por la calle le habría pasado desapercibida, fuera capaz de adueñarse de tal manera de su imaginación. Le sorprendía que se pudiera ser tan inflexible y tan disciplinado. ¿De veras tenía un plan, o simplemente el talento de encubrir una serie de reacciones ad hoc a acontecimientos inesperados? La gente más peligrosa era la que sabía que siempre tenía razón. Sin embargo, en el caso de Glinn era verdad. Parecía que lo supiera todo de antemano, que entendiera a todo el mundo. A ella estaba claro que sí, al menos a Sally Britton como profesional. «Ahora el éxito depende de cierto grado de subordinación de su autoridad de capitana.» Al recordar sus palabras, la capitana se preguntó hasta qué grado era verdad que Glinn hubiera comprendido lo que significaba para ella ceder el mando, aunque fuera de manera temporal, y si le importaba. Se preguntó por qué le importaba a ella que le importase.

Sintió una vibración, la de varias bombas poniéndose en marcha a ambos lados del barco. Salieron chorros de agua de mar por tubos de desagüe, escupidos al océano, y a medida que se vaciaban los tanques de agua de lastre el barco subió de manera casi imperceptible. Claro: era la manera de que aquella torre de aspecto achaparrado se elevara hasta el nivel del meteorito. Subiría a su encuentro el conjunto de la nave, hasta que la plataforma estuviera nivelada con la roca. Volvió a sentirse humillada por que le arrebatasen el control del petrolero, al mismo tiempo que pasmada por la audacia del plan.

Mientras subía el buque en el agua, Britton permaneció en posición de firmes sin hablar con nadie. Era una sensación extraña ver ejecutar las operaciones habituales de soltar lastre pero como observadora, no como participante. Y observarlas en circunstancias así (amarrados a la costa a sotavento de una tempestad) iba en contra de todo lo que había aprendido en su carrera.

La torre acabó quedando al mismo nivel que el barracón de encima del acantilado. Entonces Britton vio que Glinn murmuraba algo al operador de la consola, y el bombeo se detuvo de inmediato.

Se oyó el eco de un crujido muy fuerte procedente del acantilado. El estallido del barracón soltó una gran nube de humo que se fundió con la niebla y dejó a la vista el meteorito, muy rojo bajo las luces de sodio. Britton contuvo la respiración. Se daba cuenta de que el meteorito se había convertido en el centro de atención de todas las personas del puente. Todo el mundo estaba boquiabierto.

Se oyeron encenderse los motores diésel de encima del risco, y se activó una complicada serie de poleas y cabrestantes. Entonces, con un chirrido muy agudo, subió humo de combustión hasta mezclarse con la niebla. El meteorito empezó a moverse hacia el borde reforzado del risco. Britton estaba como hipnotizada, olvidando la avalancha de emociones que segundos antes la agitaba. El avance del meteorito tenía algo de regio: majestuoso, lento, regular. Salvó el borde del acantilado y se subió a la plataforma de encima de la torre, donde se detuvo. Ella volvió a notar que vibraba todo el barco por la acción de las bombas controladas por ordenador, bombas que reducían el peso del buque mediante el vaciado de la cantidad exacta de lastre que hacía falta para compensar el peso creciente del meteorito.

La capitana observaba el proceso en un silencio tenso. Una y otra vez, el meteorito recorría cierta distancia de plataforma y, al detenerse, provocaba la sacudida de las bombas de lastre. El espasmódico ballet se prolongó por espacio de veinte minutos. A su término, el meteorito quedó centrado sobre la torre. Britton percibía el peso máximo en el *Rolvaag*, la desestabilización causada por el peso del meteorito, pero también notaba que los tanques de agua de lastre volvían a llenarse de agua y que el barco volvía a hundirse para ganar estabilidad.

Glinn habló de nuevo con el empleado del ordenador. A continuación, haciéndole a Britton un gesto con la cabeza, salió al ala del puente que quedaba más cerca del risco. El silencio del puente duró un minuto más. Luego Britton oyó llegar por detrás al primer oficial Howell, que le acercó la boca al oído sin ella girarse.

—Capitana —murmuró—, quiero que sepa que esto a nosotros (me refiero a los oficiales y a mí) no nos gusta. No ha estado bien tratarla así. La respaldamos totalmente. Una palabra suya y…

No hacía falta terminar la frase.

Britton conservó la rigidez de su postura.

—Se lo agradezco, señor Howell —repuso en voz queda—, pero de momento es todo.

Howell se apartó. Britton respiró hondo. Había pasado el momento de actuar. Ahora estaban comprometidos. El meteorito ya no era un problema en tierra firme, sino que estaba en el barco, y la única manera de desembarazarse de él era ver al *Rolvaag* sano y salvo en el puerto de Nueva York. Volvió a pensar en Glinn, en cuando la había convencido con buenas palabras de aceptar el mando del *Rolvaag*, en que lo sabía todo de su vida, y en la confianza que había depositado en ella durante la visita a la aduana de Puerto Williams. Habían formado un buen equipo. Se preguntó si había hecho bien en cederle el mando, aunque solo fuera de manera temporal. Claro que no había tenido más remedio.

Todo ello lo pensaba Britton en posición de firmes.

Fuera se oyó otro crujido, y en el piso superior de la torre, con una docena de nubes de humo, salió disparada toda una hilera de puntales de titanio. Giraron en el aire, centellearon en la niebla y se perdieron de vista. El meteorito se hundió hasta el siguiente nivel de la torre; volvió a temblar todo el barco, y a oírse la vibración de las bombas. Acto seguido, mediante otra tanda de explosiones, se derrumbó otro piso estrecho de torre y el meteorito se hundió unos centímetros más hacia el tanque.

Por un lado, Britton se daba cuenta de estar presenciando una hazaña excepcional, algo de suma originalidad, perfectamente planeado y ejecutado a las mil maravillas; por otro, el placer que le deparaba era nulo. Recorrió con la mirada la longitud del buque. A trozos, la niebla se aclaraba, y la lluvia, o aguanieve, caía horizontal en las ventanas. Dentro de poco se disiparía la niebla. Entonces se acabaría el juego. Porque Vallenar no era ningún problema de ingeniería que pudiera resolver Glinn con una regla de cálculo. Y la única baza de que disponían para negociar estaba en lo más profundo del *Rolvaag*; no en el calabozo, sino en el depósito de cadáveres del doctor Brambell.

Rolvaag
2.50 h

Lloyd se paseaba por la penumbra de su despacho con la furia indómita de una fiera enjaulada. Había arreciado el viento, y cada pocos minutos el barco recibía una ráfaga de tal violencia que las ventanas de popa se combaban y temblaban. Lloyd casi no se daba cuenta.

Se detuvo un momento y miró por la puerta abierta de su despacho privado. Las superficies de la pieza de al lado, que era una sala de estar, recibían la escasa y roja luz de las bombillas de emergencia. Negra y vacía, la pared de pantallas de televisión devolvía el reflejo titilante y centuplicado del propio Lloyd, como una burla silenciosa.

Giró temblando sobre sus talones, henchido el cuerpo de tal rabia que se le tensaba la tela cara del traje. Era incomprensible. Glinn (a quien pagaba él, ¡él!, trescientos millones de dólares) le había dado órdenes en el puente de su propio barco. Había dejado sus aposentos sin suministro eléctrico, y a él, por lo tanto, mudo, sordo y ciego. En Nueva York había asuntos pendientes, asuntos urgentísimos. Aquel silencio forzoso le estaba saliendo muy caro. Y aún había algo más, algo que dolía más que el dinero: Glinn le había humillado en presencia de los oficiales y de sus propios empleados. Lloyd podía perdonar muchas cosas, pero algo así jamás. Palmer Lloyd había plantado cara y derrotado a presidentes, primeros ministros, jeques, magnates de la industria y capos de la mafia, pero aquel hombre era diferente.

En un arrebato de ira dio un puntapié a uno de los sillones de orejas, pero de repente se giró y aguzó el oído.

Seguían oyéndose igual que antes el silbido del viento y los chirridos lejanos de maquinaria procedentes de la falsa excavación, pero se les había añadido otro ruido más regular, algo que Lloyd, iracundo como estaba, había tardado un poco en percibir. En efecto, volvía a oírse: el ruido entrecortado de una explosión. Estaba muy cerca; no solo cerca, sino en el propio barco, puesto que Lloyd notaba cierta vibración en la planta de los pies.

Aguardó en la penumbra con la musculatura en tensión y un componente de curiosidad mezclándose a la rabia. Otra vez: el mismo ruido, y después el temblor.

Ocurría algo en la cubierta principal.

Caminó deprisa por la sala de estar, el pasillo y la suite central, donde estaban sentados sus secretarios y ayudantes hablando en voz baja y sin saber qué hacer entre teléfonos desconectados y ordenadores con la pantalla negra. Al pasar él por el espacio largo y bajo de techo, cesaron las conversaciones. Penfold, silencioso, emergió de las sombras y le tiró de la manga. Lloyd se apartó de él, pasó al lado de los ascensores cerrados y abrió la puerta insonorizada que daba a su apartamento privado, cuyas estancias cruzó hasta llegar al mamparo frontal de la superestructura. Limpió el vaho de un ojo de buey con el puño de la chaqueta y miró.

Debajo la cubierta era un hervidero de actividad, llena de trabajadores ajustando y verificando cierres, bajando escotillas y apresurando los últimos preparativos de un viaje por mar. Sin embargo, lo que le llamó la atención fue aquella torre tan rara que salía del tanque. Estaba más corta que antes; mucho más, y envuelta en humo y vapor, los cuales, mezclados con la niebla, formaban nubes que se deslizaban por cubierta en un ballet a cámara lenta. Mientras miraba se produjo otro tableteo de explosiones. El meteorito se hundió un poco, y volvió a temblar el barco. Entonces, antes de la siguiente tanda de explosiones, aparecieron varios grupos de trabajadores con la misión de recoger los escombros.

Ahora entendía lo que había querido decir Glinn con lo del fallo controlado de la torre. Estaban volándola por partes. Siguió mirando y comprendió que era la mejor manera (probablemente la única) de bajar al tanque algo de tanto peso. Era tan brillante, y tan audaz, que se quedó sin respiración.

La idea desencadenó otro espasmo de rabia, pero Lloyd cerró los ojos, dio media vuelta y respiró hondo en un esfuerzo por tranquilizarse.

Glinn le había dicho que no viniera. También McFarlane, pero él, una vez más, había desoído sus consejos, como al ver desenterrado el meteorito y saltar. Pensó en lo ocurrido a Timmer y se estremeció.

Quizá no hubiera sido buena idea aquel regreso intempestivo, arrollador. Era un acto impulsivo, y Lloyd se conocía bastante para saber que no tenía por norma serlo. Aquella operación se había convertido en algo demasiado personal. En palabras de J. P. Morgan, «si quieres algo demasiado, no tendrás éxito en conseguirlo». Lloyd siempre se había guiado por aquella filosofía: nunca había tenido miedo de renunciar a un acuerdo, por lucrativo que fuera. Su mayor baza había sido la capacidad de poner las cartas boca abajo, aunque fueran cuatro ases. Ahora, por primera vez en su vida, no tenía más remedio que jugar las que le habían tocado. Tanto si ganaba como si perdía, debía quedarse en la partida hasta el final.

La batalla que estaba librando le resultaba desconocida, porque tenía por objetivo aclararse las ideas. Lloyd consideraba que no había ganado treinta y cuatro mil millones de dólares siendo poco razonable y temperamental. Siempre había evitado cuestionar las decisiones de los profesionales a quienes contrataba. En aquel momento terrible de humillación, derrota y análisis interior, se dio cuenta de que podía ser verdad que Glinn, desalojándole del puente y aislándole del mundo, hubiera obrado por su bien. Sin embargo, hasta aquella idea desencadenó otra oleada de furia. Obrara o no por su bien, se había portado con arrogancia y prepotencia. La frialdad de Glinn, su imperturbabilidad, su asunción del liderato, enfurecían a Lloyd. Le había humillado delante de todos, cosa que no olvidaría ni perdonaría jamás. Cuando terminara todo, él y Glinn saldarían sus cuentas, tanto económicas como de otra índole.

Primero, no obstante, había que llevarse el puñetero meteorito. Y Glinn parecía el único capaz de conseguirlo.

Rolvaag
3.40 h

—Capitana Britton, dentro de diez minutos estará el meteorito dentro del tanque. El barco será suyo y podremos zarpar.

Las palabras de Glinn quebraron el largo mutismo que se había apoderado del puente. McFarlane, como todos los demás, se había dedicado a observar la bajada lenta y regular del meteorito hacia la bodega del *Rolvaag*.

Pasó otro minuto, u otros dos, sin que Britton se moviera; similar a una estatua, hacía lo mismo que desde la partida de Lloyd: mirar por las ventanas del puente. Al cabo, se giró y miró a Glinn. Tras una pausa significativa, se volvió hacia el segundo oficial.

—¿Velocidad del viento?

—Treinta nudos por el sudoeste con ráfagas de cuarenta y en aumento.

—¿Corrientes?

Prosiguió el intercambio de murmullos, mientras Glinn se inclinaba hacia el operador de la consola:

—Por favor, que vengan Puppup y Amira a informar.

Se produjo otra serie rápida de explosiones. El barco sufrió un bandazo, compensado por la acción de las bombas.

—Se acerca un frente —murmuró Howell—. Estamos quedándonos sin niebla.

—¿Visibilidad? —preguntó Britton.

—Aumentando a quinientos metros.

—¿Posición del destructor?

—Invariable. A dos mil doscientos metros, cero cinco uno.

El barco sufrió el embate de una ráfaga de viento muy fuerte, seguida por una detonación sorda y de gran intensidad que no se parecía a nada que McFarlane hubiera experimentado. Fue como si un escalofrío recorriera toda la espina dorsal del barco.

—El casco acaba de chocar con el acantilado —dijo Britton sin alterarse.

—Aún no podemos movernos —dijo Glinn—. ¿Resistirá el casco?

—Sí, un rato —contestó Britton—. Posiblemente.

Se abrió una puerta al fondo del puente y entró Rachel, cuyos ojos despiertos y brillantes se formaron una idea rápida de la situación. Se acercó a McFarlane y musitó:

—Más vale que Garza meta el trasto ese en el tanque, antes de que se nos abra un boquete.

Hubo otra serie de explosiones, y el meteorito se hundió un poco más. Ahora tenía escondida la base en la estructura del barco.

—Doctor McFarlane —dijo Glinn sin girarse—, cuando esté seguro el meteorito en el tanque quedará en sus manos. Usted y Amira, vigílenlo las veinticuatro horas del día y avísenme de cualquier cambio en sus características. No quiero más sorpresas de esa roca.

—Descuide.

—El laboratorio está listo, y encima del tanque hay una plataforma de observación. Si necesitan algo me lo dicen.

—Ahora hay más rayos —dijo el segundo oficial—. A diez millas.

Se produjo un breve silencio. De repente dijo Britton a Glinn:

—Acelérelo.

—No puedo —murmuró el segundo, casi distraído.

—Visibilidad mil metros —dijo el segundo oficial—. Velocidad del viento aumentando a cuarenta nudos.

McFarlane tragó saliva. Se había desarrollado todo con la precisión y la previsibilidad de un mecanismo de relojería, con el efecto de que casi se había olvidado del peligro. Se acordó de la pregunta de Lloyd: ¿qué piensas hacer con el destructor? En efecto: ¿qué? Tuvo curiosidad por saber qué hacía Lloyd en la penumbra de su camarote, y le sorprendió estar tan poco preocupado por la pérdida probable de sus setecientos cincuenta mil dólares de paga, dado lo que le había dicho a Lloyd. Ahora que tenía el meteorito, le importaba muy poco.

Otro crepitar de explosiones, y salieron disparados varios

puntales de titanio que rebotaron y resbalaron por la cubierta hasta chocar con la baranda. McFarlane oyó el impacto de algunos más en el fondo del tanque. Ahora en las ventanas del puente se oía el choque de algunas piedrecitas traídas del acantilado por el viento, que arreciaba. Se les echaba encima el panteonero.

La radio de Glinn escupió sonidos que se convirtieron en la voz metálica de Garza.

—Sesenta centímetros más y estará todo listo.

—Sigue en este canal y avisa de cada bajada.

Puppup abrió la puerta y entró en el puente frotándose los ojos y bostezando.

—Visibilidad hasta dos mil metros —dijo el segundo oficial—. La niebla se está despejando muy deprisa. El destructor establecerá contacto visual con nosotros en cualquier momento.

McFarlane oyó un trueno, al que se sobrepuso, por segunda vez, el impacto del buque contra el acantilado.

—¡Aumenten las revoluciones de los motores principales! —exclamó Britton.

Se añadió otra vibración a la mezcla.

—Faltan cuarenta y cinco centímetros —dijo la voz de Garza desde la cubierta principal.

—Relámpagos a cinco millas. Visibilidad dos mil quinientos metros.

—Apaguen las luces —dijo Glinn.

La cubierta, muy iluminada, quedó sumida de inmediato en la penumbra, al igual que todo el barco. La luz ambiente de la superestructura proyectaba una luz mortecina sobre el meteorito, cuya parte superior apenas se vislumbraba. Ahora vibraba todo el barco, aunque McFarlane no sabía si atribuirlo al descenso del meteorito, al oleaje o al viento. Se produjo otra serie de explosiones y se hundió un poco más el meteorito. Ahora daban órdenes tanto Britton como Glinn, y hubo un momento embarazoso en que pareció que el barco tuviera dos capitanes. Al apartarse la niebla, McFarlane vio que el canal era un hervidero de olas blancas a merced de otras más grandes de fondo. Su mirada se mantuvo fija en la marina nocturna del otro lado de los ventanales, en espera de que se materializase la aguda proa del destructor.

—Quince centímetros —dijo Garza por radio.

—Preparen el cierre de la escotilla —dijo Glinn.

Se vio el resplandor tenue de un relámpago al sudoeste, seguido en breve por el eco de un trueno.

—Visibilidad cuatro mil metros. Rayos a tres mil.

McFarlane reparó en que Rachel le apretaba el codo.

—¡Demasiado cerca! —murmuró ella.

Y allí estaba: el destructor a la derecha, borroso cúmulo de luces titilando en la tormenta. Ante la mirada de McFarlane, la niebla se apartó del destructor. Estaba parado y con todas las luces encendidas, como haciendo ostentación de su presencia. Se produjo otra explosión y otro temblor.

—Ya está dentro —dijo la voz de Garza.

—Cierren las compuertas mecánicas —ordenó enérgicamente Britton—. Suelten amarras, señor Howell. Y deprisa. Ponga rumbo uno tres cinco.

Los cables que amarraban el barco al acantilado se soltaron con otra tanda de explosiones y se abatieron sobre él con lasitud.

—Quince grados manteniendo rumbo uno tres cinco —dijo Howell.

Almirante Ramírez
3.55 h

A poco más de un kilómetro, el comandante Vallenar se paseaba por su puente. No había calefacción, y la dotación era la mínima, tal como prefería él. Miró por las ventanas de proa hacia el castillo del barco. Estaba disipándose la niebla, pero no se veía nada. De repente se giró hacia el oficial de guardia en la mar, que estaba de pie en el nicho del radar, y agachó la cabeza para escudriñar el radar de infrarrojos orientado hacia proa. La posición del petrolero no le decía nada que no supiera, ni contestaba a las preguntas que se formulaba. ¿Por qué seguía anclado a la costa? Con la tormenta encima, era cada vez más peligroso quedarse. ¿Era posible que intentaran mover el meteorito hacia el barco? No; antes de bajar la niebla, Vallenar había presenciado sus vanos esfuerzos por desenterrarlo en el interior de la isla. De hecho seguía oyéndose el chirrido de la maquinaria, así como el intercambio de mensajes radiofónicos. A pesar de todo, parecía una tontería poner en peligro al barco dejándolo amarrado a la costa. Y Glinn no era tonto.

Entonces ¿qué ocurría?

Antes, sobre el viento, se había oído ruido de palas, las de un helicóptero aterrizando y marchándose. También se habían oído varias explosiones; eran mucho menores que las de la isla, pero parecían provenir de las inmediaciones del barco. O del propio petrolero. ¿Habrían sufrido algún accidente a bordo? ¿Con heridos? ¿O acaso Timmer había conseguido un arma e intentado escapar?

Se apartó de la anticuada pantalla de radar, que era verde, y escudriñó la oscuridad. Le parecía discernir luces entre los jiro-

nes de niebla. Dado que esta se estaba levantando, no tardaría
mucho en establecer contacto visual con el barco. Parpadeó varias
veces y volvió a mirar. Ya no estaban las luces. El viento azotaba
el barco entre silbidos y gemidos; gemidos que Vallenar conocía:
era un panteonero.

Ya había hecho caso omiso de varias órdenes de regreso a la
base, cada cual más urgente, más amenazadora que la anterior. Era
la corrupción, los oficiales sobornados reclamándole. Por la san-
tísima Virgen que al final le darían las gracias.

Notaba el balanceo del barco a merced del oleaje, un movimiento de sacacorchos que no le gustaba. El anclaje en su arrecife, que no aparecía en los mapas, era firme; el mejor anclaje, el
único, del canal Franklin.

¿Qué ocurría?

No pensaba esperar hasta mediodía para obtener una respuesta sobre Timmer. Con las primeras luces les dispararía un par de
proyectiles de cuatro pulgadas a la parte alta de la proa; no para
hundirles, por supuesto, sino lo justo para inutilizarles el barco y
llamarles la atención. Entonces les transmitiría un ultimátum: o
entregar a Timmer, o la muerte.

Algo titiló entre cortina y cortina de niebla. Vallenar fijó la
vista con la cara casi pegada al cristal. Estaba claro que volvía a
haber luces. Forzó la vista. Pasaban bancos de niebla y aguanieve, pero a ratos volvía a verlas. Ahora sí… Ahora no… A medida que se levantaba la niebla, empezaba a dibujarse la silueta del
petrolero. Cogió los prismáticos… pero el barco volvió a desaparecer. Dijo una palabrota y escudriñó la oscuridad. De repente
volvía a ver luces; solo una, y de muy poca intensidad.

Los muy cabrones habían apagado las del barco.

¿Qué escondían?

Retrocedió un paso y miró por el visor del FLIR, en cuyas
manchas verdes trató de encontrar algún sentido. Tenía el presentimiento de que estaba a punto de ocurrir algo. Quizá fuera el
momento de pasar a la acción.

Se volvió hacia el ayudante del contramaestre.

—Todo el mundo a sus puestos —dijo.

El ayudante acercó la cabeza al intercomunicador.

—Todo el mundo a sus puestos de combate.

Se disparó una sirena y al punto apareció en el puente el jefe
de la guardia, que hizo un saludo militar.

Vallenar abrió un armario y sacó algo voluminoso, unos anteojos Sovietski para visión nocturna. Una vez se los hubo ajustado a la cabeza, se acercó a la ventana y volvió a mirar al exterior. La tecnología rusa no podía compararse con los aparatos de fabricación norteamericana, pero el precio tampoco. Dirigió la mirada al petrolero.

Con los anteojos veía mejor. Corría gente por la cubierta, y se notaba que hacían preparativos para zarpar. Sin embargo, para sorpresa de Vallenar, la mayor actividad se observaba en torno a una escotilla de gran tamaño que había en el centro de la cubierta; estaba abierta, y sobresalía algo que no acababa de verse bien.

Justo cuando aguzaba la vista le deslumbró una serie de explosiones inmediatamente encima del tanque abierto. Como aquellos anteojos de segunda generación no estaban equipados con dispositivos de seguridad, se sobrecargaron con la luz. Vallenar se echó hacia atrás, se los quitó y se restregó los ojos soltando palabrotas.

—Empleen el sistema de control de tiro —dijo al jefe de la guardia—. Espere mi aviso para usar los cañones de cuatro pulgadas.

Se produjo una ligera vacilación.

A Vallenar seguían flotándole manchas en los ojos. Aun así, se encaró amenazadoramente con el oficial encargado del armamento.

—Sí, señor —fue la respuesta de este—. Sistema conectado. Transfiriendo los datos al sistema de armamento.

Vallenar se volvió hacia el oficial de guardia.

—Listos para levar anclas.

—Listos para levar anclas, señor.

—¿Cómo estamos de combustible?

—Al cincuenta por ciento, señor.

Vallenar cerró los ojos para que se le pasase el dolor del deslumbramiento. Después se sacó un puro del bolsillo y empleó en encenderlo sus buenos tres minutos, hecho lo cual volvió a mirar por la ventana.

—El barco norteamericano se mueve —dijo el oficial de guardia mirando por el radar.

Vallenar chupó el puro lentamente. Ya iba siendo hora. Quizá se hubieran decidido a anclar en aguas más seguras, canal arriba y a sotavento, desde donde podrían capear la tormenta.

—Se aparta del acantilado.

Vallenar aguardó.

—Ha puesto rumbo cero ocho cinco.

No era el que había que tomar para subir por el canal. A pesar de ello, Vallenar se mantuvo a la espera. De repente tenía un mal presentimiento. Pasaron cinco minutos.

—Mantiene el rumbo cero ocho cinco y acelera a cuatro nudos.

—Siga atento —murmuró.

El mal presentimiento se agudizaba.

—Blanco a cinco nudos con rumbo uno uno cinco, uno dos cero, uno dos cinco…

Acelera deprisa para ser un petrolero, pensó Vallenar; pero no importaban los motores que tuviera aquel barco tan grande. Superar en velocidad a un destructor era una imposibilidad física.

Se apartó de las ventanas.

—Apunten a proa del postelero, sobre la línea de flotación. Quiero inmovilizar el barco sin hundirlo.

—El blanco se mueve a cinco nudos, con estabilización en uno tres cinco.

Va hacia mar abierto, pensó Vallenar. Por lo tanto, Timmer estaba muerto.

Intervino Casseo, el jefe de la guardia.

—Manteniendo el seguimiento del blanco, señor.

Vallenar hizo el esfuerzo de no perder la calma ni la fuerza, de no revelar nada a los que le rodeaban. Se imponía, más que nunca, la claridad.

Se quitó el puro de la boca y se pasó la lengua por los labios resecos.

—Preparados para hacer fuego —dijo.

Rolvaag
3.55 h

Lentamente, Glinn aspiró una bocanada de aire y notó que se le llenaban los pulmones. Le ocurría lo de siempre antes de entrar en acción: una tranquilidad sobrenatural por todo el cuerpo. El barco había puesto rumbo al mar, y Glinn sentía en sus pies, muy abajo, la vibración de unos motores poderosos. El destructor, mancha de luz en la oscuridad, estaba casi a ras de mar, unos veinte grados a popa.

En cinco minutos habría pasado todo. Pero el éxito dependía de la sincronización.

Volvió la vista hacia el rincón del puente. Puppup estaba de pie en la oscuridad, esperando con las manos juntas. Viendo que Glinn le hacía una señal con la cabeza, se acercó.

—Diga.

—Necesito que esté preparado para ayudar al timonel. Quizá tengamos que hacer cambios bruscos de rumbo, y nos hará falta su conocimiento de las corrientes y la topografía submarina.

—¿La qué submarina?

—Localizar los arrecifes, las zonas de bajíos y las bastante profundas para que no sea peligroso pasar.

Parecía que Puppup no pusiera pegas. Después miró a Glinn con los ojos brillantes.

—Oiga, jefe.

—¿Qué?

—Que mi canoa solo tiene quince centímetros de fondo. De esas cosas nunca he tenido que preocuparme demasiado.

—Lo tengo en cuenta. También sé que aquí las mareas pueden

ser de hasta nueve metros. Usted sabe dónde hay barcos hundidos y arrecifes sumergidos. Esté preparado.

—Lo que mande, jefe.

Glinn vio que el hombrecillo regresaba a la oscuridad. Entonces miró a Britton, que estaba en el puesto de mando con Howell y el oficial de cubierta. Había que reconocer que era una mujer fuera de serie, tan buena capitana como había previsto. Lo que le había causado más profunda impresión había sido su forma de reaccionar a la derogación temporal de autoridad. Su dignidad y control estaban a prueba de todo, incluso a la experiencia de ceder el mando. Se preguntó si era algo innato o el resultado de su pasado error.

Días atrás, obedeciendo a un impulso, Glinn había cogido un libro de poemas de Auden de la biblioteca del barco. No era lector de poesía, porque siempre le había parecido una afición improductiva. Había elegido un poema que se llamaba «Elogio de la caliza», por su vaga promesa de ingeniería, y la experiencia había sido muy reveladora. Hasta entonces no le sospechaba tanta fuerza a los versos. Desconocía la cantidad de sentimiento, y hasta de sabiduría, que podía impartirse en un lenguaje tan compacto. Se le ocurrió que sería interesante comentárselo a Britton. A fin de cuentas, había cogido el libro porque al conocerla le había oído una cita de Auden.

Aquellos pensamientos ocuparon la mente de Glinn menos de un segundo, y se disiparon al oír una nota grave de alarma.

La voz con que habló Britton era enérgica pero tranquila.

—El destructor nos está controlando con radar de control de tiro PRF. —Se volvió hacia Howell—. Activen la alarma.

Howell repitió la orden y se disparó la nota mucho más baja de otra sirena.

Glinn, con paso ágil, se aproximó al hombre del ordenador.

—Interfiéralo —murmuró.

Notó que Britton le miraba.

—¿Que lo interfiera? —repitió ella, introduciendo un matiz de sarcasmo en la tensión de su voz—. ¿Se puede saber con qué?

—Con el sistema de ECM McDonnell-Douglas de banda ancha que hay en el mástil. Vallenar piensa usar los cañones. Eso si no nos dispara un Exocet. Nosotros tenemos tiras antirradar y CIWS, que es bastante para cualquier misil.

Esta vez Howell se giró para mirarle con incredulidad.

—¿CIWS? De eso no llevamos.

—Debajo de los mamparos de delante. —Glinn hizo una señal con la cabeza a su empleado—. Fuera el camuflaje.

El operador tecleó una serie de órdenes, y en la parte delantera del barco se oyó un fuerte crujido. Glinn vio caerse los mamparos al mar, como estaba previsto, y quedar a la vista los seis cañones cortos de Phallanx Gatling que sabía capaces de disparar balas de 20 mm de uranio empobrecido a cualquier misil que se acercara, con una frecuencia de más de tres mil balas por minuto.

—¡Madre de Dios! —dijo Howell—. ¡Es armamento secreto!

—Exacto.

—Creo recordar que lo había descrito como equipo de seguridad adicional —dijo Britton con cierta ironía.

Glinn se volvió hacia ella.

—En cuanto iniciemos la intercepción, sería conveniente virar todo a estribor.

—¿Maniobras evasivas? —dijo Howell—. ¿Con este barco? ¡Si solo para parar ya hacen falta tres millas!

—Lo tengo en cuenta, pero sigan mi consejo.

Habló Britton:

—Señor Howell, todo a estribor.

Howell se dirigió al timonel y dio las órdenes pertinentes.

Britton miró al empleado de Glinn.

—Utilice todas las contramedidas. Si disparan un misil, despliegue las tiras antirradar y el CIWS como haga falta.

Tras un intervalo de tiempo, el barco vibró al reducir velocidad y dar la vuelta.

—No saldrá bien —murmuró Howell.

Glinn no se molestó en responder, seguro como estaba de que la táctica surtiría efecto. Aunque fallaran las contramedidas electrónicas, Vallenar apuntaría a la parte alta de proa, donde causara la mayor agitación y los menores destrozos. No intentaría hundir al *Rolvaag*, al menos de momento.

Pasaron dos largos minutos a oscuras, seguidos por un fogonazo de luz en el lateral del destructor, cuyos cañones acababan de hacer fuego. Transcurridos, tensos, unos segundos, se produjo una explosión en el lado de babor de la proa del *Rolvaag*; luego otra, y otra, acompañadas por sendos géiseres de agua que se llevó el viento en la oscuridad. Glinn observó que se cumplían sus expectativas, y que los proyectiles erraban el blanco en varios metros.

Los semblantes pálidos de los oficiales que había en el puente intercambiaron miradas de conmoción. Glinn les miró compasivo. Sabía que la primera experiencia de fuego real siempre era traumática, hasta en las mejores circunstancias.

—Detecto movimiento en el destructor —dijo Howell atento al radar.

—Sugiero mantener el rumbo en uno ocho cero —dijo Glinn con afabilidad.

El piloto no repitió la orden, sino que miró a la capitana.

—Eso sería salir del canal principal y meternos por los arrecifes —dijo con cierto temblor en la voz—. No aparecen en los mapas...

Glinn hizo señas a Puppup.

—Diga, jefe.

—Nos dirigimos al lado del canal donde hay arrecifes.

—Voy.

Puppup acudió raudo junto al piloto.

Britton suspiró.

—Ejecute la orden.

Rompió una ola en la proa, provocando una lluvia de espuma en cubierta. Puppup escrutó la oscuridad.

—Un poco a la izquierda.

—Adelante, señor Howell —dijo Britton, escueta.

—Cinco grados a la izquierda —dijo Howell—. Mantenga rumbo uno siete cinco.

Hubo un momento de tenso silencio, hasta que el timonel dijo:

—Uno siete cinco. Sí, señor.

Howell se agachó hacia el radar.

—Están acelerando. Doce nudos, y nosotros ocho. —Miró a Glinn fijamente—. ¿A ver, qué planes tiene ahora? ¿Se cree que podemos correr más que el cabrón ese? ¿Está loco? Dentro de unos minutos estará bastante cerca para hundirnos con los cañones de cuatro pulgadas, aunque le interceptemos.

—¡Señor Howell! —dijo Britton con dureza.

El primer oficial se quedó callado.

Glinn miró al operador de la consola.

—¿Listo? —preguntó.

El otro asintió.

—Pues atento a mi señal.

Glinn miró el destructor por la ventana. Él también se daba cuenta de que ahora navegaba a mayor velocidad. Incluso un destructor tan anticuado como el de Vallenar podía llegar a los treinta y cuatro nudos. Era un hermoso espectáculo, al menos a oscuras: los racimos de luces, el reflejo de las torretas en el agua… Esperó un poco más, dejando que el destructor redujera bastante la ventaja del *Rolvaag*.

—Fuego.

Fue gratificante ver surgir dos géiseres de agua en la popa del destructor; lo fue ver que el viento la arrojaba directamente al puente volante, y todavía más lo fue oír dos detonaciones poco más de siete segundos después. Glinn observó que el destructor empezaba a escorarse.

Destruidas las dos hélices, poco tardaría el comandante Vallenar en chocar con las rocas. Glinn, que le veía cierta gracia al caso, tuvo curiosidad por conocer la excusa que daría el comandante para justificar la pérdida de su barco. Suponiendo que sobreviviera, claro.

Se oyó una detonación procedente del destructor, seguida por otra. Volvía a disparar sus cañones de cuatro pulgadas. A continuación se sumó otro ruido más agudo al de los cañones. Eran los de cuarenta milímetros. Poco después hacían fuego todos los cañones del barco, demostración de rabia impotente que sembraba de fogonazos la superficie aterciopelada del mar. Sin embargo, habiendo el *Almirante Ramírez* perdido el uso del radar, ingobernable ya y escorándose en un mar embravecido, poco podían sus disparos contra el *Rolvaag*, que para mayor dificultad navegaba con todas sus luces apagadas, alejándose en la negra noche.

—Un pelín a la izquierda, jefe —dijo Puppup, acariciándose una guía del bigote y escrutando la oscuridad.

—Cinco grados a la izquierda —dijo Britton al timonel sin esperar a Howell.

El buque cambió casi imperceptiblemente de rumbo.

Puppup seguía agudizando la vista. Pasaron varios minutos e inclinó la cabeza hacia Glinn.

—Ya hemos salido.

Britton le vio retirarse a la oscuridad del fondo del puente.

—Derecho como va —dijo.

Las detonaciones seguían retumbando enloquecidamente en las cumbres y glaciares silenciosos, pero su eco atronador iba perdiendo intensidad. Tardaron poco en meterse en mar abierto.

A los treinta minutos, en el lado oeste de la isla de Hornos, redujeron velocidad lo justo para recuperar el barco auxiliar sin detenerse.

Entonces habló Britton:

—Doble el cabo de Hornos, señor Howell.

Apareció, borroso, el cabo. Ya no se oían los disparos, porque se los tragaba el ruido del viento y el fragor del mar contra el casco. Todo había terminado, y ni una sola vez se había girado Glinn para mirar isla Desolación: las luces intensas de la zona de excavaciones, las máquinas que, veloces, proseguían sus tareas imaginarias... Ahora que había concluido la operación, notó que volvía a acelerársele la respiración y el pulso.

—¿Señor Glinn?

Era Britton, que le miraba intensamente con ojos brillantes.

—¿Qué?

—¿Cómo piensa justificar el hundimiento de un barco de guerra de otro país?

—Los primeros en disparar han sido ellos. Lo nuestro ha sido defensa propia. Además, nuestros proyectiles solo les han destruido el gobierno. Les hundirá el panteonero.

—No se lo creerán. Suerte tendremos con no morirnos en la cárcel.

—Con todo mi respeto, capitana, no estoy de acuerdo. Todo lo que hemos hecho ha sido legal. Somos una operación minera legal. Hemos desenterrado un cuerpo metalífero que ha resultado ser un meteorito, pero que por sus características, jurídicamente, se ajusta al texto de nuestro contrato minero con Chile. Nos han acosado desde el primer día, nos han obligado al soborno y nos han amenazado. Han matado a uno de nuestros hombres, y por último, al zarpar, hemos recibido el fuego de un barco de guerra que actuaba por libre; pero en todo este período no hemos recibido la menor advertencia del gobierno chileno. Ni un triste comunicado oficial. Le aseguro que al volver elevaremos las protestas más vehementes al Departamento de Estado. —Hizo una pausa y añadió con un principio de sonrisa—:

¿O cree que nuestro gobierno lo verá de otra manera? No, ¿verdad?

Britton siguió mirándole con sus hermosos ojos verdes. Después de lo que parecía mucho tiempo, se le acercó y le dijo al oído:

—¿Sabe qué? Que me parece que usted está de manicomio.

Glinn creyó detectar en su voz cierto tono de admiración.

Rolvaag
4.00 h

Palmer Lloyd estaba sentado en su estudio, hundido en el único sillón de orejas y con la ancha espalda orientada hacia la puerta. Sus zapatos ingleses a medida, que ya estaban secos, habían empujado el teléfono y el ordenador portátil hacia una esquina de la mesa, dada su inutilidad. Al otro lado de los ventanales, la superficie agitada del océano presentaba cierta fosforescencia que proyectaba una luz verde y movediza en la oscuridad del estudio, como si se hallara este al fondo del mar.

Lloyd la observaba sin moverse. Todo lo había vivido sin moverse: los cañonazos, la breve persecución del destructor chileno, las explosiones y el trayecto tempestuoso alrededor del cabo.

Al encenderse con un suave clic las luces del estudio, convirtieron enseguida el panorama de tormenta de los ventanales en una superficie completamente negra. Se encendió la pared de televisores del despacho contiguo, y de repente quedó poblada por docenas de bustos parlantes pero mudos. Más lejos, en las oficinas, sonó un teléfono. Luego otro, pero Palmer Lloyd permanecía inmóvil.

Ni siquiera el propio Lloyd era capaz de definir lo que le pasaba por la cabeza. Por descontado que las horas oscuras habían sido de rabia, frustración, humillación y rechazo; sentimientos, todos ellos, fáciles de entender. Glinn le había desalojado del puente por la vía expeditiva, y le había dejado impotente, con las alas cortadas. Para Lloyd era la primera vez. Lo que no acababa de entender (ni de explicarse) era el sentimiento creciente de alegría que iba trenzándose entre los demás y los teñía como tiñe la luz una pantalla. La carga del meteorito y la inutilización del barco chileno habían sido espléndidas maniobras.

A la luz de un autoexamen que por inesperado le deslumbraba, Lloyd comprendió que la decisión de Glinn de expulsarle del puente había sido correcta. En el contexto de un plan tan medido, el método de entrar como un elefante en una cristalería, que era lo que propugnaba él, habría tenido efectos desastrosos. Ahora habían vuelto a encenderse las luces. El mensaje de Glinn era de una claridad meridiana.

Siguió inmóvil, punto fijo en el centro de una actividad que acababa de reanudarse, y meditó sobre sus éxitos pasados. Estaba a punto de tener otro. Gracias a Glinn.

Y ¿quién había contratado a Glinn? ¿Quién había elegido a la persona indicada, la única? A pesar de la humillación, Lloyd se felicitó por la elección. Había tenido éxito. El meteorito estaba a salvo en el barco. Ahora que el destructor había quedado fuera de combate, no podría detenerles nada ni nadie. Pronto estarían en aguas internacionales, y de ahí, directos a Nueva York. Naturalmente que al llegar a Estados Unidos elevarían protestas, pero a Lloyd le encantaban las peleas, sobre todo cuando tenía razón.

Respiró hondo, mientras seguía creciendo su sensación de júbilo. Sonó el teléfono de su escritorio, pero no lo cogió. Alguien llamó a la puerta. Debía de ser Penfold. Tampoco reaccionó. Entonces una ráfaga de viento hizo temblar las ventanas y las salpicó de aguanieve. Solo entonces se decidió a levantarse, alisarse la ropa y erguir los hombros. Faltaba muy poco para el momento de volver al puente y felicitar a Glinn por el éxito de ambos.

Almirante Ramírez
4.10 h

El comandante Vallenar miraba fijamente la oscuridad nocturna del cabo de Hornos. Tenía en la mano el telégrafo del cuarto de motores, y los pies en equilibrio a pesar del vaivén tan pronunciado del navío. Veía muy claro lo ocurrido… y el porqué.

Relegando la ira al fondo de su mente, se concentró en un cálculo mental. Con aquel panteonero de sesenta nudos, el efecto del viento sobre el destructor provocaría una desviación de dos nudos, la cual, sumada a los dos nudos de componente este de la corriente, les concedía más o menos una hora de margen hasta que el barco chocara con los arrecifes que había detrás de la isla Deceit.

Se daba cuenta de lo callados que estaban los oficiales a sus espaldas. Aguardaban la orden de abandonar el barco. Pues bien, se llevarían una decepción.

Vallenar respiró y se dominó con voluntad de hierro. Al dirigirse al oficial de cubierta, su voz no traicionaba ningún temblor.

—Evaluación de daños, señor Santander.

—Es difícil saberlo, comandante. Parece que están rotas las dos hélices. Timón dañado pero en estado de funcionar. No se ha constatado ningún agujero en el casco, pero el barco ha perdido propulsión y gobierno.

—Haga que bajen dos submarinistas e informen de los daños concretos que hayan sufrido las hélices.

La orden fue acogida con un silencio todavía mayor. Vallenar se volvió con gran lentitud y paseó la mirada por el grupo de oficiales.

—Señor, con un mar así sería enviarles a una muerte segura —dijo el oficial de cubierta.

Vallenar se le quedó mirando. A diferencia del resto, Santander llevaba a sus órdenes un tiempo relativamente corto: solo seis meses en el culo del mundo.

—Comprendo —dijo Vallenar—. Sería inaceptable.

Santander sonrió.

—Mande un equipo de seis. Así habrá como mínimo un superviviente que acabe el trabajo.

La sonrisa se le borró.

—Es una orden directa. Si desobedece, estará usted al mando del equipo.

—Sí, señor —dijo el oficial de cubierta.

—En el lado de estribor de la bodega de proa C hay una caja grande de madera donde pone «munición de 40 mm». Contiene una hélice de recambio. —Vallenar estaba preparado para muchas emergencias, incluida la pérdida de una hélice. Esconder piezas de recambio a bordo era una buena manera de burlar a los oficiales corruptos de Punta Arenas—. Cuando estén documentados los daños, corten las partes que hagan falta de la hélice de recambio. Las soldarán los buzos a las hélices estropeadas para darnos propulsión. Faltan menos de sesenta minutos para que choquemos con los arrecifes de la isla Deceit. No habrá señal de socorro. O me dan propulsión, o se hundirá toda la tripulación con el barco.

—Sí, señor —dijo el oficial de cubierta, casi susurrando.

Las caras de los demás oficiales delataban su opinión sobre aquel plan desesperado. Vallenar les ignoró. No le importaba lo que pensasen, sino que obedeciesen. Y de momento obedecían.

Rolvaag
7.55 h

Manuel Garza contemplaba la roca roja desde la altura de su observatorio, una pasarela metálica estrecha. Desde tan lejos casi parecía pequeña, como un huevo exótico en un nido de acero y madera. La trama que la rodeaba era un espléndido trabajo, quizá el mejor de su vida. Casar la fuerza bruta con una precisión tan milimétrica había sido muy difícil, un reto que solo podía apreciar alguien como Gene Rochefort. Garza pensó que era una lástima que no pudiera verlo. Las bellezas de la ingeniería habían sido de lo poco capaz de sacarle una sonrisa a la cara estirada de Rochefort.

La brigada de soldadores, que le había seguido por el túnel de acceso, estaba saliendo a la pasarela por la escotilla, haciendo mucho ruido con sus botas pesadas de goma. Formaban un grupo variopinto: trajes y guantes amarillos, y en las manos diagramas rojos de soldar.

—Ya tenéis vuestras indicaciones —dijo Garza—. Ya sabe cada uno lo que tiene que hacer. Hay que fijar este trasto antes de que se ponga peor el mar.

El capataz hizo una parodia de saludo militar. Se les notaba muy animados; tenían el meteorito en la bodega, el destructor chileno fuera de combate y el viaje de regreso encarrilado.

—Ah, y otra cosa: procuren no tocarlo.

Se rieron de la broma, y alguien hizo un chiste sobre la velocidad a la que había salido volando el culo de Timmer. Se oyó un comentario sobre volver a casa en un *tupperware*. Sin embargo, nadie dio un solo paso hacia el ascensor que llevaba al fondo del tanque. Garza notaba que a pesar de los chistes y el buen humor reinaba un profundo nerviosismo. Una cosa era tener el meteorito a salvo en el *Rolvaag*, y otra que hubiera perdido su capacidad de inspirar temor.

Solo había una manera de actuar: deprisa.

—A por él —dijo Garza, dándole una palmada campechana al capataz.

Los trabajadores no se hicieron de rogar y entraron en el ascensor. Garza estuvo a punto de quedarse (puesto que la mejor manera de dirigir la operación era desde la unidad de observación que había en el extremo de la pasarela), pero decidió que quedaría mal. Entró en el ascensor y cerró la reja.

—¿Baja a la panza del monstruo, señor Garza? —preguntó alguien.

—No sea que os metáis en algún lío. Como sois tan zopencos…

Descendieron al fondo del tanque, reforzado con vigas de metal en el suelo. El andamio irradiaba contrafuertes en todas las direcciones, para distribuir el peso por todos los rincones del barco. Los hombres se dispersaron en cumplimiento de las indicaciones de los diagramas que llevaban, y, trepando por distintos puntales, desaparecieron en el complejo entramado que rodeaba el meteorito. Tardaron poco en ocupar sus respectivas posiciones, pero en el tanque hubo un largo intervalo de silencio. Parecía que ahora que tenían la roca al lado nadie quería ser el primero en empezar. De repente, en la penumbra, empezaron a encenderse puntos de luz muy intensa que proyectaban sombras raras. Eran los soldadores, que habían encendido sus aparatos y ponían manos a la obra.

Garza consultó el reparto de tareas y el diagrama general para comprobar que cumpliera cada cual su cometido. Se oyó una especie de chisporroteo lejano, el de los soldadores tocando el metal y asegurando el andamio mediante la fusión de una serie de nodos críticos. Garza miró a los soldadores uno a uno. Prefería cerciorarse de que a ningún alocado se le ocurriera acercarse en exceso a la roca, por inverosímil que fuera. De vez en cuando oía el sonido lejano de algo goteando. Buscó su procedencia con la mirada y se fijó en los mamparos longitudinales que cubrían los veinte metros de altura del tanque, que por su abundancia de nervios parecía una catedral metálica. A continuación miró las vigas inferiores. Las placas del casco estaban mojadas. Era normal.

Todos los barcos tenían agua en la sentina. Oía el impacto acompasado de las olas en el casco, y notaba la suave y lenta oscilación del buque. Pensó en las tres membranas de metal que le separaban del insondable océano. Era una idea inquietante. Prefirió mirar a otra parte, al propio meteorito en su prisión de malla.

Aunque desde abajo impusiera más respeto, quedaba empequeñecido por las proporciones del tanque. Garza, una vez más, trató de comprender que pudiera pesar tanto algo tan pequeño. Cinco torres Eiffel concentradas en seis metros de meteorito. Una superficie curva y cristalina. A diferencia de los meteoritos normales, no tenía agujeros. El color era increíble, casi indescriptible. ¡Qué ganas de regalarle a su novia un anillo del mismo material! Entonces le volvieron a la memoria los pedazos del tal Timmer en el barracón de control. Más valía olvidarse de lo del anillo.

Consultó su reloj. Quince minutos. El trabajo estaba calculado en veinticinco.

—¿Qué tal? —preguntó al capataz.

—Falta poco —respondió este.

El eco del tanque le distorsionó la voz. Garza se apartó y siguió esperando. Ahora notaba que el barco se movía más. Olía mucho a acero, tungsteno y titanio fundidos.

Poco a poco los trabajadores fueron terminando, y apagándose los soldadores. Garza asintió. Veintidós minutos: no estaba mal. Con algunas soldaduras más en puntos críticos, habrían acabado. Rochefort lo había diseñado todo con la finalidad de reducirlas al mínimo, respetando en lo posible el principio de simplicidad. Así había menos riesgos de que fallara algo. Como persona quizá hubiera sido un pelma, pero como ingeniero era buenísimo. Al mismo tiempo que volvía a oscilar el barco, Garza suspiró y volvió a lamentar que no estuviera Rochefort en el tanque, asistiendo a la realización de su plan. En casi todos los trabajos moría alguien. Se parecía un poco a la guerra. Era preferible no hacer demasiadas amistades.

Notó que el barco seguía moviéndose, y pensó: Esta es gorda. Hubo una serie de crujidos de poca intensidad.

—¡Sujétense! —exclamó a la brigada.

Dio media vuelta y se cogió a la baranda. El barco se escoró más, y más.

De repente estaba de espaldas, con todo oscuro y un intenso dolor en el cuerpo. ¿Cómo había acabado así? Tanto podía haber transcurrido un minuto como una hora. Imposible saberlo. Le daba vueltas la cabeza. Se había producido una explosión. En la oscuridad gritaba alguien (unos gritos atroces), y el aire olía a ozono y metal quemado, con un toque de humo, como de quemarse madera. Tenía algo caliente y pegajoso por toda la cara, y un dolor que palpitaba al mismo ritmo que el corazón; aunque el dolor empezó a alejarse, a alejarse mucho, y poco después volvía a poder dormir.

Palmer Lloyd se había tomado su tiempo en llegar al puente. Tenía que prepararse. No podía dar un espectáculo de resentimiento infantil.

Le recibieron con gestos deferentes, e incluso corteses. Tardó un poco en entender el cambio de ambiente. La misión casi había terminado. Ya no era un pasajero, un incordio en momentos críticos, sino Palmer Lloyd, propietario del mayor meteorito jamás descubierto, director del museo Lloyd, presidente de Lloyd Holdings y séptimo hombre más rico del mundo.

Se acercó a Britton por detrás. Encima de las barras de oro de los hombros de la capitana había visto un monitor con un diagrama general de posición. Aquella pantalla le sonaba. El barco aparecía como una cruz cuyo eje largo indicaba la dirección del viaje. El extremo anterior se aproximaba a una línea roja que trazaba una suave curva a lo ancho del diagrama. Cada pocos segundos parpadeaba la pantalla por actualización de los datos vía satélite. Cuando cruzaran la línea estarían en aguas internacionales. Victoria asegurada.

—¿Cuánto falta? —preguntó.

—Ocho minutos —repuso Britton. A pesar de que su voz tenía la frialdad de siempre, había perdido la tensión de los últimos minutos de angustia en la isla.

Lloyd miró a Glinn de reojo. Estaba al lado de Puppup con las manos en la espalda y la cara de indiferencia habitual. Sin embargo, tuvo la clara sensación de que en aquellos ojos impasibles brillaba cierta suficiencia. Con motivo. Faltaban pocos minutos para uno de los mayores logros científicos y técnicos del siglo veinte. Esperó. No había que precipitar las cosas.

Echó un vistazo a los demás. La tripulación de guardia, cansada pero satisfecha ante la inminencia del alivio. El primer oficial Howell, inescrutable. McFarlane y Amira juntos y callados. Hasta había salido de su guarida el viejo zorro del doctor Brambell. Parecía que se hubieran reunido a una señal tácita para presenciar algo importante.

Lloyd irguió el cuerpo, ademán con que pretendía llamar la atención, y aguardó a tener todas las miradas sobre sí. Entonces se dirigió a Glinn.

—Señor Glinn, permítame felicitarle de todo corazón —dijo.

Glinn se inclinó un poco. Circularon sonrisas y miradas por el puente.

Justo entonces se abrió la puerta del puente y entró un camarero con un carrito de acero. Había un cubo de hielo picado de donde sobresalía el cuello de una botella de champán, y al lado una docena de copas de cristal.

Lloyd se frotó las manos con entusiasmo.

—¡Eli, mentiroso! En algunas cosas eres un maniático, pero hoy lo has calculado todo a la perfección.

—Reconozco haber mentido en lo de que solo había traído una botella. La verdad es que hay toda una caja.

—¡Estupendo! Pues a por ella.

—Tendremos que conformarnos con esta botella. Tenga en cuenta que estamos en el puente de un barco; pero no tema, que en cuanto lleguemos a Nueva York descorcharé personalmente las otras diez. Hasta entonces, le ruego que haga los honores. —E hizo gestos hacia el carro.

Lloyd se acercó a él, extrajo del hielo la botella y la levantó enseñando los dientes.

—Jefe, esta vez no la tire —dijo Puppup, casi sin que se le oyera.

Lloyd miró a Britton.

—¿Cuánto falta?

—Tres minutos.

El viento golpeaba los ventanales. Arreciaba el panteonero, pero Lloyd sabía por Britton que doblarían Staten Island y estarían a sotavento de Tierra del Fuego mucho antes de que el viento cambiara de sudoeste a noroeste, mucho más peligroso. Retiró los alambres del corcho y esperó con el frío de la botella en la mano.

Por unos instantes solo se oyó gemir al viento y retumbar el océano a lo lejos.

Entonces Britton apartó la vista de la pantalla y miró a Howell, que asintió.

—El *Rolvaag* acaba de meterse en aguas internacionales —dijo ella con serenidad.

Estalló una pequeña ovación. Lloyd descorchó la botella y empezó a repartir pequeñas raciones de champán.

De repente tenía delante la cara sonriente de Puppup, cuyos brazos delgados sostenían dos copas.

—Aquí, jefe; una para mí y otra para mi amigo.

Lloyd las llenó.

—¿Qué amigo? —preguntó con una sonrisa indulgente.

El papel de Puppup había sido breve pero crucial. Ya le encontraría algún buen empleo en el museo Lloyd, quizá en mantenimiento; o, por qué no, en seguridad. Claro que tratándose del último indio yagán quizá hubiera mejores posibilidades. En el fondo quizá fuera conveniente plantearse alguna clase de exposición; algo correcto, de buen gusto, muy alejado de las exhibiciones de pueblos primitivos del siglo diecinueve, pero con gancho. Teniendo a mano a Puppup como último ejemplo vivo… Sí, habría que pensarlo.

—Hanuxa —contestó Puppup, agachando la cabeza y sonriendo de nuevo.

Lloyd alzó la vista justo a tiempo de verle escabullirse como un conejo entre tragos a ambas copas.

Entre el bullicio se perfiló la voz del primer oficial.

—Contacto de superficie a treinta y dos millas, tres uno cinco, veinte nudos.

La conversación cesó de inmediato. Lloyd miró a Glinn para tranquilizarse, y tuvo una sensación de hormigueo en el estómago. Nunca le había visto una expresión así, mezcla de sorpresa y angustia.

—Glinn —dijo—, es un barco mercante, ¿no?

Glinn se giró sin contestar hacia su empleado de la consola de EES y le susurró unas palabras.

—Es el *Almirante Ramírez* —dijo Britton, también en voz baja.

—¿Qué? ¿Cómo puede reconocerlo por radar? —preguntó Lloyd.

El hormigueo se había convertido en franca incredulidad.

Britton le miró.

—No es del todo seguro, pero coinciden la situación y el momento. La mayoría de los barcos irían por el estrecho de Le Maire, sobre todo con un tiempo así; en cambio este nos persigue a toda máquina.

Lloyd vio que Glinn hablaba con el hombre del ordenador. Se oyeron tonos de marcado en veloz sucesión, seguidos por un pitido de intercambio de datos.

—¿No le habías dejado fuera de combate? —dijo Lloyd.

Glinn se puso derecho, y Lloyd se tranquilizó al ver que su rostro había recuperado la expresión serena y confiada de siempre.

—Nuestro amigo está demostrando más recursos de lo normal.

—¿Recursos?

—El comandante Vallenar ha conseguido reparar su barco, al menos de manera parcial. Toda una hazaña. Me cuesta creerlo. En fin, da lo mismo.

—¿Por qué? —preguntó Britton.

—Consta todo en el perfil del ordenador. No nos perseguirá por aguas internacionales.

—Perdone, pero eso es mucho prever. Está loco y es capaz de todo.

—Se equivoca. El comandante Vallenar, a pesar de los pesares, es oficial de marina hasta el tuétano. Se toma muy a pecho el honor, la lealtad y una serie de ideales militares abstractos. Por todo ello no nos perseguirá más allá de la línea, puesto que lo contrario sería poner a Chile en una situación difícil y provocar un enojoso incidente con el mayor proveedor de ayuda internacional a su país. Por otro lado, teniendo el barco en mal estado no se meterá en plena tormenta.

—Entonces ¿por qué viene?

—Por dos motivos. Primero, que no conoce nuestra localización exacta y conserva la esperanza de cortarnos el paso antes de que lleguemos a aguas internacionales. Segundo, que nuestro comandante es hombre de gestos nobles. Hará como el perro que estira al máximo la cadena sabiendo que tiene la presa demasiado lejos: navegar a toda máquina hasta el límite de las aguas de su país y dar media vuelta.

—Muy buen análisis —dijo Britton—, pero ¿responde a la realidad?

—Sí —dijo Glinn con la serenidad de estar convencido.

Lloyd sonrió.

—No pienso repetir el error de no confiar en ti. Me doy por satisfecho. Si dices que no cruza es que no cruza.

Britton se quedó callada. Glinn se volvió hacia ella con un gesto personal y casi íntimo, y Lloyd se llevó la sorpresa de ver que le apretaba un poco la mano. No acabó de entender las palabras de Glinn, pero ella se ruborizó un poco.

—Bueno —dijo con un tono casi inaudible.

De repente apareció Puppup con las dos copas vacías, levantándolas en gesto de súplica. Lloyd se fijó en él y vio que mantenía el equilibrio de manera inconsciente, a pesar de que el barco se movía mucho.

—¿Un poco más para mí y mi amigo? —preguntó el yagán.

No hubo tiempo para contestar. De pronto vibró el suelo y se produjo una sacudida subsónica que hizo temblar toda la carcasa del petrolero. Las luces del puente parpadearon y los monitores se llenaron de nieve electrónica gris. Britton y los demás oficiales ocuparon sus puestos de inmediato.

—¿Se puede saber qué ha sido eso? —preguntó Lloyd con voz brusca.

No recibió respuesta de nadie. Glinn volvía a estar al lado del operador, hablando con él en voz baja y tono urgente. El barco experimentó una profunda vibración, una especie de gruñido que se repitió.

La interrupción fue breve, y su final tan abrupto como su principio. Volvieron a funcionar las pantallas, y la luz se estabilizó en su intensidad habitual. Al reinicializarse, los instrumentos del puente emitieron un coro de pitidos.

—No sabemos qué ha sido —dijo Britton en respuesta (ahora sí) a la pregunta de Lloyd, mientras repasaba los aparatos con la vista—. Algún fallo general. Puede que una explosión. Por lo visto ha afectado a todos los sistemas del barco. —Se giró hacia el primer oficial—. Quiero que se evalúen enseguida los daños.

Howell hizo dos llamadas por teléfono, y después de la segunda colgó el auricular con rostro exangüe.

—Es el tanque —dijo—, el del meteorito. Ha habido un accidente grave.

—¿De qué clase? —preguntó Glinn.

—Una descarga de la roca.

Glinn se volvió hacia McFarlane y Amira.

—Encárguense ustedes. Averigüen qué ha ocurrido y por qué. Doctor Brambell, convendría que...

El doctor Brambell, sin embargo, ya había desaparecido del puente.

Almirante Ramírez
8.30 h

Vallenar escudriñaba la oscuridad como si el simple acto de mirar pudiese provocar la aparición del esquivo petrolero.

—Situación —volvió a murmurar al oficial de guardia.

—Señor, lo dificulta la intercepción. Yo calculo que el rumbo del objetivo es cero nueve cero y su velocidad unos dieciséis nudos.

—¿Distancia?

—No puedo decírselo con exactitud, señor. Sobre las treinta millas náuticas; y suerte que hace unos minutos les ha fallado un poco la intercepción, porque si no ni siquiera tendríamos un cálculo aproximado.

Vallenar percibía una oscilación rítmica en el barco, un vaivén de la cubierta que producía náuseas. Era la segunda vez que lo experimentaba. La primera había sido al quedar atrapado en una tormenta durante una misión de entrenamiento al sur de Diego Ramírez. El significado del extraño movimiento no le era desconocido: la distancia entre las crestas de las olas empezaba a exceder el doble de la longitud del *Almirante Ramírez*. Veía el mar por las ventanas de popa, olas largas y recias con una cresta de espuma que circulaban de popa a proa, espumeaban por todo el casco y se perdían en la oscuridad de delante. De vez en cuando llegaba por detrás una ola gigante, una *tigre* que golpeaba el timón, hacía que el timonel perdiera el dominio de la rueda y amenazaba con dejar al destructor atravesado en el sentido del oleaje. Peor sería cuando giraran hacia el sur y tuvieran el mar de costado.

Pensativo, metió la mano en el bolsillo, sacó un puro y sometió las hojas exteriores, que estaban sucias, a una mirada ausente.

Pensaba en los dos buzos muertos, en sus fríos y rígidos cadáveres envueltos en lonas y metidos en los pañoles de popa. Pensaba en los otros tres, que no habían vuelto a la superficie, y en el cuarto, que tiritaba en las últimas fases de la hipotermia. Habían cumplido su deber. Ni más ni menos. El barco estaba en condiciones de navegar. Era verdad que con las hélices dañadas no podían superar los veinte nudos, pero el petrolero solo avanzaba a dieciséis, y el largo trecho hacia las aguas internacionales, de oeste a este, le estaba concediendo a él el tiempo necesario para llevar a cabo su estrategia.

Volvió la mirada hacia el oficial de guardia. La tripulación tenía miedo: de la tormenta y de la persecución. Mejor. Con miedo trabajarían más deprisa. Eso sí, Timmer valía por diez de ellos.

Mordió la punta del puro y la escupió. Timmer valía por toda la dotación…

Cuidadoso, metódico, Vallenar aprovechó el momento de encender el puro para rehacerse. La brasa roja de la punta se reflejaba en las ventanas negras. Seguro que ya sabían que volvía a perseguirles. Esta vez tomaría mayores precauciones. Ya había caído una vez en su trampa, y no permitiría que se repitiera. El plan inicial había sido inmovilizar el barco, pero ahora estaba claro que Timmer había muerto. Ya no era momento de simples inmovilizaciones.

En cinco horas o menos los tendría al alcance de sus cañones de cuatro pulgadas. En el ínterin, los Exocets permanecían listos para su inmediato lanzamiento, en espera de cualquier posible respiro en la intercepción.

Esta vez no errarían el blanco.

Rolvaag
9.20 h

Corriendo (con Rachel a la zaga) por el pasillo central de la suite médica, McFarlane estuvo a punto de chocar con Brambell, que salía de la sala de operaciones. Era un Brambell muy distinto del comensal irónico y seco de las cenas; un Brambell extremadamente serio, de movimientos bruscos y con el cuerpo enjuto en tensión.

—Venimos a ver… —empezó McFarlane.

Brambell, sin embargo, ya se alejaba por el pasillo. Se metió por una puerta sin prestarles la menor atención. McFarlane miró a Rachel.

Siguieron el camino de Brambell, que les llevó a una sala muy iluminada. El médico, que aún llevaba los guantes de operar, estaba al lado de una camilla y examinaba a un paciente inmóvil. La cabeza del paciente estaba vendada, y las sábanas empapadas de sangre. McFarlane vio que Brambell le cubría la cabeza con un movimiento brusco de enfado, y que se giraba hacia el lavamanos contiguo.

Tragó saliva con dificultad.

—Tenemos que hablar con Manuel Garza —dijo.

—Imposible —dijo Brambell, quitándose los guantes ensangrentados para poner las manos debajo del chorro de agua caliente y frotárselas.

—Doctor, es imprescindible que le preguntemos qué ha pasado. Está en juego la seguridad del barco.

Brambell detuvo sus movimientos y por primera vez miró a McFarlane. Estaba muy serio, pero controlado. Guardó unos segundos de silencio. Detrás de la mascarilla, McFarlane veía un cerebro de médico enfebrecido, tomando una decisión bajo presión extrema.

—Habitación tres —dijo mientras sacaba unos guantes nuevos de operar—. Cinco minutos.

Encontraron a Garza despierto en una salita. Tenía morados en la cara, los ojos ennegrecidos y la cabeza vendada. Al abrirse la puerta les dirigió una fugaz mirada.

—Están todos muertos, ¿verdad? —susurró mirando la camilla.

McFarlane titubeó.

—Todos menos uno.

—Pero también morirá.

No era una pregunta, sino una afirmación.

Rachel le puso una mano en el hombro.

—Manuel, ya sé lo mal que lo estarás pasando, pero tenemos que saber qué ha pasado en el tanque.

Garza no la miró. Apretó los labios y pestañeó con sus ojos ennegrecidos.

—¿Que qué ha pasado? ¿Y tú qué crees? Que ha vuelto a saltar el puñetero meteorito.

—¿Saltar? —repitió McFarlane.

—Sí, a explotar como con Timmer.

McFarlane y Rachel se miraron.

—¿Cuál de tus hombres lo ha tocado? —preguntó ella.

De repente Garza se giró para mirarla, y McFarlane no estuvo seguro de si era una mirada de sorpresa, enfado o incredulidad; era como si las manchas grandes y violáceas de sus ojos vaciaran de expresión el resto de la cara.

—Nadie.

—Alguien tiene que haberlo tocado.

—Te digo que nadie. He estado vigilando todo el rato.

—Manuel… —empezó Rachel.

Se incorporó enfadado.

—¿Qué te crees, que mis hombres están locos? No querían ni acercarse. Les daba un miedo horroroso. Rachel, te aseguro que como mínimo estaban a metro y medio. —Hizo una mueca de dolor y volvió a estirarse.

Al poco intervino McFarlane.

—Necesitamos saber exactamente qué vio. ¿Puede decirnos de qué se acuerda justo antes de que pasara? ¿Se fijó en algo anormal?

—No. Casi habían terminado de soldar. De hecho algunos ya

habían acabado. Solo faltaban cuatro retoques. Estaban todos quietos, con el equipo protector puesto. El barco se movía mucho, como si le estuviera pasando una ola muy grande por debajo.

—Sí, ya me acuerdo de la ola —dijo Rachel—. ¿Estás seguro de que nadie perdió el equilibrio? ¿No hubo nadie que se aguantara con la mano sin querer?

—No me crees, ¿eh? —preguntó Garza—. Pues qué jodido, porque es verdad. El meteorito no lo ha tocado nadie. Si quieres, mira las cintas.

—¿Y le pasaba algo raro? —preguntó McFarlane.

Garza pensó un poco y negó con la cabeza.

McFarlane se acercó.

—¿Y esa ola tan grande? ¿Hay alguna posibilidad de que provocara la explosión inclinando el meteorito?

—¿Por qué? Desde la zona del impacto a la bodega del barco no ha dejado de inclinarse y recibir golpes y empujones sin que pasara nada así.

Se produjo un silencio.

—Es la roca —murmuró Garza.

McFarlane parpadeó sin estar seguro de haber oído bien.

—¿Qué? —preguntó.

—He dicho que es la puñetera roca. Quiere matarnos a todos.

Fueron sus últimas palabras. Se giró hacia la camilla y no quiso seguir hablando.

Rolvaag
10.00 h

Al otro lado de las ventanas del puente, un alba violenta iluminaba un mar tempestuoso. Una ondulante procesión de olas gigantes e implacables llegaba desde el oeste del horizonte, desgarrado por la tormenta, y desaparecía al este. Seguía arreciando el panteonero, viento aullador del que se habría dicho que arrancaba pedazos de mar de las crestas de las olas y los arrojaba por los aires, rompiendo las aguas en láminas de espuma. El petrolero subía, bajaba, cabeceaba, se escoraba con agónica lentitud.

Eli Glinn estaba solo al lado de los ventanales, con las manos a la espalda y contemplando el brutal espectáculo con una serenidad interna que pocas veces había experimentado desde el inicio del proyecto; proyecto que había estado lleno de giros inesperados y sorpresas. Incluso en el barco seguía dándoles problemas el meteorito: Howell había vuelto de la enfermería con un balance de seis muertos y un herido, Garza. A pesar de todo, EES había tenido éxito. Se trataba de una de las mayores hazañas de ingeniería de la historia.

Prefería no repetir un proyecto así.

Dio media vuelta. Britton y los demás oficiales no separaban la vista del radar de superficie, por donde seguían al *Almirante Ramírez*. El aspecto del grupo era tenso. Era evidente que no les habían convencido las garantías de Glinn acerca del comandante Vallenar. Era una actitud natural, si bien ilógica. Sin embargo, el programa de perfiles de Glinn nunca había errado una predicción crítica. Además conocía a Vallenar. Había tenido un encuentro con él en su propio terreno. Había presenciado la disciplina de hierro de su barco. Había visto sus dotes de oficial de marina, su orgullo sin medida, su amor a su país. Un hombre así no podía cruzar la línea. No, por un meteorito no. Daría media vuelta en el último minuto; pasado el momento de la crisis, continuarían el viaje de regreso.

—Capitana —preguntó—, ¿qué rumbo tiene pensado para salir del paso de Drake?

—En cuanto dé media vuelta el *Ramírez*, ordenaré que se ponga rumbo tres tres cero para volver a estar a sotavento del continente y salir de esta tormenta.

Glinn asintió.

—Será pronto.

Los ojos de Britton volvieron a concentrarse en la pantalla. No dijo nada más.

Glinn se acercó a los oficiales y se puso al lado de Lloyd, detrás de la capitana Britton. El punto verde que representaba a Vallenar en la pantalla se acercaba deprisa a las aguas internacionales. Glinn no pudo contener una sonrisa. Era como presenciar una carrera de caballos siendo el único en conocer el resultado.

—¿Algún contacto por radio con el *Ramírez*?

—No —repuso Britton—. Siguen guardando un silencio absoluto. Ni siquiera se han puesto en contacto con su base. Hace unas horas, Banks ha oído al comandante de la base ordenándoles volver.

Natural, pensó Glinn. Se ajustaba al perfil.

Se permitió una mirada a Britton, con su nariz pecosa y su porte señorial. Ahora ella dudaba de su criterio, pero llegaría el momento en que se diera cuenta de que había acertado. Glinn pensó en el valor que había demostrado la capitana, en su infalible buen juicio y en la serenidad con que arrostraba la presión; en su dignidad, que no había flaqueado ni siquiera en el momento de ceder el mando del puente. Intuía que había encontrado a una mujer en quien podía confiar. Quizá fuera la que buscaba. Merecía tenerse en cuenta la posibilidad. Empezó a pensar en la estrategia correcta para conquistarla, en las posibilidades de fracaso, en la vía de éxito más probable...

Volvió a mirar la pantalla del radar. Ahora al punto le faltaban pocos minutos para la línea. Notó que le alteraba la serenidad una pizca de nerviosismo. Sin embargo, se habían tenido todos los factores en cuenta. Vallenar daría media vuelta.

Apartó la vista de la pantalla y volvió a las ventanas. El panorama infundía respeto. Las olas subían hasta la cubierta principal y pasaban como láminas verdes, chorreando por los imbornales en su caída hacia el mar. A pesar del cabeceo, la sensación era de que el *Rolvaag* se mantenía bastante estable. El hecho de seguir la dirección del oleaje contribuía mucho a la estabilidad. Y el peso del tanque central actuaba de lastre.

Consultó su reloj. En cualquier momento informaría Britton de que el *Ramírez* había dado media vuelta.

Se oyó algo, un murmullo colectivo procedente del grupo del radar.

—El *Ramírez* cambia de rumbo —dijo Britton, levantando la cabeza.

Glinn asintió y contuvo una sonrisa.

—Gira hacia el norte, rumbo cero seis cero.

Glinn aguardó.

—Acaba de cruzar la línea —añadió Britton en voz baja—. Mantiene el rumbo cero seis cero.

Glinn titubeó.

—Vallenar tiene la navegación en mal estado. Se le ha estropeado el timón. Está claro que lo que intenta es virar.

Fueron pasando los minutos. Glinn se apartó de las ventanas y volvió a la pantalla. El punto verde seguía en dirección este-nordeste. No podía decirse que les persiguiera, pero tampoco que diera media vuelta. Qué raro. Notó otra punzada de inquietud.

—Virará en cualquier momento —murmuró.

Se prolongó el silencio, mientras el *Ramírez* conservaba el mismo rumbo.

—Mantiene la velocidad —dijo Howell.

—Gira —musitó Lloyd.

El barco no giró, sino que volvió a corregir un poco el rumbo, que ahora era de cero cinco cero.

—¿Qué coño hace? —estalló Lloyd.

Britton se irguió y miró a Glinn a la cara. No dijo nada, pero tampoco hacía falta: para Glinn, su expresión poseía una claridad meridiana.

Le recorrió la duda como un espasmo, pero se tranquilizó enseguida. Acababa de identificar el problema.

—Claro. Además de tener problemas de timón, tiene unos sistemas de navegación tan primitivos que los afecta nuestra intercepción. No sabe dónde está. —Se giró hacia su operador de la consola—. Apague el ECM. Que se oriente un poco, el pobre.

El operador tecleó una serie de órdenes.

—Lo tenemos a veinticinco millas —dijo Howell—. Estamos justo al alcance de sus Exocets.

—Lo tengo en cuenta —murmuró Glinn.

Hubo un momento de silencio generalizado en el puente, hasta que volvió a hablar Howell.

—Nos están localizando con radar de tiro. Está calculando la distancia y nuestro rumbo.

Por primera vez desde su última operación en los rangers, Glinn tuvo una sensación extraña en el estómago.

—Concedámosle unos minutos más. Que se dé cuenta de que los dos estamos en aguas internacionales.

Volvieron a pasar los minutos.

—¡Por Dios, vuelva a conectar el ECM! —dijo Britton con tono brusco.

—Otro minuto. Por favor.

—Exocet lanzado —dijo Howell.

—CIWS activado —dijo Britton—. Preparados para lanzar las tiras antirradar.

Pasaron varios minutos de angustia.

De repente, al entrar en acción el CIWS, se oyó un tableteo de cañones Gatling, seguido por una explosión de gran potencia a estribor del barco, en las alturas. Un trozo muy pequeño de metralla chocó contra una ventana del puente y dejó una estrella.

—Seguimos localizados por radar —dijo Howell.

—¡Señor Glinn! —exclamó Britton—. ¡Ordene a su empleado que conecte el ECM!

—Reponga las contramedidas electrónicas —dijo Glinn con voz débil, apoyándose en la consola.

Mientras miraba fijamente el implacable punto verde de la pantalla, su cerebro buscaba respuestas a mil por hora. Lanzarles un misil era típico de Vallenar. Se trataba de un gesto que tenía previsto Glinn. Ahora, después de aquella exhibición de rabia impotente, daría media vuelta. Glinn permaneció a la espera, deseando con todas sus fuerzas que el destructor virara.

Sin embargo, el punto verde seguía parpadeando en la misma dirección. El rumbo, sin corresponder del todo al del *Rolvaag*, se adentraba cada vez más en aguas internacionales.

—¿Eli?

Era Lloyd, con una calma extraña en la voz. Glinn hizo un esfuerzo, interrumpió sus múltiples conjeturas y sostuvo la mirada inflexible de Lloyd.

—No va a girar —dijo este—. Viene a por nosotros. A hundirnos.

Rolvaag
10.20 h

Sally Britton se armó de valor y, desconectándose uno a uno de los detalles superfluos, concentró sus pensamientos en el futuro inmediato. Había bastado una mirada al rostro pálido y desencajado de Glinn para desarmar su ira y proporcionarle toda la información que necesitaba sobre el fracaso de sus predicciones. No dejó de sentir cierta compasión, a pesar de aquel error de cálculo imperdonable que había puesto en extremo peligro las vidas de todos. También ella (tiempo atrás, pero no tanto) había cometido un error de cálculo, y en un puente parecido.

Orientó su atención hacia el fondo del puente, donde había una carta grande de navegación de la región del cabo de Hornos. Al mirarla, y seguir automáticamente los pasos de siempre, notó que se le aliviaba la tensión. Se le presentaban una serie de opciones. Quizá no estuviera todo perdido.

Notó que tenía a Glinn detrás, y al girarse vio que le había vuelto el color a la cara. Sus ojos también iban perdiendo aquella mirada de estupefacción y parálisis. Comprendió, no sin sorpresa, que aquel hombre no estaba ni mucho menos vencido.

—Capitana —dijo él—, ¿podemos hablar un momento?

Ella asintió.

Glinn se colocó a su lado, y al mismo tiempo se sacó un papel del bolsillo del chaleco.

—Aquí tengo todos los datos del *Almirante Ramírez*. La última actualización es de hace tres semanas.

Ella le miró.

—¿De dónde lo sacó?

—De nuestra oficina central.

—Adelante, léalo.

—El *Almirante Ramírez* es un destructor construido en el Reino Unido por Vickers-Armstrong para la marina chilena. Se empezó a construir en 1957 y entró en servicio en 1960. Tiene una dotación de doscientos sesenta y seis hombres, diecisiete de ellos oficiales. Desplaza…

—No necesito saber cuántas cenas sirven. Pasemos al armamento.

Los ojos de Glinn se movieron hacia abajo.

—Lo adaptaron en los años setenta para dotarlo de cuatro misiles Exocet Aerospatiale 38, con un alcance de veinticinco millas marinas. Afortunadamente para nosotros, usan una generación anterior de guiado por radar que no puede saltarse un sistema de ECM tan avanzado como el nuestro; o sea, que no les sirven de nada, ni siquiera teniéndonos a la vista.

—¿Qué más tiene?

—Cuatro cañones Vickers de cuatro pulgadas, dos de proa y dos de popa, con capacidad para disparar cuarenta proyectiles por minuto y alcance de diez millas marinas. Normalmente se apuntan con radares SGR 102 de control de tiro, pero en caso de necesidad también se puede hacer a ojo.

—Válgame Dios. ¿Cuarenta proyectiles por minuto… cada cañón?

—También hay cuatro Bofors de cuarenta milímetros con alcance de seis coma nueve millas náuticas y capacidad para disparar trescientas balas por minuto.

Britton notó que se le iba la sangre de la cara.

—Cualquier arma de esas nos dejaría fuera de combate en cuestión de minutos. No podemos dejar que entable contacto visual.

—Con este mar sería difícil apuntar visualmente; pero tiene razón: no aguantaríamos mucho rato una descarga. Tenemos que aumentar la velocidad.

Britton tardó en contestar.

—Le recuerdo que vamos a dieciséis nudos, que ya es forzar las turbinas. —Se volvió hacia el primer oficial—. Señor Howell, ¿hay alguna manera de sacarle un poco más de velocidad?

—Puede que consiga exprimirle un nudo más.

—Perfecto, pues adelante.

Howell se dirigió al timonel.

—Uno noventa.

Britton sintió retumbar el corazón del barco en respuesta a la orden de que los motores subieran hasta ciento noventa revoluciones por minuto. Con eso tendrían… Hizo un cálculo mental: máximo cuatro horas y media hasta estar al alcance de los Vickers.

Volvió a mirar a Glinn, y la carta de navegación.

—Ya lo tengo calculado —dijo—. La mejor opción es poner rumbo al nordeste cuanto antes, hacia aguas argentinas. Argentina es enemiga de Chile, y no permitirían que nos persiguiera un destructor chileno en sus aguas. Lo considerarían una declaración de guerra.

Miró a Glinn, pero no leyó nada en sus ojos.

—Otra alternativa es dirigirnos a la base naval británica de las islas Malvinas. También deberíamos ponernos en contacto con nuestro gobierno e informar de que estamos siendo atacados por un barco de guerra chileno. Así quizá pudiéramos ejercer cierta presión militar sobre ese chalado hijo de puta.

Aguardó la respuesta.

Glinn tardó en hablar.

—Ahora entiendo el objetivo de los cambios de rumbo de Vallenar.

—¿Qué objetivo?

—Nos ha cortado el paso.

Britton miró el mapa. Ahora el *Ramírez* estaba veinte millas al noroeste de ellos, con demora verdadera de trescientos grados. De repente lo entendió.

—Mierda —susurró.

—Si cambiamos de rumbo y vamos hacia Argentina o las Malvinas, nos interceptará más o menos aquí.

Glinn dibujó un círculo pequeño con el dedo en una zona del mapa.

—Pues hay que volver hacia Chile, hacia el oeste —se apresuró a decir Britton—. Dudo que pudiera mandarnos a pique delante de Puerto Williams.

—Yo también. Por desgracia, aunque volviéramos nos interceptaría aquí.

Su dedo trazó otro círculo en el mapa.

—Pues a la estación científica británica de la isla de Georgia del Sur.

—Entonces nos interceptaría aquí.

Mientras miraba el mapa, la capitana sintió un escalofrío que le paralizaba todo el cuerpo.

—Mira, Sally (¿me dejas que te llame Sally?), al corregir el rumbo varias veces hacia el nordeste Vallenar ya tenía previstos nuestros puntos de refugio. Si nos hubiéramos dado cuenta, si hubiéramos actuado enseguida, habríamos tenido la oportunidad de llegar como mínimo a Argentina. Ahora tenemos cerradas todas las rutas, incluida esa.

Britton notó una presión en el pecho.

—La marina de Estados Unidos…

—Ya ha hecho las comprobaciones mi empleado, y a menos de veinticuatro horas no hay ninguna ayuda militar disponible.

—¡Pero en las Malvinas hay una base británica con un arsenal impresionante!

—También lo hemos analizado. Chile, en la guerra de las Malvinas, era aliada de Gran Bretaña. La idea de que Estados Unidos solicite ayuda militar al Reino Unido contra un antiguo aliado, y usando precisamente la base por la que lucharon… Digamos que tardaría más tiempo en tramitarse del que tenemos, hasta con los contactos de Lloyd y los míos. Desgraciadamente, el extremo sur del Atlántico es mal sitio para escaramuzas militares. Estamos solos.

Britton miró a Glinn, quien sostuvo su mirada con unos ojos cuyo color gris parecía haberse oscurecido hasta asimilarse al del océano. Detrás de aquellos ojos había un plan, pero le daba miedo preguntar.

—Iremos hacia el sur —se limitó a decir Glinn—. Hacia el Límite del Hielo.

Britton no dio crédito a sus oídos.

—¿Ir hacia el sur, directos al hielo y con una tormenta así? Eso no entra en las alternativas.

—Exacto —dijo Glinn tranquilamente—. No entra porque es la única.

Almirante Ramírez
11.00 h

Después del alba, Vallenar reparó en que, como era inevitable, el viento empezaba a soplar más hacia el oeste. Su plan había tenido éxito. Los yanquis se habían dado cuenta con retraso de que les había cortado el camino. Ya no tenían más remedio que bajar hacia los sesenta. De hecho ya habían modificado el rumbo a uno ocho cero, derechos al sur. Que sería donde les interceptaría él, y donde se verían las caras: en el Límite del Hielo, en las aguas negras y gélidas del océano Antártico.

Habló con serenidad y precisión.

—A partir de ahora tengo yo el puente.

—¡Sí, señor! —exclamó el oficial de guardia. Y anunció—: ¡El comandante tiene el puente!

—Pongan rumbo uno ocho cero —le dijo Vallenar.

La orden significaba tener el oleaje directamente de costado, la posición más peligrosa para un destructor. Los oficiales del puente lo sabían. Vallenar aguardó a que el oficial de guardia repitiera la orden y diera órdenes de gobierno. Sin embargo, no hubo orden alguna.

—¿Señor? —Era el oficial de puente.

Vallenar no se giró para mirarle. No hacía falta, porque intuía lo que estaba a punto de ocurrir. Vio con el rabillo del ojo que tanto el oficial de guardia como el timonel se habían puesto firmes.

Conque había llegado el momento. En fin, cuanto antes mejor.

Miró al oficial de puente arqueando las cejas.

—Señor Santander, ¿hay algún problema en la cadena de mando del puente? —Adoptó el tono más sosegado que pudo.

—Señor, los oficiales del *Almirante Ramírez* desearíamos conocer nuestra misión.

Vallenar, que seguía sin mirarle, permaneció a la espera. Ya hacía mucho tiempo que había descubierto que el silencio intimidaba más que las palabras. Transcurrió un minuto. Entonces habló.

—¿Entre los oficiales de la marina chilena es costumbre cuestionar a su comandante?

—No, señor.

Vallenar sacó un puro, lo hizo rodar entre los dedos, arrancó la punta con los dientes y se lo metió entre los labios con cuidado, respirando a través de él.

—Entonces ¿por qué me cuestiona? —Hablaba con afabilidad.

—Señor… Por el hecho de que la misión se sale de lo normal, señor.

Vallenar cogió el puro y lo examinó.

—¿En qué sentido?

Se produjo una incómoda pausa.

—Señor, tenemos la impresión de que anoche nos ordenaron regresar a la base. No nos consta ninguna orden de perseguir a ese barco civil.

Vallenar se fijó en el adjetivo «civil». Se trataba de una crítica evidente, que llevaba implícita la idea de que Vallenar había emprendido una persecución cobarde de un adversario desarmado. Aspiró más aire por el puro apagado.

—Voy a hacerle una pregunta, señor Santander. Estando a bordo, ¿de quién recibe órdenes, de su comandante o de la base?

—Del comandante, señor.

—¿Y su comandante soy yo?

—Sí, señor.

—Entonces no hay más que discutir.

Vallenar se sacó una caja de cerillas del bolsillo del uniforme, extrajo una, rascó el lateral para encenderla y aplicó la llama al puro.

—Disculpe, señor, pero lo que ha dicho es insuficiente. Durante la reparación de la hélice han muerto varios hombres. Con todo respeto, solicitamos más datos sobre nuestra misión.

Vallenar, ahora sí, se volvió. Notaba que toda su rabia (contra los arrogantes norteamericanos, contra el tal Glinn, que le había distraído con su charla mientras saboteaban el barco sus buzos, y contra la muerte de Timmer) se encauzaba hacia aquel subordinado que se atrevía a poner en duda sus decisiones. Chupó el puro, se llenó de humo los pulmones y notó el efecto de la nicotina en la sangre. Cuando volvió a estar más tranquilo, tiró la cerilla a la cubierta mojada y bajó el puro. Aquel oficial de guardia, además de estar muy verde, era tonto. No era ninguna sorpresa que se le rebotara. Observó a los demás oficiales del puente, ninguno de los cuales sostuvo su mirada.

Vallenar desenfundó la pistola con un movimiento de gran fluidez y aplicó el cañón al pecho del oficial de guardia. Justo cuando Santander abría la boca para protestar, su comandante apretó el gatillo. La bala de 9 mm tuvo el efecto de un puñetazo, lanzando a Santander contra un mamparo. El oficial de puente dirigió una mirada de incredulidad a su pecho destrozado, y al orificio que bombeaba rítmicamente un chorro de sangre. Dos veces seguidas entró y salió aire de la herida. Santander cayó de rodillas, y después de frente, quedando apoyado en los codos. La mirada se le estaba poniendo vidriosa de sorpresa. Seguía teniendo la boca abierta.

Vallenar devolvió el arma a la funda. El silencio del puente era total, salvo por los estertores con que Santander intentaba respirar, y el suave goteo de la sangre sobre cubierta.

Vallenar dirigió una breve mirada al oficial de guardia.

—Señor Aller, desde ahora queda usted como oficial de puente. Y usted, señor Lomas, como oficial de guardia. Se ha dado una orden de cambio de rumbo. Ejecútenla.

Aller miró al nuevo oficial de guardia y asintió sin convicción.

—Rumbo uno ocho cero —dijo el oficial de guardia.

Contestó el timonel:

—Sí, señor, rumbo uno ocho cero.

Vallenar apartó la mano de la pistola. Solucionado. Cortada la cabeza, muere el cuerpo.

El destructor empezó a dar el flanco al oleaje, ayudado por los temibles empellones de las olas. Al empeorar las sacudidas y el movimiento del barco, el personal del puente se cogió de cualquier objeto que permitiera seguir de pie.

—Rumbo uno ocho cero —dijo el piloto con voz vacilante.

—Muy bien —contestó el oficial de guardia.

Vallenar acercó la boca al tubo acústico del puente.

—Radar, calculen cuándo tendremos el barco norteamericano a tiro de los cañones Vickers.

La respuesta tardó un poco en llegar.

—Señor, con el rumbo y la velocidad presentes, tres horas y media.

—Perfecto. —Vallenar se apartó del tubo y señaló con el pulgar al hombre que agonizaba a sus pies—. Señor Sánchez, llévese esto. Y que suban a limpiar.

Se volvió hacia el mar embravecido.

Rolvaag
11.30 h

Britton estaba inmóvil junto al timón, y Glinn al lado. En su huida hacia el sur, en dirección al paralelo 60, el *Rolvaag* había ingresado de lleno en la zona de vientos del oeste que imponían su violenta ley en la base del planeta, vientos cuyo incesante movimiento circular formaba el mayor oleaje de la Tierra. Por el este, hasta donde alcanzaba la vista, corría una terrorífica procesión de olas con altura de montañas. Durante la última hora, al arreciar la tormenta, parecía que el mar hubiera perdido la solidez de su superficie. Ya no había una línea bien marcada entre el agua y el aire. Los vientos desatados, y el poderoso oleaje, se unían en un paroxismo de espuma. Cada vez que el petrolero se hundía entre dos olas, se producía un intervalo de calma espectral, hasta que, con una nueva sacudida, volvía a elevarse la nave hacia la tempestad.

Pero Glinn no la veía. Ya hacía unos minutos que pensaba en otra cosa. En aquella persecución, Vallenar se lo jugaba todo: carrera, tripulación, barco, el honor de su país y hasta su vida. Era consciente de que el *Rolvaag* solo transportaba una roca; enorme, pero roca al fin y al cabo. Aquella caza no tenía sentido.

Glinn había cometido un grave error de cálculo. Durante breves instantes se planteó la posibilidad del fracaso, y la paladeó como si le buscara el gusto. Después, con un espasmo, la obligó a abandonar sus pensamientos. No habría fracaso ni podía haberlo.

El problema no residía en el perfil del ordenador, ni en el archivador de más de medio metro que tenían en Nueva York con información acerca de Vallenar. El problema era suyo, de Glinn.

Faltaba una pieza esencial. Y esa pieza estaba en su cerebro, esperando el momento de ser reconocida. Si entendiera el motivo que tenía Vallenar para emprender una caza tan insensata, podría tomar medidas… ¿Hasta dónde llegaría Vallenar? ¿Les seguiría más allá del Límite del Hielo? Sacudió la cabeza como si con ello quisiera desprender la respuesta, pero no cayó nada. Sin entender el móvil de Vallenar no podía desarrollar ningún plan.

Miró a Britton de reojo. La capitana estaba pendiente del radar, y del parpadeo verde que representaba al *Almirante Ramírez*.

—El *Ramírez* lleva media hora con el mismo rumbo que nosotros —dijo ella sin levantar la cabeza—. Uno ocho cero a velocidad constante de veinte nudos, sin cambios de rumbo y acercándose.

Glinn no dijo nada. Le parecía increíble que Vallenar expusiera su barco a semejante mar. Ya le costaba capearlo a un coloso como el *Rolvaag*, mucho mejor capacitado para ello que un destructor de doce metros de manga. Era una verdadera locura. Existían muchas posibilidades de que el *Almirante Ramírez* acabara zozobrado. Sin embargo, una cosa eran las posibilidades y otra los hechos. Glinn desconocía las dotes de navegante de Vallenar, pero sospechaba que eran de primer orden.

—A esta velocidad y este rumbo, nos alcanzará en el Límite del Hielo —dijo Britton—. Y nos tendrá a tiro bastante antes.

—Dentro de tres horas y pico —dijo Glinn—. Más o menos cuando anochezca.

—¿Tú crees que cuando nos tenga a tiro disparará?

—Lo tengo clarísimo.

—Estamos indefensos. Nos destrozará.

—Sí, por desgracia. La única esperanza es aprovechar la oscuridad para despistarle.

Ella le miró.

—¿Y el meteorito? —preguntó en voz baja.

—¿Qué le pasa?

La capitana bajó la voz y siguió mirándole de reojo.

—Soltándolo podremos ir más deprisa.

Glinn se puso tenso. Espió a Lloyd, que miraba por las ventanas del puente con expresión ceñuda y las piernas de gigante separadas. No les había oído. Glinn formuló la respuesta con un tono pausado y razonable.

—Solo podríamos soltarlo parando el barco del todo, y para

eso se tardan cinco millas. Media hora. Vallenar tendría tiempo de sobra para darnos alcance. Estaríamos hundidos antes de haber podido parar.

—¿Entonces? ¿Te has quedado sin respuestas? —preguntó ella, bajando todavía más la voz.

Glinn miró sus ojos verdes. Eran transparentes, firmes y muy bonitos.

—No existe problema sin solución —dijo—. Solo es cuestión de encontrarla.

Britton se quedó un rato callada.

—Antes de salir de la isla me pediste que confiara en ti. Espero que pueda. Me gustaría mucho.

Glinn, sujeto a una emoción imprevista, desvió la mirada. Se fijó un momento en la pantalla del GPS y en la línea verde de puntos que la cruzaba, con la leyenda LÍMITE DEL HIELO. Después volvió a mirarla a ella a los ojos.

—En esto puedes fiarte. Te daré una solución. Te lo prometo.

Ella asintió con lentitud.

—No pareces de los que prometen en balde. Espero no equivocarme. Eli, ahora mismo solo le pido una cosa a la vida: volver a ver a mi hija.

Glinn se dispuso a contestar, pero le salió un sonido sibilante de sorpresa, y sin querer retrocedió un paso. La última frase de Britton había provocado una chispa cegadora: la comprensión de los motivos de Vallenar.

Dio media vuelta y se marchó del puente sin mediar palabra.

Rolvaag
12.30 h

Lloyd se paseaba inquieto por todo el puente. La tempestad golpeaba los ventanales con furia, pero Lloyd ya no miraba la mar enfurecida. Era lo más terrorífico que había visto en su vida. Casi ya no parecía agua, sino montañas, verdes, grises y negras montañas surgiendo, cayendo y desmoronándose en avalanchas gigantescas de espuma. Le parecía inconcebible que el barco en el que iban, o cualquier otra nave, sobreviviera cinco segundos a un mar así. El *Rolvaag*, sin embargo, proseguía su avance. Costaba caminar, pero Lloyd necesitaba distraerse con actividad física. Al llegar a la puerta del ala de estribor giró sobre sus talones y reanudó el paseo. Llevaba sesenta minutos igual, desde que había desaparecido Glinn sin decir nada.

Los bruscos reveses del destino, los cambios repentinos de humor y la insoportable tensión de las últimas doce horas le habían provocado dolor de cabeza. Exasperación, humillación, triunfo, aprensión... Echó un vistazo al reloj del mamparo, y a las caras de los oficiales del puente. Howell con el semblante crispado. Britton inexpresiva, repartiendo su atención entre la pantalla del radar y el mapa del GPS. Banks enmarcado por la puerta de la cabina del telegrafista. Lloyd tenía ganas de romper su impasibilidad y obtener algunas respuestas, pero ya le habían dicho todo lo que había que saber. Disponían de unas dos horas antes de que el *Ramírez* empezara a tenerles a tiro.

Notó que las piernas se le ponían rígidas, en reacción a un ataque de rabia. Era culpa de Glinn. Su arrogancia superaba cualquier límite: llevaba tanto tiempo estudiando las opciones que se había creído a salvo del fracaso. Como decía alguien, mucho pensarás y te equivocarás. Si le hubieran dejado hacer algunos contactos no estarían en aquella situación de impotencia, como un ratón esperando la llegada del gato.

Se abrió la puerta del puente y entró Glinn.

—Buenas tardes, capitana —dijo como si tal cosa.

Más que nada, lo que puso furioso a Lloyd fue el tono de despreocupación.

—¡Glinn, joder! —dijo—. ¿Dónde estabas?

La mirada de Glinn se posó en él.

—Examinando los archivos sobre Vallenar. Ya sé por qué nos persigue tanto.

—¿Y eso a quién coño le importa? El caso es que está empujándonos hacia la Antártida.

—Timmer era hijo de Vallenar.

Lloyd se quedó de piedra.

—¿Timmer? —preguntó confuso.

—El oficial de comunicaciones de Vallenar. El que mató el meteorito.

—No puede ser. ¿No decíais que Timmer era rubio y de ojos azules?

—Era hijo de Vallenar y una alemana.

—¿Es otra suposición o tienes pruebas?

—No consta ningún hijo, pero es la única explicación. Por eso al ir a verle le vi tan interesado en que volviera Timmer. Y por eso al principio no quería atacar nuestro barco: porque le dije que teníamos a Timmer prisionero. En cambio, al vernos zarpar de la isla se dio cuenta de que Timmer estaba muerto, y soy de la opinión de que cree que le matamos nosotros. Por eso nos persigue en aguas internacionales. Por eso no se rendirá hasta morir. O hasta que muramos nosotros.

Había pasado el ataque de rabia. Lloyd se sentía sin fuerzas. En un momento así no servía de nada ponerse furioso. Controló su voz.

—Dime una cosa, ¿este dato psicológico en qué puede ayudarnos?

Glinn no contestó, sino que miró a Britton.

—¿Cuánto falta para el Límite del Hielo?

—Setenta y siete millas marinas hacia el sur.

—¿Se detecta algo de hielo en el radar?

Britton se volvió hacia Howell.

—¿Señor Howell?

—Un poco, a diez millas. Unos cuantos icebergs pequeños. El radar de superficie de largo alcance detecta una isla grande de hielo justo en el Límite del Hielo. Más que una, dos, porque parece que está partida.

—¿Situación?

—Uno nueve uno.

Dijo Glinn:

—Sugiero poner rumbo a ella. Giren muy lentamente. Si Vallenar tarda un poco en darse cuenta del cambio de rumbo, quizá ganemos una o dos millas.

La mirada de Howell a Britton contenía una pregunta.

—Señor Glinn —dijo la capitana—, superar el Límite del Hielo con un barco tan grande es un suicidio, sobre todo con este tiempo.

—Tengo motivos —dijo Glinn.

—¿Y piensas explicárnoslos? —preguntó Lloyd—. ¿O tenernos otra vez in albis? La última vez no nos habría ido mal que decidiera otra persona.

La mirada de Glinn pasó de Lloyd a Britton, y de Britton a Howell.

—De acuerdo —dijo al cabo de un rato—. Solo tenemos dos opciones: o cambiar de rumbo y ver si ganamos la carrera, o mantener el de ahora e intentar despistar al destructor pasado el Límite del Hielo. Las probabilidades de fracaso de la primera opción son más o menos de cien sobre cien, y las de la segunda un poco menos. Otra ventaja del segundo plan es que obliga al destructor a tener las olas de lado.

—¿Qué es eso del Límite del Hielo? —preguntó Lloyd.

—Es donde las aguas heladas de alrededor de la Antártida se juntan con las del Atlántico y el Pacífico, que son más cálidas. Los oceanógrafos lo llaman Convergencia Atlántica. Se caracteriza por sus nieblas impenetrables, y por el hielo, claro, que es peligrosísimo.

—¿Propones llevar el *Rolvaag* a una zona de hielo y niebla? Sí que suena a suicidio, sí.

—Ahora lo que más nos conviene es estar escondidos y tener tiempo para despistar al destructor y alejarnos de él. Es posible que la oscuridad, el hielo y la niebla nos permitan escapar por los pelos.

—O hundirnos.

—Las probabilidades de chocar con un iceberg son más bajas que las de que nos hunda el destructor.

—¿Y si no hay niebla? —preguntó Howell.

—Sería un problema.

Se produjo un largo silencio, que interrumpió Britton.

—Señor Howell, cambie el rumbo a uno nueve cero. Vire lentamente.

La vacilación fue brevísima. Howell comunicó la orden al timonel con voz forzada, y sin apartar la vista de Glinn.

Rolvaag
14.00 h

A pesar de la incomodidad de la silla de plástico, McFarlane se
arrellanó suspirando y frotándose los ojos. Tenía a Rachel sentada al lado, comiendo cacahuetes y dejando caer los trozos de cáscara al suelo metálico de la unidad de observación. La única luz
procedía de un monitor colgado encima, en el mamparo.

—¿Nunca te cansas de tanto cacahuete? —dijo McFarlane—.
¡Caray!

Rachel puso cara de pensárselo.

—Pues no —contestó.

Volvieron a quedarse callados. McFarlane, consciente de que
empezaba a tener dolor de cabeza y un poco de náuseas, cerró los
ojos. En el instante de cerrarlos, tuvo la sensación de que el balanceo del barco empeoraba mucho. Oía el tic tic del metal, y alguna gota de agua cayendo. Aparte de eso, el tanque de debajo
estaba en silencio.

Hizo el esfuerzo de abrir los ojos.

—Vuelve a pasarlo —dijo.

—¡Pero si ya lo hemos visto cinco veces! —dijo Rachel.

Ante la falta de respuesta de McFarlane, resopló de fastidio y
se inclinó para pulsar las teclas de reproducción.

Solo había sobrevivido a la explosión una de las tres cámaras
de seguridad del tanque. McFarlane vio que Rachel reproducía la
cinta a cámara rápida y reducía la velocidad a normal un minuto
antes de la detonación. Miraron callados la pantalla. Pasaron los
segundos, pero no vieron nada nuevo. Garza tenía razón: nadie
había tocado el meteorito ni se había acercado a él.

McFarlane se desahogó con una palabrota y se apoyó de nuevo en el respaldo mirando la pasarela que había fuera de la unidad de observación, como si buscara la respuesta en las paredes del tanque. Luego, poco a poco, su mirada fue subiendo por los doce metros de altura del meteorito. La explosión, que había sido lateral, había apagado casi todas las luces del tanque y había causado daños en la red de comunicaciones tanto a proa como a popa, pero sin tocar la pasarela y la unidad de observación de encima del tanque. El andamiaje se veía bastante poco afectado, aunque se notaba la falta de algunos puntales. Las paredes del tanque estaban salpicadas de chorros espumosos de acero fundido, y había algunas vigas de roble laminado chamuscadas. También aparecían algunas manchas de sangre y materia roja que se les había olvidado limpiar. En cuanto al propio meteorito, no se le apreciaban cambios.

¿Cuál es el secreto?, se preguntó McFarlane. ¿Qué se nos olvida?

—Vamos a repasar lo que sabemos —dijo—. Parece que la explosión ha sido idéntica a la que se cargó a Timmer.

—Hasta es posible que más fuerte —dijo Rachel—. Una barbaridad de descarga. Sin tanto metal alrededor para absorberla, podría haber destrozado el sistema electrónico del barco.

—Y luego el meteorito ha emitido mucha estática —dijo él—. Como con Timmer.

Rachel cogió la radio, la encendió, hizo una mueca al oír el ruido de estática y volvió a apagarla.

—Sigue emitiéndolo —dijo.

Volvieron a quedarse callados.

—Me gustaría saber si la explosión la ha provocado algo —dijo Rachel mientras rebobinaba la cinta—. Quizá haya sido aleatoria.

McFarlane no contestó. No podía haber explotado porque sí. Tenía que haberlo provocado algo; y, a pesar del comentario de Garza (y del nerviosismo que iba apoderándose de la tripulación), no creía que el meteorito fuera un objeto maligno que tuviera el propósito de perjudicarles.

Se planteó la posibilidad de que al fin y al cabo no lo hubieran tocado ni Timmer ni Masangkay; pero no, lo había analizado demasiado a fondo. La clave del misterio tenía que ser Palmer Lloyd. Él había puesto la mejilla en la roca y seguía vivo; no como los otros dos, hechos pedazos.

¿Qué tenían de diferente los contactos?

Se irguió en la silla.

—Otra vez.

Rachel pulsó los botones sin decir nada, y el monitor parpadeó.

La cámara superviviente había sido colocada encima de la roca, casi en vertical, justo debajo de la unidad de observación. Aparecía Garza en un lado de la pantalla con los diagramas de soldar a la vista. Los soldadores estaban repartidos por el meteorito a espacios iguales, trabajando en varios nudos. Estaban arrodillados. Las llamas de los instrumentos dejaban manchas rojas en la pantalla. En la esquina inferior derecha contaba los segundos un indicador.

—Pon el volumen —dijo McFarlane.

Cerró los ojos. Le estaban empeorando el dolor de cabeza y las náuseas por culpa del oleaje.

La voz de Garza invadió el cubículo.

«¿Qué tal?», exclamaba. Respuesta: «Falta poco». Un silencio con estática; el goteo del agua, el ruido de una soldadora apagándose, ruido ambiente, y luego, al cabecear el barco, una sucesión de crujidos y gemidos. McFarlane oyó la voz de Garza: «¡Sujétense!».

A partir de entonces, solo nieve.

Abrió los ojos.

—Retrocede diez segundos.

Vieron rebobinarse la cinta.

—Ha sido cuando más se movía el barco —dijo Rachel.

—Pero tiene razón Garza. Durante el traslado lo sacudieron mucho. —McFarlane guardó silencio—. ¿Puede que hubiera otro trabajador escondido detrás de la roca? ¿Y que no lo veamos?

—También se me había ocurrido. Bajaron seis soldadores más Garza. Fíjate. En la última imagen se ven los seis claramente, y están todos bastante apartados del meteorito.

McFarlane apoyó la barbilla en las dos manos. Le llamaba algo la atención en el vídeo, pero no acababa de saber qué. Tal vez no fuera nada. Simple cansancio, quizá.

Rachel se desperezó y se limpió las rodillas de cáscaras de cacahuete.

—Ya ves, nos emperramos en no creernos a Garza —dijo—; pero ¿y si tiene razón?

McFarlane la miró de reojo.

—No te entiendo.

—¿Y si nadie ha tocado el meteorito? ¿Y si lo ha tocado alguna otra cosa?

—¿Alguna otra cosa? Pero en el tanque no había nada más que se moviera...

De repente se quedó callado. Acababa de reconocer lo que no le cuadraba: el ruido del agua.

—Pásame los últimos sesenta segundos —dijo—. Deprisa.

Acercó la cabeza a la pantalla, buscando el ruido que acababa de oír, y lo reconoció. Era el sonido, muy de fondo, de un chorrito de agua cayendo desde arriba y desapareciendo en las profundidades del tanque. Se lo quedó mirando. Al empezar a cabecear el barco, el chorro se apartaba del mamparo y empezaba a aproximarse al meteorito.

—Agua —dijo en voz alta.

Rachel le miró con curiosidad.

—Bajaba un chorro de agua por el lado del tanque. Debe de haber un escape en la puerta mecánica. Mira, todavía se ve. —Señaló un chorrito que bajaba por el mamparo longitudinal del fondo—. La descarga del meteorito coincide con el momento en que el movimiento del barco ha hecho que lo tocase el agua.

—No tiene sentido. El meteorito lleva millones de años en un suelo empapado de agua. Le ha caído encima lluvia y nieve. Es inerte. ¿Cómo quieres que le afecte el agua?

—No lo sé, pero fíjate.

Rebobinó el vídeo, y comprobaron que la pantalla se quedaba en blanco justo cuando el agua entraba en contacto con el meteorito.

—¿Coincidencia? —preguntó ella.

McFarlane negó con la cabeza.

—No.

Rachel le miró.

—Sam, ¿qué diferencia puede haber entre esta agua y el resto de la que ha tocado el meteorito?

McFarlane lo vio claro al instante, como una revelación.

—Sal —dijo—. El escape del tanque es de agua salada.

Rachel abrió mucho los ojos, y la boca.

—¡Claro! —dijo—. Por eso Timmer y Masangkay provocaron la descarga con las manos. Por el sudor. En el tacto de los dos había sal, mientras que Lloyd apoyó la mejilla un día de muchísimo frío y no tenía nada de sudor. Debe de ser muy reactivo al cloruro de sodio. Pero ¿por qué, Sam? ¿A qué reacciona?

McFarlane la miró a ella, y después al chorrito de agua marina que brillaba en la habitación y oscilaba con cada movimiento del barco.

El movimiento del barco…

—Ya lo pensaremos después —dijo.

Buscó su radio, la encendió y oyó la estática.

—¡Mierda! —exclamó, volviendo a meterla en el cinturón.

—Sam… —empezó Rachel.

—Tenemos que salir —la interrumpió él—. Si no, a la próxima ola un poco grande nos quedaremos fritos.

Justo cuando se levantaba, Rachel le cogió el brazo.

—No podemos irnos —dijo—. La siguiente explosión puede que destroce el andamio, y si se suelta el meteorito moriremos todos.

—Pues tendremos que evitar que el agua toque la roca.

Se miraron un momento. Luego, como si hubieran tenido la misma idea, salieron a la pasarela y corrieron hacia el túnel de acceso.

Almirante Ramírez
14.45 h

Vallenar se hallaba en el puente con unos prismáticos viejos, mirando hacia el sur por encima del oleaje. Alrededor de él, los oficiales procuraban no caerse por el movimiento del barco, que era brutal, mientras guardaban en sus rostros la inexpresividad de unas máscaras. Estaban aterrorizados, pero el régimen de absoluta disciplina de Vallenar ya daba sus frutos: había pasado el momento de la prueba, y los que quedaban le eran fieles. Si era necesario le seguirían al mismísimo infierno, que (pensó al mirar la carta de navegación) era adonde se dirigían.

Ya no caía nieve ni aguanieve, y estaba despejándose el cielo. La visibilidad era excelente, si bien el viento era igual o peor, y la altura de las olas iba en aumento. Cuando el barco se hundía entre dos de ellas, quedaba envuelto en noche cerrada, y las paredes de agua negra que se elevaban a ambos lados daban a Vallenar la sensación de estar al fondo de un enorme cañón. Desde abajo, las crestas de las olas presentaban la increíble altura de veinte metros por encima del nivel del puente. Nunca había visto un mar así. El aumento de la visibilidad, siendo útil a sus planes, incrementaba sin embargo el horror del espectáculo. Lo normal habría sido ir contra el viento, pero no era posible. Vallenar debía mantener un rumbo que le expusiera de costado al viento y las olas, puesto que en caso contrario el petrolero, que era más pesado, escaparía.

Vio hincarse en las aguas la proa de su destructor, al fondo de aquel largo valle entre olas, y subir lentamente con el estruendo del castillo dividiendo las aguas. El buque se escoró a estribor hasta que el puente quedó colgado sobre el espumoso océano. Todos buscaron asideros. Durante unos segundos de terror, el puente se mantuvo justo encima del agua, hasta que poco a poco se enderezó y basculó a babor con el impulso. Había sido una ola de las peores.

Vallenar, que conocía bien el barco, sabía de qué era capaz y de qué no. Si el *Ramírez* quedaba a merced del viento y el agua, él lo notaría, y todavía no se había dado el caso. Solo podía impedirse que zozobrara el barco con mucha vigilancia y buen gobierno. No pensaba dejarlo en manos del oficial de guardia. Se encargaría él personalmente.

Vio abultarse en la distancia un caballón de espuma más alto que los demás, que surcaba la tormenta como una ballena. Entonces adoptó un tono de voz pausado, casi despreocupado.

—Máquina de estribor adelante a un tercio, máquina de babor adelante a dos tercios. Manténgame al corriente del rumbo.

—Rumbo uno siete cinco, rumbo uno siete cero... —dijo Aller.

—Manténgalo en uno seis cinco.

La ola empezó a apoderarse del *Ramírez*, que, empujado por ella, subió y se escoró. Vallenar se cogió al telégrafo de la sala de máquinas, mientras el insoportable balanceo hacía subir el inclinómetro a casi treinta grados. Fue entonces cuando cabalgaron la cresta de la ola. Por unos segundos, Vallenar tuvo ocasión de ver todo el océano hasta el horizonte. Se apresuró a colocarse los prismáticos y observar el mar tumultuoso hasta el momento en que el barco se sumiera en la siguiente hondonada. Las cumbres y valles que excavaba el agua ofrecían una visión pavorosa, de caótica promiscuidad. Se puso nervioso, pero se le pasó deprisa.

Recuperó la calma al caer el barco. Luego volvieron a subir, y lo mismo hicieron los prismáticos de Vallenar. De repente le dio un brinco el corazón. ¡Lo veía! Una silueta oscura contra el mar, una silueta de contornos blancos. Siguió con los prismáticos pegados a los ojos y casi con miedo a parpadear, mientras el barco, lentamente, iniciaba el ascenso de otra montaña de agua cubierta con su red de espuma. En el momento en que la cabalgaban, y en que rompía la cresta en la baranda de babor, haciendo escorar el barco, Vallenar volvió a ver el petrolero.

—Mantenga rumbo uno ocho cero.

Volvió a levantarse la cubierta, y a inclinarse hacia estribor.

—¿Cuánto combustible tenemos?

—Treinta por ciento.

Se volvió hacia el ingeniero de guardia.

—Lastre los tanques.

Llenar de agua salada los tanques vacíos haría que perdieran medio nudo de velocidad, pero les proporcionaría una estabilidad necesaria para lo que estaba a punto de ocurrir.

—Lastrando los tanques —dijo el ingeniero con cara de alivio.

Vallenar se giró hacia el contramaestre.

—¿Barómetro?

—Veintinueve coma ocho y bajando.

Convocó al puente al jefe de la guardia.

—Tenemos contacto visual con el barco norteamericano —dijo, tendiéndole los prismáticos.

El jefe de la guardia se los colocó.

—Ya lo veo, señor —dijo al poco.

Vallenar se dirigió al oficial de cubierta.

—Sigue un rumbo aproximado de uno nueve cero. Que me den un rumbo para interceptarlo.

Las órdenes fueron transmitidas, y modificado el rumbo. Ahora funcionaba todo como un mecanismo de relojería.

Vallenar volvió a dirigirse al jefe de la guardia.

—Cuando lo tengamos a tiro, infórmeme. No abra fuego sin órdenes mías.

—Sí, señor —dijo el jefe de la guardia, esforzándose por mantener la neutralidad del tono.

Al superar otra ola muy alta, el destructor empezó a dar bandazos y, fragorosamente, clavó la proa en la siguiente depresión. La cubierta subió y se escoró a estribor, mientras se desviaba la proa hacia babor con un movimiento muy pronunciado e incontrolado.

—No puedo mantener el rumbo en uno nueve cero.

—Siga a toda máquina.

El barco se estabilizó. Vallenar vio que se acercaba una *tigre* por el oeste y ordenó reducir velocidad.

Al trepar por el flanco de aquella ola enorme, el barco inició un lento cabeceo. En el momento en que rompía la ola, sobrevoló la cubierta una lámina de agua. Hacían aguas ni más ni menos que por el puente. El barco sufrió un desplazamiento lateral.

—¡Señor, el timón está fuera del agua! —exclamó el timonel.

Vallenar ordenó invertir dos tercios la máquina de babor. El radiotelegrafista accionó el telégrafo de motores, pero el barco conservó el movimiento lateral.

—No responde…

Vallenar sintió una punzada de miedo (miedo de no acabar la misión, no de perder la vida), hasta que notó que la popa volvía a estar en el agua, al igual que la hélice.

Volvió a respirar y se acercó al intercomunicador como si no hubiera pasado nada.

—Informen de cualquier contacto aéreo.

Estaba seguro de que con un tiempo así no acudiría ningún barco en ayuda de los norteamericanos, pero no tanto de que no vinieran aviones.

—No hay ninguno en dos mil millas a la redonda —le contestaron—. Hielo al sur.

—¿Qué clase de hielo?

—Dos islas grandes de hielo, algunos icebergs pequeños y bloques sueltos.

Se están metiendo en el hielo, pensó Vallenar con satisfacción. Cruzar el Límite del Hielo con un petrolero, a conciencia y en una tempestad de aquella magnitud, era una medida desesperada; pero era la única alternativa que tenían, y la que había previsto él. Quizá tuvieran la esperanza de poder jugar al escondite, o de escapar a cubierto de la oscuridad. Acaso confiaran en la niebla. Vana esperanza. Al contrario: el hielo le beneficiaría a él, porque mitigaría el oleaje, además de que con hielo era mucho más maniobrable un destructor que un petrolero. Les destruiría él en pleno hielo, si no lo hacía este en primer lugar.

—Señor, falta poco para tenerles a tiro —dijo el jefe de la guardia.

Vallenar echó un vistazo a la tormenta. Ahora no hacían falta prismáticos para ver con intermitencia la mancha oscura del barco norteamericano. Debía de estar a unas ocho millas; lejos, pero no bastante lejos para no constituir un blanco claro.

—¿Tiene contacto visual aceptable para apuntar? —preguntó.

—Todavía no, señor. Con este mar y a esta distancia será difícil apuntar visualmente.

—Pues esperaremos a acercarnos más.

Pasaron lentamente los minutos, mientras recortaban la distancia con el petrolero. Se oscureció el cielo. El viento se había estabilizado en ochenta nudos. En el puente seguía reinando la misma sensación de miedo de antes, pero su efecto tónico era positivo. Se estaba poniendo el sol. Los arreglos de las hélices y el timón resistían bien. Habían hecho un buen trabajo. Lástima que el precio hubiera sido la muerte de tantos hombres.

Pronto sería de noche y el *Rolvaag* se distinguiría peor. No podía esperar más.

—Señor Casseo, las trazadoras.

—Sí, señor —dijo el jefe de la guardia—. Cargando trazadoras.

Al minuto de observar los cañones de proa, Vallenar vio que giraban, se elevaban más o menos hasta cuarenta y cinco grados y disparaban en secuencia: dos proyectiles brillantes. Los cañones retrocedieron con una pequeña llamarada, y el puente sufrió la sacudida del retroceso. Vallenar se ajustó los prismáticos y siguió la trayectoria de los proyectiles por la tempestad. El final de ambos arcos quedó a bastante distancia del petrolero.

El barco se hundió entre dos olas y volvió a levantarse. En el momento de mayor altura, los cañones de proa efectuaron el segundo disparo de trazadoras. Llegaron más lejos, pero volvieron a errar el blanco.

El jefe de la guardia preparó más disparos para las siguientes olas e introdujo algunos ajustes. A los pocos minutos volvió a hablar.

—Comandante, me parece que disponemos de bastantes datos para dar en el blanco con una hilera de proyectiles.

—Perfecto. Quiero causar los daños justos para que el barco navegue más lento sin hundirse. Entonces nos acercaremos para echarlo a pique.

Su orden provocó un silencio brevísimo.

—Sí, señor —dijo el jefe de la guardia.

El destructor se elevó y en ese momento volvieron a entrar en acción los cañones. Ahora disparaban proyectiles de verdad, que silbaron hacia el sur en mortíferos arcos de color naranja.

Rolvaag
15.30 h

McFarlane se apoyó contra el mamparo de la unidad de observación sin molestarse en usar la silla que tenía al lado, y se dejó resbalar hasta la cubierta. Estaba completamente exhausto. En sus brazos y piernas temblaban infinidad de músculos pequeños. Notó que Rachel se dejaba caer al lado de él, pero estaba tan cansado que ni siquiera giró la cabeza.

Como la interferencia del meteorito les impedía usar la radio, y no tenían tiempo de ir en busca de ayuda, no habían tenido más remedio que encontrar ellos solos una solución. Habían deliberado de pie en el pasillo de acceso, detrás de la escotilla cerrada, hasta idear un plan factible. Detrás, en los compartimientos de carga, había decenas de lonas impermeables colgando. Cogieron algunas y las tendieron en la parte superior del andamio para proteger el meteorito del agua de mar. La operación les exigió media hora de actividad frenética, con el miedo constante a otra explosión.

McFarlane cogió la radio, comprobó que seguía sin funcionar, se encogió de hombros y volvió a colgársela. En algún momento u otro se enteraría Glinn. Le parecía raro que Britton, Glinn y el resto pudieran haberse quedado tanto tiempo en el puente entregados a sus quehaceres sin la menor sospecha acerca de la crisis que se desarrollaba seis niveles por debajo. Le habría gustado saber qué diablos ocurría. Parecía que arreciara la tormenta.

Acusó la oscilación del barco en su cuerpo. Solo era cuestión de tiempo que el chorro de agua salada volviera a inclinarse hacia el andamio.

Se quedaron callados. McFarlane miró a Rachel y vio que

metía la mano en un bolsillo de la camisa, sacaba una caja que contenía un CD-ROM, examinaba el disco y volvía a meterse la caja en el bolsillo con un suspiro de alivio.

—Con tanto follón se me había olvidado —dijo ella—. Menos mal que no le ha pasado nada.

—¿Qué es? —preguntó él.

—Antes de subir a bordo grabé en este disco todos los datos de los tests del meteorito —dijo ella—. Me gustaría repasarlos. Suponiendo que salgamos vivos, claro.

McFarlane no dijo nada.

—Debe de tener alguna fuente interna de energía —continuó Rachel—. Si no, ¿cómo generaría tanta electricidad? Si solo fuera un condensador, ya haría millones de años que habría descargado toda la electricidad. Genera la carga en el interior. —Se dio unos golpecitos en el bolsillo del disco—. La respuesta tiene que estar en estos datos.

—Yo me conformaba con saber de qué clase de entorno procede. Porque ¡mira que reaccionar así al agua salada! —McFarlane suspiró—. ¿Sabes qué? Que el pedrusco se vaya a freír espárragos.

—Es que el problema es ese —dijo Rachel—. Quizá sea algo más que un pedrusco.

—¡No me vengas otra vez con la teoría de la nave espacial!

—No. Puede que sea algo más sencillo que una nave espacial.

McFarlane se dispuso a contestar, pero no lo hizo. Cada vez se movía más el barco.

Rachel también se había quedado callada. Se notaba que le adivinaba el pensamiento.

—Debe de haber unas olas… —dijo él.

Ella asintió.

—Cuestión de minutos.

Esperaron callados, mientras aumentaba la fuerza de las olas. Al final, en lo más alto de una muy grande, el chorro de agua volvió a separarse del mamparo y se desplazó por el aire en dirección a las lonas. McFarlane se levantó y miró por la ventana de la unidad de observación. Esperó. Se oía algo más que el oleaje y el silbido lejano del viento: gotas de agua chocando con plástico. Vio que el chorro se derramaba inofensivamente por las lonas y caía entre las vigas del fondo.

Aguardaron nerviosos lo que duraba un latido. Después Rachel suspiró profundamente.

—Parece que ha funcionado —dijo—. Felicidades.

—¿Felicidades? —repuso McFarlane—. Ha sido idea tuya.

—Sí, ya lo sé, pero lo de la salinidad ha sido idea tuya.

—Siguiendo tus sugerencias. —McFarlane titubeó—. ¡Hay que ver qué colaboradores más respetuosos!

Pese a estar tan agotado, no pudo reprimir una sonrisa burlona. Casi tenía la sensación de haber sido descargado de un peso enorme. Ahora conocían la causa de las explosiones, y habían tomado medidas para que no se repitieran. Tenían despejado el camino de regreso.

Miró a Rachel, cuyo pelo oscuro brillaba en la penumbra. Pocas semanas antes habría sido inconcebible estar los dos callados y tan a gusto. En cambio ahora lo difícil era pensar cuando no la tenía a su lado, trabajando juntos, cuando no estaba Rachel para acabarle las frases, burlarse de él, formular teorías, contar chistes y expresar su opinión tanto si se la pedían como si no.

Estando Rachel apoyada en el tanque con la mirada perdida, el barco sufrió un bandazo peor que los anteriores.

—¿Oyes algo? —preguntó ella sin darse cuenta de que la miraba—. Juraría que he oído una explosión.

McFarlane, sin embargo, no escuchaba. Para sorpresa suya, se vio arrodillado al lado de Rachel y abrazándola con un sentimiento que nada tenía que ver con la pasión que le había embargado durante unos minutos en el camarote.

Ella le apoyó la cabeza en el hombro.

—¿Sabes qué? —dijo él—. Que eres la ayudante sabihonda y traidora más simpática que he tenido en mucho tiempo.

—Mmm. Seguro que se lo dices a todas.

Le acarició dulcemente la mejilla y, al paso de otra ola larga, acercó sus labios a los de ella. Se oyó el ruido del agua salpicando las lonas.

—¿Esto quiere decir que puedo llevar tu anillo del MIT? —murmuró ella.

—No, pero te presto mi martillo.

Se dieron otro beso mientras el barco se enderezaba lentamente, solo para escorarse en sentido contrario.

De repente McFarlane se apartó. Además de los crujidos y murmullos de la bodega, además del ruido del mar retumbando a lo lejos, oía algo nuevo, un crujido anómalo y agudo que concluía en un ruido metálico como de disparo. Se repitió varias veces.

Miró a Rachel, topando con sus ojos muy abiertos y brillantes. Las detonaciones cesaron, pero seguían resonándole en los oídos. Esperaron callados y asustados. Ahora cada bandazo del barco generaba un coro de sonidos distintos: ruido de acero bajo presión, de madera rompiéndose, de remaches y soldaduras cediendo...

Rolvaag
15.30 h

Britton vio elevarse lentamente la primera trazadora por encima de la superficie rota del mar, y caer con un chispazo de luz. Le sucedió otro que erró asimismo el blanco por mucho margen.

Lloyd acudió inmediatamente a la ventana.

—¡Increíble! ¡Nos está disparando, el muy hijo de puta!

—Son trazadoras —dijo Glinn—. Están calculando la distancia.

Britton vio tensarse la mandíbula de Lloyd.

—Señor Howell, todo a babor —ordenó, a la par que otros dos proyectiles trazadores dibujaban un arco sobre el mar y fallaban por menos.

Asistieron en silencio a la caída cada vez más próxima de otros proyectiles, hasta que les brilló uno justo encima, una pincelada de luz en el cielo oscuro.

—Ya nos tienen situados —murmuró Glinn—. Ahora abrirán fuego de verdad.

Lloyd se giró hacia él.

—¿De qué vas, de locutor deportivo? Necesitamos un plan, no el comentario de la jugada. Yo es que alucino. ¿Trescientos millones y nos traes aquí?

Britton habló deprisa pero con autoridad.

—¡Silencio en el puente! ¡Señor Howell, todo a estribor!

Notó que con la crisis le pasaban las ideas por la cabeza con una claridad cristalina, casi como si pensara otra persona por ella. Echó un vistazo a Lloyd, que estaba en la parte central de los ventanales del puente con los dedos de salchicha hechos un nudo, mirando el mar inexorable en dirección al sur. Debía de ser difícil darse cuenta de que con dinero no se podía comprar todo, ni siquiera la propia vida. Bien pensado, él y el hombre que tenía al lado ofrecían el mayor contraste imaginable.

Desplazó la mirada hacia Glinn. Notaba que estaba empezando a depender de sus opiniones con una dependencia que jamás se habría permitido antes de quedar de manifiesto su error; su humanidad, pensó.

Los dos hombres tenían detrás el mar tempestuoso. Al caer la noche habían apagado las luces del barco con la esperanza de eludir los cañones de Vallenar, esperanza que se había frustrado con el ascenso de una luna enorme por el cielo despejado, luna a la que solo le faltaba un día para estar llena. Britton casi tenía la sensación de que les sonreía de manera burlona. Los panteoneros eran situaciones climáticas extrañas: solían terminar con una noche despejada de viento asesino, enloquecedor. A la luz de la luna, la superficie atormentada de la mar presentaba una espectral luminiscencia. Aquel océano surrealista insistía en someterles a una verdadera procesión de olas gigantes que se cernían sobre el barco; olas que cada cierto tiempo lo sumían en una oscuridad más impenetrable que la de la noche, y que al caer de nuevo con un ruido atronador volvían a exponerlo a la luz de la luna, a los torbellinos de espuma y a los vientos fantasmales.

De pronto las ventanas del puente vibraron por efecto de una detonación que se oyó más que la tormenta. Siguieron otras a intervalos regulares. Britton vio que al norte, en el flanco de una ola, surgía una hilera de géiseres que se acercaban al *Rolvaag* siguiendo su rumbo anterior.

La proa del petrolero surcaba el oleaje con dificultad, cabeceando. Gira, maldito, pensó la capitana.

De repente el buque sufrió una sacudida de gran intensidad. En la proa se levantó una fea humareda de color amarillo y salieron volando varios pedazos de metal fundido. No se hizo de esperar un estallido de gran potencia. Uno de los posteleros saltó por los aires y cayó dando vueltas hasta que la cubierta sufrió el latigazo de sus cables. Después presenciaron la erupción de los géiseres, que fueron apartándose de la posición del barco.

Se produjo un momento de lúgubre parálisis.

La primera en recuperarse fue Britton, que cogió los prismáticos y examinó la parte de proa, descubriendo que el castillo había sido atravesado como mínimo por un proyectil. El barco capeó la siguiente ola. En ese momento, la intensa luz de la luna le permitió a Britton discernir chorros de agua saliendo de un boquete irregular bastante por encima de la línea de flotación.

—Que suene la alarma general —dijo—. Señor Howell, mande a proa a un equipo de evaluación de daños. Reúna a otro con extintores y un cuentaexplosiones del motor. Y que se tienda una cuerda de salvamento por toda la cubierta principal, de proa a popa.

—Sí, señora.

Miró a Glinn casi sin querer.

—Apagad los motores —murmuró él—. Apartaos del viento y desactivad el ECM. Fingid que hemos sufrido daños graves. A los cinco minutos volveremos a ponernos en marcha. Así tendrá que repetir la operación de calcular la distancia. Tenemos que llegar a las islas de hielo.

Britton le vio alejarse hacia el encargado de la consola y hablar con él en voz baja.

—Señor Howell —dijo—, paren todos los motores. Treinta grados a babor.

La inercia del barco, que era descomunal, hizo que siguiera avanzando y girara lentamente.

Miró a Lloyd. Se le había ido toda la sangre de la cara, como si el fuego enemigo le hubiera producido una conmoción brutal. Quizá se considerara al borde de la muerte. Quizá pensase en lo que significaría hundirse en unas aguas frías, negras y de tres mil metros de profundidad. La capitana ya había visto la misma cara en otros barcos y otras tormentas, y no era un espectáculo agradable.

Bajó la vista hacia el radar. Había mucho retorno del mar, pero se aclaraba cada vez que subía el *Rolvaag*. Ahora estaban a veinticinco millas del Límite del Hielo y de las dos islas de hielo. El hecho de tener el oleaje de costado aminoraba en un nudo la velocidad del barco chileno, pero no le impedía seguir reduciendo sin tregua la distancia. Britton contempló el mar aborrascado y le pareció sorprendente que el destructor lograra capearlo.

De repente se abrió la puerta del puente y apareció McFarlane. Dio un paso adelante, seguido a poca distancia por Rachel.

—El meteorito —dijo McFarlane, respirando dificultosamente y con los ojos desorbitados.

—¿Qué le pasa? —preguntó Glinn con urgencia.

—Que está soltándose.

Rolvaag
15.55 h

Glinn prestó atención al relato entrecortado de McFarlane, mientras le invadía una sensación de sorpresa que no conocía ni le gustaba. Sin embargo, hizo el gesto de buscar un teléfono con la economía de movimientos y la falta de precipitación que le eran consustanciales.

El auricular tardó poco tiempo en recoger la voz débil de Garza.

—¿Diga?

—Soy Glinn. El meteorito está rompiendo las soldaduras. Avisa a Stonecipher y el equipo de refuerzo. Que bajen enseguida. Dirígelo tú.

—A la orden.

—Hay otra cosa —dijo McFarlane, que todavía jadeaba.

Glinn se volvió hacia él.

—El meteorito —prosiguió McFarlane— reacciona a la sal, no al contacto. A la sal. Es lo que provoca la descarga, y lo que mató al equipo de Garza. Rachel y yo hemos puesto lonas sobre el andamio, pero le ruego que no le tire encima agua salada bajo ningún concepto. También sigue emitiendo mucha estática. Las comunicaciones por radio serán irregulares como mínimo durante una hora.

Glinn asimiló la información, cogió el auricular y volvió a hablar con Garza. Cuando estaba a punto de acabar oyó ruido al otro lado de la línea, y después la voz nasal y enojada de Brambell.

—¿Qué es todo este follón? Prohíbo que salga de la enfermería este hombre. Tiene traumatismo craneal, conmoción cerebral, una muñeca hiperextendida y...

—No siga, doctor Brambell. Necesito los conocimientos del señor Garza cueste lo que cueste.

—Señor Glinn…

—Está en juego la supervivencia del barco. —Bajó el auricular y miró a Britton—. ¿Hay alguna manera de reducir el movimiento del barco con estas olas?

Britton negó con la cabeza.

—Habiendo tan mala mar, los cambios de lastre solo conseguirían desestabilizarlo todavía más.

El *Rolvaag* prosiguió su viraje hacia el sur, mientras el mar embravecido ora le inundaba la cubierta principal ora lo elevaba hacia el cielo y hacía que escupiera agua ruidosamente por los imbornales. Se habían soltado dos de los contenedores, que resbalaban por la cubierta, y había varios más forzando las amarras.

—¿Qué coño eran las explosiones? —preguntó McFarlane a Glinn.

—Nos ha disparado el barco chileno. —Glinn miró a McFarlane y luego a Amira—. ¿Alguna idea sobre por qué al meteorito lo afecta la sal?

—No parece una reacción química —dijo McFarlane—. Las explosiones no han consumido ninguna parte del meteorito, y está clarísimo que no había bastante sal para generar tanta energía.

Glinn miró a Amira.

—Ha sido una explosión demasiado fuerte para ser una reacción química o catalítica —dijo ella.

—¿Qué otra clase de reacción hay? ¿Nuclear?

—Sería muy poco probable. Yo opino que no estamos abordando el problema con la perspectiva correcta.

Glinn estaba familiarizado con la reacción. El cerebro de Amira tenía tendencia a no seguir los cauces habituales. El resultado podía ser tanto una genialidad como una tontería. Era una de las razones de que la hubiera contratado, y tuvo la prudencia de seguirle la corriente, a pesar de lo comprometido de la situación.

—¿Por qué?

—Solo es una intuición. Hasta ahora siempre hemos intentado entenderlo desde nuestro punto de vista, viéndolo como un meteorito. Habría que mirarlo desde el suyo. La sal tiene importancia en algún sentido, o porque es peligrosa o porque es… necesaria.

La voz de Howell rompió el silencio.

—Capitana, el *Ramírez* efectúa más disparos de posiciona-miento. —El primer oficial se inclinó hacia el radar Doppler, y al cabo de un largo silencio levantó la cabeza sonriendo—. Acaba de cortarnos del *Ramírez* una borrasca de nieve. No pueden vernos. Se han quedado ciegos, los muy hijos de puta.

—Rumbo uno nueve cero —dijo Britton.

Glinn se acercó al diagrama del GPS y examinó la disposición de los puntos verdes. La partida de ajedrez se acercaba a su con-clusión. Quedaban pocas piezas en el tablero. El destino de todos se había reducido a la combinación de cuatro factores: dos barcos, la tormenta y el hielo. Los examinó con intensa concentración durante treinta minutos, mientras las posiciones de ambos barcos sufrían ligeros cambios. Cerró los ojos y retuvo la imagen de los puntos verdes en la cabeza. Aquella simplicidad entrañaba una falta total de alternativas. Había hecho lo mismo que los maestros de ajedrez, reproducir mentalmente todas las secuencias posi-bles de movimientos, y todas menos una tenían cien posibilida-des de fracaso sobre cien, mientras que las de éxito de aquella eran sumamente bajas. Para que se saldara con éxito la última jugada, tendría que salir todo a la perfección, sin despreciar un poco de suerte. Glinn odiaba la suerte. Las estrategias que la requerían solían ser fatales. Ahora el objeto de su odio era de todo punto ne-cesario.

Se oyó ruido por la radio de Glinn, que la cogió.

—Soy Garza. —La voz sonaba débil, con mucha estática—. Estoy en el tanque. Hay mucha interferencia. No sé cuánto tiem-po vamos a poder hablar.

—Te escucho.

—Cada vez que se mueve el barco se rompe alguna soldadura.

—¿Causa?

—La descarga del meteorito ha roto algunos puntos críticos del andamiaje y ha aflojado otros. Rochefort, además, lo diseñó para ángulos máximos de treinta y cinco grados. Todavía faltan diez para el límite… —Se cortó unos segundos la comunicación—. Claro que el meteorito pesa doscientos cincuenta por ciento más que en las previsiones iniciales de Rochefort. Quizá nos quede-mos un poco cortos.

—¿Cuánto?

—Para saberlo habría que… —Otro corte—. Aunque el dise-ño incorporaba refuerzos por encima de la doble previsión. Stonecipher considera que en estas condiciones podemos durar bastante. Por otro lado, si fallan algunos puntos clave, el resto podría ceder deprisa.

—No me gustan tantos condicionales.

—No se puede ser más preciso.

—¿Y «deprisa» es muy deprisa?

—Dispondríamos de cinco o diez minutos. O más.

—¿Y luego?

—El meteorito se movería. Aunque fueran pocos centímetros, ya podría ser fatal y hacer que fallara el casco.

—Reforzad esos puntos críticos de soldadura.

Se produjo una pausa cargada de estática. Glinn le adivinaba el pensamiento a Garza: estaba acordándose de cuando habían soldado el andamiaje por última vez.

—A la orden —dijo Garza finalmente.

—Y que no entre en contacto con agua salada.

La única respuesta fue otro zumbido de estática.

El *Rolvaag* seguía rumbo al sur, siempre hacia el sur.

Rolvaag
17.00 h

Al fondo del puente había una salita de observación, un pequeño receso emparedado entre la cabina del telegrafista y el cuarto
de derrota. Tenía ventanas muy altas, pero el mobiliario y la decoración eran nulos. Glinn se hallaba junto a las primeras con los
prismáticos a la altura de los ojos, mirando hacia popa entre las
chimeneas. La borrasca de nieve, una línea gris y temblorosa en
el horizonte, empezaba a pasar. Les había concedido sesenta minutos. Necesitaban otros veinte. Sin embargo, en cuanto la luna
volvió a tender el manto de su luz sobre el mar encolerizado, se
hizo evidente que no dispondrían de ellos.

Lo confirmó la aparición del *Ramírez* en la cortina de nieve.
Tenía todas las luces encendidas, e impresionaba su proximidad.
Como máximo estaba a cuatro millas. El oleaje hacía subir y bajar la proa del barco. Glinn creyó discernir, sobre el telón de fondo de la noche, los cañones de proa apuntándoles. Tan claro debía de verse el *Rolvaag* desde el *Ramírez* como viceversa. En el
puente se produjo un murmullo repentino, seguido por un silencio de tensión insoportable. Vallenar no perdía el tiempo: los cañones de proa ajustaron deprisa su elevación.

Lo peor fue que el *Ramírez* usó otro cañón para disparar una
cadena de bengalas blancas y fosforescentes que se encendían y
bajaban flotando, y cuyo efecto era iluminar el *Rolvaag* y el mar
de alrededor.

Vallenar era un hombre metódico que rehuía cualquier precipitación. Estaba actuando con prudencia, consciente de tenerles
a su merced. Glinn consultó su reloj de oro de bolsillo. El *Ramírez* empezaría a disparar a cuatro millas sin molestarse en calcu-

lar la distancia exacta. El *Rolvaag* estaba a veinte minutos de las islas de hielo. Necesitarían veinte minutos de suerte.

—Señora, cruzamos el Límite del Hielo —dijo Howell a Britton.

Glinn echó un vistazo al mar, y la luz de la luna le permitió distinguir un cambio repentino en el color de las aguas. Ya no era verde oscuro, sino un negro un poco azulado. Se desplazó hacia la parte delantera del puente y examinó el sur del horizonte con los prismáticos. Veía delgadas franjas de hielo cabeceando. Al subir el barco, tuvo una visión impresionante de las islas, dos líneas finas de color turquesa. Levantó los prismáticos y las observó con mayor detalle. La que estaba más al este era enorme. Le calculó más de treinta kilómetros de longitud, mientras que la del oeste tendría unos ocho. Las dos, vastas mesetas sobre un mar cambiante, guardaban una gran estabilidad; tan grandes eran, que ni siquiera aquel oleaje tan violento era capaz de hacerlas subir o bajar. Entre las islas había una separación de unos mil metros.

—Ni rastro de niebla —dijo Britton, que se había acercado a él con sus prismáticos.

Mientras Glinn seguía mirando hacia el sur, le oprimió el plexo solar una sensación espantosa, acaso la peor de su vida. El Límite del Hielo no les daba protección. Al sur, el cielo estaba igual o más despejado. La luna plateaba la enorme espalda de las olas como un foco gigantesco. Las bengalas que bajaban flotando en proximidad del petrolero inundaban la marina de una claridad diurna. No tenían donde esconderse. Eran del todo vulnerables. Era intolerable, un dolor vivísimo que Glinn jamás había experimentado.

En un acto de supremo autocontrol, volvió a levantar los prismáticos y a examinar las islas. El *Ramírez* no disparaba. Se tomaba su tiempo con la seguridad de que no se le escaparían. Por espacio de varios minutos, los pensamientos de Glinn volvieron a visitar los callejones sin salida recién explorados. Su mente persistía en hurgar hasta el fondo, hasta el final de todas las ramificaciones, de todas las posibilidades, en busca de otra solución al problema; pero, aparte de aquel plan descabellado, no la había. Se prolongó el silencio.

Un proyectil silbó por encima de la superestructura y levantó un fino penacho de espuma. Luego otro, y otro más, cada vez más cerca de la posición del *Rolvaag*.

Glinn se volvió rápidamente hacia Britton.

—Pasa entre las dos islas acercándote más a la mayor —murmuró—. Presta atención: lo más cerca posible. Después, coloca el barco a sotavento de ella y vira.

Britton seguía mirando por los prismáticos.

—Será convertirnos en blanco seguro en cuanto el *Ramírez* rodee la isla. Eli, no es un plan viable.

—Es nuestra única posibilidad —repuso él—. Confía en mí.

Surgió un géiser a babor, seguido de otro. Volvía a cruzar su posición una hilera de proyectiles. No tenían tiempo de virar ni de hacer ninguna maniobra evasiva. Glinn se preparó. Brotaron alrededor altas columnas de agua que se aproximaban. Se produjo un paréntesis muy tenso, angustioso. Justo después, una explosión brutal arrojó a Glinn a la cubierta. Se reventaron algunas ventanas del puente, sembrando el suelo de esquirlas como gemas y dejando paso libre al ulular del viento.

Glinn, aturdido, oyó (o sintió) desde su posición yacente una segunda explosión. Fue cuando se apagaron las luces.

Rolvaag
17.10 h

Cesó el fuego. Britton, que estaba en el suelo entre trozos de plexiglás, obedeció al impulso de escuchar los motores. Funcionaban, pero había cambiado la vibración; un cambio de mal agüero. Al encenderse las luces naranjas de emergencia, se levantó temblando. El tremendo oleaje hacía cabecear el barco, y ahora se le sumaba el ruido ensordecedor del viento y las olas que irrumpían por las ventanas rotas y le echaban encima espuma salada y ráfagas de aire gélido. Ahora tenían la tormenta dentro del puente. Se acercó dificultosamente a la consola principal, que estaba llena de lucecitas parpadeando, y se sacudió trozos de plástico del pelo.

Recuperó la voz.

—Informe de daños, señor Howell.

El primer oficial también estaba de pie, tecleando la consola y hablando por teléfono.

—La turbina de babor está perdiendo suministro.

—Diez grados a babor.

—Sí, señora, diez grados a babor. —Howell dijo unas palabras por el intercomunicador—. Capitana, parece que hemos recibido dos impactos en la cubierta C. Uno en el tanque seis del ala de estribor y el otro cerca de la sala de máquinas.

—Que evalúen los daños. Necesito conocerlos enseguida, y el número de heridos. Señor Warner, ponga en marcha las bombas de achique.

—A la orden.

Entró en el puente otra ráfaga de viento acompañada por su correspondiente espuma. A medida que bajaba la temperatura interior, se congelaban las gotas que habían salpicado la cubierta y las consolas, pero Britton apenas acusaba el frío.

Lloyd se acercó moviendo los hombros para quitarse los trozos de cristal. Tenía un corte profundo en la frente, que le sangraba en abundancia.

—Señor Lloyd, baje a enfermería… —empezó Britton automáticamente.

—No diga tonterías —contestó él con impaciencia, pasándose un mano por la frente y sacudiéndose la sangre—. Vengo a ayudar.

Parecía que le hubiera reanimado la explosión.

—Pues tráiganos a todos ropa para el mal tiempo —dijo Britton, señalando un armario que había al fondo del puente.

Crepitó una radio. Contestó Howell.

—Aún no está preparada la lista de heridos. El equipo de evaluación de daños informa de que hay fuego en la sala de máquinas. Nos han alcanzado de lleno.

—¿Se puede contener con extintores portátiles?

—Negativo. Se propaga demasiado deprisa.

—Que usen el sistema fijo de CO_2. Y vapor de agua en los mamparos exteriores.

La capitana miró a Glinn, que había estado hablando urgentemente con el encargado de la consola de EES. El operador se levantó y desapareció del puente.

—Señor Glinn, por favor, necesito un informe de la bodega —dijo ella.

Glinn se volvió hacia Howell.

—Pase a Garza por el general.

Un minuto después hizo ruido el altavoz.

—¡Pero bueno! ¿Qué coño ha pasado? —preguntó Garza.

—Hemos recibido otros dos proyectiles. ¿Y vosotros?

—Las explosiones han coincidido con una ola y han roto más soldaduras. Trabajamos todo lo deprisa que se puede, pero el meteorito…

—Seguid, Manuel. Y sin perder un segundo.

Lloyd volvió del armario y empezó a distribuir chaquetas al personal del puente. Britton cogió la suya, se la puso y miró hacia proa. Ahora tenían delante las dos islas de hielo, ligeramente azules a la luz de la luna; quedaban a unos tres kilómetros y sobresalían del agua un mínimo de sesenta metros. En sus bases rompía furioso el oleaje.

—Posición del barco enemigo, señor Howell.

—A cinco kilómetros y acercándose. Vuelven a disparar.

Se produjo otro estallido a babor, un géiser de agua que justo después de brotar se torció casi en horizontal por la fuerza del panteonero. Ahora Britton oía directamente los cañones, un ruido lejano, extrañamente desvinculado de las cercanas explosiones. Hubo otro impacto, otra sacudida, y Britton se estremeció al ver varios fragmentos de metal al rojo vivo sobrevolando las ventanas del puente.

—Nos han alcanzado de refilón en la cubierta principal —dijo Howell. La miró—. Están conteniendo el incendio, pero las dos turbinas han sufrido daños graves. La explosión ha desactivado las turbinas de alta y baja presión. Perdemos impulso a gran velocidad.

Britton bajó la mirada y observó el panel digital donde parpadeaba la velocidad del barco. Descendió a catorce nudos, a trece. La disminución de velocidad agravó el movimiento del barco. Britton notaba que empezaban a quedar bajo el anárquico dominio de la tormenta. Diez nudos. Las olas más grandes empujaban al barco en todas las direcciones imaginables, haciéndole bailar un mareante ballet. Hasta ese momento no había creído posible que el mar pudiera jugar así con un barco tan grande. Se concentró en la consola.

Estaban encendidas las luces de alarma de motores, aunque no le decían nada que no supiera. Sentía retumbar los motores debajo de sus pies, con un ruido forzado e intermitente. Volvieron a fallar las luces. Se estaban quedando sin corriente. Se activaron los sistemas de refuerzo.

El petrolero surcaba las aguas, y sus ocupantes callaban. Seguía impulsado por una inercia muy grande, pero cada ola que rompía en su casco le arrebataba un nudo o dos. Tanto más deprisa acortaba distancias el *Ramírez*.

Britton paseó la mirada por los oficiales del puente, los cuales la miraron a su vez con semblantes pálidos y serios. La persecución había terminado.

Lloyd rompió el silencio. Le caían gotas de sangre en el ojo derecho. Parpadeó para quitárselas, sin darle mayor importancia.

—Pues nada, parece que ya está —dijo.

Britton asintió.

Lloyd se volvió hacia McFarlane.

—¿Sabes qué te digo, Sam? Que ahora me gustaría estar en la

bodega. No sé, tengo ganas de despedirme. Te parecerá que estoy loco. ¿A que sí?

—No —contestó McFarlane—. En absoluto.

Britton miró con el rabillo del ojo y vio que Glinn, al oírlo, se giraba hacia ellos; pero se quedó callado, mientras se deslizaban hacia ellos las oscuras sombras de las islas de hielo.

Almirante Ramírez
17.15 h

—Alto el fuego —dijo Vallenar al jefe de la guardia.

Levantó los prismáticos y examinó el barco. Por el flanco de babor del petrolero salían columnas espesas y bajas de humo negro que flotaban a gran velocidad sobre un mar iluminado por la luna. Como mínimo dos blancos confirmados, incluido lo que tenía todo el aspecto de ser un proyectil en plena sala de máquinas, más daños graves en los palos de comunicaciones. Brillantes disparos, teniendo en cuenta el estado de la mar; suficientes para dejar inutilizado el buque. Se cumplían sus esperanzas. Vio que ya perdían velocidad, y esta vez iba en serio. No era ninguna estratagema.

El barco norteamericano mantenía el rumbo hacia las islas de hielo. Flaca y breve protección le brindarían contra los cañones del *Ramírez*. Con todo, la capitana había demostrado mucho valor. No se rendiría sin haber probado todas las posibilidades. Vallenar lo comprendía. Esconderse detrás de la isla era un gesto noble, aunque fútil. Por lo demás, ni hablar de rendiciones. Solo la muerte.

Consultó su reloj. En veinte minutos pasarían entre las dos islas de hielo y se acercarían al *Rolvaag*. A sotavento de las islas el mar estaría tranquilo y les proporcionarían estabilidad para disparar con precisión.

Empezó a imaginárselo. No cabían errores, ni marcha atrás. Dejaría al *Ramírez* como mínimo a una milla de distancia, a fin de impedir nuevas incursiones submarinas. Iluminaría el mar entero con bengalas de fósforo. La operación se haría sin prisas, minuciosamente; tampoco se alargaría más de lo debido, puesto que Vallenar no era ningún sádico, y si alguien merecía una muerte digna era la capitana.

Decidió que lo mejor era agujerear la popa por la línea de flotación, para que el barco se fuera a pique por la proa. Era fundamental que no hubiera supervivientes capaces de dar testimonio visual de lo ocurrido. Dispararía contra los primeros botes salvavidas con los cañones de cuarenta milímetros, a fin de que el resto permaneciera a bordo hasta el final. Cuando se hundiera el barco, los supervivientes se agruparían en el castillo de proa, donde podría verles mejor. Lo principal era asegurarse de que muriera aquel listillo, el cabrón mentiroso que estaba detrás de todo. Si alguien había ordenado ejecutar a su hijo era él.

El petrolero, cuya velocidad se había reducido a cinco nudos, estaba pasando entre las islas de hielo muy cerca de la mayor. Casi pegado, de hecho. Quizá tuvieran el timón estropeado. Las islas eran tan altas y tan cortadas a pico que parecía que el petrolero penetrara en un hangar gigantesco, luminoso y azul. En el momento en que el *Rolvaag* se perdía de vista entre las dos, Vallenar vio que giraba hacia babor. La maniobra lo llevaría detrás y a sotavento de la mayor de las dos islas, donde quedaría temporalmente a salvo de los cañones del *Ramírez*. Era un esfuerzo triste y sin esperanza.

—¿Sonar? —dijo, bajando al fin los prismáticos.

—Despejado, señor.

Todo listo. No había sorpresas en forma de hielo submarino. La isla de hielo era de corte vertical. Había llegado el momento de rematar la tarea.

—Rumbo al canal entre las islas. Sigan el del barco.

Se volvió hacia el jefe de la guardia.

—Espere órdenes mías para disparar los cañones.

—Sí, señor.

Vallenar volvió a mirar por las ventanas y a levantar los prismáticos.

Rolvaag
17.20 h

El *Rolvaag* pasó entre las islas de hielo y accedió a un mundo tranquilo y en penumbra. El viento amainó y dejó de penetrar por las ventanas rotas del puente. De repente el barco se había liberado de la férula maligna de la tempestad. Aquel silencio repentino en plena tormenta tuvo el efecto de poner nerviosa a Britton. Contempló los acantilados a babor y a estribor, que de tan rectos parecían cortados con hacha. Más abajo, donde se juntaban con el mar, el oleaje de barlovento había formado una cenefa de grutas de aspecto fantástico. El hielo reflejaba la luz de la luna con un azul tan puro que Britton lo consideró uno de los espectáculos más hermosos de su vida, y se sorprendió de que la proximidad de la muerte pudiera agudizar el sentido de la belleza.

Glinn, que había salido al ala de babor, regresó y cerró la puerta con sigilo. Quitándose espuma de los hombros, se acercó a la capitana.

—Proa —dijo en voz baja—. Mantenga el petrolero en este ángulo.

Ella no se tomó la molestia de transmitirle a Howell aquellas instrucciones inútiles y crípticas.

El giro de noventa grados detrás de la isla de hielo les había hecho perder todavía más velocidad. Ahora se deslizaban paralelamente al hielo más o menos a un nudo, y seguía a la baja. Cuando se detuvieran sería definitivamente.

Britton miró el perfil de Glinn y su rostro impenetrable. Estuvo a punto de preguntarle si de veras creía que se podía esconder un barco de casi medio kilómetro, pero se abstuvo. Glinn había protagonizado un esfuerzo supremo, y nada más podía hacer ya. En breves minutos el *Ramírez* rodearía la isla de hielo y terminaría todo. Procuró no pensar en su hija. Iba a ser lo más difícil, despedirse de ella.

A sotavento de la isla reinaba una calma peculiar, y en el puente un silencio terrible. Desaparecido el viento, las olas que lamían la isla eran bajas y mansas. La pared de hielo solo quedaba a unos cuatrocientos metros. Estaba atravesada en sentido vertical por una serie de fisuras, de canales ocasionados por el deshielo y la lluvia. Vio algunas cascadas pequeñas cayendo en la superficie del mar, y oyó el crujir lejano del hielo, su ruido como de cristal. Todo ello tenía como sonido de fondo el lamento del viento en la superficie de la isla. Era un lugar etéreo, como de ensueño. Vio bogar hacia el oeste un iceberg recién desprendido de la isla, y tuvo ganas de estar donde se fundía lentamente y desaparecía en el mar. Habría preferido estar donde fuera, pero no en el barco.

—Aún no es el final, Sally —dijo Glinn en voz baja, para que solo lo oyera ella. La miraba atentamente.

—¿Que no? El destructor nos ha dejado sin corriente.

—Volverás a ver a tu hija.

—No digas eso, por favor.

Britton se enjugó una lágrima, y se llevó la sorpresa de que Glinn le cogiera la mano.

—Si salimos de esta —dijo él con un titubeo desacostumbrado—, me gustaría volver a verte. ¿Me das permiso? Me gustaría saber algo más de poesía. Quizá pudieras enseñarme tú.

—Eli, por favor. Será más fácil si no decimos nada.

Le estrechó suavemente la mano.

Y en ese momento vio la proa del *Ramírez* asomar por detrás del hielo.

Estaba a menos de dos millas, deslizándose cerca de la pared azul de la isla de hielo; seguía la estela del *Rolvaag*, y se acercaba como un tiburón a una presa indefensa. Las torretas de los cañones les apuntaban con fría parsimonia.

Cuando Britton miró los cañones por las ventanas traseras del puente, en espera de que escupiesen los proyectiles mortales, el tiempo se ralentizó, como si se alargase el intervalo entre los latidos de su corazón. Se fijó en los que la rodeaban, Lloyd, McFarlane y los oficiales de guardia. Estaban todos callados y a la espera. ¿De qué? De la muerte en aquellas aguas oscuras y frías.

Con un ruido procedente del destructor, se elevaron hacia el cielo varias bengalas que al explotar formaron una línea torcida de luces. Britton se protegió la vista, porque la luz, que era intensísima, se reflejaba en todo: la superficie del agua, la cubierta del petrolero y el acantilado de la isla de hielo. Superado el momento de mayor intensidad lumínica, Britton volvió a mirar por las ventanas con los ojos entornados. Los cañones del *Ramírez* se inclinaron hacia abajo y les apuntaron hasta quedar reducidos a agujeros negros. Ya había cruzado el estrecho medio destructor, y reducía por momentos su velocidad. Serían disparos casi a quemarropa.

En el aire reverberó una explosión, cuyo eco rebotó entre las islas. Britton obedeció al instinto de echarse atrás, y notó en su mano la presión de la de Glinn. Murmuró una oración por su hija, y por que la muerte fuera misericordiosa y rápida.

Sin embargo, los cañones del destructor no habían escupido ninguna llama. Britton, confusa, miró por las ventanas y vio movimiento en la parte alta de su campo de visión.

Encima del acantilado que se cernía sobre el *Ramírez*, el aire se había poblado de esquirlas de hielo que daban vueltas lentamente sobre cuatro columnas torcidas de humo. Se apagaron los ecos, y por unos instantes volvió a prevalecer el silencio. Luego pareció la isla moverse, y la fisura azul que dividía el acantilado del resto de la isla se ensanchó rápidamente. Britton advirtió que empezaba a caerse un bloque de hielo gigantesco, de unos sesenta metros de altura. La placa se separó del acantilado y empezó a descender al mismo tiempo que se hacía pedazos como en una especie de lento y majestuoso ballet. Cuando entró en contacto con el mar, empezó a surgir una pared de agua, que, de negra que era al principio, se volvió verde y blanca. El agua no dejaba de subir, impulsada por el hundimiento de la masa enorme de hielo. En un momento dado empezó a llegar el ruido a oídos de Britton, una cacofonía cuyo volumen iba en ascenso de manera regular. La ola seguía creciendo, tan vertical que empezó a romper sobre sí misma en el propio momento de su formación. Crecía, rompía, crecía… El bloque de hielo desapareció, hundido por su propio impulso, y la escarpada ola se dispuso a embestir el flanco del *Ramírez*.

Rugieron los motores diésel del destructor, que intentaba realizar una maniobra de escape, pero enseguida tuvo la ola encima. El buque sufrió un bandazo y se elevó todavía más, tan escorado que quedó a la vista el color rojo del óxido de las planchas de proa. Durante un momento de angustia, cabalgando la cresta espumosa de la titánica ola, pareció que el *Ramírez* quedara en suspenso, muy ladeado a estribor y con los dos mástiles casi horizontales con el mar. Pasaban los segundos y seguía pegado a la ola, sin saber si enderezarse o sucumbir. Britton notó que el corazón le palpitaba. De repente el barco osciló y empezó a recuperar la verticalidad, derramando agua por la cubierta. No ha funcionado, pensó Britton; Dios mío, no ha funcionado.

El barco se enderezó con mayor lentitud, quedó inmóvil y volvió a escorarse. Al salir aire de la superestructura, se oyó una especie de suspiro y salieron chorros en todas las direcciones. El destructor volcó y elevó al cielo su quilla pesada y viscosa. Hubo otro suspiro, pero más fuerte. Luego el barco desapareció en las gélidas profundidades con un remolino de agua, espuma y burbujas. Se produjo otro breve estallido de burbujas, que desaparecieron a su vez, dejando agua negra.

Había durado menos de noventa segundos.

Britton vio que la ola monstruosa se dirigía hacia ellos, al mismo tiempo que se propagaba y se atenuaba.

—Sujétate —murmuró Glinn.

El petrolero, que recibió la ola a lo largo, subió mucho, se escoró y recuperó el equilibrio sin mayor dificultad.

Glinn soltó la mano de Britton y levantó los prismáticos, notando el frío de la goma en las órbitas de los ojos. No acababa de entender que ya no estuviera el destructor. Nada, ni nadie, apareció en la superficie; ni un bote salvavidas ni un simple cojín o botella. El *Almirante Ramírez* había desaparecido sin dejar rastro.

Glinn contemplaba la isla. Britton le imitó. Al borde de la meseta de hielo había cuatro manchas negras, hombres levantando los puños con los brazos cruzados. Las bengalas fueron cayendo al mar con ruidos sibilantes, y volvió a reinar la oscuridad.

Glinn cogió la radio.

—La operación ha tenido éxito —dijo en voz baja—. Dispónganse a recibir la lancha.

Rolvaag
17.40 h

Palmer Lloyd se quedó un momento sin habla. Había estado tan seguro de morir que le parecía un milagro estar en el puente, respirando.

Cuando recuperó la voz, se dirigió a Glinn.

—¿Por qué no me lo habías dicho?

—Había muy pocas posibilidades de éxito. No me lo creía ni yo. —Sus labios dibujaron una sonrisa irónica y fugaz—. Se necesitaba suerte.

En una brusca exhibición física de sentimientos, Lloyd se le echó encima y le dio un abrazo de oso.

—¡Joder! ¡Es como si me hubieran condenado a muerte y me llegara el indulto! ¿Hay algo que no puedas hacer, Eli? —Notó que lloraba, pero le daba igual.

—Todavía no ha acabado.

La única reacción de Lloyd a la falsa modestia de Glinn fue una sonrisa burlona.

Britton se volvió hacia Howell.

—¿Entra agua?

—Ya se encargan las bombas de achique de sacarla, capitana. Eso mientras tengamos corriente auxiliar.

—¿Cuánto tiempo será?

—Desactivando todos los sistemas que no sean esenciales, y usando el diésel de emergencia, más de veinticuatro horas.

—¡Fantástico! —dijo Lloyd—. Hemos salido bien parados. Arreglamos los motores y a casita. —Sonrió primero a Glinn, después a Britton, y su expresión se volvió algo vacilante al preguntarse por qué estaban tan serios—. ¿Pasa algo?

—No tenemos propulsión, señor Lloyd —dijo Britton—. La corriente vuelve a arrastrarnos hacia la tormenta.

—Si hemos sobrevivido hasta ahora, peor no puede ser. ¿Verdad que no?

Su pregunta quedó sin respuesta.

Britton habló con Howell.

—Infórmeme del estado de las comunicaciones.

—Desactivadas todas las de largo alcance y por satélite.

—Emita un SOS a Georgia del Sur por el canal de emergencia dieciséis.

De repente Lloyd se quedó helado.

—¿Cómo que un SOS?

Volvió a no recibir respuesta. Dijo Britton:

—Señor Howell, ¿en qué estado están los motores?

Howell contestó después de un rato.

—No tiene arreglo ninguna de las dos turbinas.

—Prepárense por si hay que evacuar el barco.

Lloyd no daba crédito a sus oídos.

—Pero bueno, ¿qué es todo este rollo? ¿Se hunde el barco?

Recibió la fría mirada de los ojos verdes de Britton.

—Abajo está mi meteorito. Yo me quedo en el barco.

—Usted y todos, señor Lloyd. Solo lo abandonaremos como último recurso. Además, con esta tormenta casi seguro que sería suicida usar los botes salvavidas.

—¡Pues hombre, no exageréis! Podemos capear la tormenta y que nos remolquen a las Malvinas. No es tan grave.

—No tenemos gobierno ni propulsión. Cuando volvamos a estar en la tormenta, habrá vientos de ochenta nudos, olas de treinta metros y una corriente de seis nudos empujándonos en la misma dirección, hacia el estrecho de Bransfield. Eso, señor Lloyd, es la Antártida. Es grave.

Lloyd estaba aturdido. Ya notaba el movimiento del barco. Entró una ráfaga de aire en el puente.

—A ver si me entienden —dijo con voz grave—. Me es indiferente el qué y el cómo lo hagan, pero no suelten mi meteorito. ¿Me explico?

Britton le miró fijamente y con hostilidad.

—Señor Lloyd, ahora mismo me importa un pimiento su meteorito. Solo me preocupa mi barco y mi tripulación. ¿Me explico yo?

Lloyd se volvió hacia Glinn en busca de respaldo, pero Glinn mantuvo su silencio y habitual inexpresividad.

—¿Cuándo podremos conseguir que nos remolquen?

—Tenemos estropeados casi todos los sistemas electrónicos, pero estamos intentando ponernos en contacto con Georgia del Sur. Depende de la tormenta.

Lloyd, impaciente, se apartó y miró a Glinn.

—¿Qué pasa en el tanque?

—Garza está reforzando el andamiaje con nuevas soldaduras.

—Y ¿cuánto tardará?

Glinn no contestó. No había necesidad, porque ahora también lo notaba Lloyd. El movimiento del barco empeoraba, sujeto a bandazos lentos y terroríficos que duraban una eternidad. Y en lo peor de cada uno, el *Rolvaag* gritaba de dolor: un gemido profundo hecho a medias de sonido y de vibración. Era el meteorito.

Rolvaag
17.45 h

Howell salió de la cabina del telegrafista y habló con Britton.

—Tenemos contacto con Georgia del Sur —dijo.

—Páselo a la general, por favor.

Entró en funcionamiento el intercomunicador del puente.

—Georgia del Sur al petrolero *Rolvaag*.

Era una voz metálica y débil, en la que Britton, a pesar de la estática, creyó reconocer cierto acento de la zona de Londres.

Cogió un transmisor y abrió el canal.

—Georgia del Sur, esto es una emergencia. Hemos sufrido daños graves y no tenemos propulsión. Repito, no tenemos propulsión. Nos arrastra la corriente hacia el sur sureste a una velocidad de nueve nudos.

—Recibido, *Rolvaag*. Comuniquen su posición.

—Nuestra posición es 61°15'12" sur, 60°5'33" oeste.

—Informen de su cargamento. ¿Lastre o petróleo?

La mirada de Glinn a Britton fue muy elocuente. La capitana cerró el canal.

—A partir de ahora —dijo Glinn— empezaremos a decir la verdad. La nuestra.

Britton volvió a ponerse el transmisor delante de la boca.

—Georgia del Sur, somos un petrolero reconvertido. Nuestra carga consiste en... un meteorito desenterrado en las islas del cabo de Hornos.

Se produjo otro silencio.

—No le hemos recibido, *Rolvaag*. ¿Ha dicho un meteorito?

—Afirmativo. Nuestro cargamento es un meteorito de veinticinco mil toneladas.

—Un meteorito de veinticinco mil toneladas —repitió la voz, impasible—. *Rolvaag*, comuniquen su destino, por favor.

—Nos dirigimos al puerto Elizabeth, Nueva Jersey.

Otro silencio. Britton, que por dentro temblaba, se mantuvo a la espera. Cualquier marino avezado sabría que la información resultaba sospechosa. Se hallaban a doscientas millas de los estrechos de Bransfield, y en plena tormenta. Sin embargo, era su primera llamada de socorro.

—Eh… *Rolvaag*, ¿tienen ustedes el último parte meteorológico?

—Sí.

Lo dijo a sabiendas de que se lo repetirían.

—A medianoche aumentarán los vientos hasta cien nudos y las olas a cuarenta metros. Todo el estrecho de Drake está en alerta por una tempestad de fuerza quince.

—Ahora casi es de fuerza trece —contestó ella.

—Recibido. Por favor, describan los daños.

Hazlo bien, murmuró Glinn.

—Georgia del Sur, hemos sido atacados sin aviso y en aguas internacionales por un barco de guerra chileno. Los proyectiles han hecho blanco en nuestra sala de máquinas, nuestro castillo de proa y la cubierta principal. Hemos perdido la propulsión y el gobierno. Estamos a merced de la corriente.

—Santo Dios. ¿Prosigue el ataque?

—El destructor ha chocado con un iceberg y hace media hora se ha hundido.

—Increíble. ¿Por qué…?

No era una pregunta propia de una llamada de emergencia, pero tampoco la emergencia se ajustaba a lo habitual.

—No tenemos la menor idea. Al parecer, el capitán chileno actuaba sin órdenes y por iniciativa propia.

—¿Han identificado el barco?

—*Almirante Ramírez*; oficial al mando, Emiliano Vallenar.

—¿Les está entrando agua?

—Sí, pero no demasiada para las bombas de achique.

—¿Corren peligro inminente?

—Sí. Nuestro cargamento podría moverse en cualquier instante y hacer zozobrar el barco.

—Permanezcan a la espera, *Rolvaag*.

Hubo sesenta segundos se silencio.

—*Rolvaag*, nos damos cuenta de la gravedad de su situación. Contamos con efectivos de rescate tanto aquí como en las Malvinas, pero no podemos, repito, no podemos emprender ninguna búsqueda mientras no amaine la tormenta a fuerza diez. ¿Tienen comunicación por satélite?

—No. Se nos han estropeado casi todos los sistemas electrónicos.

—Informaremos de la situación a su gobierno. ¿Podemos ayudarles en algo más?

—Que nos remolque alguien lo antes posible, antes de que acabemos en los arrecifes Bransfield.

Se produjo una ráfaga de estática. Después volvió a oírse la voz.

—Buena suerte, *Rolvaag*.

—Gracias, Georgia del Sur.

Britton devolvió a su sitio el transmisor, se apoyó en la consola y clavó la mirada en la oscuridad.

Rolvaag
18.40 h

Al verse arrastrado fuera de la protección de la isla de hielo, el *Rolvaag* quedó cautivo del viento, que de nuevo, brutalmente, lo empujaba hacia la tempestad. Tanto arreció, que a ratos les caía encima una lluvia de agua gélida. Sally Britton notaba que el barco, carente de propulsión, estaba por completo a merced de la tormenta. Era una sensación repulsiva de impotencia.

La tormenta empezó a arreciar con la regularidad de un mecanismo de relojería. Britton la vio crecer minuto a minuto hasta alcanzar una intensidad a la que apenas daba crédito. La luna se había escondido detrás de nubes gruesas, y no se veía más allá del puente; pero la tormenta estaba allí, dentro del puente, alrededor de sus ocupantes: testigos, el agua que caía, los trozos de hielo afiladísimos que les llovían encima y un olor cada vez más acusado a muerte en alta mar. Sin embargo, lo que más nerviosa ponía a Britton era el sonido: un estruendo grave y constante que parecía provenir de todas las direcciones al mismo tiempo. La temperatura del puente era de siete grados bajo cero, y la capitana notaba que se le formaba hielo en el cabello.

Seguía recibiendo informes regulares sobre el estado del barco, pero se vio en la tesitura de dar pocas órdenes. Sin propulsión ni gobierno, solo quedaba esperar. La sensación de impotencia era casi inaguantable. Basándose en el movimiento del barco, calculó que la altura de las olas superaba los treinta metros, y que se desplazaban con la potencia de un tren de mercancías. Eran las olas que circundaban el planeta empujadas por los vientos y sin tocar ninguna costa, sino creciendo sin cesar. Eran las olas de los *screaming sixties*, las mayores de la Tierra. De momento al *Rolvaag* solo lo salvaba una cosa: su tamaño. Cada vez que se subía a una ola, el ruido del viento se volvía más agudo. Al llegar a la cresta vibraba y zumbaba toda la superestructura, como si los vientos trataran de decapitar el barco. A continuación siempre se producía una sacudida, y el barco se escoraba lenta y trabajosamente. Ola tras ola, la crónica de la batalla se leía en el inclinómetro: diez grados, veinte, veinticinco. En los momentos en que el ángulo era crítico, aquel instrumento, de por sí tan insignificante, se convertía en el centro de todas las miradas. Luego pasaba la cresta de la ola, y Britton aguardaba a que se recuperase el barco. Era lo más angustioso. Y sin embargo siempre se recuperaba, primero de manera imperceptible y después cada vez más deprisa, hasta que, de tanto enderezarse, parecía que la inercia lo inclinase en dirección contraria a la ola, lo cual resultaba igualmente angustioso. El proceso se repetía con una cadencia cruel e interminable, pero nada podía hacer ella, ni nadie del barco.

Britton encendió los focos de la superestructura de proa para comprobar el estado de la cubierta principal. Casi todos los contenedores y varios pescantes se habían soltado de las amarras y se habían caído por la borda, pero la puerta mecánica y las escotillas del tanque eran sólidas. Seguía entrando agua por el boquete que había hecho el proyectil cerca de los posteleros, pero lo compensaban las bombas. El *Rolvaag* era una embarcación de sólida factura, que, de no ser por el enorme peso que llevaba, habría capeado sin problemas la tempestad.

A las siete la tormenta ya era de fuerza 10, con ráfagas de hasta cien nudos. Cuando pasaba una ola debajo del barco, la fuerza del viento que penetraba en el puente amenazaba con expulsarles a todos a la oscuridad. Ninguna tormenta podía mantener mucho tiempo aquella intensidad. Britton confiaba en que amainase pronto. Sí, seguro que sí.

Miraba y remiraba, irracionalmente, los periscopios de superficie, buscando un contacto que pudiera anunciar un rescate; pero estaban llenos de rayas, y más que nada recogían ecos de mar. A cada cresta de ola cobraban suficiente nitidez para mostrar un campo de pequeños icebergs que quedaba unas ocho millas a proa. Entre el barco y el campo de icebergs solo había una isla de hielo, menor que las que habían dejado atrás pero de varios kilómetros de largo. Cuanto más hacia el hielo se viera arrastrado el barco, menores serían las olas; claro que en contrapartida habría que hacer frente a más hielo.

Al menos el GPS estaba despejado y funcionaba bien. Se hallaban unas ciento cincuenta millas al noroeste de las Shetland del Sur, una hilera de montañas deshabitadas que surgían como colmillos del Antártico entre arrecifes y corrientes asesinas. Detrás quedaba el estrecho de Bransfield, y más allá hielo flotante y la costa brutal de la Antártida. A medida que se acercasen a ella amainaría el oleaje, pero empeorarían las corrientes. Ciento cincuenta millas… si el rescate pudiera salir de Georgia del Sur a las seis de la mañana… Todo dependía de lo de la bodega.

Se le ocurrió pedirle a Glinn un informe sobre la situación, pero se dio cuenta de que no lo quería. Glinn había estado igual de callado que ella. Se preguntó qué pensaba. Al menos ella podía interpretar el movimiento del barco. Los demás debían de estarlo viviendo como simple y puro terror.

El barco inició un movimiento fortísimo, pero, faltando poco para la cresta de la ola, Britton notó algo raro, una especie de temblor. Al mismo tiempo, Glinn se puso la radio en el oído y prestó gran atención. Vio que ella le miraba.

—Es Garza —dijo—. Con esta tormenta no se le oye.

La capitana se dirigió a Howell.

—Páselo a los altavoces a máximo volumen.

De repente la voz de Garza retumbó por la sala.

—¡Eli!

La amplificación prestaba tonos bruscos y desesperados al pánico de su voz. Britton oyó un ruido de fondo hecho de chirridos metálicos.

—Estoy aquí.

—¡Están fallando los travesaños principales!

—Seguid trabajando.

Britton se sorprendió de la tranquilidad de la voz de Glinn.

El barco volvió a escorarse.

—Eli, se desmonta demasiado deprisa para poder…

El balanceo se agravó, y la voz de Garza quedó ahogada por otro chirrido de metal.

—Manuel —dijo Glinn—, Rochefort diseñó la red sabiendo lo que se hacía. Es mucho más fuerte de lo que te crees. Id paso por paso.

El barco seguía ladeándose.

—¡Eli, la roca! ¡Se mueve! No puedo...

La comunicación se cortó.

El barco quedó inmóvil, vibró por toda la estructura y empezó a enderezarse. Britton volvió a notar lo mismo de antes, una especie de pausa, como si el barco hubiera topado con algo.

Glinn miraba el altavoz, que al poco rato crepitó. Volvió a oírse la voz de Garza.

—¿Eli? ¿Me oyes?

—Sí.

—Me parece que se ha movido un poco, pero que ha vuelto a ponerse como estaba.

Glinn estuvo a punto de sonreír.

—¿Ves cómo exageras, Manuel? Tranquilo. Concéntrate en los puntos críticos y deja que se suelten los otros. Aplica un criterio de selección. En esa red hay una cantidad tremenda de redundancia. Doble previsión. Tenlo presente.

—Vale.

El barco inició otro balanceo, un movimiento lento, chirriante y angustioso. Britton volvió a notar la pausa de antes, seguida por algo diferente... y de mal agüero.

Miró a Glinn y después a Lloyd, dándose cuenta de que no lo habían notado. Ella había percibido la manera con que el movimiento del meteorito afectaba por entero al barco. En la cresta de la última ola, y a pesar de su tamaño, el *Rolvaag* había estado a punto de pivotar. Se preguntó si eran imaginaciones suyas. Mientras el barco se hundía en la calma antinatural de la hondonada, y volvía a levantarse, Britton se mantuvo a la espera. Encendió las luces de la cubierta principal, y las que daban al mar, porque quería ver la conformación del barco en el agua. Subía y temblaba como si quisiera sacudirse el lastre de encima, soltando agua negra por los imbornales. El movimiento ascendente hizo que volviera a quejarse el objeto que había en la bodega. El barco empezó a subir por el largo flanco de la ola, y a vibrar por efecto del viento que le venía de frente. La proa se clavó en el agua de la cresta, y el quejido se convirtió en un chillido de metal y madera que reverberó por la osamenta del barco. En efecto: al llegar al punto más alto, el *Rolvaag* hizo el mismo movimiento de mal agüero, un bandazo que estuvo a punto de convertirse en giro. Volvió a reposar en el agua, pero antes de recuperarse vacilaba, que era lo peor.

Una vez, durante una tormenta espantosa, Britton había visto romperse un barco. El casco se había partido con un ruido brutal, y el agua negra, enardecida, había inundado de inmediato los compartimientos más recónditos. La oportunidad de abandonar el barco no se le había brindado a nadie. Todos habían sido succionados hacia las profundidades. Era un recuerdo que seguía quitándole el sueño.

Miró a Howell de reojo. Él también se había dado cuenta del retraso con que se enderezaba el petrolero, y la miraba fijamente con el cuerpo en tensión y los ojos muy abiertos, igual de blancos que la cara. Britton nunca le había visto tan asustado.

—Capitana… —empezó el primer oficial, pero se le quebró la voz.

Ella le hizo señas de que no dijera nada. Ya había adivinado sus palabras, y le correspondía a ella pronunciarlas.

Miró a Glinn. Conservaba en el rostro una confianza y una serenidad extrañas. Tuvo que apartar la vista. Era un hombre de muchos conocimientos, pero no sentía los barcos.

El *Rolvaag* estaba a punto de partirse.

Iniciaron el descenso entre dos olas, con la correspondiente y brusca interrupción del viento. Britton aprovechó la oportunidad para mirar en derredor: Lloyd, McFarlane, Amira, Glinn, Howell, Banks y los demás oficiales de guardia. Estaban todos callados, mirándola. Esperaban que actuase, que hiciera algo para salvarles la vida.

—Señor Lloyd —dijo.

—¿Qué?

Lloyd se acercó con ganas de ayudar.

El barco quedó a merced de otra ola que hizo temblar horriblemente las consolas y ventanas. Al menguar el sonido, e iniciarse el descenso, Britton pudo volver a respirar.

—Señor Lloyd —repitió—, hay que soltar el meteorito.

Rolvaag
19.00 h

Al oírlo, McFarlane notó algo raro en el estómago. Fue como si su cuerpo sufriera una descarga eléctrica. Jamás. Era imposible. Intentó sacudirse el mareo y el miedo de los últimos minutos de angustia.

—Ni hablar —oyó decir a Lloyd.

Fueron palabras dichas en voz baja, tanto que casi se las tragó el estruendo de la tormenta, pero estaban dotadas de una convicción enorme. Cayó el silencio en el puente: el barco seguía hundiéndose en la calma sobrenatural del espacio entre olas.

—Soy la capitana del barco —dijo Britton sin alterarse—. Están en juego las vidas de mi tripulación. Señor Glinn, le ordeno que ponga en marcha la compuerta de seguridad. Es una orden.

Tras una brevísima vacilación, Glinn se giró hacia la consola de EES.

—¡No! —exclamó Lloyd, sujetándole el brazo con fuerza—. Como toques el ordenador te mato con mis propias manos.

Glinn se liberó con un gesto rápido y enérgico que hizo perder el equilibrio a Lloyd, el cual tropezó y volvió a incorporarse jadeando. Una vez más se inclinó el barco, y un crujido metálico recorrió el casco de punta a punta. Se quedaron todos quietos, cogiéndose a lo que tuvieran más cerca.

—¿Lo oye, señor Lloyd? —preguntó Britton, forzando la voz para vencer el estrépito de la tormenta—. ¡Me está destrozando el barco, el muy cabrón!

—Glinn, apártate del teclado.

—¡La capitana ha dado una orden! —exclamó Howell con voz aguda.

—¡No! ¡El único que tiene la llave es Glinn, y no lo hará! ¡No puede! ¡Sin mi permiso no puede! ¿Me oyes, Eli? Te ordeno que no pongas en marcha la compuerta de seguridad.

De repente Lloyd se acercó al ordenador y se interpuso entre él y los demás.

Howell dio media vuelta.

—¡Seguridad! Cojan a este hombre y sáquenle del puente.

Britton levantó la mano.

—Señor Lloyd, apártese del ordenador. Señor Glinn, ejecute mi orden.

El barco había empezado a escorarse todavía más. Su acero empezó a crujir de manera pavorosa, un crujido cada vez más agudo de metal rompiéndose, que quedó cortado en seco al enderezarse el casco.

Lloyd se cogió al ordenador con ojos de desquiciado.

—¡Sam! —exclamó, concentrándolos en McFarlane.

Este lo había observado todo en silencio y casi paralizado por el conflicto de emociones: miedo por su vida y deseo de la roca y sus ilimitados misterios. Prefería hundirse con ella a renunciar. O casi.

—¡Sam! —Ahora el tono de Lloyd era casi de súplica—. Aquí el científico eres tú. Explícales tus investigaciones, la isla de estabilidad, el elemento nuevo… —Empezaba a ponerse incoherente—. Diles por qué es tan importante. ¡Diles por qué no pueden soltarla!

McFarlane notó una presión en la garganta, y por primera vez se dio cuenta de lo irresponsable que había sido zarpar con la roca. Ahora, si se hundía, caería en los fangos abisales; una caída de tres mil metros de la que no regresaría. De cara a la ciencia sería una pérdida catastrófica. Era inconcebible, en efecto.

Recuperó el habla.

—Lloyd tiene razón. Podría ser el descubrimiento científico más importante de la historia. No se puede soltar.

Britton le miró.

—Ya no hay alternativa. Está claro que el meteorito se hundirá sin remedio. Por lo tanto, solo queda una pregunta: ¿vamos a dejar que nos lleve en él?

Rolvaag
19.10 h

McFarlane miró todas las caras: la de Lloyd, tensa y expectante; la de Glinn, inescrutable; la de Rachel, donde se leía el mismo conflicto; y la de Britton, imbuida de profunda convicción. El aspecto del grupo, con hielo formándose en el pelo y cortes en la cara por el impacto de las esquirlas, era lamentable.

—Podemos abandonar nosotros el barco —dijo Lloyd con voz de pánico—. ¡Que vaya solo a la deriva! Total, ya lo está. No es imprescindible soltar la roca.

—Con un mar así, botar las lanchas salvavidas sería un suicidio —contestó Britton—. ¡Pero si estamos a bajo cero!

—No se puede soltar así como así —continuó Lloyd, ahora desesperado—. Sería un crimen contra la ciencia. Estamos reaccionando de manera exagerada. ¡Con todo lo que hemos pasado! ¡Glinn, caray, dile tú que exagera!

Pero Glinn no dijo nada.

—Conozco mi barco —se limitó a señalar Britton.

Lloyd, enloquecido, alternaba amenazas y ruegos. Volvió a mirar a McFarlane.

—¡Alguna manera tiene que haber, Sam! Explícales el valor científico que tiene, que es insustituible...

McFarlane miró la cara de Lloyd, demacrada bajo las luces naranja de emergencia. Le atenazaban las náuseas, el miedo y el frío. No podían soltarlo. Se le vio en suspenso. Pensó en Nestor, y en lo que significaba morir; se imaginó una caída interminable en aguas negras y frías, y de repente tuvo mucho, mucho miedo de morirse. Era un miedo tan poderoso que venció cualquier resistencia y usurpó el funcionamiento intelectual de su cerebro.

—¡Sam! ¡Díselo, caramba!

McFarlane intentó decir algo, pero el viento arreciaba y fueron palabras inaudibles.

—¿Qué? —exclamó Lloyd—. ¡Escuchad todos a Sam! Sam...

—Que lo suelten —dijo McFarlane.

Lloyd puso cara de incredulidad y se quedó un momento sin habla.

—Ya ha oído a la capitana —dijo McFarlane—. Se hundirá pase lo que pase. Ya no tiene remedio.

Quedó abrumado por un sentimiento de pérdida. Notando calor en las comisuras de los ojos, se dio cuenta de que eran lágrimas. Perdían tanto...

De repente Lloyd le dio la espalda y le abandonó por Glinn.

—¿Eli? ¡Eli! Tú nunca me has fallado. Siempre tienes algún truco en la manga. Ayúdame, por favor. No dejes perder la roca.

Su voz había adquirido un tono patético de imploración. Le estaban viendo desmoronarse en público.

Glinn se quedó callado, mientras el barco volvía a escorarse. A imitación de Britton, McFarlane miró el inclinómetro. El viento que entraba por las ventanas rotas les impidió seguir hablando. De pronto volvió a oírse el mismo ruido escalofriante de cuando la ola anterior. El *Rolvaag* quedó indeciso en un ángulo de treinta grados. Todos se aferraban a algo con desespero. McFarlane lo hizo al pasamanos de un mamparo. Ahora el miedo le ayudaba a despejarse la cabeza y olvidarse de la pena. Solo quería una cosa: librarse del meteorito.

—Enderézate —oyó murmurar a Britton—. ¡Enderézate!

El barco seguía escorado tercamente a babor. El puente quedaba tan suspendido sobre el mar que McFarlane, debajo de las ventanas, solo veía agua negra. Le arrebató una sensación de vértigo. Luego, con una sacudida gigantesca, empezó a corregirse la inclinación.

En cuanto estuvo nivelado el puente, Lloyd soltó el ordenador con una mezcla de miedo, rabia y frustración en la cara. McFarlane leyó en ella un miedo igual al suyo, un miedo que también le aclaraba las ideas e iluminaba la única alternativa racional.

—De acuerdo —dijo finalmente Lloyd—, soltadlo. —Y hundió la cara entre las manos.

Britton se dirigió a Glinn.

—Ya le has oído. Suéltalo, y sin perder un segundo.

La tensión de su voz no encubría una nota de alivio.

Lentamente, con movimientos casi mecánicos, Glinn se sentó a la consola de EES y apoyó los dedos en el teclado. A continuación miró a McFarlane.

—Una pregunta, Sam: si el meteorito reacciona a la salinidad, ¿qué pasará cuando entre en contacto con el mar de debajo del barco?

McFarlane se sobresaltó. Con tanto alboroto no se había detenido a meditarlo. Pensó deprisa.

—El agua marina es conductora —contestó—. Atenuará la descarga del meteorito.

—¿Seguro que no subirá hacia el barco?

McFarlane titubeó.

—No.

Glinn asintió.

—Ya.

Aguardaron. No se oía ruido de teclas. Glinn estaba delante del teclado, encorvado y sin moverse.

Volvió a reinar el silencio, mientras el barco se hundía entre dos olas.

Glinn giró a medias la cabeza con los dedos encima de las teclas.

—Es un paso innecesario —dijo tranquilamente—. Y demasiado peligroso.

Sus manos, largas y blancas, se apartaron de las teclas. Se levantó y les miró.

—El barco sobrevivirá. Rochefort nunca fallaba. No hace ninguna falta usar la compuerta de seguridad. En este caso estoy de acuerdo con el señor Lloyd.

Sus palabras produjeron tal impresión que todos se quedaron callados.

—Cuando el meteorito entre en contacto con el agua de mar, la explosión podría hundir el barco —añadió Glinn.

—Ya le he dicho que la carga se dispersará por el agua —dijo McFarlane.

Glinn apretó los labios.

—Es una simple conjetura. No podemos arriesgarnos a que se estropeen las compuertas. Si no pueden cerrarse se inundará el tanque.

Intervino Britton:

—Lo que está claro es que si no soltamos el meteorito se hundirá el *Rolvaag*. ¿No lo entiendes, Eli? No duraremos ni una docena más de olas.

El barco empezó a escalar por la siguiente.

—Sally, eres de quien menos esperaría una reacción de pánico. —La voz de Glinn era tranquila y segura—. Esto se puede superar.

Se oyó suspirar a Britton.

—Eli, conozco mi barco. ¡Caray, que esto está en las últimas! ¿No te das cuenta?

—En absoluto —dijo Glinn—. Ya ha pasado lo peor. Confía en mí.

La palabra «confiar» quedó flotando en el aire, mientras se acentuaba la oscilación del barco. En el puente era tal la conmoción que parecían todos paralizados. Glinn era el centro de todas las miradas. El barco, sin embargo, se movía.

Se oyó la voz de Garza por el altavoz, subiendo y bajando de volumen.

—¡Eli! ¡Están fallando los andamios! ¿Me oyes? ¡Se rompen!

Glinn se giró hacia el micrófono.

—Seguid, que ahora bajo.

—Eli, se está desmontando la base de la red. Hay trozos de metal por todas partes. Tengo que sacar a los hombres.

Britton habló por el intercomunicador.

—¡Señor Garza! Al habla la capitana. ¿Sabe cómo funciona la compuerta de seguridad?

—La he montado yo.

—Pues acciónela.

Glinn seguía impasible. McFarlane le miraba intentando comprender su cambio repentino. ¿Tenía razón Glinn? ¿Era posible la supervivencia del barco (y del meteorito)? A continuación miró de reojo a los oficiales, y obtuvo distinta versión de sus miradas de terror. El barco llegó a la cresta de la ola, giró, tembló y volvió a hundirse.

—La compuerta se tiene que poner en marcha por el ordenador de EES que hay en el puente —dijo Garza—. Los códigos los tiene Eli…

—¿Se puede hacer manualmente? —preguntó Britton.

—No. ¡Eli, por lo que más quieras, date prisa! Esto dentro de nada hará un boquete en el casco.

—Señor Garza —dijo Britton—, ordene a sus hombres que abandonen sus puestos.

—Revoco la orden —dijo Glinn—. Aquí no va a fallar nada. Seguid trabajando.

—Imposible. Nos marchamos.

Se cortó la comunicación.

Glinn estaba pálido. Miró por el puente. El barco descendió entre dos olas, y se hizo el silencio.

Britton se acercó a él y le apoyó una mano en el hombro.

—Eli —dijo—, estoy segura de que eres capaz de admitir el fracaso. Sé que eres lo bastante valiente. Ahora mismo eres el único capaz de salvarnos, a nosotros y al barco. Pon en marcha la compuerta de seguridad. Te lo pido por favor.

McFarlane vio que movía la otra mano y estrechaba la de Glinn, que flaqueó.

De repente Puppup apareció en el puente, silencioso. Estaba empapado y volvía a llevar los harapos del principio. McFarlane quedó sobrecogido por su expresión de extraño entusiasmo, como si esperara algo.

Glinn sonrió y apretó la mano de Britton.

—¡Qué tontería, Sally! La verdad, me decepcionas. ¿No te das cuenta de que no podemos fallar? Lo hemos planeado todo demasiado a conciencia. No hace falta poner en marcha la compuerta de seguridad. De hecho, en estas circunstancias sería incluso peligroso. —Miró a los demás—. No os critico, a ninguno. La situación es complicada, y es comprensible que reaccionéis con miedo, pero pensad en lo que acabamos de superar, y en que ha sido obra casi exclusivamente mía. Os prometo que la red aguantará, y que el barco capeará la tormenta. Lo que está claro es que ahora no se puede renunciar por algo tan lamentable como que fallen los nervios.

McFarlane vaciló, y se le encendió una chispa de esperanza. Quizá tuviera razón Glinn. Era tan convincente, y estaba tan seguro de sí mismo… Había tenido éxito en las circunstancias más inverosímiles. Vio que Lloyd tenía las mismas ganas de dejarse convencer.

El navío subió y se escoró. Todos se cogieron al asidero que tenían más a mano y la conversación quedó interrumpida. Se repitió el mismo coro de chirridos y ruidos de metal rompiéndose, coro que fue subiendo de volumen hasta anegar, incluso, la furia de la tempestad. En ese momento McFarlane se dio cuenta cabal, irrevocable, del error en que estaba Glinn. Al llegar a la cresta, el barco tembló como si hubiera un terremoto. Parpadearon las luces de emergencia.

Tras un momento de angustia, el barco se enderezó y bajó de la cresta de la ola. En el puente silbó una ráfaga de viento, pero solo una antes de que volviera el silencio.

—Glinn, capullo, esta vez te equivocas —dijo Lloyd, en quien volvía a surtir todo su efecto el terror—. Da la orden.

Glinn sonrió de manera casi despectiva.

—Perdone, señor Lloyd. Soy el único que tiene los códigos, y voy a salvarle otra vez el meteorito a pesar de usted.

De pronto Lloyd embistió a Glinn con un grito ahogado. Glinn le esquivó ágilmente y, mediante un simple revés de la mano, le hizo rodar jadeando por la cubierta.

McFarlane dio un paso hacia él. Glinn se giró con ligereza y le plantó cara. Tenía los ojos tan impenetrables y opacos como de costumbre. McFarlane comprendió que no cambiaría de parecer. Era una persona que no fallaba, y moriría demostrándolo.

Britton miró al primer oficial, y al verle la cara McFarlane supo que había tomado una decisión.

—Señor Howell —dijo ella—, que abandone todo el mundo sus puestos. Vamos a evacuar el barco.

La sorpresa hizo contraerse un poco los párpados de Glinn, que sin embargo no dijo nada.

Howell se volvió hacia él.

—Nos manda a una muerte segura. Con este tiempo, y en botes salvavidas… Está loco.

—Puede que sea la única persona cuerda que queda en el puente.

Lloyd se levantó del suelo, dolorido, mientras el barco volvía a ascender. No miró a Glinn.

Este dio media vuelta y abandonó el puente inclinado sin añadir nada más.

—Señor Howell —dijo Britton—, que suba toda la tripulación a los botes. Si no vuelvo en cinco minutos, asumirá usted las funciones de capitán.

También se volvió y desapareció.

Rolvaag
19.35 h

Eli Glinn estaba en la pasarela de hierro encima del tanque central número tres. Oyó un eco metálico, debido a que Puppup cerraba la escotilla de salida al corredor, y se sintió agradecido al indio, última persona leal después de fallarle todos, incluida Sally.

Le había afectado mucho la escena de histeria del puente. Después de haber tenido éxito en todas las ocasiones, lo lógico era que confiaran en él. Sonaba a lo lejos el eco fantasmal y molesto de una sirena. En las próximas horas morirían muchos en la tormenta, y sin necesidad. Si de algo estaba seguro era de que el *Rolvaag* sobreviviría, con cargamento y las personas que quedaran en él. Al alba, cuando la tormenta fuera un simple recuerdo, serían recibidos por las autoridades de Georgia del Sur. El *Rolvaag* volvería a Nueva York con el meteorito. Lástima que se quedara tanta gente en el camino.

Volvió a pensar en Britton. Magnífica mujer. Le provocaba gran tristeza pensar que al final le hubiera fallado su confianza. No volvería a encontrar otra igual. Estaba convencido. Le salvaría el barco, pero se habían cerrado las puertas de una relación personal.

Se apoyó en el mamparo longitudinal y comprobó con vaga sorpresa que tardaba mucho en volver a respirar normalmente. Se asió al mamparo, porque el barco se escoraba; en ángulo sin duda alarmante, pero muy por debajo del límite crítico de treinta y cinco grados. Oyó ruido de arrastrarse cadenas, y chirridos de metal bajo sus pies, hasta que el barco volvió a enderezarse vibrando. Después de todo lo que había hecho (de aquella sucesión insólita de éxitos por él urdida), era doloroso que se negaran a depositar por última vez su confianza en él. Menos Puppup. Miró al viejo de reojo.

—¿Qué, jefe? ¿Piensa bajar?

Glinn asintió.

—Necesitaré que me ayude.

—A eso vengo.

Se arrimaron a la baranda. El meteorito estaba debajo, con lonas de plástico envolviendo la parte superior de la red. Las luces de emergencia lo bañaban de una luz escasa. El tanque aguantaba muy bien, y estaba seco. Gran barco. La diferencia estaba en el triple casco. Hasta tapada con lonas presentaba la roca un magnífico aspecto: el epicentro de los miedos y esperanzas de todos. Descansaba en el andamio, como había previsto él.

A continuación posó la mirada en los puntales y las vigas. Había que reconocer que había muchos destrozos: barras torcidas, fracturas de compresión, metal desgarrado... Los soportes transversales de la base del tanque habían quedado sembrados de remaches rotos, cadenas partidas y astillas de madera, y se oía un crujido de fondo, pero lo esencial de la red permanecía intacto.

Lo que estaba estropeado era el ascensor. Empezó a bajar con pies y manos.

El barco se levantó y volvió a ladearse.

Glinn guardó el equilibrio y reanudó el descenso, que duró más de lo esperado. Al llegar al fondo tenía la sensación de estar más horizontal que vertical; más de bruces en la escalerilla que sujeto a ella. Pasó el brazo por detrás de un peldaño y esperó a que pasara lo peor. Ahora debajo de las lonas se veía el flanco rojo de la roca. Los ruidos de la bodega iban en aumento, como una sinfonía infernal de metal, pero no significaban nada. Faltando poco para la cresta de la ola, se sacó el reloj del bolsillo, extendió el brazo y cogió la punta de la cadenilla a fin de calcular la oscilación. Veinticinco grados, muy por debajo del valor crítico.

De repente oyó una especie de murmullo, y tuvo la impresión de que la curva roja y enorme del meteorito se movía. El barco siguió escorándose, y el meteorito se desplazó con él hasta que Glinn no estuvo seguro de cuál de los dos movimientos, el del meteorito y el del barco, era la causa del otro. Ahora parecía que la roca estuviera en equilibrio al borde del andamio y a punto de salirse. Se oyó un crujido de romperse algo. Veintisiete grados. Veintiocho.

El barco sufrió una sacudida, quedó en suspenso y empezó a enderezarse. Glinn volvía a respirar. Veintiocho grados. Quedaba mucho margen. El meteorito volvió a rodar con una monstruosa vibración. El chirrido metálico cesó de manera abrupta. Al hundirse el barco entre dos olas, se atenuó el fragor del viento y el agua al otro lado del casco.

Los ojos de Glinn inspeccionaron el tanque. Lo principal era tensar las cadenas que quedaban más cerca del meteorito. Estaban diseñadas para que pudiera hacerlo una persona sola con ayuda de un dispositivo motorizado con anclaje en cada punto de tensión. Le sorprendió que no lo hubiera hecho Garza.

Se dio prisa en llegar al punto de tensión principal y encender el dispositivo. El motor respondió perfectamente, como no podía ser menos.

La hondonada entre olas le dio tiempo y estabilidad suficientes para trabajar.

Bajó la palanca delantera del dispositivo y le satisfizo ver que volvían a tensarse las cadenas con recubrimiento de caucho que se habían soltado con el balanceo del meteorito. ¿Por qué no lo había hecho Garza? Estaba claro: por culpa del pánico. Fueron segundos de desilusión, porque hasta entonces su jefe de construcción siempre le había merecido la mayor confianza. No era típico de Garza. A Glinn le había fallado mucha gente, cosa que no podía decirse de él. Algo era algo.

Las cadenas se tensaban bien. Se giró hacia Puppup.

—Acérqueme la caja de herramientas —dijo, señalando una que se había dejado Garza.

El barco empezó a trepar por otra ola y a escorarse. Comenzaron a tensarse las cadenas, hasta que se soltaron con un ruido como de carraca. Glinn escrutó la penumbra y vio que de hecho Garza lo había intentado. Estaban rotos los engranajes del dispositivo motorizado y se había partido el cabezal del trinquete de acero de diez centímetros. El dispositivo no servía de nada.

La nave subía y subía. De repente oyó una voz arriba, salió de debajo de la red y levantó la cabeza.

Era Sally Britton, a punto de cruzar la escotilla y pisar la pasarela. Sus movimientos poseían la misma dignidad innata que tanto había impresionado a Glinn al conocerla. ¡Cuánto tiempo desde que la había visto al sol, bajando por aquellos escalones! Le dio un salto inesperado el corazón. Sally había cambiado de parecer e iba a quedarse a bordo.

Se produjo un balanceo largo y chirriante que obligó a la capitana a quedarse quieta. Ella y Glinn se miraron fijamente, mientras el meteorito bailaba en su andamio y el barco protestaba. En cuanto pudo, Britton exclamó:

—¡Eli! ¡El barco está a punto de partirse!

Se sintió aguijoneado por la decepción. No, Sally no había cambiado de idea. En fin, no había que distraerse. Volvió a concentrarse en el andamio, y lo vio: la manera de fijar la roca era apretar el perno de la cadena superior. Para eso había que cortar la lona. Se trataba de una operación fácil, solo quince centímetros de tensado manual. Empezó a escalar por la cadena que le quedaba más cerca.

—¡Eli, por favor! Queda un bote de reserva para los dos. ¡Deja eso y ven!

Glinn trepaba, seguido por Puppup con la caja de herramientas. Tenía que centrar todos sus pensamientos en el objetivo, sin permitirse ninguna distracción.

Al llegar al punto más alto del meteorito, se llevó la sorpresa de que la lona ya tuviera un corte. Debajo el perno estaba flojo, según lo previsto. Mientras el barco salía de la hondonada y empezaba de nuevo a escorarse, Glinn fijó la llave inglesa a la tuerca, sujetó el tornillo con otra y empezó a enroscar.

No se movió nada. Glinn no se había dado cuenta (ni podía) de lo descomunal de la presión que sufría el tornillo.

—Aguante esta llave —dijo.

Puppup, obediente, la cogió con sus brazos nervudos.

El ladeamiento del barco se pronunció.

—Eli, vuelve conmigo al puente —dijo Britton—. Puede que aún haya tiempo de poner en marcha la compuerta. Quizá podamos sobrevivir los dos.

Glinn, en pleno forcejeo con el tornillo, levantó brevemente la mirada. El tono de la capitana no era de súplica. Habría sido impropio de ella. Glinn detectó paciencia, raciocinio y la más profunda convicción, lo cual le entristeció.

—Sally —dijo—, los únicos que van a morir son los insensatos que se suban a los botes. Si te quedas, sobrevivirás.

—Conozco mi barco, Eli —se limitó a decir ella.

Arrodillado y encorvado sobre el tornillo superior, Glinn luchaba con la tuerca. Lo había intentado alguien antes que él, porque en el metal había marcas recientes. Notó que al escorarse el barco se movía el meteorito. A fin de mejorar su equilibrio, afianzó los dos pies en los eslabones de la cadena. Empleó todas sus fuerzas, pero no se movía. Volvió a insertar la llave inglesa jadeando.

Y el navío seguía ladeándose.

La voz de Britton descendió de la oscuridad y se hizo oír sobre el estruendo.

—Eli, acepto tu invitación a cenar. De poesía no sé mucho, pero podría explicarte lo poco que sé. Me gustaría.

El meteorito tembló, y al moverse con el barco obligó a Glinn a sujetarse con ambas manos. Arriba había cuerdas atadas a las planchas del tanque. Se apresuró a enroscarse una a la muñeca para conservar su posición y volvió junto a la llave inglesa. Bastaba un cuarto de vuelta. El balanceo del barco se hizo más lento. Glinn volvió a coger la llave.

—Y podría enamorarme de ti, Eli…

Glinn interrumpió la operación y se quedó mirándola. Ella intentó decir algo más, pero el chirrido del metal, cada vez más agudo, llenó de ecos el gran espacio del tanque y ahogó su voz. Glinn solo distinguía su menuda silueta en la pasarela de arriba. Deshecha su rubia cabellera, se le había repartido por los hombros sin orden ni concierto, y a pesar de la poca luz resplandecía.

Mientras miraba, Glinn tuvo vaga conciencia de que el barco no estaba enderezándose. Apartó la vista de la capitana para fijarla en el tornillo, y después en Puppup. El indio enseñaba los dientes, y le caían gotas de agua por las puntas del bigote. Glinn se enfadó consigo mismo por no concentrarse en el problema que tenía entre manos.

—¡La llave inglesa! —pidió a Puppup, entre chirridos metálicos.

El navío estaba inclinadísimo, y el ruido de metal era ensordecedor. Deseando tener mejor pulso, Glinn se sacó el reloj del bolsillo para volver a calcular la inclinación. Lo sujetó por la cadena, pero oscilaba sin descanso. Intentando remediarlo le resbaló entre los dedos y se hizo pedazos en el flanco de la roca. Vio destellos de oro y cristal rebotando por la superficie roja y desapareciendo en las profundidades.

Justo entonces se acentuó de modo brutal la inclinación del casco, a menos que fueran imaginaciones suyas. No, no podía ser real. Habían introducido doble previsión, habían repetido los cálculos y habían previsto todas las posibilidades de que fallara algo.

En ese momento notó que el meteorito empezaba a moverse a sus pies y oyó el ruido de las lonas desgarrándose y de la red desmoronándose. De repente su campo de visión quedó inundado por el rojo del meteorito, como si se abriera una herida gigantesca; el color del meteorito cruzado en todos los sentidos por cuerdas y cables enredados, entre un vuelo y un rebote de remaches. La nave seguía ladeándose, pronunciándose el ángulo, pronunciándose... Glinn hacía esfuerzos desesperados por desatarse la cuerda de la cintura, pero el nudo era demasiado fuerte.

Lo siguiente fue un ruido indescriptible, como de abrirse a la vez el cielo y el abismo. El tanque se partió con un diluvio de chispas, y el meteorito (con un bamboleo de fiera pesada) rodó hacia la oscuridad llevándose consigo a Glinn. Quedó enseguida todo oscuro, y Glinn notó una ráfaga de aire frío...

Se oía un tintineo de copas y un murmullo de voces. Era un jueves por la noche, la temperatura era agradable y L'Ambroisie rebosaba de aficionados al arte y parisinos acaudalados. Tras la discreta fachada del restaurante, la luna pálida de otoño infundía brillos delicados al barrio del Marais. Glinn sonreía a Sally Britton, sentada al otro lado del mantel de damasco.

—Pruébalo —dijo cuando el camarero descorchó una botella de Veuve Cliquot y vertió un chorro frío en cada copa.

Cogió la suya y la levantó. Ella sonrió y dijo:

> ... *cómo se desentiende todo*
> *tranquilamente del desastre; el labrador quizá*
> *oyera el ruido de agua, el grito desolado,*
> *pero no le pareció un fracaso importante.*

Un fracaso importante...

Al mismo tiempo que se apoderaba la perplejidad de su ánimo, el recitado sucumbió a una risa repulsiva de Puppup. Fue antes de que se vaporizara todo en un puro fogonazo de luz brillante y hermosa.

Estrecho de Drake
19.55 h

McFarlane se aferraba con desesperación a las anillas de seguridad del bote salvavidas, capeando las cimas y valles de un mar alborotado con Rachel asida a su brazo. Los últimos veinte minutos habían sido de miedo y confusión: Britton saliendo del puente sin decir nada, Howell cogiendo el mando y ordenándoles que abandonasen el barco, la gente reunida al lado de los botes, la angustia de hacerles descender a un mar embravecido... Después de la tensión de varias horas perseguidos y en lucha contra la tormenta y el meteorito, aquella última calamidad había sucedido tan deprisa que parecía irreal. Por primera vez miró el casco interno de la lancha. De una pieza, su minúscula entrada y sus ventanillas todavía menores, parecía un torpedo más grande de lo normal. Howell estaba al timón. Dentro iban Lloyd y unas veinte personas en total, incluidos los cinco o seis cuya lancha se había soltado de los pescantes durante el arriamiento y que habían tenido que ser rescatados del gélido oleaje.

Se cogió con más fuerza mientras la embarcación caía en picado, chocaba con el agua y se veía impulsada bruscamente hacia lo alto. A diferencia del *Rolvaag*, que surcaba la tormenta, aquel barco de veinte metros cabeceaba como un corcho. Las vertiginosas caídas y brutales escaladas por acantilados de agua eran tan agotadoras como terroríficas. Estaban todos empapados de agua helada, y McFarlane vio que una parte de los que habían caído al mar se habían quedado inconscientes. Suerte de la presencia de Brambell, que les dispensaba todos los cuidados a su alcance.

En la proa del barco, un oficial ataba las provisiones y los equipos de salvamento. Debajo, en el agua, navegaba toda clase de escombros. Los pasajeros estaban todos mareados, y algunos no podían aguantarse las arcadas. La tripulación cumplía sus cometidos en absoluto silencio. El casco hermético de la lancha salvavidas abrigaba de los elementos, pero McFarlane notaba que la embarcación estaba siendo fustigada sin misericordia por un mar desatado.

Finalmente habló Howell, forzando la voz para que se le oyera sobre el estrépito del viento y el agua. Tenía una radio delante de la boca, pero hablaba para que le oyeran todos los de la embarcación

—¡Atención a todas las lanchas! Nuestra única posibilidad es poner rumbo a una isla de hielo que tenemos al sudeste, y colocarnos a sotavento. Mantengan rumbo uno dos cero a diez nudos, y no pierdan el contacto visual en ningún momento. Dejen abierto el canal tres. Activen los faros de emergencia.

A simple vista no se apreciaba que fueran a ninguna parte, pero había vuelto a salir la luna, y a ratos, por las ventanas estrechas y alargadas, McFarlane captaba destellos de luz de las otras dos embarcaciones, que en su avance por la trama de espuma del mar hacían lo posible por no perderse de vista las unas a las otras. Desde la cumbre de las gigantescas olas seguía distinguiéndose el *Rolvaag* a casi un kilómetro, oscilando como a cámara lenta y con el parpadeo de sus luces de emergencia. Desde la partida del grupo inicial de tres embarcaciones no había vuelto a salir ninguna más. McFarlane estaba hipnotizado por el espectáculo de aquel petrolero gigantesco a merced de una tormenta asesina.

Llegó otra ola y quiso levantarlo, pero esta vez el *Rolvaag* se rezagó casi como si estuviera atado por debajo, fue inclinándose en sentido contrario al flanco de la ola y, al pasarle encima la cresta, se ladeó con lentitud hasta quedar de costado. McFarlane miró a Lloyd de reojo. El semblante ojeroso del millonario evitaba orientarse hacia McFarlane y el *Rolvaag*.

Otra ola y la lancha salvavidas quedó inmersa en las aguas, hasta que regresó no sin trabajo a la superficie. McFarlane también habría querido desviar la mirada, pero volvió a sucumbir a la fascinación del petrolero, que seguía de costado y sin moverse. Ya le había pasado encima la cresta de la ola, pero seguía descendiendo a causa del peso ineludible que contenía. Empezó a asomar la popa por la ola en retirada. Un grito lejano y casi femenino horadó el aullido de la tormenta. Entonces, con una sacudida, la proa y la popa se separaron y surgieron del mar entre un hervor de espuma blanca. En el centro de la catástrofe brotó una luz azul de tal intensidad que pareció que iluminara el mar por debajo y le infundiera matices sobrenaturales. Rompió la superficie un chorro de espuma gigantesco, que formó un hongo y cubrió la nave condenada. Mientras tanto, en su interior se sucedían los relámpagos, que perforaban su parte superior y salían disparados hacia el cielo en forma de horcas. En ese momento volvió a hundirse la lancha salvavidas, interrumpiendo la pavorosa visión, y al reaparecer encontró un mar vacío y oscuro. El petrolero ya no estaba.

McFarlane se apoyó en el respaldo temblando y con náuseas. No se atrevía a mirar a Lloyd. Glinn, Britton, las tres docenas de hombres que sumaban la tripulación y el personal de EES y Lloyd Industries, hundidos con el barco... el meteorito a tres mil metros de profundidad... Cerró los ojos, y sus manos estrecharon todavía más a Rachel, que tiritaba. Nunca había tenido tanto frío, malestar y miedo.

Rachel murmuró algo ininteligible que le hizo inclinarse hacia ella.

—¿Qué has dicho?

Apretaba algo contra él.

—Toma —dijo—. Toma.

Tenía en las manos el CD-ROM con los datos de las pruebas al meteorito.

—¿Por qué? —preguntó él.

—Porque quiero que te lo quedes. Y que no lo pierdas nunca. Dentro están las respuestas, Sam. Prométeme que las encontrarás.

McFarlane se guardó el disco en el bolsillo. Era lo único que les quedaba: unos cuantos centenares de megabytes de datos. El meteorito estaba perdido para siempre. Ya se había enterrado en el limo abisal del fondo oceánico.

—Prométemelo —repitió Rachel.

Arrastraba las sílabas como si estuviera drogada.

—Te lo prometo.

McFarlane la estrechó con más fuerza, notando que le caían lágrimas calientes en las manos. El meteorito había desaparecido, y con él muchas personas, pero quedaban ellos dos, y siempre quedarían.

—Encontraremos las respuestas juntos —dijo.

La embarcación recibió el impacto de una ola que le hizo dar un bandazo y arrojó a McFarlane y Rachel por la cubierta. McFarlane oyó a Howell dando órdenes, en el mismo momento en que los azotaba otra ola y estaba a punto de volcarlos. La lancha volvió a chocar contra el agua.

—¡Mi brazo! —exclamó un hombre—. ¡Me he roto el brazo!

McFarlane ayudó a Rachel a volver a sentarse en el asiento acolchado, y a pasar los brazos por las anillas. Alrededor todo eran olas que les echaban agua por encima y en ocasiones los sumergían por entero.

—¿Cuánto falta? —vociferó alguien.

—Dos millas —contestó Howell, que pugnaba por mantener el rumbo—. Más o menos.

La lancha chorreaba agua en grandes cantidades por los ojos de buey, con el resultado de que solo en contadas ocasiones se vislumbraba la noche. A McFarlane empezaron a dolerle los codos, las rodillas y los hombros de tanto chocar con los lados y el techo de la pequeña embarcación. Hacía tanto frío que ya no notaba los pies. La realidad empezó a hacerse borrosa. Se acordó de un verano en un lago de Michigan, sentado varias horas en la playa con el culo en la arena y los pies en el agua. Claro que nunca había llegado a estar tan fría… Se dio cuenta de que el fondo de la embarcación empezaba a llenarse de agua de mar. La tormenta estaba descosiendo la lancha salvavidas.

Miró por la ventanita, y a unos cientos de metros vio las luces de las otras dos lanchas saltando por el mar. Cuando recibían una ola grande, la atravesaban con dificultad y giraban como peonzas, mientras los pilotos procuraban que no se volcasen y las hélices salían del agua y zumbaban como locas. Anonadado por el agotamiento y el miedo, vio girar las antenas y entrechocar los tanques de agua de cuarenta litros por la proa, dibujando semicírculos.

Entonces desapareció una de las embarcaciones. Segundos antes, con las luces de navegación parpadeando, se había metido en la enésima ola, pero de repente ya no estaba. Quedó sepultada y sus luces se apagaron como por el accionamiento de un interruptor.

—Señor, hemos perdido el faro de la lancha número tres —dijo el hombre de proa.

McFarlane apoyó la barbilla en el pecho. ¿Quién iba a bordo? ¿Garza? ¿Stonecipher? Ya no le respondía el cerebro. Ahora había una parte de él que deseaba hundirse igual de deprisa, que anhelaba un final rápido para aquella agonía. El agua del fondo cada vez tenía más profundidad. Se dio cuenta vagamente de que estaban hundiéndose.

Entonces el mar empezó a calmarse. Proseguía el cabeceo de la embarcación, a merced de un oleaje feroz, pero cesó la procesión interminable de montañas de agua por debajo, y amainó el viento.

—Estamos a sotavento —dijo Howell.

Tenía el pelo enredado y lacio, y el uniforme empapado debajo de la ropa para el mal tiempo. Por la cara le corrían regueros rosados de agua mezclada con sangre. Sin embargo, habló con voz firme. Volvía a tener la radio en la mano.

—¡Atención todo el mundo! Las dos embarcaciones hacen agua muy deprisa y no se mantendrán a flote mucho tiempo. Solo tenemos una alternativa: desplazarnos a la isla con la mayor cantidad de provisiones que podamos. ¿Me explico?

Los pasajeros que levantaron la cabeza fueron muy pocos. Parecía que ya no les importase. El faro de la lancha barrió la pared de hielo con su poca luz.

—Delante hay una pequeña cornisa de hielo. Ahora nos acercaremos. Lewis, el que está en la proa, les irá pasando suministros y les hará bajar deprisa de dos en dos. El que caiga al agua, que salga a toda prisa o morirá en cinco minutos. Venga, a moverse.

McFarlane cogió a Rachel para protegerla y se giró para mirar a Lloyd, recibiendo a su vez la mirada de angustia de unos ojos oscuros y hundidos.

—¿Qué he hecho? —susurró el millonario—. Dios mío, ¿qué he hecho?

Estrecho de Drake
26 de julio, 11.00 h

Amanecía en la isla de hielo.

McFarlane, que había tenido un sueño irregular, despertó con lentitud. Al fin levantó la cabeza, y el movimiento hizo crujir y caerse el hielo de su abrigo. Tenía alrededor a un grupo reducido de supervivientes, apiñados para aprovechar el calor. Algunos estaban tumbados de espaldas, con una capa de hielo en la cara y en los ojos abiertos. Otros, incorporados a medias o de rodillas, se movían igual de poco. Deben de estar muertos, pensó como en sueños. Habían emprendido el viaje cien personas. Ahora veía unas dos docenas.

Rachel estaba tumbada delante con los ojos cerrados. McFarlane hizo el esfuerzo de sentarse y se le cayó el hielo de las extremidades. Ya no hacía viento. Reinaba una calma sepulcral, con el ruido de fondo del oleaje atormentando el perímetro de la isla de hielo.

Tenía delante una meseta de hielo turquesa cortada por riachuelos que nacían al borde de la isla y, serpenteando hacia el interior, adquirían profundidad de cañones. Al este, el horizonte estaba manchado por una línea roja, como de sangre. También el mar, en la distancia, estaba manchado por icebergs azules y verdes, centenares de gemas que no se movían con el oleaje, y cuyas partes superiores reflejaban la luz matinal. Era un paisaje infinito de agua y hielo.

Tenía un sueño horroroso. Qué raro que ya no notara frío. Hizo el esfuerzo de despertarse del todo, y poco a poco se acordó: la llegada a la isla, la escalada a oscuras por una grieta, las tentativas desdichadas de encender una hoguera, el lento resbalar hacia la letargia… Y todo lo de antes, aunque en eso McFarlane no tenía ganas de pensar. De momento se le había reducido el mundo a los límites de aquella extraña isla.

En el punto más alto de esta no se apreciaba ninguna sensación de movimiento, sino una solidez de tierra firme. Al este continuaba la procesión de olas gigantes, si bien algo atenuada. Después del negro de la noche y del gris de la tempestad, se veía todo de color pastel: el hielo azul, el mar rosado y el cielo rojo y anaranjado. Era un bello y raro espectáculo, como de otro mundo.

Intentó ponerse de pie, pero sus piernas ignoraron la orden y lo único que hizo fue levantarse sobre una rodilla, que le falló enseguida. Experimentaba un cansancio tan profundo que solo evitó volver a quedarse tumbado mediante un esfuerzo mayúsculo de voluntad. Su cerebro, parcial y desdibujadamente, comprendió que se trataba de algo más que de cansancio. Era hipotermia.

Era necesario moverse. Había que levantar a los demás.

Se volvió hacia Rachel y la sacudió sin contemplaciones. Los ojos de ella, entrecerrados, lo miraron. Tenía los labios azulados, y hielo en el pelo negro.

—¡Rachel! —graznó—, Rachel, por favor, levántate.

Los labios de ella se movieron, pero fue puro aire sin sonido.

—¿Rachel?

McFarlane se agachó hasta oír sus palabras, sibilantes y fantasmales.

—El meteorito… —murmuró ella.

—Se hundió —dijo McFarlane—. Ahora no pienses en eso, que ya se ha acabado.

Ella meneó débilmente la cabeza.

—No… no es lo que crees…

Cerró los ojos, y McFarlane volvió a sacudirla.

—Tengo tanto sueño…

—No te duermas, Rachel. ¿Qué decías? —Rachel divagaba, pero McFarlane se dio cuenta de la importancia de mantenerla despierta y hablando. Le propinó otra sacudida—. El meteorito, Rachel. ¿Qué le pasa?

Los ojos de ella se entreabrieron y miraron hacia abajo. Lo mismo hizo McFarlane, pero no había nada que ver. La mano de ella tembló un poco.

—Mira… —dijo.

McFarlane se la cogió y le quitó el guante, que estaba empapado y medio congelado. También la mano de Rachel sufría un proceso de congelación, hasta el extremo de que se le habían emblanquecido la punta de los dedos. McFarlane intentó masajearlos, y la mano se relajó. Dentro había un cacahuete.

—¿Tienes hambre? —preguntó McFarlane, viéndolo rodar hacia la nieve.

Rachel volvió a cerrar los ojos, y esta vez McFarlane no consiguió despertarla. La estrechó entre sus brazos, y le notó el cuerpo pesado y frío. Al volverse en busca de ayuda, vio a Lloyd tumbado en el hielo.

—¿Lloyd? —susurró.

—Qué —pronunció una voz bronca.

—Tenemos que movernos.

McFarlane notaba que empezaba a faltarle el aliento.

—No me interesa.

Volvió a girarse para dar otra sacudida a Rachel, pero ahora tenía dificultades, no ya en aplicar fuerza con el brazo, sino en moverlo. En cuanto a ella, estaba inerte. Le pareció demasiada pérdida para poder asimilarla. Miró los cuerpos inmóviles, brillantes por la fina capa de hielo. Estaba el médico, Brambell, con un libro bajo el brazo en un ángulo incongruente. Estaba Garza con las vendas de la cabeza escarchadas. También estaba Howell, y dos o tres docenas más, ninguno de los cuales se movía. De repente descubrió que le importaba, y mucho. Tuvo ganas de gritar, de levantarse él y levantar a la gente a base de patadas y puñetazos, pero ni siquiera tenía fuerzas para hablar. Eran demasiados para calentarles a todos. Ni siquiera podía calentarse a sí mismo.

Experimentó una sensación extraña y turbia que lo confundió un poco. Se insinuaba la apatía. Pensó: Moriremos todos aquí, pero qué más da. Miró a Rachel e intentó sacudirse aquella niebla de la cabeza. Ahora ella tenía los ojos entreabiertos y solo se le veía la parte blanca. La cara estaba gris. A donde fuese ella también iría él. Qué más daba. Cayó del cielo un copo de nieve aislado que tocó los labios de Rachel y tardó en fundirse.

Volvió la opacidad, y esta vez fue bienvenida, porque se parecía a volver a dormir en brazos de su madre. En el momento de sumirse en un sueño delicioso, oía constantemente la voz de Rachel: «No es lo que crees. No es lo que crees».

De repente cambió la voz. Se hizo más fuerte y metálica. «Aquí Georgia del Sur. Les tenemos a la vista. Nos acercamos para rescatarles.»

Apareció una luz en las alturas, junto con un traqueteo y golpes rítmicos. Voces, una radio. McFarlane se resistió a todo. ¡No, no, dejadme dormir! ¡Dejadme en paz!

Y entonces comenzó el dolor.

Isla de Georgia del Sur
29 de julio, 12.20 h

Palmer Lloyd estaba en el barracón de enfermería de la base científica británica, en una litera de contrachapado y mirando el techo, que era del mismo material: curvas interminables de madera más clara o más oscura, dibujos que habían recorrido mil veces sus ojos en los últimos días. Percibió el olor de la comida rancia que tenía al lado de la cama desde la hora del almuerzo. Oyó el silbido del viento al otro lado del ventanuco por donde se veían los campos de nieve azules, las montañas azules y los glaciares azules de la isla.

Desde el rescate habían pasado tres días. Había muerto mucha gente, tanto en el barco como en las lanchas salvavidas y la isla de hielo. «Y solo uno vivo, los demás han muerto / de sesenta que eran al zarpar del puerto.» El refrán marinero de *La isla del tesoro* se le repetía en la cabeza como desde que había recuperado la conciencia en aquella misma cama.

Había sobrevivido. Al día siguiente un helicóptero le llevaría a las Malvinas, desde donde emprendería el regreso a Nueva York. Tuvo vaga curiosidad por saber cómo lo enfocarían los medios de comunicación, pero se percató de que le daba igual. Quedaban muy pocas cosas que le parecieran importantes. Estaba acabado, como estaban acabados, en lo que a él respectaba, el museo, sus negocios y la ciencia. Todos sus sueños (¡qué remotos parecían!) se habían ido a pique con la roca. Solo le apetecía una cosa: ir a su granja del norte del estado de Nueva York, prepararse un martini bien cargado, sentarse en la mecedora del porche y ver a los ciervos comiendo manzanas en el huerto.

Entró un camillero, retiró la bandeja y se dispuso a dejar otra.

Lloyd negó con la cabeza.

—Oiga, que es mi trabajo —dijo el camillero.

—Bueno.

Justo entonces llamaron a la puerta.

Era McFarlane. Tenía vendadas la mano izquierda y una parte de la cara. Iba con gafas de sol, y se veía que le costaba caminar. De hecho tenía un aspecto deplorable. Se sentó en la silla plegable de metal que ocupaba casi todo el espacio libre de la salita, y que crujió.

Para Lloyd fue una sorpresa. Después de tres días sin verle, había dado por supuesto que McFarlane estaba harto de él. Nada más lógico. En general apenas le habían dirigido la palabra. De hecho su único visitante de la expedición había sido Howell, y solo para que firmase unos papeles. Ahora le odiaban todos.

Supuso que McFarlane esperaba a que se hubiese marchado el camillero para hablar, pero una vez cerrada la puerta se quedó callado. Fue un largo silencio, que concluyó con el gesto de quitarse las gafas de sol e inclinarse.

Lloyd quedó azorado por el cambio. Casi parecía que le ardieran los ojos. Los tenía rojos y en carne viva, con grandes ojeras. Iba sucio y descuidado. Le habían afectado mucho la pérdida del meteorito y de Amira.

—Tengo que decirle una cosa —dijo McFarlane con voz aguda por la tensión.

Lloyd aguardó.

McFarlane se inclinó un poco más y le habló directamente al oído.

—El *Rolvaag* se hundió a 61º32'14" sur 59º30'10" oeste.

—Sam, por favor, no me hables de ese tema. Es mal momento.

—Pues tiene que ser ahora —dijo McFarlane con una vehemencia inesperada.

Metió la mano en el bolsillo y sacó un disco compacto, que reflejó la luz como un arco iris.

—Este disco…

Lloyd se giró de cara a la pared de conglomerado.

—Sam, que ya está. El meteorito ha desaparecido. Olvídate del tema.

—Este disco contiene los últimos datos que reunimos sobre el meteorito. Hice una promesa, y he estado… estudiándolos.

Lloyd estaba cansado, cansadísimo. Se le fue la mirada por la ventanita, hacia las montañas rodeadas de glaciares que horadaban las nubes con sus cimas. Le repugnaba la visión del hielo. No quería volver a verlo en toda su vida.

—Ayer —prosiguió McFarlane sin darle tregua—, uno de los científicos de la base me dijo que han captado una serie de maremotos muy raros y superficiales; a docenas, y todos por debajo del tres en la escala Richter.

Lloyd aguardó a que continuara. ¡Era todo tan irrelevante!

—El epicentro de los terremotos está en 61°32'14" sur 59°30'10" oeste.

A Lloyd le temblaron los ojos, y giró lentamente la cabeza para mirar al científico.

—He estado analizando estos datos —continuó McFarlane—. Tratan casi todos sobre la forma y la estructura interna del meteorito. Son muy peculiares.

Lloyd no contestó, pero tampoco le dio la espalda.

—Tiene varias capas y es casi simétrico. No es natural.

Lloyd se incorporó.

—¿Que no es natural?

Empezaba a estar alarmado. McFarlane había sufrido una crisis mental y necesitaba ayuda.

—Ya le digo que tiene varias capas: una cáscara externa, otra capa interna muy gruesa y una inclusión pequeña y redonda justo en el centro. No es accidental. Piénselo. ¿A qué se parece? A algo muy común. Debe de ser una estructura universal.

—Estás cansado, Sam. Voy a avisar a la enfermera. Te…

Pero McFarlane le interrumpió.

—Lo descubrió Amira justo antes de morirse. Lo tenía en la mano. ¿Se acuerda de que dijo que no había que analizarlo desde nuestro punto de vista, sino adoptar el del meteorito? Al final ella tenía la respuesta. Reaccionaba al agua salada. La estaba esperando desde hacía millones de años.

Lloyd buscó el botón de emergencia que había cerca de la cama. McFarlane estaba mucho más grave de lo que le había parecido.

McFarlane hizo una pausa y le brillaron los ojos más de lo normal.

—Resulta que no era ningún meteorito.

Lloyd notaba que en la habitación reinaba un silencio extraño. Ya había encontrado el botón. La cuestión era discurrir una manera de apretarlo sin poner nervioso a su acompañante. McFarlane tenía la cara roja y sudada y respiraba deprisa. La pérdida de la roca, el hundimiento del *Rolvaag*, las muertes en el agua, en el hielo… debían de haberle vuelto loco. Lloyd sintió una punzada de culpabilidad. Incluso los supervivientes habían quedado impedidos.

—¿Me oye, Lloyd? He dicho que no es ningún meteorito.

—¿Pues qué es, Sam? —consiguió decir Lloyd sin alterarse, y moviendo la mano hacia el botón como si fuera un simple gesto sin importancia.

—Eso de que haya habido tantos terremotos superficiales justo donde se hundió el barco…

—¿Qué? —dijo Lloyd para aplacarle.

Pulsó el botón, no una, sino tres veces. Enseguida vendría la enfermera y McFarlane recibiría ayuda.

—¿Sabe qué le pasa a lo que plantamos en el fondo del océano?

—¿Qué?

Lloyd procuró adoptar un tono normal. Suerte que ya oía los pasos de la enfermera por el pasillo.

—Que germina.

NOTA DE LOS AUTORES

Esta obra se inspira parcialmente en una expedición científica real. En 1906 el almirante Robert E. Peary descubrió el meteorito más grande del mundo en el norte de Groenlandia y lo bautizó Ahnighito. Lo encontró gracias a que los esquimales de la zona usaban puntas de lanza de hierro batido en frío. Peary las analizó y descubrió que eran de origen meteorítico. Al final rescató el Ahnighito y, superando infinitas dificultades, lo subió a su barco. Una vez estuvo a bordo, la masa de hierro estropeó todas las brújulas del barco. Peary consiguió llevarlo al Museo de Historia Natural de Nueva York, en cuya sala de meteoritos permanece expuesto, y contó la historia en su libro *Northward over the Great Ice*. Se lee en ella: «Nunca he tenido una prueba tan potente de la majestad de la fuerza de gravedad como al manipular aquella montaña de hierro». El Ahnighito pesa tanto que descansa en seis grandes pilares de acero que penetran en el suelo de la sala de meteoritos del museo, atraviesan el sótano y están fijados con pernos a la capa de roca debajo del edificio.

Huelga decir que, así como muchos escenarios mencionados aquí poseen existencia real, Lloyd Industries, Effective Engineering Solutions y todos los personajes y barcos descritos en la novela, tanto norteamericanos como chilenos, son puramente ficticios. Es más: aunque en los atlas figure una isla grande con el nombre de Desolación unos doscientos cuarenta kilómetros al nordeste de donde se sitúa gran parte de la acción de la novela, nuestra isla Desolación (su configuración, tamaño y situación) se debe enteramente a nuestra inventiva.